북한 핵 문제

IAEA 핵안전조치 협정 체결 4

북한 핵 문제

IAEA 핵안전조치 협정 체결 4

한국학술정보

| 머리말

1985년 북한은 소련의 요구로 핵확산금지조약(NPT)에 가입한다. 그러나 그로부터 4년 뒤, 60년대 소련이 영변에 조성한 북한의 비밀 핵 연구단지 사진이 공개된다. 냉전이 종속되어 가던 당시 북한은 이로 인한 여러 국제사회의 경고 및 외교 압력을 받았으며, 1990년 국제원자력기구(IAEA)는 북핵 문제에 대해 강력한 사찰을 추진한다. 북한은 영변 핵시설의 사찰 조건으로 남한 내 미군기지 사찰을 요구하는 등 여러 이유를 댔으나 결국 3차에 걸친 남북 핵협상과 남북핵통제공동위원회 합의 등을 통해 이를 수용하였고, 결국 1992년 안전조치협정에도 서명하겠다고 발표한다. 그러나 그로부터 1년 뒤 북한은 한미 합동훈련의 재개에 반대하며 IAEA의 특별사찰을 거부하고 NPT를 탈퇴한다. 이에 UN 안보리는 대북 제재를 실행하면서 1994년 제네바 합의 전까지 남북 관계는 극도로 경직되게 된다.

본 총서는 외교부에서 작성하여 최근 공개한 1991~1992년 북한 핵 문제 관련 자료를 담고 있다. 북한의 핵안전조치협정의 체결 과정과 북한 핵시설 사찰 과정, 그와 관련된 미국의 동향과 일본, 러시아, 중국 등 우방국 협조와 관련한 자료까지 총 14권으로 구성되었다. 전체 분량은 약 7천여 쪽에 이른다.

2024년 3월

한국학술정보(주)

| 일러두기

· 본 총서에 실린 자료는 2022년 4월과 2023년 4월에 각각 공개한 외교문서 4,827권, 76만여 쪽 가운데 일부를 발췌한 것이다.

· 각 권의 제목과 순서는 공개된 원본을 최대한 반영하였으나, 주제에 따라 일부는 적절히 변경하였다.

· 원본 자료는 A4 판형에 맞게 축소하거나 원본 비율을 유지한 채 A4 페이지 안에 삽입하였다.

· 또한 현재 시점에선 공개되지 않아 '공란'이란 표기만 있는 페이지 역시 그대로 실었다.

· 외교부가 공개한 문서 각 권의 첫 페이지에는 '정리 보존 문서 목록'이란 이름으로 기록물 종류, 일자, 명칭, 간단한 내용 등의 정보가 수록되어 있으며, 이를 기준으로 0001번부터 번호가 매겨져 있다. 이는 삭제하지 않고 총서에 그대로 수록하였다.

· 보고서 내용에 관한 더 자세한 정보가 필요하다면, 외교부가 온라인상에 제공하는 『대한민국 외교사료요약집』 1991년과 1992년 자료를 참조할 수 있다.

| 차례

정 리 보 존 문 서 목 록

기록물종류	일반공문서철	등록번호	2020010104	등록일자	2020-01-16
분류번호	726.62	국가코드		보존기간	영구
명 칭	북한.IAEA(국제원자력기구) 간의 핵안전조치협정 체결, 1991-92. 전15권				
생 산 과	국제기구과/국제연합1과	생산년도	1991~1992	담당그룹	
권 차 명	V.8 체결 촉구 교섭, 1991.10월				
내용목차					

0001

공　　란

공 란

공　　　란

공 란

공 란

공 란

공 란

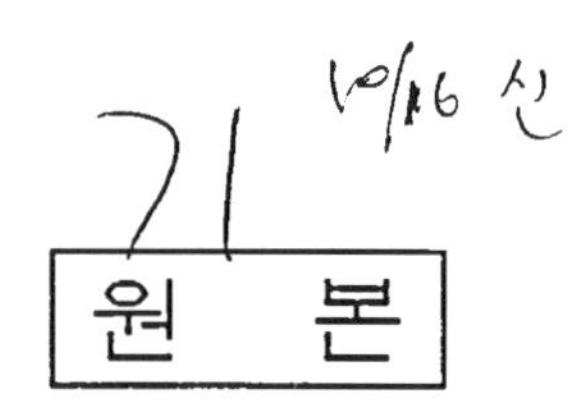

관리번호	91-941

원 본

외 무 부

종 별 :

번 호 : BLW-0708 일 시 : 91 1015 1730

수 신 : 장 관(연일,국기)

발 신 : 주 불가리아 대사

제 목 : 북한의 핵안전협정 체결 촉구

대:WBL-0517

1. 당관 방참사관은 10.15. 주재국 외무부 군축국 CHRISTO HALATCHEV 국장대리를 방문, 금차 유엔총회 본회의 IAEA 연례보고서 심의시 북한의 핵안전협정 체결 및 의무이행 촉구 협조를 요청한 바, 동 국장대리는 불가리아가 알젠틴 및 호주와 함께 IAEA 연례보고서 RESOLUTION DRAFT COSPONSER 국임을 설명하고, 따라서 불가리아는 인류의 안전과 평화를 위해 모든 국가가 동 협정을 체결하고 의무를 이행케 하는데 지대한 관심을 가지고 있다고 말하면서 아국정부의 요청을 상부에 적극 건의하겠다고 함.

2. 동 국장대리는 아국 요청에 대한 자국 입장을 가능한 금주중 결정, 이를 주유엔 자국 대표부에 지시하고 당관에도 통보하겠다한 바, 추보위계임. 끝.

(대사 김좌수-국장)

예고:92.6.30. 일반

검 토 필(1991 . 12 . 31 .)
직권보관 인

국기국 차관 1차보 국기국 외정실 분석관 청와대 안기부

PAGE 1

91.10.16 01:40

외신 2과 통제관 DE

0009

관리 번호	91 — 5268

원 본

외 무 부

종 별 : 지 급

번 호 : HOW-0417 일 시 : 91 1015 1730

수 신 : 장관(연일,국기,구일)

발 신 : 주 화란 대사

제 목 : 북한 핵안전 협정 체결 촉구

대: WECM-0066

1. 대호 관련 91.10.15. 주재국 외무부의 KEES NEDERLOF 접촉한바, 주재국은 EC 회원국을 대표하여 10.14. 총회 제 1 위에서 기 연설하였으며, 동 연설에서는 북한의 핵안전 협정 조기 체결 촉구 내용은 없었다 함.

2. 연이나 동 과장은 북한의 핵개발 문제가 어느 지역에 국한된 문제가 아니고 국제사회의 전체 문제인바, 현재까지 북한측이 아무런 진전된 조치를 취하지 않고 있어, 향후 북한에 대한 국제사회의 압력이 효과적이기 위하여는 안보리에서 동 문제가 취급되어야 할 것으로 본다고 언급하였음.(다만 이 경우 중국측의 태도가 불확실한 것으로 본다고 함)

(대사 최상섭-국장)

19 예고:92.6.30. 일반

국기국 장관 차관 1차보 2차보 구주국 국기국

PAGE 1 91.10.16 04:36

외신 2과 통제관 CA

0010

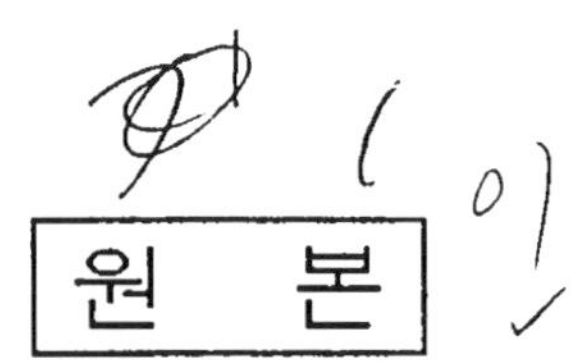

관리번호	91-5286

외 무 부

종 별 :

번 호 : PHW-1408 일 시 : 91 1015 1700

수 신 : 장관(국기,아일)

발 신 : 주 필리핀 대사

제 목 : 북한의 핵안전 협정 체결 촉구

대:WPH-918

1. 당관 황참사관은 10.15.(화) 국제기구국 MERCADO 국장 대리와 접촉, 대호 유엔에서의 의제 14 항 토의시 주재국 대표가 북한을 거명하여 핵안전 조치 협정에 곧 서명할것을 촉구하는 발언을 해줄것을 요청 하였음.

2. 동 국장 대리는 아측 요청 사항을 유엔 총회에 참석중인 ARCILLA 국장에게 전달하고 아측에 최대한 협조하도록 하겠다고 하였음.

(대사 노정기-국장)

예고:91.12.31.일반

19 에 의거 일반문서로 재분류됨

국기국 아주국

PAGE 1

91.10.16 08:51

외신 2과 통제관 CA

0011

71 10/17신

관리번호	91-953

원 본

외 무 부

종 별 : 지 급

번 호 : JAW-5850 일 시 : 91 1016 1536

수 신 : 장관(연일,국기,아일,정특,사본:주유엔대사-중계필)

발 신 : 주 일 대사(일정)

제 목 : 북한의 핵안전협정체결촉구(유엔본회의 및 제 1위 대책)

대:WJA-4637,4738

1. 당관 김영소 정무과장은 금 10.16(수) 오전 외무성 원자력과 오카무라 과장대리 (사다오까 과장은 출장중)를 면담, 대호에 따라 유엔 제 1 위 기조연설및 유엔 본회의 (IAEA 연례 보고서 심의)발언시 북한의 핵안전협정 조기체결 및의무 이행을 촉구하는 내용을 포함시켜 줄것을 요청하였음.

2. 이에 대해 일측은 10.15(현지시간)로 예정된 유엔 제 1 위 도노와끼 군축대사 기조연설시 NPT 관련, 북한을 거명하지는 않았으나 다음과 같은 내용을 포함시켰다고 하였음.

- 다음-

NPT 는 핵확산 방지를 위해 가장 중요한 국제적 체제임, 일본은 NPT 의 보편화를 중시하고 있는바, 90 년 모잠비크에 이어 잠비아, 탄자니아 및 남아공의 가입을 환영하며, 불란서가 금년 6 월에, 그리고 중국이 금년 8 월 카이후 수상방중시, 체결의사를 표명한것을 평가함. 핵보유국인 불란서, 중국의 NPT 가입이 조속 구체화되기를 기대함.NPT 체약국이 동 의무를 이행하는 것은 조약에 대한 체약국의 신뢰를 확보하는데 있어 본질적으로 극히 중요한 것임.NPT 체약국이면서 IAEA 핵안전조치협정 체결의무를 다하지 않는 국가에 대해 조속 의무를 이행토록 강력히 촉구 하는 바임.

3. 한편, 일측은 90 년 총회 본회의 심의시에는 일본이 IAEA 이사회 전임의장국(89.10-90.9 간 의장국)으로서 발언을 하였던바, 금번 10.21-22 간 개최예정인 총회 본회의에서의 IAEA 연례보고서 심의시에도 한국측의 요청을 긍정적으로 검토 하여 동 취지의 발언을 하도록 추진하겠다고 언급하고, 일측의 검토결과를 알려주기 로 하였음. 끝

국기국	장관	차관	아주국	국기국	외정실	분석관	청와대	안기부
중계								

PAGE 1 91.10.16 16:09

외신 2과 통제관 BW

0012

(대사 오재희-국장)

예고:91.12.31 일반

일반문서로 재분류(1991.12.31.)

관리 번호 91-5304

원 본

외 무 부

종 별 :

번 호 : AUW-0847 일 시 : 91 1016 1700

수 신 : 장관(연일,국기)

발 신 : 주 호주 대사

제 목 : 북한 핵안전협정촉구 발언(유엔본회의및 1위원회)

대:WAU-0794,0795

금 10.16 대호관련 양공사가 IAN COUSINS 군축국부국장을 전화 접촉한바, 동 부국장은 최근 자신이 기회있을시마다 북한 핵안전협정 체결 촉구를 IAEA 에서 뿐아니라 유엔무대에서도 공개적으로 촉구해야 한다고 말해온바와같이 지난번 EVANS 외상의 유엔총회 발언시는 물론, 작 10.15 유엔 제 1 위원회에서 PAUL O'SULLIVAN 군축담당대사(제네바 상부)가 상기 호입장에 입각 발언하였으며 오는 10.21 경 유엔총회 본회의에서의 IAEA 년례보고서 심의시에도 동일 취지의 발언을 할것이라고 말하였음을 참고 바람. 끝.(대사 이창범-국장)

예고:91.12.31 일반.

국기국	장관	차관	1차보	아주국	국기국	외정실	분석관	청와대
안기부								

PAGE 1 91.10.16 20:36

외신 2과 통제관 CF

0014

(호주)

7.

1과
(사본: 기획관)

It has been a remarkable year for the NPT. Australia has welcomed the decisions of France, China, South Africa, Zambia, Tanzania and Zimbabwe to join the treaty. We also note with great satisfaction that Latvia, Lithuania, Estonia and the Ukraine intend to join the NPT as non-nuclear weapon States.

The changes in the Soviet Union raise the possibility of number of new states possessing nuclear weapons. Accordingly we urge any other States emerging from the Soviet Union to make an early public decision to foreswear nuclear weapons and to embody that commitment in membership of the NPT.

We should not be complacent about the treaty. The treaty's strength comes from the commitment of its members. For the first time the world has witnessed a state deliberately disregarding its NPT obligations. Iraq has been condemned by the Security Council and the IAEA for doing so.

It is regretable also that many NPT state parties have still not concluded their obligatory safeguards agreements. Failure to conclude such agreements is a breach of the treaty, and affects the security of all. It is therefore not to be dismissed lightly.

We are concerned in particular that one such state is operating unsafeguarded facilities and has by its own inaction on a safeguards agreement raised serious doubts about its nuclear intentions. The DPRK has been called on by the IAEA Board of Governors to sign and bring about the entry into force and full implementation of its safeguards agreement at an early date. We urge the DPRK to do so without further delay.

13-12

0015

(원본)

of our efforts might become clearer then. At the same time, post-GSETT-II activities of the GSE will have to be considered. From this point of view also, the re-establishement of the Nuclear Test Ban Ad Hoc Committee next year will be desirable.

Mr. Chairman,

The Nuclear Non-Proliferation Treaty serves as the most important international framework in preventing proliferation of nuclear weapons. the universal adherence to the NPT is an important goal to be achieved. Therefore, Japan was pleased to see, after last year's accession of Mozambique to the Treaty, Zambia, Tanzania and South Africa acceding to the Treaty. Also, Japan highly values the announcement of the willingness to join the treaty made by France in June, and by China in August at the time of Prime Minister Kaifu's visit to China, and hopes that the two nuclear weapon states will take prompt action to implement their decisions.

On the other hand, the compliance with treaty obligations by the States Parties to the Treaty is of vital importance in securing confidence in the Treaty among its States Parties. Japan wishes to strongly call upon a country who, while being a party to the Treaty, has not yet concluded a safeguard agreement with the IAEA to do so without any further delay.

13-13

0016

10/17 신
기 #1에서 조치하도록 확인

관리번호	91-958

외 무 부

유엔 pass

종 별 :

번 호 : AUW-0847　　　　　일 시 : 91 1016 1700

수 신 : 장관(연일,국기)

발 신 : 주 호주 대사

제 목 : 북한 핵안전협정촉구 발언(유엔본회의및 1위원회)

대:WAU-0794,0795

금 10.16 대호관련 양공사가 IAN COUSINS 군축국부국장을 전화 접촉한바, 동 부국장은 최근 자신이 기회있을시마다 북한 핵안전협정 체결 촉구를 IAEA 에서 뿐아니라 유엔무대에서도 공개적으로 촉구해야 한다고 말해온바와같이 지난번 EVANS 외상의 유엔총회 발언시는 물론, 작 10.15 유엔 제 1 위원회에서 PAUL O'SULLIVAN 군축담당대사(제네바 상부)가 상기 호입장에 입각 발언하였으며 오는 10.21 경 유엔총회 본회의에서의 IAEA 년례보고서 심의시에도 동일 취지의 발언을 할것이라고 말하였음을 참고 바람. 끝.(대사 이창범-국장)

예고:91.12.31 일반.

일반문서로 재분류(1991 .12 .31)

국기국 장관 차관 1차보 아주국 국기국 외정실 분석관 청와대 안기부

PAGE 1　　　　　91.10.16 20:36

외신 2과 통제관 CF

0017

71 10/17 신

관리번호	91-955

원 본

외 무 부

종 별 :

번 호 : NJW-0736　　　　　　　일 시 : 91 1016 1145

수 신 : 장 관(연일,국기,아프일)

발 신 : 주 나이지리아 대사

제 목 : 북한의 핵안정 협정촉구(유엔본회의 대책)

대:WNJ-0410

대호, 당관 오참사관은 10.15. 외무성 동북아과 MR.OLADE 과장 및 UN 2 과 DR.AFALABI 과장과 접촉, 금번 IAEA 연례보고서(14 항)토의시, 북한의 핵안전협정체결및 의무이행촉구 내용발언에 대하여 교섭한바, 동 양과장은 북한의 핵안전가입과 사찰의무이행촉구는 주재국의 기본입장임을 상기, 금차 총회발언시 동내용이 포함될수 있도록 노력하겠다고함.

(대사 조명행-국장)

예고:92.6.30. 일반

검 토 필(1991 12. 31.)
직권보관중단

국기국	장관	차관	1차보	중아국	국기국	외정실	분석관	청와대
안기부								

PAGE 1　　　　　　　　　　91.10.16 20:49

외신 2과 통제관 FI

0018

10/17 신

기

관리 번호	91-954

원 본

외 무 부

종 별 :

번 호 : RMW-0585 일 시 : 91 1016 1250

수 신 : 장관(연일,국기,동구이)

발 신 : 주 루마니아 대사

제 목 : 북한의 핵안전협정체결 촉구

대:WRM-0581

1. 10.15 본직 TINCA 지역담당 차관보와 접촉 대호 주재국측의 협조 당부함

2. 금 10.16 당관 채참사관이 주재국 외무부 BOUHARA 군축국장 면담 협의한바, 루마니아는 금차총회 본회의 IAEA 연례보고서 심의에서 발언할 계획이 아직 없으나. 아측제의 유념하겠다고 함.

3. 본직 금 10.16 TINCA 차관보와 재접촉, 주재국입장 확인예정임.끝.

(대사 이현홍-국장)

예고:91.12.31 일반

일반문서로 재분류(1991.12.31.)

국기국	장관	차관	1차보	구주국	국기국	외정실	분석관	청와대
안기부								

PAGE 1

91.10.16 21:19

외신 2과 통제관 CF

0019

71 10/17신

관리 번호	91-956

원 본

외 무 부

종 별 :

번 호 : GRW-0935 일 시 : 91 1016 1530

수 신 : 장 관(연일,국기)

발 신 : 주 희랍 대사

제 목 : 북한의 핵안전 협정체결 촉구

대:WECM-66

1. 본직은 10.16 오전 주재국 외무성 RETALIS 아주국장을 면담, 대호 요청함. 동대사는 문제점을 충분히 이해한다고 말하면서 아측요청을 관련부서에 적극전달하겠다고 하였음.

2. 본직은 유엔담당 HELMIS 국장과의 면담을 주선중에 있음. 끝.

(대사 박남균-국장)

예고 92.6.30 일반

일반문서로 재분류(1992.6.30)

검 토 필(1991.12.31.)

국기국 장관 차관 1차보 2차보 구주국 국기국 외정실 분석관
청와대 안기부

PAGE 1

91.10.16 22:49

외신 2과 통제관 FI

0020

1

관리번호	91-6962

원본

외 무 부

종 별 :

번 호 : SPW-0741 일 시 : 91 1016 1600

수 신 : 장관(연일, 국기)

발 신 : 주 스페인 대사

제 목 : 북한의 핵안전협정 체결촉구

대: WECM-0066

1. 당관 홍공사는 10.16. 주재국 외무성 국기국 EMILIO PEREZ DE AGREDA 유엔 제 1 위 담당관을 면담 대호 교섭한바, 스페인은 EC 의 공동외교 안보정책 추구 입장에서 EC 전회원국을 대표한 의장국(화란)의 기조연설로 가름하는것이라고함.

2. 동인은 그러나 스페인이 북한에 대한 핵안전협정 조기서명 촉구필요성에 공감하므로 제 1 위 기조연설에 이어서 개최될 제반 비공식회의 WORKING GROUP MEETING 에서 아측 입장을 적극 지지할것이라고 말하였음.

3. 동인 자신은 10.16. 경 제 1 위 회의 참석차 뉴욕향발 예정이라고하고, EC 의장국의 제 1 위 기조연설이 임박한것으로 보이나, 필요시 유엔을 통한 아측의 화란대표부 접촉을 제언한바 있음.

(대사-국장)

예고 1992.6.30. 일반

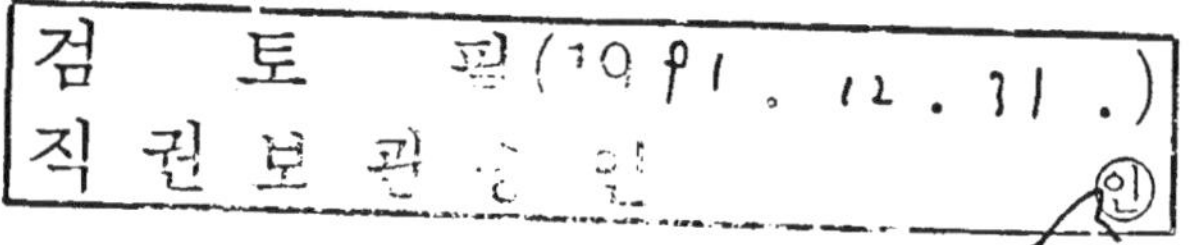

검 토 필(1991. 12. 31.)
직권보관용

국기국	장관	차관	1차보	구주국	국기국	외정실	분석관	청와대
안기부								

PAGE 1 91.10.17 05:44

외신 2과 통제관 CF

0021

기 10/17 신

관리번호	91-960

원 본

외 무 부

종 별 :

번 호 : SDW-0910 일 시 : 91 1016 1640

수 신 : 장관(연일,국기)

발 신 : 주 스웨덴 대사

제 목 : 북한의 핵안전협정 체결촉구(유엔본회의 대책)

대:WSD-0561

1. 본직은 10.16 외무성 ELMER 제 7 국(유엔)국장과 SALANDER 제 6 국장을 각각 접촉, 대호내용을 거론하여 줄것을 요청하였음.

2. 이에대해 ELMER 유엔국장은 지난번 주재국 외상의 유엔총회기조에서도 동건 언급하지 못하였으므로 금년총회 혹은 제 1 위원회에서 스웨덴의 입장을 표명 할것을 검토중이라고 말하고, 그러나 이번 연례보고서 채택시에 동건을 언급하는 것이 적절한지 여부에 관해서는 6 국(군축.안보 및 핵에너지 담당)과 협의 가능한한 긍정적으로 검토하겠다고 말하였으며, SALANDER 제 6 국장도 관계 담당과의 협의시 아측입장을 긍정적으로 검토하겠다고 말하였음. 끝

(대사 최동진-국장)

예고:92.6.30 일반

일반문서로 재분류(1991.12.31.)

검 토 필(1991.12.31.)
직권보관 인

국기국 장관 차관 1차보 구주국 국기국 외정실 분석관 청와대
안기부

PAGE 1 91.10.17 06:10
외신 2과 통제관 CF

0022

10/17 신

관리번호	91-961

원 본

외 무 부

종 별 :

번 호 : CZW-0902 일 시 : 91 1016 1730

수 신 : 장관(연일, 국기)

발 신 : 주 체코대사

제 목 : 북한핵안전조치 협정(유엔대책)

대: WCZ-07217

1. 최승호 참사관이 10.16 외무부 ROVENSKY 군축과 차석 면담, 대호 협의함.

2. 동인은, 핵확산방지문제에 관한 주재국 입장감안, 대북한 안전조치협정체결 촉구발언토록 노력하겠다하고, 다만 국장등 실무진들이 11 월초까지 뉴욕체류 예정이기 때문에 뉴욕에서도 아측이 체코대표단을 접촉해줄것을 권하였음. 끝.

(대사 선준영-국장)

91.12.31 일반

일반문서로 재분류(19 91. 12. 31.)

국기국	장관	차관	1차보	구주국	국기국	외정실	분석관	청와대
안기부								

PAGE 1

91.10.17 06:15

외신 2과 통제관 CF

0023

관리번호 91-5299

원 본

외 무 부

종 별 :

번 호 : UKW-2093 일 시 : 91 1016 1800

수 신 : 장관(연일,국기)

발 신 : 주 영 대사

제 목 : 북한의 핵 안전협정체결 촉구

대: WUK-1884, WECM-66

10.16 당관 최참사관은 WARREN 외무성 극동과 과장대리를 면담, 대호 유엔 본회의 및 제 1 위에서 주재국이 북한의 핵 안전협정 조기체결을 촉구하여 줄 것을 요청한바, 동인은 북한의 핵 개발에 대하여 주재국도 한국과 동일하게 매우 우려하는 바로서 여사한 입장을 이미 누차 밝힌바 있다 하고, 발언문제에 관하여는 검토후 알려주겠다 하였기 우선 보고함. 끝

(대사 이홍구-국장)

예고: 91.12.31 일반

국기국 장관 차관 1차보 구주국 국기국 외정실 분석관 청와대 안기부

PAGE 1

91.10.17 07:34

외신 2과 통제관 BD

0024

관리번호	91-5300

원 본

외 무 부

우선 12시 이다

종 별 : 지 급

번 호 : CSW-0767 일 시 : 91 1016 1910

수 신 : 장 관(연일,국기,미남)

발 신 : 주 칠레 대사

제 목 : 북한의 핵 안전협정 체결 촉구

대:WCS-0346

1. 당관 배진 참사관이 주재국 외무성의 ALVARO CASTELLON 유엔과장 대리(10.15) 및 특수정무국 관계관(10.16)을 각각 접촉, 대호건 교섭한 결과, 동과장 대리등은 아측 설명에 일단 공감을 표시하고, 대호 2 항관련 발언문제는 금명간 이를 검토하여 그 결과를 알려주겠다고함.(외무성 관계 국장급 이상은 국외출장중)

2. 본건 계속 후속 교섭하고 결과 추보 위계임.끝.

~~(대사 문창화-국장)~~

예고:92.6.30.일반

국기국	장관	차관	1차보	미주국	국기국	외정실	분석관	청와대
안기부								

PAGE 1 91.10.17 08:05

외신 2과 통제관 BS

0025

기 10/17신

관리번호	91-971

원 본

외 무 부

종 별 :

번 호 : BBW-0736 일 시 : 91 1016 1800

수 신 : 장관(연일,국기)

발 신 : 주 벨기에 대사

제 목 : 북한의 핵안전 협정체결촉구

대:WBB-0504, WEUM-0066

1. 본직은 대호 지시에따라, 금 10.16(수) MR.M.DELFOSSE 주재국 외무부 유엔국장을 오찬에 초치(이동진공사 배석), 북한의 핵안전협정 체결 및 동 의무이행은 특정지역 문제가 아니라, 벨지움을 포함한 세계적 관심사임을 들어 금차 총회 본회의에서의 의제 14 항 토의 및 총회 제 1 위 기조연설에서 벨지움측이 적극 발언해 주도록 요청하였음.

2. 이에 동 국장은 유엔주재 벨지움 대표부와 긴밀히 연락, 벨지움 대표가 동건에 관심을 갖고 계속 FOLLOW-UP 하도록 조치 하겠다는 반응을 보였기 보고함.끝.

(대사 정우영-국장)

예고:91.12.31 일반

일반문서로 재분류(1991. 12. 31.)

국기국 장관 차관 1차보 구주국 국기국 외정실 분석관 청와대
안기부

PAGE 1 91.10.17 08:07
외신 2과 통제관 BD

0026

관리 번호	91-5302

원 본

외 무 부

종 별 :

번 호 : DEW-0480　　　　　　일 시 : 91 1016 2200

수 신 : 장관(연일,국기)(사본:주유엔대사-중계요)

발 신 : 주 덴마크 대사

제 목 : 북한의 핵안전협정체결 촉구

대:WECM-0066

1. 본직은 금 10.16. 주재국 외무부 CHRISTIAN FABER-ROD 국제기구국장을 면담, 북한의 핵안전조치협정 조기체결을 유도하기 위하여는 국제사회가 지속적으로 북한에 대한 압력을 가할 필요가 있다고 말하고, 유엔총회 제 1 위 기조연설시 주재국이 이를 적극 거론하여 줄 것을 요청함.

2. 이에대해 FABER-ROD 국장은 주재국이 북한의 계속적인 핵안전조치 협정 체결 회피에 우려하고 있으며, IAEA 이사회, EC 회의등 기회 있을때마다 이를 강력 거론하여 왔다고 말하고, 아측이 유엔에서의 거론요청에 대해서도 이를 FULL SUPPORT 하겠다고 다짐함.

3. 본직이 주유엔대표부에 금일 면담내용을 알리겠다고 말하고 양국 유엔대표부간 추가 접촉을 제의한바, 동 국장은 이를 환영하고 자국 유엔대표부에 이를통보하겠다고 말함. 끝.

(대사 김세택-국장)

19 , 예고:91.12.31.에일반
의거 일반문서로 재분류됨

국기국	장관	차관	1차보	구주국	국기국	외정실	분석관	청와대
안기부	중계							

PAGE 1　　　　91.10.17　08:22

외신 2과　통제관 BD

0027

10/17 신기

관리번호	91-966

원 본

외 무 부

종 별 :

번 호 : ITW-1484 일 시 : 91 1016 1830

수 신 : 장관(연일,국기,사본:주유엔대사)

발 신 : 주 이태리 대사

제 목 : 북한의 핵안전협정 체결 촉구

대:WECM-66

1. 당관 문병록 참사관은 금 10.17. 외무성 군축및 핵담당국 MARIANI 참사관을 면담, 대호 아국입장을 설명하고 그간 이태리정부가 IAEA 회의등을 통해 아국입장을 지지발언해 준것과 같이 금번 유엔총회 제 1 위에서도 기조연설을 통해동문제를 거론함으로서 북한의 조기서명을 위해 영향력을 행사하여 줄 것을 요청하였음.

2. 이에 대해 동 참사관은 금번 제 1 위에서는 화란이 의장국으로서 EC 를 대표하여 10.16. 이미 기조연설을 행하였으며, 동연설에서 일반적인 견해를 밝힌것으로 안다고 언급하고 EC 회원국간의 묵계에 따라 타회원국은 연설을 하지 않을 것이며, 이태리도 연설을 할 계획이 없다고 답하였음.(단, 현재까지 입수된 바로는 아일랜드만은 별도로 연설할 예정이라 함)

3. 그러나 동인은 자신이 10.19. 출국, 동회의에 참석할 예정이므로 동회의토의사항을 주의깊게 지켜보아 북한 핵문제에 관한 DRAFT RESOLUTION 이 논의되면 EC 가 공동명의 (또는 필요시 개별국가 명의)로 SHORT INTERVENTION 을 하도록 거론하겠다고 언급하였음. 끝

(대사 김석규-국장)

예고:92.6.30. 일반

일반문서로 재분류(1992.12.31.)

검 토 필(1991 . 12 . 31 .)
직권보관승인 ㊞

국기국	장관	차관	1차보	구주국	국기국	외정실	분석관	청와대
안기부	중계							

PAGE 1 91.10.17 08:25

외신 2과 통제관 BD

0028

10/17 신
사본 국유엔

관리번호	91-967

원 본

외 무 부

UN pass

종 별 :

번 호 : VZW-0587　　　　일 시 : 91 1016 1900

수 신 : 장 관(국기,연일,미남)

발 신 : 주 베네주엘라 대사

제 목 : 북한의 핵안전 협정 체결촉구

대:VZW-0332

1. 대호 관련, 당관 정영채 참사관은 10.16 주재국 외무성 MAICUALIDA APDNTE 국제기구과장에게 금차 유엔 총회 본회의에서 IAEA 연례보고서 심의시 주재국 측이 북한의 핵안전협정 체결 촉구 발언을 해줄것을 요청함.

2. 이에 동 과장은 주유엔 자국대사에게 곧 연락, 가능한한 동문제를 거론토록 하겠다함. 끝 .

(대사 김재훈-국장)

예고:92.6.30 일반

일반문서로 재분류(1992.6.30)

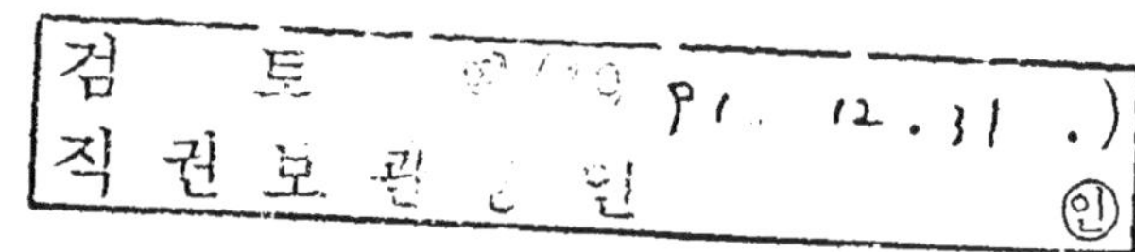
검 토 필 (1991. 12. 31.)
직 권 보 관 인

국기국	장관	차관	1차보	미주국	■■■	국기국	외정실	분석관
청와대	안기부							

PAGE 1　　　　91.10.17 08:54

외신 2과 통제관 BS

0029

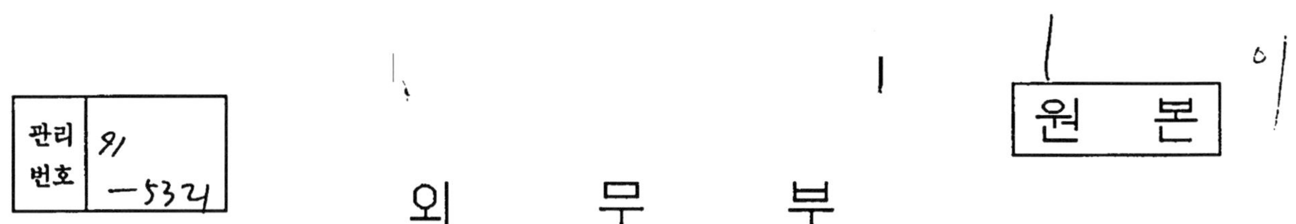

관리 번호 91-5321

원 본

외 무 부

종 별 : 지 급

번 호 : NZW-0320 일 시 : 91 1017 1500

수 신 : 장 관(연일,국기,아동)

발 신 : 주 뉴질랜드 대사

제 목 : 북한의 핵안전협정 체결촉구

대:WNZ-0315

당관 정참사관은 금 10.17 P. ADAMS 외무성 군축및 국제안보국장을 면담, 대호 교섭한바, 동국장은 10.16(현지시간) 자국대표(O' BRIEN 주유엔대사)가 행한 제 1 위 기조연설에서 하기와같이 북한의 즉각적인 핵안전협정 서명을 촉구하였음을 밝힘.

IN THE ASIA/PACIFIC REGION, SAFEGUARDS ISSUES HAVE ARISEN IN ANOTHER FORM. THE CONTINUED OPERATION BY A PARTY TO THE NPT, THE DEMOCRATIC PEOPLE'S REPUBLIC OF KOREA, OF SIGNIFICANT UNSAFEGUARDED NUCLEAR FACILITIES HAS RAISED SERIOUS ISSUES. IT IS UNACCEPTABLE FOR ONE PARTY TO USE A BILATERAL DISPUTE AS AN EXCUSE FOR NOT HONOURING OPLIGATIONS IT HAS UNDERTAKEN IN RESPECT OF ALL OTHER PARTIES TO THE NPT. THE LONGER THIS MATTER REMAINS UNRESOLVED, THE GREATER ARE ANXIETIES ABOUT THE NATURE OF THE NUCLEAR PROGRAMME INVOLVED. CLEARLY THE RECENT INITIATIVES BY THE MAJOR NUCLEAR-WEAPON STATES PROVIDE FURTHER IMPETUS FOR THE DPRK TO SIGN AND IMPLEMENT A SAFEGUARDS AGREEMENT AND WE URGE IT TO DO SO WITHOUT FURTHER DELAY.

(대사 윤영엽-국장)

19 의거 예고:92.6.30 일반

국기국	장관	차관	1차보	아주국	국기국	외정실	분석관	청와대
안기부								

PAGE 1 91.10.17 13:49

외신 2과 통제관 BS

0030

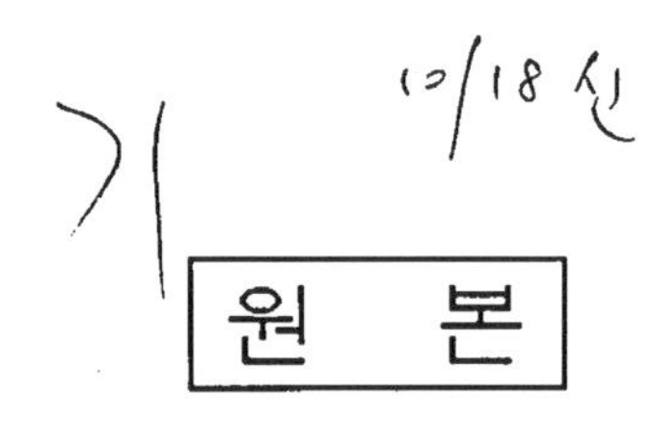

관리번호	91-983

원 본

외 무 부

종 별 : 지 급

번 호 : JAW-5877 일 시 : 91 1017 1557

수 신 : 장관(연일,국기,아일,정특, 사본:주유엔대사)

발 신 : 주 일 대사(일정)

제 목 : 북한의 핵안전 협정체결 촉구 (유엔 본회의 대책)

연:JAW-5850

대:WJA-4637

연호, 금 10.17(목) 일외무성 원자력과 오카무라과장 대리는 당관 김영소 정무과장에게, 일측은 10.21-22 간 유엔총회 본회의 IAEA 연례보고서 심의시 북한을 거명하여 "북한이 IAEA 핵안전 협정을 조속 체결하고, 협정규정을 지체없이이행할것을 촉구한다"는 요지의 발언을 행할 예정이라고 통보하여 왔음. 끝

(대사 오재희-국장)

예고:91.12.31 일반

일반문서로 재분류(1991. 12. 31.)

국기국	장관	차관	1차보	아주국	국기국	외정실	분석관	청와대
안기부	중계							

PAGE 1

91.10.17 16:19

외신 2과 통제관 BN

0031

71 10/18 신

관리 번호	91-980

원 본

외 무 부

종 별 :

번 호 : FRW-2269 일 시 : 91 1017 1430

수 신 : 장관(연일,국기,기정)

발 신 : 주 불 대사

제 목 : 북한의 핵 안전협정 체결 촉구

대:WFR-2163, WEUM-0066

당관 정해웅서기관이 10.16 주재국 외무성 BOISSY 한국 담당관을 면담, 표제건 협의한 바를 다음 보고함.

1. 한국 담당관에 의하면, 최근 미국측이 주재국 외무성에 북한의 핵개발 현황을 설명한바 있고, 주재국도 북한 핵개발 추진을 우려하고 있기 때문에 강석주 북한 외교부 부부장 방불시에도 핵개발 중단을 요구한바 있다 함.

2. 그러나 주재국 전문가들의 분석에 의하면 북한은 전통적인 맹방중 소련은 물론 중국까지도 이제는 믿을수 없는 상황이기 때문에 불안에 빠져 믿을 것은 핵밖에 없다는 일념하에 이락과 마찬가지로 필사적으로 핵개발을 추진하려할 것이고, 이를 저지할수 있는 가능성에 대하여 상당히 비관적으로 본다 함.

3. 정서기관은 그렇기 때문에 국제적인 압력을 강력하게 가해야 한다고 말하고, 금번 유엔총회 본회의 및 제 1 위원회에서 북한의 핵 안전협정 조기서명 및 동 의무 이행을 촉구하는데 주재국도 동참해 줄것을 요청하였음.

4. 본건 관련, 본직은 내주중 주재국 유엔국장을 접촉할 계획임.끝.

(대사 노영찬-국장)

예고:92.6.30. 일반

검 토 필(19 91 . 12 . 31 .)
직권보관승인 ㊞

국기국 장관 차관 1차보 구주국 국기국 외정실 분석관 청와대
안기부

PAGE 1 91.10.18 00:32
외신 2과 통제관 FM

0032

10/18 신

기

관리번호	91-979

원 본

외 무 부

종 별 :

번 호 : URW-0194 일 시 : 91 1017 1320

수 신 : 장관(연일,국기)

발 신 : 주 우루과이 대사

제 목 : 북한의 핵안전 협정 체결 촉구(자료 응신-28)

대:WUR-0160

대호 관련,10.16 주재국 외무성 국제 기구 국장 BORGES 를 접촉 대호 요청 공한을 전달하고 협조를 구한 바, 동 국장은 지난 9.12 비엔나 총회에서 주재국이 아측을 지지한 바와 같이 유엔에서도 아측 입장을 지지해 줄 것을 약속함.

(대사-국장)

예고:91.12.31 일반.

일반문서로 재분류(1991.12.31.)

국기국 장관 차관 1차보 미주국 국기국 외정실 분석관 청와대
안기부

PAGE 1 91.10.18 02:11
외신 2과 통제관

0033

10/18 신

관리번호 91-976

기 원 본

외 무 부

종 별 :

번 호 : HGW-0598 일 시 : 95 98 11017 174

수 신 : 장관(연일,국기) 사본:주유엔대사-중계필

발 신 : 주 헝가리 대사

제 목 : 북한의 핵안전협정 체결촉구

대:WHG-0748

1. 당관 이원형 참사관은 금 10.17(목) 외무부 국제기구국 SZELEI 부국장을방문, 대호 유엔총회 본회의에서의 의제 14 항 토의시 북한의 핵안전협정 체결 및 동 의무 이행을 거론하여 줄것을 요청한바, 동 부국장은 유엔등 국제기구에서의 양국간 협력관계등을 고려, 한국정부의 요청을 호의적으로 검토하겠다함.

2. 헝 외무부는 의제 14 항을 포함한 유엔총회 본회의에서의 발언 초안을 유엔대표부에 전달하여 두었다고 하고, 동 초안에 관한 유엔대표부의 건의를 받아 곧 확정할 예정이라고 함을 참고바람. 끝.

(대사 박영우-국장)

예고:91.12.31. 일반

일반문서로 재분류(1991.12.31.)

국기국	장관	차관	1차보	구주국	국기국	외정실	분석관	청와대
안기부	중계							

PAGE 1 91.10.18 03:51

외신 2과 통제관 CD

0034

10/18 신

기

관리 번호	91-975

외 무 부

종 별 :

번 호 : GEW-2130　　　　일 시 : 91 1017 1850

수 신 : 장관(연일,국기)

발 신 : 주 독 대사

제 목 : 북한의 핵안전협정 체결 촉구

대: WECM-0066

1. 안공사는 10.15. 외무성 DR.SOMMER 동아국장을 면담하고 대호 내용을 설명 주재국의 적극적인 협조를 당부함

2. 이와관련 10.17. SOMMER 국장이 알려온바에 의하면 EC 의장국인 화란대표가 이미 10.14. 에 EC 를 대표하여 기조연설을 하였다고 하며, 이에 추가하여 독일대표(불, 영도 동일)가 연설할 예정은 없다고 하며, 다만 기회가 주어지는 경우에는 대호 내용의 우리요청사항을 발언하도록 주유엔 대표부에 훈령하였다고함.

(대사-국장)

예고:92.6.30. 일반

일반문서로 재분류(1992.6.30.)

검 토 필(1991.12.31.)
직권보관 ㉤ 인 ⓘ

국기국 장관 차관 1차보 국기국 외정실 분석관 청와대 안기부

PAGE 1　　　　91.10.18 04:02
외신 2과 통제관 CD

0035

10/18 신

관리 번호	91-977

원 본

외 무 부

종 별 :

번 호 : POW-0668 일 시 : 91 1017 1900

수 신 : 장관(연일,국기,경기)

발 신 : 주 폴부갈 대사

제 목 : 북한의 핵안전협정 체결 촉구

대:WECM-0066, WPO-0368

1. 당관 주참사관은 10.17 주재국 SANTANA 국기국장을 이임인사겸 방문하고, 대호건 배경설명 및 주재국의 총회 제 1 위 기조연설에서와 또 총회 본회의의 관련의제 토의시 주재국이 대호사항을 적극 거론해 줄것을 요청함

2. 동 국장은 북한의 핵사찰 수용 및 이행문제는 국제사회의 관심사이며, 한국측이 광범위한 지지를 받고있는 문제로 본다고 하면서, 자국 유엔대표부에 아국 요청내용을 곧통보하고 적절히 대처토록 하겠다고 하였음. 동 국장은 다만 이러한 문제의 발언은 EC 의장국이 EC 국가를 대표, 발언케되는 경우가 있으므로, 현지 대표부의 EC 의장국과의 협의가 필요할것이라는 반응을 보였으므로, 아측은 주재국이 이미 IAEA 차원 결의안 공동제안등 적극 입장을 취하고 있으므로,유엔차원 필히 발언해 주도록 당부한바, 동인은 가능한 협조를 약속함. 따라서본건, 주유엔대표부가 현지 주 폴부갈 대표부 및 EC 의장국측과도 접촉토록해주시기 바람. 끝

(대사조광제-국장)

예고:91.12.31 일반

일반문서로 재분류(1991. 12. 31.)

국기국 장관 차관 1차보 구주국 국기국 경제국 외정실 분석관
청와대 안기부

PAGE 1 91.10.18 05:32

외신 2과 통제관 CD

0036

외 무 부

종 별 : 지 급

번 호 : CNW-1411 일 시 : 91 1017 1600

수 신 : 장 관(연일,국기) 사본: 주 유엔대사-중계필

발 신 : 주 카나다대사

제 목 : 북한의 핵안접협정 체결 촉구

대 : WCN-1273,1274

당관 백참사관이 10.17. 외무부 DESPRES 원자력 과장과 접촉, 파악한 내용 아래 보고함.

1. 총회 본회의 의제 14 항

0 카나다는 호주, 일본 및 일부 유럽국가와 공동으로 지난 9 월 IAEA 이사회에서 채택된 북한에 대한 핵안전 협정체결 촉구 결의안을 유엔총회 문서로 채택하여 줄것을 요청하는 서신을 유엔 사무총장에게 발송할 예정이라 함.

2. 총회 제 1 위 기조연설

0 카나다는 10.18. 기조연설을 할 예정으로 있음.

0 동 기조연설에서 카나다는 북한이 아직까지 NPT 의 의무를 이행하지 않고있음을 지적하고, 북한이 IAEA 와 조속 핵안전 협정을 체결하고, 동 협정을 조속 비준 및 이행할것을 기대한다고 언급할 예정이라 함. 끝

(대사-국장)

예고문 : 92.6.30. 일반

국기국	장관	차관	1차보	미주국	국기국	외정실	분석관	청와대
안기부								

PAGE 1

91.10.18 10:10

외신 2과 통제관 BS

0037

관리 번호	91 -5328

원 본

외 무 부

종 별 :

번 호 : MOW-0488 일 시 : 91 1016 1830

수 신 : 장관(연일,국기,중동이)

발 신 : 주 모로코 대사

제 목 : 북한의 핵협정 대책

대:WMO-0340

1. 당관 박대원참사관은 10.17. 외무성 유엔과장을 접촉 대호 북한의 핵안전협정 촉구 발언을 교섭한바 모로코는 91.9.12. IAEA 이사회 결의에 찬성한 것과 같이 금차 유엔총회 본회의에서 의제 14 항을 토의할시에도 아측 입장을 지지하겠다고 약속함.

2. 주재국 정부의 입장은 "지구상 어느곳에서도 핵무기가 존재해서는 안된다는 것"을 강조하고 있는바 박참사관은 금차 본회의에서 "북한"을 거명하여 줄것을 부탁, 동 과장은 상부 보고후 입장을 결정하겠다함. 끝

(대사허리훈-국장)

예고:92.6.30일반

국기국 장관 차관 1차보 중아국 국기국 외정실 분석관 청와대
안기부

PAGE 1 91.10.18 10:13

외신 2과 통제관 BN

0038

	분류번호	보존기간

발 신 전 보

번 호 : WAU-0807 911017 1917 FN 종별 : 암호송신 ~~단수합전~~

수 신 : 주 호주 대사. ~~총영사~~

발 신 : 장 관 (연일)

제 목 : 북한관계 발언

~~대 : AUW-0844~~

~~대호관련~~ 귀 주재국 대표(O'Sullivan 대사)의 유엔총회 1위 발언내용중 북한관계 부분을 별첨 FAX 송부하니 업무에 참고 바람.

첨 부 : 동 자료 1매. 끝. (국기국장 문동석)

보 안 통 제	

앙 고 재	91년 10월 17일	UN 1과	기안자 성 명		과 장	심의관	국 장		차 관	장 관

외신과통제

0039

외 무 부

WAUF-0049 911017 1917 FN

번 호 :

수 신 : 주 호주 대사 (총영사)

발 신 : 외무부장관(연일)

제 목 : 북한관계 발언

총 2 매 (표지포함)

0040

(호주)

It has been a remarkable year for the NPT. Australia has welcomed the decisions of France, China, South Africa, Zambia, Tanzania and Zimbabwe to join the treaty. We also note with great satisfaction that Latvia, Lithuania, Estonia and the Ukraine intend to join the NPT as non-nuclear weapon States.

The changes in the Soviet Union raise the possibility of number of new states possessing nuclear weapons. Accordingly we urge any other States emerging from the Soviet Union to make an early public decision to foreswear nuclear weapons and to embody that commitment in membership of the NPT.

We should not be complacent about the treaty. The treaty's strength comes from the commitment of its members. For the first time the world has witnessed a state deliberately disregarding its NPT obligations. Iraq has been condemned by the Security Council and the IAEA for doing so.

It is regretable also that many NPT state parties have still not concluded their obligatory safeguards agreements. Failure to conclude such agreements is a breach of the treaty, and affects the security of all. It is therefore not to be dismissed lightly.

We are concerned in particular that one such state is operating unsafeguarded facilities and has by its own inaction on a safeguards agreement raised serious doubts about its nuclear intentions. The DPRK has been called on by the IAEA Board of Governors to sign and bring about the entry into force and full implementation of its safeguards agreement at an early date. We urge the DPRK to to so without further delay.

13-12

0041

공 란

공 란

공 란

공 란

공 란

공 란

공　　　란

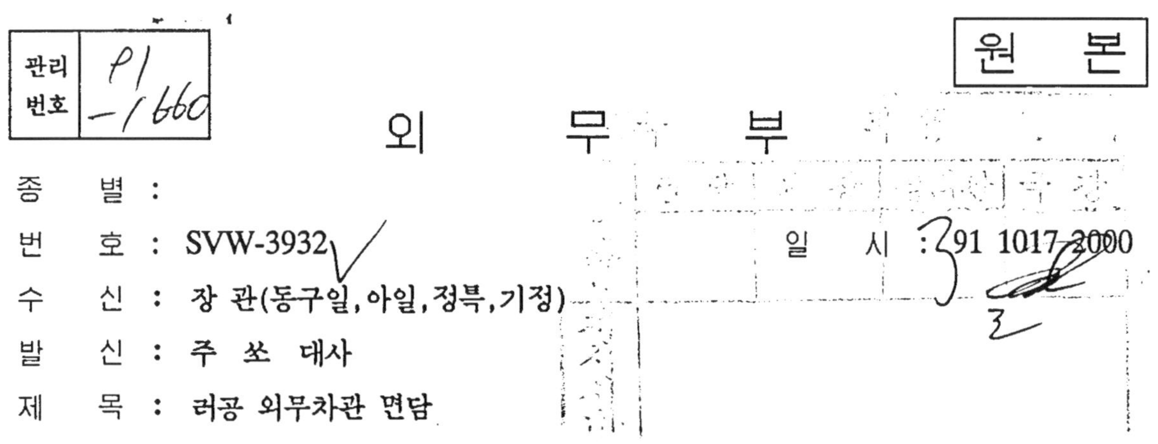

관리 번호 91-1660
원 본
외 무 부
종 별 :
번 호 : SVW-3932
일 시 : 91 1017 2000
수 신 : 장 관(동구일,아일,정특,기정)
발 신 : 주 쏘 대사
제 목 : 러공 외무차관 면담

본직은 금 10.17(금) KUNADGE 러시아공화국 외무차관을 면담한바, 동 요지 아래 보고함.(아측 서참사관, 러측: 토미힌서기관, 하리아모프 보좌관배석)

1. 핵 문제에대한 대북 경고

가. 지난달 당지 손성필 대사가 쿠나제 차관을 방문, 금후 러공과의 관계 증진 의향을 표명한바 있다 함. 이에대하여 동 차관은 한반도 긴장완화를 위하여남북대화가 진전되어야 한다는 것이 러공의 입장이라고 하고 북한이 IAEA 의 핵안전 협정 서명에 서명할 것을 촉구하였으며 만약 북한이 동 협정에 서명하지 않을 경우 북한에 대한 원조를 재검토하지 않을 수 없다고 하고 북한의 회담을 요구하였다 함. 이에대해 손대사는 명확한 답변을 피하였는바, 명 10.18(금)로 예정된 루킨 러공최고회의 외무위 위원장과 손대사는 면담시 LUKIN 위원장은 러공측의 상기입장을 되풀이 설명할 것이라 함.

나. 러공측은 북한측의 반응을 기다려 금후의 대북한 정책을 결정할 것이라고 하고, 핵안전 협정 서명과 관련 러공은 소연방 정부가 미온적입장을 취하고 있는데 불만이므로 상기와같은 입장을 옐친 대통령의 재가를 얻어 취하게 되었다는배경을서명함.

다. 쿠나제 차관은 핵안전 협정 서명에대한 북한측의 태도가 8 월 쿠데타 발생 이전과 이후에 있어 차이가 있는 것으로 감지되었다 함. 즉 쿠데타 이전에는 서명할 것으로 보였으나 쿠데타 좌절이후 태도가 경화되었는바, 이는 소군부로부터 더 이상의 지원 기대할 수 없다고 판단한데 그 요인이 있는 것으로 본다함

라. 쿠나제 차관은 최근본국으로 전임하는 중국대사를 만났을때 핵안전 협정관련 의견을 교환한바,(상기와같은 구체적 사항은 언급함이 없이) 중국측은 러공측의 입장에 이해를 표명하고 북한이 어떤 전제 조건이없이 조속히 동 협정에 서명해야

구주국 장관 차관 1차보 아주국 외정실 분석관 청와대 안기부

PAGE 1

91.10.18 10:51

외신 2과 통제관 BD

0049

한다는 견해를 피력했다함.

마. 쿠나제 차관은 상기의 핵안전 협약 서명과 관련된 러공입장에 대하여서는 재삼 대외적으로 누설되는 일이 없기를 심심당부 하였기 보안에 유의바람. 이것이 대외적으로 보도될 경우 북한측 태도가 경화되는 등 아측의 이익에 반할 것으로 봄.

2. 선린 협력조약

가. 본직은 장관 방소를 염두에 두고 고대통령이 제기한 선린협력조약 체결문제와 관련 러공측의 견해를 타진했던바, 동차관은 만약 러공이 연방을 승계할 경우 자동적으로 소련이 체결한 조약을 승계할 것인바, 이런 경우 소.조 우호협력 상호원조 조약도 승계할 것이므로 대한민국과의 균형으로 보아서도 동 우호 협력 조약은 기회가 닿는대로 체결하는 것이 좋겠다고 함.

나. 동 차관은 연방 외무성으로부터 조약초안을 접수했으나 아직 검토할 시간적 여유가 없었다 하고, 이문제는 러공과 직접 체결할 수도 있으나 연방외무성과 러공 외무성간의 업무관계 협상이 11 월부터 시작되어 상당한 시일이 소요될 것이므로 우선 연방과 체결해 두는 것이 좋겠다는 얘기도 하고 있었음.

3. 김일성 방중

쿠차관은 북경 대사관으로부터 아직 김일성의 방중 관련 최종보고를 접수치못해 잘 알수 없으나 주중 대사관의 첫보고는 대단한 것은 없는 것 같다는얘기였다 함.

4. 러공과 연방간의 관계

가. 최근 옐친 대통령이 92 년 회계년도부터 러공으로서 필요하다고 인정되는 연방성에 한하여 예산지원을 하겠다 하고 연방 국방성, 원자력성, 교통성의 3개 성만 거명한바, 연방 외무성이 제외되었다고 함. 내월부터 연방 외무성측과회동, 대외관계의 역할과 책임 분담을 논의 예정이나 동 협의는 난항이 예상되며 연말경에 가서나 끝날 것이라고 본다 함.(이런 견지에서도 외무장관의 방소를명년으로 하는 것이 좋겠다 함.)

나. 러공 외무성 직원은 아직 실무 경험이 없어 여러가지 어려움이 있고 한국 전문가도 아쉬운 형편이나 연방 외무성 한국 전문가중에는쓸만한인물이 없다 함

5. 외무장관 방소 시기(별첨 참조)

6. 옐친 대통령및 하스불라토프 의장 대행 방한문제(별첨참조)

(대사공로명-국장)

91.12.31 일반

1991.12.31에 예고문에 의거 일반문서로 재분류 ⓞ

1/18 신

관리번호	91-992

원 본

외 무 부

국기

종 별 :

번 호 : MXW-1584 일 시 : 91 1017 1530

수 신 : 장 관(연일,국기)

발 신 : 주 멕시코 대사

제 목 : 북한 핵안전 협정촉구

대:WMX-1070

대호 북한의 핵 안전촉구 관련 당관 김공사는 10.15. 외무성 OLGA PELLICER국장에 공한전달과 동시에 담당관 접촉 교섭한바, 호의적으로 상부에 보고 가능한 반영되도록 노력하겠다고함.끝.

(대사이복형-국장)

예고:1991.12.31. 일반

일반문서로 재분류(1991. 12. 31.)

국기국 차관 미주국 국기국

PAGE 1

91.10.18 11:36

외신 2과 통제관 BS

0051

71 10/18 신

관리번호	91-994

원 본

외 무 부

종 별 : 지 급

번 호 : JAW-5898 일 시 : 91 1018 1340

수 신 : 장관(연일, 국기, 아일,정특,사본:주유엔대사)

발 신 : 주 일 대사(일정)

제 목 : 북한의 핵안전 협정 체결 촉구 (유엔 본회의 대책)

연:JAW-5877

대:WJA-4637

1. 금 10.18(금) 오전 일외무성 원자력과 사다오까 과장은 당관 김영소 정무과장에게, 연호와 같이 일측이 10.21-22 간 유엔 총회 본회의 IAEA 연례보고서심의시 북한을 거명하여 핵안전협정 조기체결 및 이행을 촉구하는 내용의 발언을 행한다는 방침에 아직 변함은 없다고 재통보하여 오면서, 다만,"일본만이 돌출하여 DPRK 를 거명하여 비난하는 상황이 되는 것은 바람직하지 않다"는 의견도있어, 북한거명 문제는 최종적으로는 여탁 발언국들의 북한거명 여부도 주시하면서 현지에서 판단. 결정토록 할것이라고 언급하였음(여타 발언국들이 북한을 거명할 경우, 일본도 거명토록 하라는 훈령을 금명간 주유엔 대표부측에 타전 예정이라함)

2. 이에 아측은 대호에 따라, 북한을 거명함으로써 북한에 대한 핵안전협정조기 체결을 직접 촉구해 줄것을 재차 요청하였음.

3. 본건 일본의 북한거명 문제는 유엔에서의 여타 발언국들의 발언내용에 따라 최종결정될 가능성이 있으므로, 유엔에서의 여타국들과의 협의에 참고바람.

4. 한편, 일측은 아국의 발언 여부 및 발언내용에도 관심을 표명하고 있으니 여타국들의 동향포함, 관련사항 통보바람. 끝

(대사 오재희-국장)

예고:91.12.31 일반

일반문서로 재분류(1991.12.31.)

국기국 장관 차관 1차보 아주국 국기국 외정실 분석관 청와대
안기부 중계

PAGE 1 91.10.18 14:31

외신 2과 통제관 BW

0052

관리번호 91-995

원 본

외 무 부

종 별 :

번 호 : PDW-0891 일 시 : 91 1017 1740

수 신 : 장관(연일,국기,사본:주유엔대사-중계필)

발 신 : 주 폴란드 대사

제 목 : 북한-핵안전 협정

대 : WPD-0896

1. 대호관련, 최참사관은 외무성 유엔부국장 LUKASIK 과 면담, 협조 요청한바, 유엔총회 참석차 10.17 뉴욕으로 출발한 WORONIECKI 유엔국장에게 이를 보고하였으며 폴란드도 이문제에 관해 한국과 같이 크게 우려하고 있으므로 유엔총회시 이를 거론하게 될것이라고 언급함.

2. 본건 주 유엔대표부간에도 협조바람. 끝

(대사 김경철-국장)

예 고 : 92.6.30. 일반

일반문서로 재분류(1992.6.30.)

검토필(1991.12.31.)
직권보관중인

국기국	장관	차관	1차보	구주국	국기국	외정실	분석관	청와대
안기부	중계							

PAGE 1 91.10.18 17:47

외신 2과 통제관 BW

0053

관리 번호 91-5332

분류번호	보존기간

발 신 전 보

번 호 : WFR-2197 911018 1829 FN 종별 :

수 신 : 주 불 대사. 총영사

발 신 : 장 관 (연일)

제 목 : 북한의 핵안전협정 체결촉구

대 : FRW - 2269

연 : WFR - 2163

대호 IAEA 사무국장 보고서 총회본회의 토의기간이 10.21(월) - 22(화)간임을 유념바람. 끝.

(국제기구국장 문동석)

1991.12.31. 에 예고문에 의거 일반문서로 재분류됨

보안 통제	

앙 고 재	91년 10월 18일	과	기안자 성명		과 장	심의관	국 장		차 관	장 관
							전결			

외신과통제

0054

관리 번호 91-5334

원 본

외 무 부

종 별 : 지 급

번 호 : THW-2079 일 시 : 91 1018 1600

수 신 : 장 관(연일,경기)

발 신 : 주 태국 대사

제 목 : 북한의 핵안전협정체결촉구(유엔본회의 대책)

대 : WTH-1559

문참사관은 금 10.18 CHOLCHINEEPAN 주재국 외무부 동아과장을 면담, 주재국이 기히 북한에 대한 핵안전협정체결 촉구 결의안에 찬성하였음을 언급하면서 금차 유엔총회 본회의시 태국대표단의 대호 요지 발언을 요청한바 동 과장은 국제기구국과 협조, 지급 조치하겠다고 답하였음

(대사 정주년-국장)

예고 : 92.6.30 일반

국기국 장관 차관 1차보 아주국 경제국 외정실 분석관 청와대 안기부

PAGE 1

91.10.18 19:21

외신 2과 통제관 BW

0055

관리 번호 91-998

원 본

외 무 부

종 별 : 지 급

번 호 : BLW-0714 일 시 : 91 1018 1610

수 신 : 장 관(연일,국기)

발 신 : 주 불가리아 대사

제 목 : 북한의 핵안전 협정 체결 촉구

대:WBL-0517

연:BLW-0708

주재국 외무부 유엔 및 군축국 HALATCHEV 국장대리는 10.18 당관 방참사관에게 대호 아국정부의 북한 핵안전 협정 체결 및 의무이행촉구 협조 요청에 가능한 최대한 협조하도록 주유엔 자국대표부에 지시할 것이라함. 끝.

(대사 김좌수-국장)

예고:92.6.30. 일반

일반문서로 재분류(1992.6.30.)

검 토 필(1991.12.31.)
직권보관 인

국기국	장관	차관	1차보	구주국	국기국	외정실	분석관	청와대
안기부								

PAGE 1 91.10.19 00:15

외신 2과 통제관 FI

0056

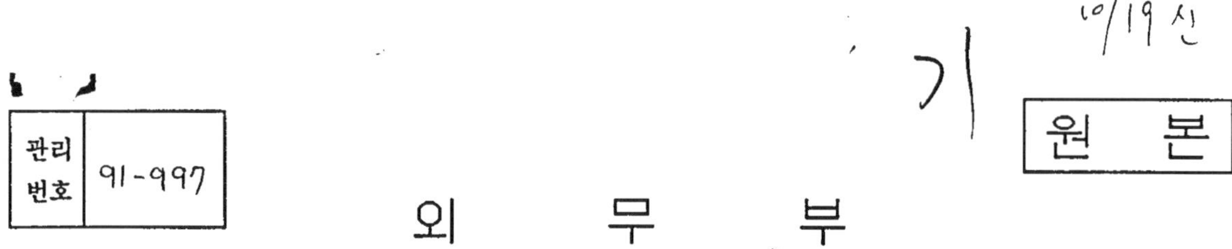

10/19 신

기

관리 번호	91-997

원 본

외 무 부

종 별 :

번 호 : FNW-0308 일 시 : 91 1018 1655

수 신 : 장관(연일,국기)

발 신 : 주 핀랜드 대사

제 목 : 북한의 핵안전협정 체결 촉구

대:WFN-0255

1. 당관 이순천 참사관은 10.18 HALINEN 외무부 유엔과장을 오찬 초청 대호총회 본회의에서 주재국이 북한의 핵안전협정체결 촉구를 언급하여 줄것을 요청함.

2. 동인은 주재국이 동 의제하에서 발언할 예정이라고 말하고, 북한의 핵사찰거부 문제에 대하여 주재국도 우려하고 있으며, 상부와 협의, 아측의 요청을 긍정적으로 검토하겠다고 말함. 끝

(대사대리-국장)

예고:92.6.30. 일반

일반문서로 재분류 (1992.6.30.)

검 토 필(1991.12.31.)
직권보관승인 ㊞

국기국 장관 차관 1차보 구주국 국기국 분석관 청와대 안기부

PAGE 1 91.10.19 01:49

외신 2과 통제관 CE

0057

10/19 신

기 원 본

관리번호	91-996

외 무 부

종 별 : 지 급

번 호 : CSW-0779　　　　일 시 : 91 1018 1340

수 신 : 장관(연일,국기,미남)

발 신 : 주 칠레 대사

제 목 : 북한의 핵안전협정 체결촉구

대:WCS-0346

연:CSW-0767

당관 배진 참사관이 10.17.-18. 간 주재국 외무성 특수정무국 관계관을 계속 접촉, 연호건 후속교섭을 한바, 외무성측은 대호 2 항관련 발언문제에 관하여금일중 주유엔 자국 대표부에 필요한 훈련이 타전될수 있도록 최선을 다하겠다고함. 끝

(대사 문창화-국장)

예고:92.6.30. 일반

일반문서로 재분류(19 6.30.)

검 토 필(1991. 12. 31.)
직권보관승인

국기국 차관 1차보 미주국 국기국 청와대 안기부

PAGE 1　　　　91.10.19 02:05
외신 2과 통제관 CE

0058

관리 번호	91 -5341

원 본

외 무 부

종 별 :

번 호 : SVW-3950 일 시 : 91 1018 1830

수 신 : 장 관(연일,동구일)

발 신 : 주 쏘 대사

제 목 : IAEA 보고서

대:WSV-3345

1. 대호관련, 당관 이원영공사는 금 10.18 PALENYKH 외무성 국제과학기술협력국장 대리를 면담, 10.21-22 간 유엔총회 본회의에서 IAEA 연례보고서 심의시 소련이 북한의 핵안전협정의 조속한 체결및 동 의무 이행을 촉구하는 발언을 하여 줄것을 요청함.

2. 이에 동 국장대리는 NPT 당사국은 당연히 핵안전협정 체결 의무를 이행하여야 한다는 것이 소련의 확고한 입장이므로 의제 14 토의시 상기 내용의 발언을하는데 별 어려움이 없을 것으로 본다고 말하고 아측 요청 사항을 상부에 보고, 대표단에 필요한 훈령을 하달토록 하겠다고 하였음.

3. 다만 동인은 북한을 거명 발언하는 문제는 좀더 검토해 보아야 하겠으나비록 일반적 내용(핵안전 협정 미체결 당사국의 의무 이행 촉구)으로 발언한다고 하여도 북한을 지칭하는 것이라는 점이 분명하므로 효과는 마찬가지가 될 것이라고 부언하였음. 끝

(대사공로명-국장)

19 . 91.12.31에 일반 에 의거 일반문서로 재분류

국기국 장관 차관 1차보 2차보 구주국 외정실 분석관 청와대 안기부

PAGE 1

91.10.19 07:33

외신 2과 통제관 CE

0059

관리 번호	91 -5340

원 본

외 무 부

종 별 : 지 급

번 호 : FRW-2285 일 시 : 91 1018 1840

수 신 : 장관(연일,구일)

발 신 : 주 불 대사

제 목 : 북한의 핵안전협정 체결 촉구

대:WFR-2197

연:FRW-2269

1. 대호건 관련, 본직은 금 10.18 오후 외무성 LEVITTE 아주국장을 접촉,10.21-22 간 토의시 불 대표가 표제건을 거론해 줄것을 요청함.

2. 동 국장은 본건, 유엔국과 협의 즉시 훈령을 UN 대표부에 하달할 것으로약속함. 끝.

(대사 노영찬-국장)

예고:92.6.30 일반

국기국 차관 1차보 구주국 외정실 분석관 청와대 안기부

PAGE 1

91.10.19 07:34

외신 2과 통제관 CE

0060

71 10/19 신

관리 번호	91-1004

원 본

외 무 부

종 별 :

번 호 : AVW-1367　　　　일 시 : 91 1018 1930

수 신 : 장 관(연일,국기,구이)

발 신 : 주 오스트리아대사

제 목 : 북한의 핵안전 협정 체결 촉구(유엔 제1위 대책)

대:WAV-1134

1. 본직은 외무성 GLEISSNER 차관대리 (군축, 안보문제및 IAEA 담당)와 10.16 오찬및 10.18 전화 접촉을 통해 대호에 관하여 협조 요청하였음.

2. GLEISSNER 차관대리는 북한의 핵안전협정 조기 체결을 촉구하는 내용을 주재국의 유엔 관계위원회 연설시 포함토록 훈령하였으며 특히 9 월 IAEA 이사회및 총회시 자신의 발언중 북한 관계부분 전문(IN EXTENSO)을 타전하고 이를 반영하도록 조치하였다고 함.

끝.

예 고:92.6.30 일반.

일반문서로 재분류(1992. 6. 30.)

검 토 필(1991. 12. 31.)
직권보관승인

국기국	장관	차관	1차보	구주국	국기국	외정실	분석관	청와대
안기부								

PAGE 1　　　　91.10.19 10:04
외신 2과 통제관 BN

0061

공 란

공 란

관리번호	91-1008

원 본

외 무 부

71

종 별 : 지 급

번 호 : DJW-1918 일 시 : 91 1019 1050

수 신 : 장관(연일,국기)

발 신 : 주 인니 대사

제 목 : 북한의 핵안전협정 체결촉구(유엔본회의 대책)

대:WDJ-1117

연:DJW-1719

1. 당관 이참사관은 10.19. DAMANIK 외무성 국제기구 부국장을 방문, 대호 내용을 설명하고 주재국의 협조를 요청하였음.

2. 동 부국장은 우리측 입장을 충분히 이해하며 주재국이 지난 9 월 IAEA 이사회에서 북한의 핵안전협정 체결촉구 결의에 찬성한바 있어 금번에도 문제가 없을 것으로 보나, 주유엔 대표부가 현지 실정을 감안하여 결정하도록 위임하겠다고 하였음.

3. 이에 대해 당관 이참사관이 현재 유엔총회에 참석중인 HADI WAYARABI 국제기구 국장이 동건을 잘 알고 있으므로 주유엔 아국대표부가 HADI 국장을 접촉하여 협조를 요청하는 방안을 제시하였는바, 동 부국장은 좋은 생각이라고 하면서 훈령시 이를 포함시키겠다고 하였음.

4. 따라서 주유엔 대표부 관계관으로 하여금 동건을 비롯하여 아국에 매우 협조적인 HADI 국장을 접촉, 협조를 요청하도록 조치하여 주실것을 건의함. 끝.

(대사 김재춘-국장)

예고:92.6.30. 일반

일반문서로 재분류(1992.6.30.)

검 토 필(1991.12.31.)
직권보관승인 ㊞

국기국 장관 차관 1차보 아주국 국기국 외정실 분석관 청와대
안기부

PAGE 1 91.10.19 14:35

외신 2과 통제관 BW

0064

원 본

외 무 부

종 별 :

번 호 : SVW-3954

일 시 : 91 1019 0820

수 신 : 장 관(동구일,연일,정특,기정)

발 신 : 주 쏘 대사

제 목 : IAEA관련 언론보도

당지 '소비에트스카야 로시아'지는 10.18(금) 북한의 IAEA핵사찰 문제관련, 손성필 주소북한대사와의 회견 내용을 게재한바, 요지 하기보고함.

1. 손성필 주소 북한대사는 부시 미대통령의 9.27핵감축 제안을 주목할 가치가 있다고 말했음. 손대사는 '체이니' 미국방장관이 '부시제안은 한국에서의 핵무기 철수도 포함된다'고 기자들에게 말한점을 상기시키고 미국과 한국정부는 현재까지도 남한에 핵무기가 없다고 주장하고 있다고 강조하였음.

2. 손대사는, 북한은 NPT에 가입하였고 동조약의 내용에는 핵무기 비소유국에 대한 핵무기 사용을 금지하는 조항이 있음에도 불구하고 미국의 대북한 핵위협은 증가되어 왔다고 말하였음.지난 9월에 개최된 IAEA회의시, 북한내 핵사찰을 위하여 IAEA대표단을 접수토록 압력이 행사되었으며, 최근 한국 국방장관은 만일 북한이 IAEA 핵사찰을 거부하는 경우 대북한 핵무기 사용 가능성을 언급한바 북한은 이를 주권침해라고 받아 들이고 있음.

3. 실질적으로 미국이 한국에서 핵무기를 철수,대북한 핵위협이 제거된다면 핵안전보장에 관한 협정체결의 길이 열릴 것이며, 아울러 한반도 비핵지대화에 커다란 진보가 있을것이라는 점을 손대사는 지적하였음.끝

(대사공로명-국장)

구주국 차관 1차보 국기국 외정실 분석관 청와대 안기부

PAGE 1

91.10.19 18:14 FN

외신 1과 통제관

0065

관리번호	91-5349

원 본

외 무 부

종 별 :

번 호 : SBW-1443 일 시 : 91 1020 1500

수 신 : 장관(연일,국기)사본:주유엔대사

발 신 : 주사우디대사

제 목 : 북한의 핵안전 협정 체결 촉구

대:WSB-1022

연:SBW-1072

1.10.20 본직은 동일 오전 출장에서 귀임한 주재국 외무부 MOUHANNA 국제기구국장대리를 방문, 유엔총회에서의 IAEA 연례보고서 심의시 북한의 핵안전협정 체결을 촉구하는 발언를 하여줄것을 요청함(정우성참사관 배석)

2. 동국장대리는 본직의 요청내용을 뉴욕현지에서 주재국 대표단을 지휘하고 있는 LAQUANI 국제기국장에게 즉각 보고하겠다고 말하였으나, 연호 보고와갑이 핵안전협정에 아직 서명치 않고있는 주재국의 입장을 고려할때 적극적인 발언을 기대하기는 어려울것으로 보임.끝

(대사주병국-국장)

예고:92.6.30일반

국기국	장관	차관	1차보	중아국	국기국	외정실	분석관	청와대
안기부								

PAGE 1

91.10.20 22:59

외신 2과 통제관 CA

0066

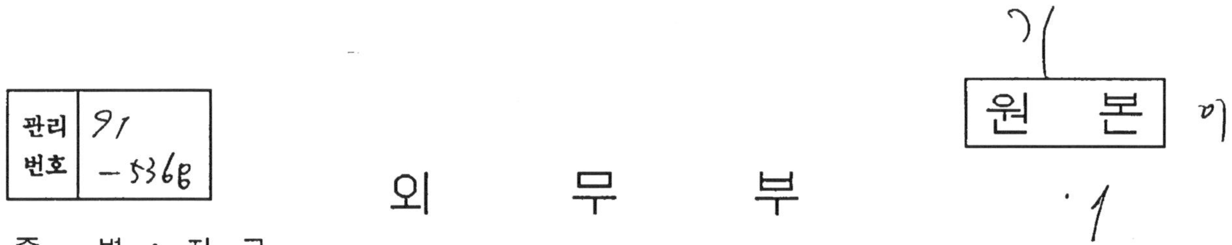

종 별 : 지 급

번 호 : CAW-1102　　　　일 시 : 91 1021 1415

수 신 : 장관(연일,국기)

발 신 : 주 카이로 총영사

제 목 : UN 및 각종 국제기구에서의 대주재국 지지교섭

대:WCA-0682

연:CAW-1018,0631

10.20. 당관 공선섭 부총영사가 ZAHER 주재국 국기국 부국장에게 대호 대북핵안전협정체결 촉구를 요청하였던바, 본건 호의적으로 고려하겠다고 하였으며,또한 기타 각종 국제기구(UNESCO, IMO, FAO, UNIDO/PBC)에서의 아국 이사입후보 지지도 재다짐하였음. 끝.

(총영사 박동순-국장)

예고:91.12.31. 일반

국기국　중아국　국기국

PAGE 1　　　　91.10.21 21:59

외신 2과 통제관 BW

0067

관리 번호 91-5370

원 본

외 무 부

종 별 :

번 호 : FNW-0314 　　　　일 시 : 91 1021 1820

수 신 : 장관(연일,국기)

발 신 : 주 핀랜드 대사

제 목 : 북한의 핵안전협정 체결 촉구

연:FNW-0308

당관 이순천 참사관은 10.21 .J.GROOP 외무부 IAEA 담당대사를 접촉, 연호건 재협의한바, 동인은 북한의 핵안정협정체결 문제에 관한 아측의 우려에 동의하며, 주재국이 총회본회의에서 북한의 핵안전협정체결을 촉구하는 내용의 발언을 하도록 조치하겠다고 말함. 끝

(대사대리-국장)

예고:92.6.30.일반

국기국 장관 차관 1차보 구주국 국기국 외정실 분석관 청와대 안기부

PAGE 1 　　　　91.10.22 01:10

외신 2과 통제관 BW

0068

관리 번호 91-5369

원 본

외 무 부

종 별 :

번 호 : UKW-2117 일 시 : 91 1021 1700

수 신 : 장관(연일,국기)

발 신 : 주 영 대사

제 목 : 북한의 핵안전협정 체결촉구

대: WUK-1884, WECM-0066

연: UKW-2093

10.21. WARREN 외무성 극동과 부과장은 당관 최참사관에게 유엔총회 본회의의 IAEA 연례보고서 심의시 화란이 EC 대표 자격으로 북한의 핵안전협정 체결문제에 관하여 언급할 것임으로 주재국에서는 별도 발언을 하지않을 계획임을 통보하여 왔음. 끝

(대사 이홍구-국장)

예고: 91.12.31 일반

국기국 장관 차관 1차보 구주국 국기국 외정실 분석관 청와대 안기부

PAGE 1

91.10.22 06:12

외신 2과 통제관 BW

0069

신

관리 번호	91-1023

외 무 부 기

(~~서산 : 우편~~)

종 별 :

번 호 : URW-0197 일 시 : 91 1021 1520

수 신 : 장 관(미남,연일,국기)

발 신 : 주 우루과이 대사

제 목 : 외상 면담(자료 응신-29)

연 URW-0194

대 WUR-0156

금 10.21 본직의 GROS 외상 면담 결과를 아래와 같이 보고함.

1. 연호 IAEA 연례 보고시 아측 입장 지지를 재요청한 바, 동 외상은 동건에 대해 기훈령한 바 있으며, 동건 재확인 긴급 조치하겠다 함.

2. 동 외상은 대호 92.3 월경 일본 방문 기회에 방한하려든 당초 계획을 92.5 월말 일본 외무성의 중남미 외상 11 명 초청 GRUPO DE RIO 회의 개최 예정으로 인해 일본 방문이 취소됨에 따라 92.1.20 경 전후로 변경해 줄 것을 요청해옴.

3. 동 외상은 92.2 제네바 인권 위원회 회의 ,92.3 부에노스 아이레스 개최GRUPO DE RIO 회의 ,92.4 LACALLE 대통령의 스페인, 알제리, 이집트, 이스라엘공식 방문 수행등의 일정상 부득이 92.1 월에 방한이 가능하다 하며, 이에 대한 아측의 배려를 요청해옴.

4. 동외상은 부인을 동반치 않고 수행원 1 명만 동반하며, 왕복 항공 요금은 주재국측이 부담하며 4 박 5 일의 방한 기간을 희망해옴.

5. 동 외상의 방한중 주요 관심 사항은 아국 산업 시찰및 재계, 경제계 인사와의 부자, 무역 증진 협의등임.

6. 주재국내 남미 4 개국 공동시장의 사무국이 곧 MONTEVIDEO 에 설치될 예정이며, 이에 따른 남미 4 개국과 아국과의 경제협력 증대및 주재국내 아국 수산업 전초 기지 설치 필연성등의 중요성을 감안, 동 외상의 상기 기간중 방한이 실현되도록 적극 검토후 지급 회시바람.끝.

(대사-국장)

예고 92.12.31 일반

검 토 필(19 91 . 12 . 31 .)
직권보관승인 (인)

미주국	장관	차관	1차보	국기국	국기국	외정실	분석관	청와대
안기부								

PAGE 1

91.10.22 07:55

외신 2과 통제관

0070

관리번호	91-5375

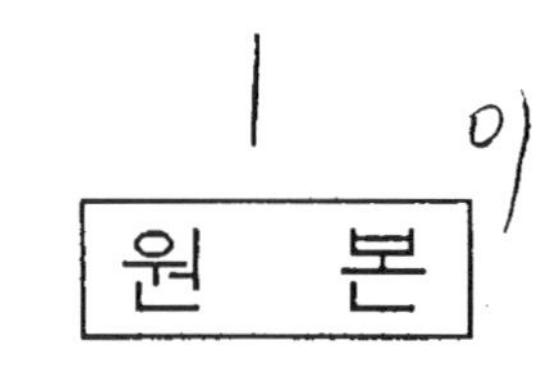

외 무 부

종 별 :

번 호 : IDW-0258 일 시 : 91 10221720

수 신 : 장 관(연일)

발 신 : 주 아일랜드 대사

제 목 : 북한의 핵안전협정 체결촉구

대:WECM-66

연:IDW-236

1. 본직은 금 10.22(화) 외무성 BARRINGTON 정무차관보를 신임인사차 예방한기회에 대호에관하여 언급한바 동차관보는 연호외상이 본회의에서 이미정책적 발언을했으므로 하위인 정치위에서의 재언급은 바람직하지 않다는견해를 표시함.주재국은 정치위에서 금 10.22 발언하는바 전기고려에서 연설에 동건 포함치않는다함.

2. 이에앞서 10.18(금) 당관 유참사관은 외무성 아. 태국장과 접촉, 동건을연호에이어 정치위에서도 재강조해 줄것을교섭한바 동인은 유엔관계관및 안보군축 관계관과 협의후 알려주겠다고 한바있음. 끝

(대사민형기-국장)

예고:91.12.31 일반

국기국 차관 1차보 구주국 외정실 분석관

PAGE 1

91.10.23 02:44

외신 2과 통제관 DE

0071

관리 번호 91-1582

원 본

외 무 부

종 별 :

번 호 : JAW-5988 일 시 : 91 1023 1418

수 신 : 장관(연일,국기,아일,정특,사본:주유엔대사-중계필)

발 신 : 주 일 대사(일정)

제 목 : 북한의 핵안전협정 체결촉구

연:JAW-5898

연호, 금 10.23(수) 오전 일외무성측은 일측이 10.22(현지시간) 유엔총회 본회의 IAEA 연례복서 심의시 북한을 거명하여 핵안전협정 체결 문제 관련 발언을 하였다고 통보해 왔음. 끝

~~(대사 오재희-국장)~~

예고:91.12.31 일반

국기국	장관	차관	1차보	아주국	국기국	외정실	분석관	청와대
안기부	중계							

PAGE 1

91.10.23 14:59

외신 2과 통제관 BW

0072

관리번호	91-1581

원 본

외 무 부

종 별 : 지 급

번 호 : PAW-1114 일 시 : 91 1023 1000

수 신 : 장관(연일,국기,아서)

발 신 : 주 파키스탄 대사

제 목 : 북한의 핵안전 협정체결

대:WPA-652

1. 당관 이상완공사는 10.22(화) HAROON SHAUKAT 외무성 유엔국장대리를 면담, 대호지침에 따라 주재국이 총회 본회의시 의제 14 항 토의발언으로 통해 북한의 핵안전협정체결을 촉구하는 내용을 거론토록 요청함.

2. 이공사는 교역및 부자등 최근 양국간 경제관계 증진현황을 설명하고, 아국의 유엔가입후 국제무대애서의 양국간 협력이 더욱증진되기를 희망한다고 언급하면서, 북한의 핵무기 개발현황과 이에대한 아국과 IAEA 이사국으로서 동 사안의 배경 및 아국입장을 잘알고있으며, 파키스탄이 비록 인도와의 관계상 NPT 에 아직 가입하고있지 않으나 핵비확산의 기본원칙에는 찬성하고있으며, 지난 6 월 나와즈수상의 서남아 비핵지대화 제의등을 통해 동 원칙의 일반적 적용을 위해 노력하고있는바, 아측요청에 대해 DUE CONSIDERATION 를 하도록 상부(유엔대표단포함)에 보고하겠다고 언급함.

4.HAROON 국장대리에 의하면 금번 IAEA 보고서 토론시 'IAEA 의 역활' 과 '이락에대한 결의 687 호 이행' 이 주요쟁점이 될것이라고 하는바, 주재국의 NPT 비당사국으로서 북한의 IAEA 와의 핵안전 협정체결을 앞장서서 촉구할 입장은 아닌것으로 보이나, 토의과정에서 일반적인 핵비확산 원칙의 적용을 강조할 가능성은 있는것으로 보임.끝.

(대사 전순규-국장)

19 91.12.31 에 예고문에 의거 일반문서로 재분류됨

국기국	장관	차관	1차보	아주국	국기국	외정실	분석관	청와대
안기부								

PAGE 1 91.10.23 15:10

외신 2과 통제관 BW

0073

공 란

공 란

WUK-1935 911023 1816 FN

WFR -2231 WDJ -1150 WTH -1618 WPH -0954 WUR -0167

WCS -0358 WVZ -0347 WHO -0375 WSD -0580 WPO -0379

WBB -0518 WMO -0349 WTN -0267 WSB -1036 WUS -4819

WSV -3446 WJA -4791 WNZ -0329 WAU -0821 WCN -1302

WPD -0922 WAV -1180 WCZ -0744 WCA -0696 WNJ -0424

WPA -0664 WMX -1093 WHG -0767 WRM -0599 WBL -0525

WFN -0271

0076

관리 번호	91-1811

분류번호	보존기간

발 신 전 보

WAU-0823 911023 1905 FN

번 호 : 종별 :

수 신 : 주 호주 대사. 총영사

발 신 : 장 관 (국기,연일)

제 목 : 북한 핵안전조치 협정체결 촉구

연 : WAU-0821

연호 10.21(월) IAEA 보고서 심의를 위한 유엔총회 본회의시, 귀주재국 대표가 발언한 표제관련 내용을 별전 FAX 송부하니 업무에 참고바람.

WAUF-51

(국제기구국장 문동석)

일반문서로 재분류(1991.12.31.)

보안 통제	

앙 고 재	91년 10월 23일	국제기구과	기안자 성명		과 장	신태은	국 장		차 관	장 관
			신동익				전결			

외신과통제

0077

관리 번호	91-1312

분류번호	보존기간

발 신 전 보

번 호 : WJA-4795 911023 1906 FN 종별 :

수 신 : 주 일본 대사. 총영사

발 신 : 장 관 (국기,연일)

제 목 : 북한 핵안전조치 협정체결 촉구

연 : WJA-4791

연호 10.22(화) IAEA 보고서 심의를 위한 유엔총회 본회의시, 귀주재국 대표가 발언한 표제관련 내용을 별전 FAX 송부하니 귀관 업무에 참고바람. 끝.

WJAF-112

(국제기구국장 문 동 석)

일반문서로 재분류(1991. 12. 31.)

보 안 통 제	代

앙 고 재	91년 10월 23일	국제기구과	기안자 성 명		과 장	신디안	국 장		차 관	장 관
			신공이		代		전결			

외신과통제

0078

관리 번호	91-1810

	분류번호	보존기간

발 신 전 보

WECM-0070 911023 1855 FN

번 호 : 종별 :

수 신 : 주 전 EC 주재국 대사. 총영사

발 신 : 장 관 (국기, 연일)

제 목 : 북한 핵안전조치 협정체결 촉구

10.21(월) IAEA 보고서 심의를 위한 유엔총회 본회의시, EC를 대표하여 화란대표가 발언한 표제 내용을 하기 타전하니 업무에 참고바람.

The Democratic People's Republic of Korea has accepted the text of a safeguards agreement with the Agency. However, the Twelve have expressed concern during the General Conference over the long delays in the signing, entry into force and implementation of the safeguards agreement between the DPRK and the Agency. It should be borne in mind that the conclusion of a safeguards agreement was already long overdue. 끝.

(국제기구국장 문동석)

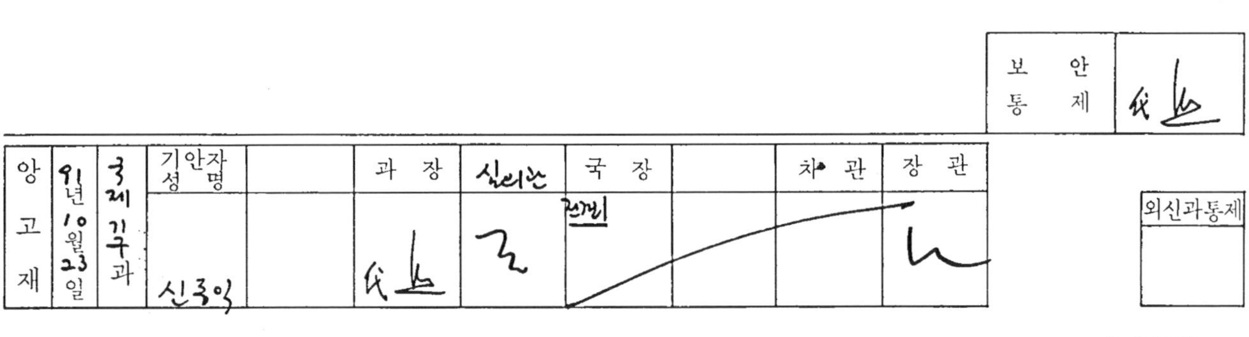

일반문서로 재분류(1991. 12. 31.)

보안 통제	

앙 고 재	91년 10월 23일	국제기구과	기안자 성명		과 장	심의관	국 장		차 관	장 관
			신동익				전결			

외신과통제

0079

관리 번호	91-1808

분류번호	보존기간

발 신 전 보

WBL-0526 911023 1856 FN

번 호 : 종별 :

수 신 : 주 불가리아 대사. 총영사

발 신 : 장 관 (국기,연일)

제 목 : 북한 핵안전조치 협정체결 촉구

연 : WBL-0525

연호 10.22(화) IAEA 보고서 심의를 위한 유엔총회 본회의시, 귀주재국 대표가 발언한 표제관련 내용을 하기 타전하니 업무에 참고바람.

Recent events, notably those related to dangers for world peace and security, have once again highlighted the need for the IAEA to direct its efforts towards establishing such procedures and mechanisms that would rule out non-compliance. It is necessary to enhance further the safeguards system for averting the abuse of nuclear energy for military purposes. We are glad to note that the last General Conference of the Agency adopted a resolution providing for such an upgrading of the safeguards system. In this connection, Bulgaria supports the efforts of the Agency to conclude safeguards agreements with individual countries, especially those in politically sensitive areas such as the Korean Peninsula and the Middle East. 끝.

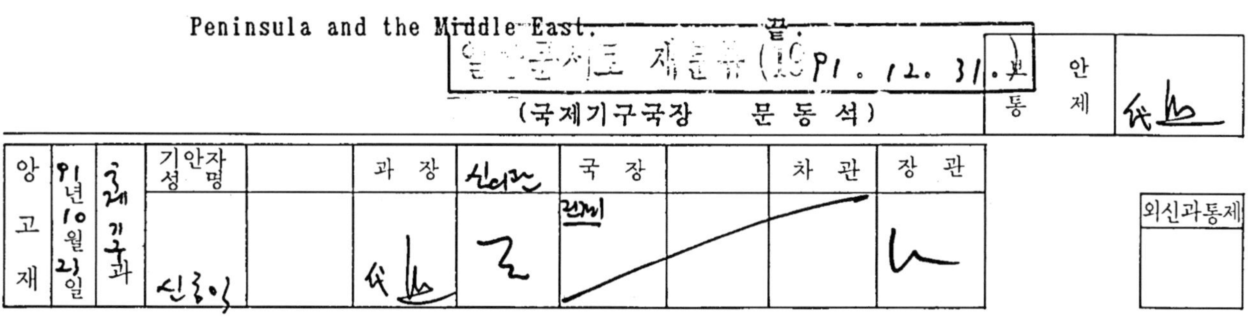

일반문서로 재분류 (1991. 12. 31.)

(국제기구국장 문 동 석)

앙 고 재	91년 10월 23일	국제기구과	기안자 성명		과 장		국 장		차 관	장 관
			신				전결			

보안 통제

외신과통제

0080

관리 번호	91-1807

	분류번호	보존기간

발 신 전 보

WFN-0272 911023 1856 FN

번 호 : 종별 :

수 신 : 주 핀랜드 대사.총영사

발 신 : 장 관 (국기,연일)

제 목 : 북한 핵안전조치 협정체결 촉구

연 : WFN-0271

연호 10.22(화) IAEA 보고서 심의를 위한 유엔총회 본회의시, 귀주재국 대표가 발언한 표제관련 내용을 하기 타전하니 업무에 참고바람.

We note with appreciation the work that the IAEA, in cooperation with the United Nations Special Commission, has already done in uncovering Iraq's non-compliance with its nuclear non-proliferation commitments. It is in recognition of the role that Finland joined as cosponsor of this year's draft resolution on the report of the IAEA.

In this context, it is important to stress once again that the conclusion of a safeguards agreement is a legal-and unconditional-obligation under the NPT. Acceptance of safeguards should not made conditional on the handling of extraneous issues. 끝.

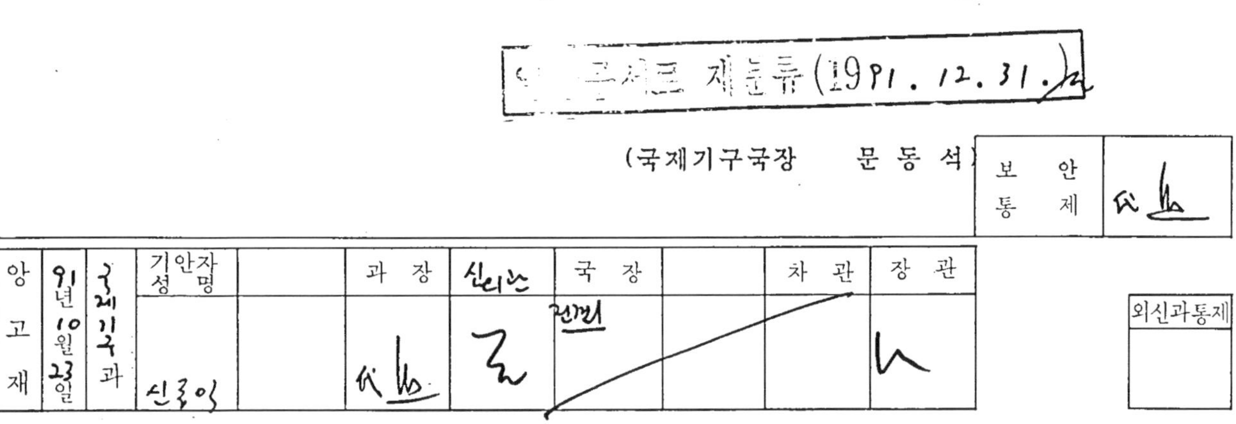

(일반문서로 재분류(1991. 12. 31.))

(국제기구국장 문 동 석)

보안 통제	

앙 고 재	91년 10월 23일	국제기구과	기안자 성명		과 장	신○○	국 장		차 관	장 관
			신○○				전결			

외신과통제

0081

관리 번호	91-1506

	분류번호	보존기간

발 신 전 보

번 호 : WHG-0768 911023 1857 FN 종별 :

수 신 : 주 헝가리 대사. /총영사

발 신 : 장 관 (국기,연일)

제 목 : 북한 핵안전조치 협정체결 촉구

연 : WHG-0767

연호 10.22(화) IAEA 보고서 심의를 위한 유엔총회 본회의시, 귀주재국 대표가 발언한 표제관련 내용을 하기 타전하니 업무에 참고바람.

We are also glad to note that a number of States in Southern Africa have signed the Non-Proliferation Treaty, and wish to call again on those States that have not yet done so to follow their suit. Hungarian delegations at various fora have repeatedly expressed the view that all States Parties to the Treaty should fully implement all the obligations undertaken through their adherence to the Treaty. One of the most important obligations for signatories is the conclusion-including also undelayed ratification - and unconditional implementation of a safeguards agreement, as was rightly emphasized in September by the Board of Governors of the Agency.

끝. 일반문서로 재분류(1991. 12.31)

(국제기구국장 문 동 석)

보안 통제	

앙 고 재	91년 10월 23일	국제기구과	기안자 성명		과 장		국 장		차 관	장 관
			신동익				전결			

외신과통제

0082

관리 번호	91-1405

	분류번호	보존기간

발 신 전 보

WPD-0923 911023 1858 FN

번 호 : 종별 :

수 신 : 주 폴란드 대사. /총영사

발 신 : 장 관 (국기,연일)

제 목 : 북한 핵안전조치 협정체결 촉구

연 : WPD-0922

연호 10.21(월) IAEA 보고서 심의를 위한 유엔총회 본회의시, 귀주재국 대표가 발언한 표제관련 내용을 하기 타전하니 업무에 참고바람.

Poland welcomes recent positive developments in the domain of non-proliferation such as declarations of France and China on their accession to the Non-Proliferation Treaty.

It is difficult to overestimate the significance of such accession for the future of the non-proliferation regime. It is also with satisfaction that my country notes the adherence to the NPT of the Republic of South Africa. It means that a first stone for the foundation of the nuclear-free zone in Africa has been laid down.

We also hope that the standard NPT-type agreement between the IAEA and the Democratic People's Republic of Korea will soon enter into force. Those are heartening events. 끝.

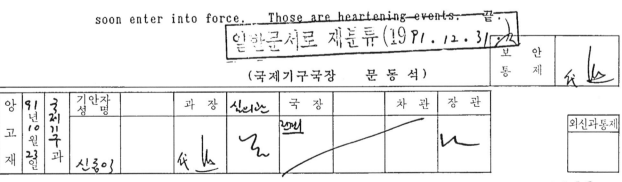

일반문서로 재분류(1991.12.31.)

(국제기구국장 문 동 석)

보안 통제	

앙고재	91년 10월 23일	국제기구과	기안자 성명		과 장	신에산	국 장		차 관	장 관
			신중이				전결			

외신과통제

0083

관리 번호	91-1804

	분류번호	보존기간

발 신 전 보

WRM-0600 911023 1858 FN

번 호 : 종별 :

수 신 : 주 루마니아 대사. 총영사

발 신 : 장 관 (국기,연일)

제 목 : 북한 핵안전조치 협정체결 촉구

연 : WRM-0599

연호 10.22(화) IAEA 보고서 심의를 위한 유엔총회 본회의시, 귀주재국 대표가 발언한 표제관련 내용을 하기 타전하니 업무에 참고바람.

Nous esperons aussi que le processus visant a la conclusion d'un accord de gaianties entre DPRK & IAEA va s'acherez positirement dans un proche avenir. 끝.

(국제기구국장 문 동 석)

일반문서로 재분류(1991.12.31.)

보 안 통 제	

앙 고 재	91년 10월 23일	국제기구과	기안자 성 명		과 장		국 장		차 관	장 관

외신과통제

0084

관리 번호	91-1503

	분류번호	보존기간

발 신 전 보

WUS-4822 911023 1859 FN

번 호 : 종별 :

수 신 : 주 미 대사. 총영사

발 신 : 장 관 (국기,연일)

제 목 : 북한 핵안전조치 협정체결 촉구

연 : WUS-4819

연호 10.21(월) IAEA 보고서 심의를 위한 유엔총회 본회의시, 귀주재국 대표가 발언한 표제관련 내용을 하기 타전하니 업무에 참고바람.

We welcome the fact that a safeguards agreement with the DPRK has been approved by the IAEA.

However, that country has yet to carry out its obligation to sign, ratify and bring the agreement into force, as required by the NPT obligation. 끝.

(국제기구국장 문동석)

일반문서로 재분류(1991. 12. 31.)

보 안 통 제	

앙 고 재	91년 10월 23일	국제기구과	기안자 성 명		과 장	심의관	국 장		차 관	장 관
			신동익				전결			

외신과통제

0085

관리 번호	91-1502

	분류번호	보존기간

발 신 전 보

번 호 : WNZ-0331 911023 1900 FN 종별 :

수 신 : 주 뉴질랜드 대사.총영사

발 신 : 장 관 (국기,연일)

제 목 : 북한 핵안전조치 협정체결 촉구

연 : WNZ-0329

연호 10.22(화) IAEA 보고서 심의를 위한 유엔총회 본회의시, 귀주재국 대표가 행한 표제관련 발언 내용을 하기 타전하니 업무에 참고바람.

While nuclear safeguards agreements under the NPT have been concluded quickly in at least one instance recently, it is discouraging to note the time it has taken for other countries to meet their obligation under the NPT

The continued operation by a Party to the NPT, the Democratic People's Republic of Korea, of significant unsafeguarded nuclear facilities has raised serious issues. It is unacceptable for one Party to use a bilateral dispute as an excuse for not honouring obligations it has undertaken in respect of all other Parties to the NPT. The longer this matter remains unresolved, the greater are anxieties about the nature of the nuclear programme involved. Clearly the recent initiatives by the major nuclear-weapon states provide further impetus for the DPRK to sign and implement a safeguards agreement. We urge it to so without further delay. 끝.

일반문서로 재분류(1991.12.31)

(국제기구국장 문 동 석)

보안 통제	

앙 고 재	91년 10월 23일	국제기구과	기안자 성명		과 장		국 장		차 관	장 관
			신효이							

외신과통제

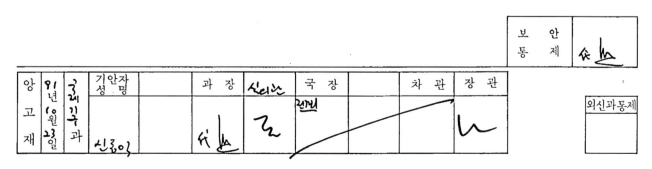

0086

관리 번호	91-1528

	분류번호	보존기간

발 신 전 보

번 호 : WCZ-0747 911025 1044 DQ 종별 :

수 신 : 주 체 코 대사. 총영사

발 신 : 장 관 (국기)

제 목 : 북한의 핵안전조치협정 체결 촉구

연 : WCZ-0744

연호, 10.22(화) IAEA 보고서 심의를 위한 유엔총회 본회의시, 귀 주재국 대표가 행한 표제관련 발언내용을 하기 타전하니 업무에 참고바람.

In expanding the system of safeguards agreement with the IAEA, on which the regime of non-proliferation is based, minor progress was made last year. We expect a speedy signing, ratification and implementation of the agreement, the text of which was approved by the IAEA Council of Governors in early September of this year, by the Democratic People's Republic of Korea. On the other hand we appreciate that the Republic of South Africa has already concluded such an agreement, and that it has done so in a very short time after it has signed the NPT. We are also expecting an early successful conclusion of negotiations between the IAEA on one hand and Agrentina and Brazil on the other on signing a safeguards agreement. 끝.

보안 통제	代

(국제기구국장 문동석)

앙 고 재	91년 10월 24일	국제기구과	기안자 성명		과 장	신	국 장		차 관	장 관
			신3이		代		전결			

외신과통제

0087

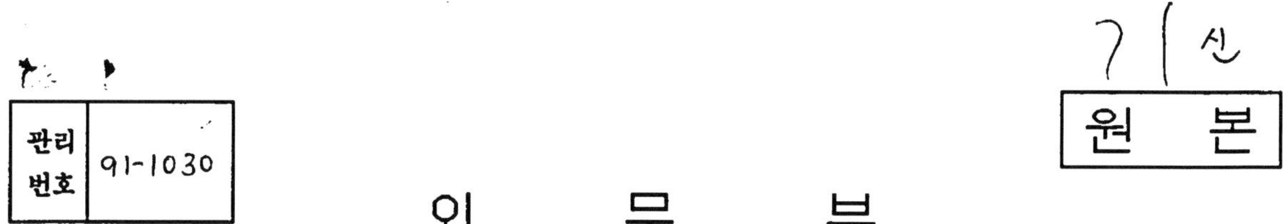

외 무 부

종 별 :

번 호 : GRW-0960 일 시 : 91 1023 1520

수 신 : 장관(연일,국기)

발 신 : 주 희랍 대사

제 목 : 북한의 핵안전 협정체결촉구

대:WECM-66

연:GRW-935

10.23. UN 담당 HELMIS 대사는 한국정부의 입장을 EC 가 공동으로 UN 에서 발언키로 하였음을 본직에게 전화로 알려왔음. 끝.

(대사 박남균-국장)

예고:92.6.30 일반

검토필(1991.12.31.)
직권보관승인

국기국 장관 차관 1차보 구주국 국기국 외정실 분석관 청와대
안기부

PAGE 1

91.10.23 22:53
외신 2과 통제관 CD

0088

기 . 신
(요 ...)
동의

관리번호	91-1040

외 무 부

종 별 : 지 급

번 호 : CPW-3147 일 시 : 91 1024 1830

수 신 : 장 관(아이,아일,국기,정특,기정)

발 신 : 주 북경 대표

제 목 : 김일성 방중결과(33)

PNIO: 91-055

당관 정상기 서기관은 10.24 당지 일본대사관 YOSHIDA 2 등서기관을 접촉, 동인이 10.22 외교부 조선처 "리빈"부처장(김일성 방중기간중 통역 수행)에게 문의한 표제 결과에 관하여 다음 보고함.

1. 방중 총평

가. 요시다 서기관은 리빈 부처장이 김일성의 전 방중기간을 수행하였음을 상기시키면서 방중 결과에 관한 전체적인 평가를 문의한바 리빈 부처장은 김의 방중이 양국관계 강화에 기여하였다고만 언급하였음.

나. 리빈은 중국측이 9 월초에 북한측으로 부터 김일성의 방중희망을 통보받고 약 1 달간의 바쁜 준비기간을 가졌다고 말하였음.

2. 주요 이슈별 언급 내용

가. 경제원조

(1) 요시다 서기관은 최근 외신에 중국의 대북한 경제원조 관련 많은 추측 기사가 있음을 상기시키면서 양측간 경제원조 관계 토의사항을 문의하였음.,(2) 리빈은 90.11. 연형묵 총리 방중시 양국간의 모든 경제문제를 집중 토의하여 당시 모든 문제가 해결되었음으로 금번에는 동 문제를 논의조차 하지 않았다고 토의 자체를 부인하였음.

나. 등소평-김일성 면담 여부

0 리빈은 "등소평이 오랫동안 외빈을 만나지 않으며 그것이 내가 말할 수 있는 전부다"라고 대답하여 동 면담을 부인도 시인도 안하였음.

다. 한, 중 관계

0 리빈은 "북한측은 중국이 한국과 경제관계, 다자간의 관계를 갖고 있으나그

아주국	장관	차관	1차보	2차보	아주국	국기국	외정실	외정실
분석관	청와대	안기부						

PAGE 1

91.10.24 20:59
외신 2과 통제관 FI

0089

이상의 쌍무적인 정치.외교 관계는 갖고 있지 않는 것으로 알고 있었으며 또한 그것이 사실이다"라고 언급한바 동 사항이 리빈 부처장의 언급 내용 전부였음.

라. 북한 핵사찰

(1) 리빈은 김일성 방중시 양측간에 핵사찰건이 토의되었다고 언급하면서 북한은 미국의 전세계적인 핵무기 철수 방침을 환영하며 주한 핵무기 철수가 북한의 핵안전 협정 서명에 도움이 될 것이라는 입장을 밝혔으며, 중국은 한반도 비핵지대화 주장을 지지하며 모든 문제는 관련 당사국들간 협상을 통해 해결하기를 희망한다는 입장을 밝혔다고 언급하였음. 또한 중국은 자신의 년내 NPT 가입 방침과 전인대 상무위에서 동 가입을 위한 국내 법적 절차를 밟을 것임을 북한측에 설명하였다고 언급하였음.

(2) 그러나 리빈은 금번 김일성 방중시 북한측 입장은 91.6 전기침 외교부장 방북시의 북한측 입장과 다른점이 있었다고(다소 후퇴했다고) 언급하였음.

0 즉 91.6 전부장 방북시에는 북한측은 "핵안전 협정에는 서명할 것이나 실제 사찰 여부는 주한 미군 핵무기 철수와 연계시키겠다"는 입장을 밝혔으나, 금번에는 "미국의 주한 핵무기가 철수한다면 북한의 핵안전협정 서명에 도움이 될것이다"라는 입장을 밝혔음.

(3) 중국측은 6 월 전기침 부장 방북후 여러경로로 일본측에 대하여 북한이핵안전협정에는 곧 서명할 것임을 밝혀왔는바, 중국측은 상기와 같은 북한측의입장 후퇴에 불쾌감을 가지고 있는 것으로 보였음.(당지 일본대사관측 평가)

(4) 한편 요시다 서기관이 리빈 부처장에게 중국의 NPT 가입은 핵보유국으로서 IAEA 의 2 가지 사찰중 TECHNOLOGY TRANSFER 분야 사찰만을 의미한 것이나 IAEA 가 북한에 대해 요구하고 있는 것은 FULL SCOPE 사찰임을 상기시킨바 리빈은 중국측도 동 2 개의 건이 별개라는 일본측 견해에 동의한다고 언급하였음.

- 이후 PART 2 로 계속-

기. (돈 모니토 등의)

관리번호	91-1039

외 무 부

종 별 : 지 급

번 호 : CPW-3148 일 시 : 91 1024 1830

수 신 : 장 관(아이,아일,국기,정특,기정)

발 신 : 주 북경 대표

제 목 : 김일성 방중결과(33) PART 2

마. 김정일 권력승계

(1) 요시다 서기관은 리빈에게 김일성과 중국지도자간에 김정일의 권력승계건 또는 방중건 및 김일성의 장기 지방 시찰 이유등에 관하여 문의하였음.

(2) 리빈은 양측간의 동건 토의 여부에 관해서는 회답을 피하면서 북한은 독립자주국가로서 중국이 북한의 내정에 관하여 언급할 입장이 아니며 북한 자신이 결정할 문제라고 답변하였음.

(3) 그러나 리빈은 김일성이 지방 여행기간중 오학겸 부총리(김일성 수행)등 중국 고위인사들에게 자신이 금번처럼 국외에 오래 체재하더라도 북한 국내상황은 매우 안정되었음을 수차 언급한바, 중국측은 여사한 김일성의 언급 내용은 김정일이 북한 국내를 효율적으로 통치하고 있음을 중국측에 암시하는 것으로 느끼고 있다고 언급하였다 함.

바. 지방 여행 목적

0 리빈은 김일성의 87.5 방중시 산동성을 방문키로 양측간에 기합의된바 있으나 당시 실현되지 않았으며, 90.3. 강택민 총서기 방북시 강택민 총서기와 김일성간에 강택민 고향인 양주를 한번 같이 가자고 합의된바 있어 금번 여사한 지역을 가게된 것이라고 언급하였음.

0 리빈은 김일성이 매우 INTELLIGENT 하며 중국문화에 대한 심취가 깊어 태산과 곡부도 방문하게 된 것이라고 설명하였음.

3. 당관 관찰

가. 주재국 외교부측은 핵사찰건을 제외한 여타 문제에 대해서는 정확한 답변을 피하였음.

나. 또한 등소평, 김일성 면담 여부에 관하여 외교부측은 시인도 부인도 하지

아주국	장관	차관	1차보	2차보	아주국	국기국	외정실	외정실
분석관	청와대	안기부						

PAGE 1

91.10.24 21:02

외신 2과 통제관 FI

0091

않은바, 북한측이 김일성의 국내외 위치 제고를 위하여 등소평. 김일성 면담사실 공개 및 가능한 사진공개등을 희망하였을 것으로 가정할때, 동 사실과 함께상기 "가"항을 고려할 경우 중.북한간에 다음과 같은 견해차이가 있었을 것으로 예측됨.

(1) 핵사찰건에 있어 북한이 중국의 희망과는 다른 입장 견지(상기 2 항)

(2) 사회주의 국가간의 연대강화 목표에는 의견이 일치하나 방법에 있어 이견

(3) 북한의 상당한 원조요청에 대해서도 중국은 소극적 반응

- 기보고대로 북한측은 약 7 억미불 원조요청하였으나 중국은 35-50 백만 미불을 약속한바, 여사한 금액은 김일성이 직접 원조 요청하였음을 고려할때 매우 소량으로 간주됨.

(4) 북한의 대미.일 접근 방안에 관하여 양측간 이견 노출

- 특히 핵안전협정 서명과 주한 미군 핵무기 후퇴를 연결하는 것등 북한측 태도 경화는 북한의 신축적 태도를 희망한 중국의 기대에 어긋남

(5) 한. 중 관계에서 국교수립까지 이르는 과정과 속도에 대해서 북한. 중국간 견해 차이 존재

다. 상기 핵사찰건에 관한 북한의 입장이 종전에 비해 후퇴한 감이 있다는 중국측 및 일본측 평가는 관심을 가져야 할 것으로 사료됨. 끝.

(대사 노재원-국장)

예고: 92.12.31. 일반

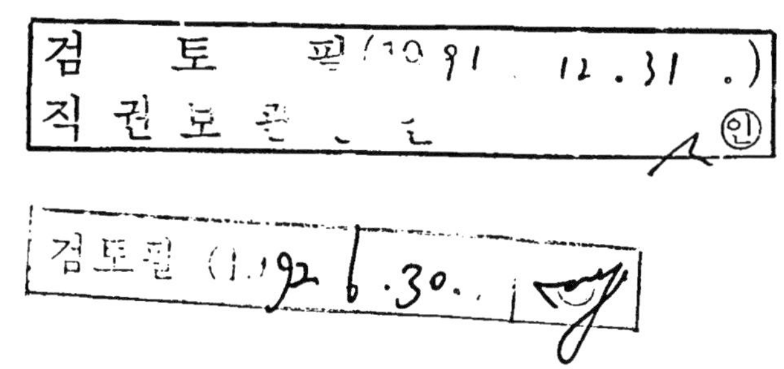

PAGE 2

0092

공 란

EMBASSY OF FINLAND

Seoul, October 25, 1991

No. 1203

Dear Sir,

I am pleased to send you herewith, for your reference, the enclosed address made by Mr. Aarno Karhilo, Under-Secretary of State of Ministry for Foreign Affairs of Finland during the general discussion of the First Committee in the 46th session of the General Assembly of United Nations. Please pay attention to page 3, where Finland emphasizes the obligation of a signatory country of Non-proliferation Treaty to the conclusion of the safeguards agreement with the IAEA.

Hanna Björkman

Second Secretary

Mr. Moon Dong Suk

Director-General

International Organizations Bureau

Ministry of Foreign Affairs

S e o u l

0094

AE 22

Quote...unquote:

Mr. Chairman,

There is a sadly instructive story by Dr. Seuss of a NorthGoing Zax and a South-Going Zax who met in the prairie of Prax. The two

Zaxes got into a long and stubborn argument over who should give way. In the end, neither budged and the world passed them by.

I am afraid, Mr. Chairman, that in the past multilateral disarmament discussions have sometimes resembled the dialogue of the two Zaxes. To the detriment of us all, North and South.

Today, the world is different. Real disarmament is taking place.

More disarmament is in the offing. The military postures of yesteryear are cracking. Dangers are turning into risks. To the benefit of us all, North and South.

Multilateral disarmament debate must reflect the vastness of change, the new paradigm. The alternative is the fate of the the two Zaxes: irrelevance.

Mr. Chairman,

Finland welcomes the historic initiative by President Bush on nuclear disarmament. Finland welcomes the equally historic response by President Gorbachev to his initiative. The two largest nuclear arsenals will be reduced and reorganized, to better suit a world where the United States and the Soviet Union are no longer adversaries but countries in search of co-operation. The Cold War is truly over.

The removal of all short-range land-based nuclear forces from Europe will enhance Europe's security. In our view, these steps are very much in keeping with the co-operative security structures now emerging in Europe.

Major reductions in the Soviet Union's tactical nuclear weapons as well as the creation of a single command for its strategic nuclear forces will help strengthen international confidence in that Soviet nuclear forces will remain in responsible hands even under conditions of widespread turbulence.

We welcome the assurances by Ukraine that nuclear weapons presently deployed in its territory will be eliminated and that Ukraine does not seek to possess any nuclear weapons of its own.

0095

Finland has long expressed concern over the deployment in Arctic waters of sea-based tactical nuclear weapons as well as their conventional counterparts, especially low-flying cruise missiles. 2

While not directed at Finland, geography makes it so that, in a confrontation, such weapons could threaten Finnish security. Finland has therefore a particular reason to welcome the reciprocal steps to reduce nuclear deployments in our immediate vicinity. They should be followed by steps toward conventional naval disarmament.

We would feel even more secure if nuclear submarine patrols in Arctic waters were reduced. A Chernobyl at sea would have devastating consequences.

The unilateral Soviet moratorium on nuclear-weapon tests likewise has particular significance for Finland. The Novaya Zemlya testing site, a mere thousand kilometres from our borders,

will remain silent for at least a year. We continue to urge that it remain silent for ever. Finland hopes that the moratorium will spur progress toward a comprehensive and verifiable nuclear test ban world-wide.

Mr. Chairman,

Neither weapons of mass destruction nor conventional arms are any

longer issues dominated by threat perceptions in the East-West context. Indeed, there is no East-West context any more. That is no cause for complacency, however.

There are still far too many nuclear weapons in the world. In our

view, stability and deterrence can be secured at much lower levels of strategic nuclear weapons. We applaud START and hope for its early ratification. We also welcome Soviet willingness to

go below START levels. START should be the beginning of reductions, not the end.

At the same time, the potential risk to international peace and security posed by other arsenals than the traditional ones is growing. That is no longer an opinion but a fact. Iraq's clandestine pursuit of nuclear weapons in brazen contravention of

its treaty obligations has been documented by the United Nations Special Commission. And Iraq may not be the only one. Only the one which got caught.

In our view, the growing multipolarity of nuclear and other lethal risks requires multiple, mutually supportive approaches. Non-proliferation, outright prohibition and increased transparency are such approaches.

First, nuclear non-proliferation efforts must be pursued with vigour.

Second, a total ban on chemical weapons must be concluded as an urgent priority. Efforts to strengthen the Biological Weapons Convention must continue.

Third, conventional weapons must be accorded much more attention than hitherto.

0096

The Non-proliferation Treaty remains the centerpiece of efforts [illegible] the spread of nuclear weapons. We welcome the accession of new parties to t Treaty this year. The accession of South Africa, in particul should help realize the nuclearization of Africa that we, among others, have long supported. 3

Finland welcomes the decisions by China and France to join the Treaty in principle. With their accession, which we hope will take place soon, all five nuclear-weapon States will be parties.

We also welcome the interest that Argentina, Brazil and Chile have shown in concluding safeguards agreements with the International Atomic Energy Agency. The international non-proliferation regime can only profit thereby.

Finland calls on those few States that still remain outside the Non-proliferation Treaty to join as soon as possible. We welcome the accession of Lithuania to the Treaty. We trust that the other two Baltic neighbours of ours will do likewise. Universality of membership and early agreement on the extension of its lifetime would do much to strengthen the Treaty.

The experience with Iraq shows that signing on the dotted line is not enough, however. The international community needs the means to watch more effectively over the implementation of non-proliferation commitments. The International Atomic Energy Agency has a key role to play in this respect. In Finland's view, the Agency should be provided with an effective on-site inspection capability. The credibility of present and future safeguards agreements is at stake.

Conclusion of a safeguards agreement with the IAEA is a legal requirement under the Non-proliferation Treaty. It is also an unconditional requirement. Finland hopes that the Democratic People's Republic of Korea, an NPT party since 1985, will comply in good faith with its legal obligation without any more delay.

Non-proliferation efforts must be complemented by appropriate export controls and international co-ordination of national measures. We have maintained national export controls for a long time. Just a few days ago, Finland applied for membership in the Missile Technology Control Regime. We have also done the same with regard to the Australia Group which works to prevent chemical weapons proliferation.

Chemical weapons negotiations at the Conference on Disarmament have gathered momentum since May. Important issues remain but now they are being addressed with determination. Finland is confident that an effectively verifiable Chemical Weapons Convention will soon become a reality.

Finland will continue to work to that end by pursuing Convention-related verification research and making the results available to the Conference on Disarmament. We will also continue to train analysts from developing countries in verification methods and techniques necessary to the effective implementation of the Convention once it is in place.

0097

The Third Review Conference of the Biological Weapons Convention was a success. It strengthened the Convention. Work on verification was at long last initiated. Confidence-building ... and expanded. We are particularly pleased that the Review Conference endorsed our initiative for the declaration of vaccine production facilities as one of the three new confidence-building measures. 4

Mr. Chairman,

Europe, which used to be castigated as the continent with the heaviest concentration of arms, is rapidly shedding its notoriety. The CFE agreement, unilateral pullbacks and confidence- and security-building measures are shaping a new Europe.

The regional approach to conventional disarmament works. We believe that the European experience is relevant to concerns in other regions. For example, confidence-building measures, which are sometimes derided as marginal compared to disarmament "proper", have paved the way for actual disarmament. There should be no reason why political will for negotiated confidence-building measures cannot be summoned in other regions when it could be summoned in Europe, then bitterly divided into two antagonistic blocs.

Globally, at the United Nations, Member States are only beginning

to deal with the issue of conventional weapons. In the first place, there is a clear need for States as well as their citizens

to know more of what is going on in this area, particularly with regard to the arms trade. Finland therefore welcomed the initive for a study on ways and means of promoting transparency

in international transfers of conventional arms and provided an expert to participate in its preparation.

Finland strongly supports the key recommendation of the study: the establishment of a universal and non-discriminatory register of international arms transfers under United Nations management. In our view, the decision to set up the register should be made by this session of the General Assembly.

Mr. Chairman,

The United Nations has a large role to play in meeting the challenges of the new era of international disarmament efforts. It will continue to provide the most representative forum for debating and negotiating disarmament issues of global import. Increasingly, we believe, the United Nations will also serve its Members by performing specific tasks in the field of disarmament.

The United Nations Special Commission, management of confidence-building measures under the Biological Weapons Convention as well as the prospective register of conventional arms transfers are all harbingers, albeit very different, of a new trend.

This emerging trend has Finland's full and active support.

Thank you, Mr. Chairman.

+++

Laatija YKE/KAHILUOTO

0098

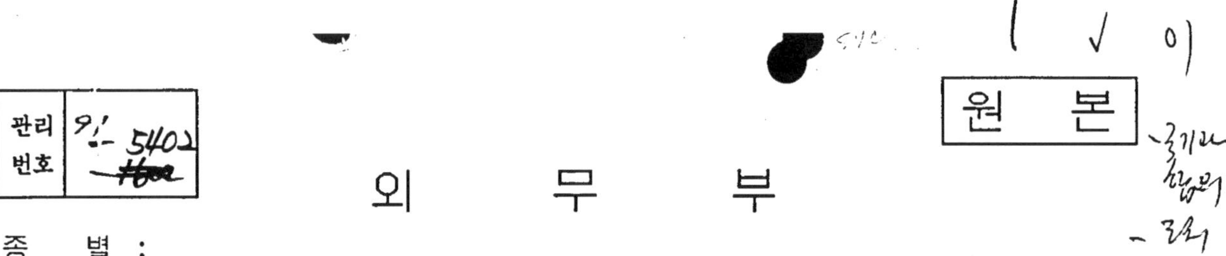

관리 번호 91-5402

원 본

외 무 부

종 별 :

번 호 : CSW-0805　　　　　일 시 : 91 1028 1800

수 신 : 장관(연일,국기,미남)

발 신 : 주 칠레 대사

제 목 : 제46차 유엔총회(IAEA 보고서 심의)

대:WCS-0358

연:CSW-0779

1. 북한의 핵안전협정 체결 촉구를 위한 대주재국 교섭건과 관련, 주재국 외무성 다자국장 ROLANDO STEIN 대사는 최근 본직에게 자국 대표(외무성 유엔과장 PATRICIO MONTERO 참사관)가 10.22. 대호 IAEA 보고서 심의시 북한을 거명하여 상기 협정 체결을 촉구하는 발언을 하였다고 밝힌데 이어, 10.26. 동 발언 기록의 사본을 송부하여 온바, 북한 거명 부분의 내용은 다음과 같음.

''AL MISMO TIEMPO, APROVECHO ESTA OCASION PARA EXPRESAR NUESTRA SATISFACCION PORSATISFACCION POR LA NEGOCIACION DE UN ACUERDO DE SALVAGUARD IA ENTRE LA

REPUBLICADEMOCRATICA Y POPULAR DE COREA Y EL ORGANISMO INTERNACIONAL DE ENERGIA ATOMICA, EN EL MARCO DEL TRATADO DE NO PROLIFERACION DE ARMAS NUCLEARES. ESPERAMOS QUE ESTE IMPORTANTE INSTRUMENTO POR LA PAZ SEA FIRMADO Y RATIFICADOEN EL MAS BREVE PLAZO, EN LA PERSPECTIVA DE LAS TRASCENDENTALES INICIATIVAS DE COOPERACION Y ENTENDIMIENTO EN ESTA MATERIA QUE MI GOBIERNO RESPALDAPLEAMENTE.''

2. 이에 앞서, 본직은 10.24. 국외출장후 귀국(10.21)한 동 국장을 접촉한 기회에, 금번 북한을 거명하여 핵 안전협정 체결을 촉구한 국가들에 주재국이 포함되어있지 않은데 대하여 의아함을 표시한바 있음.

3. 금후 당관 업무에 참고코자 하오니, 상기 1 항 사실을 확인, 회보하여 주시기 바람. 끝

(대사 문창화-국장)

예고:91.12.31. 일반

국기국 장관 차관 1차보 미주국 국기국 외정실 분석관 청와대 안기부

PAGE 1　　　　　91.10.29 08:11

외신 2과 통제관 BW

0099

정리보존문서목록					
기록물종류	일반공문서철	등록번호	2020010105	등록일자	2020-01-16
분류번호	726.62	국가코드		보존기간	영구
명 칭	북한.IAEA(국제원자력기구) 간의 핵안전조치협정 체결, 1991-92. 전15권				
생 산 과	국제기구과/국제연합1과	생산년도	1991~1992	담당그룹	
권 차 명	V.9 유엔을 통한 체결 촉구, 1991.11월				
내용목차	* 북한 핵문제 유엔 안보리 제기 검토				

0001

관리 번호	91-1054

	분류번호	보존기간

발 신 전 보

번 호 : WUN-3793 911101 1419 BE 종별 : ~~WCS~~ -0380

수 신 : 주 유엔 대사. 총영사(사본 : 주칠레 대사)

발 신 : 장 관 (국기, 연일)

제 목 : 제46차 유엔 총회(IAEA 보고서 심의)

연 : CSW-0805

대 : UNW-3451(10.22)

대호, IAEA 보고서 관련 발언국중 칠레 대표가 연호 내용대로 북한을 거명, 핵 안전협정체결 촉구 발언을 했는지 여부를 확인 보고 바람. 끝.

예고 : 91.12.31 일반

(국제기구국장 문 동 석)

일반문서로 재분류(1991.12.31.)

보안 통제	代

앙 고 재	91년 11월 1일	국 리 기구과	기안자 성명		과 장	심의관	국 장		차 관	장 관
			신중이		代	김	전결			

외신과통제

0002

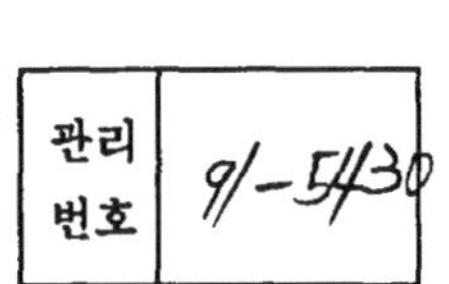

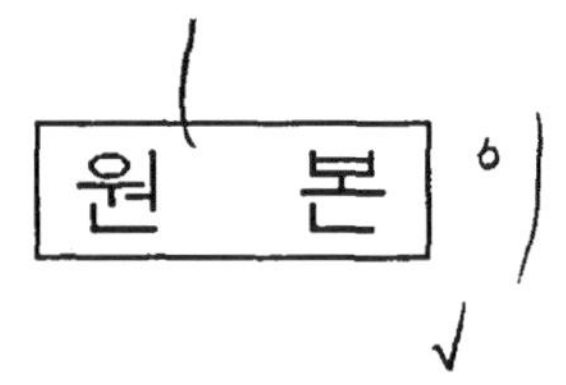

외 무 부

종 별 :

번 호 : UNW-3648 일 시 : 91 1101 2400

수 신 : 장관(국기,연일,미남) 사본:주칠레대사-중계필

발 신 : 주 유엔대사

제 목 : 제46차유엔총회(IAEA 보고서심의)

대:WUN-3793 (CSW-0805)

연:UNW-3451

1. 대호건 , 칠레대표 발언은 아국대표단이 아국발언 관계로 사무국측과 협의중에 발언문 배포도 없이 1-2 분만에 끝나버려 당시 북한관련 발언여부가 확인이 안되었으나, 금일 당관에서 칠레대표부로 부터 입수한 칠레대표 발언 TEXT 상에 의하면 대호와갑이 북한을 거명한 것으로 되어있음.

2. 현재 총회본회의 해당 토의기록이 배포되지 않아 공식 확인은 되지않고 있으나, 당초 칠레측이 아측에 북한을 거명토록 노력하겠다고 한바 있고 상기 TEXT 및 대호 칠레측의 태도에 비추어 아측의 요청에 따라 북한을 거명한 것이 확실한 것으로 보임.

3. 상기관련, 칠레측의 적극적인 협조에 대한 아측의 사의를 전달하는 것이좋을것으로 사료함.(당관에서도 적의 조치 예정임.)

첨부 FAX: 칠레대표 발언문안:UNW(F)-766 끝

(대사 노창희-국장)

예고:91.12.31. 일반 (예고문에 의거 일반문서로 재분류됨)

국기국	장관	차관	1차보	2차보	미주국	국기국	외정실	분석관
청와대	안기부	중계						

PAGE 1

91.11.02 14:42

외신 2과 통제관 BW

0003

BY:MISION DE CHILE ;11- 1 ; 5:37PM ; 2129729875 2129718673;# 1

#배철 UNW(F)-766 11101 2400
(국기. 연일. 미남) 사본: 주칠레대사 .
총 304

CHILE

MISION PERMANENTE ANTE LAS NACIONES UNIDAS

809 U.N. PLAZA, 4TH FLOOR NEW YORK, N.Y. 10017
TELEFONO (212) 687-7547

INTERVENCION DEL DELEGADO DE CHILE, CONSEJERO SEÑOR PATRICIO MONTERO, CON MOTIVO DEL ANALISIS DEL TEMA 14 DE LA AGENDA: "INFORME DEL ORGANISMO INTERNACIONAL DE ENERGIA ATOMICA: NOTA DEL SECRETARIO GENERAL EN QUE TRANSMITE EL INFORME DEL ORGANISMO"

NUEVA YORK, 22 DE OCTUBRE DE 1991

3-1

0004

NOV 01 '91 23:42 KOREAN MISSION P.8

SEÑOR PRESIDENTE, SEÑORES DELEGADOS:

MI DELEGACION SE COMPLACE EN TOMAR CONOCIMIENTO Y AGRADECER EL COMPLETO INFORME DEL ORGANISMO INTERNACIONAL DE ENERGIA ATOMICA, CORRESPONDIENTE AL AÑO 1990, QUE EN EL DIA DE AYER NOS ENTREGARA SU DIRECTOR GENERAL, SR. HANS BLIX.

NOS ASOCIAMOS A LAS EXPRESIONES DE OTRAS DELEGACIONES Y RENDIMOS UN MERECIDO TRIBUTO AL ORGANISMO INTERNACIONAL DE ENERGIA ATOMICA POR SUS RENOVADOS ESFUERZOS EN PRO DE LA PAZ Y DEL DESARROLLO ECONOMICO Y SOCIAL DE LOS PUEBLOS, EN EL IMPORTANTE CAMPO DEL APROVECHAMIENTO Y UTILIZACION DE LA ENERGIA NUCLEAR CON FINES PACIFICOS.

CONSECUENTEMENTE, MI DELEGACION APOYA EL PROYECTO DE RESOLUCION SOBRE EL PUNTO DE LA AGENDA QUE HOY EXAMINAMOS Y LO COPATROCINA CON MUCHO AGRADO, EN LA SEGURIDAD SERA APROBADO POR ESTE PLENARIO.

3-2

0005

AL MISMO TIEMPO, APROVECHO ESTA OCASION PARA EXPRESAR NUESTRA SATISFACCION POR LA NEGOCIACION DE UN ACUERDO DE SALVAGUARDIA ENTRE LA REPUBLICA DEMOCRATICA Y POPULAR DE COREA Y EL ORGANISMO INTERNACIONAL DE ENERGIA ATOMICA, EN EL MARCO DEL TRATADO DE NO PROLIFERACION DE ARMAS NUCLEARES. ESPERAMOS QUE ESTE IMPORTANTE INSTRUMENTO POR LA PAZ SEA FIRMADO Y RATIFICADO EN EL MAS BREVE PLAZO, EN LA PERSPECTIVA DE LAS TRASCENDENTALES INICIATIVAS DE COOPERACION Y ENTENDIMIENTO EN ESTA MATERIA QUE MI GOBIERNO RESPALDA PLENAMENTE.

MUCHAS GRACIAS.

3-3

0006

관리 번호	91-1890

	분류번호	보존기간

발 신 전 보

번 호 : WAV-1236 911105 1752 ED 종별 :

수 신 : 주 오스트리아 대사 ./총영사

발 신 : 장 관 (국기)

제 목 : IAEA 관계

연 : WAV-1140(10.16), WAV-1176(10.23)

연호 문의 사항 조속 보고 바람. 끝.

(국제기구국장 문 동 석)

일반문서로 재분류(1991. 12. 31.)

보안 통제	

앙 고 재	91년 11월 5일	국제기구과	기안자 성명		과 장	심의관	국 장		차 관	장 관
			신봉이				전결			

외신과통제

0007

71 11/6 신

관리번호	91-1900

원 본

외 무 부

종 별 :

번 호 : AVW-1445 일 시 : 91 1105 1900

수 신 : 장 관(국기)

발 신 : 주 오스트리아 대사

제 목 : 제45차 유엔총회 IAEA 사무총장 보고

대:WAV-1176

1. 대호 관련 IAEA 측에 확인한바, 표제 IAEA 사무총장 보고중(7 페이지 14 행) NPT 위반국(ONE STATE)은 이라크를 말하는 것이라함.

2. 북한은 엄격히 말해서 아직 NPT 를 위반(VIOLATION OR DEFINACE)한 것으로 취급되지 않는다는 것이 IAEA 사무국및 중립적 자세를 견지하는 자들의 입장임을 참고바람.

예 고:91.12.31 까지.

일반문서로 재분류(1991. 12. 31.)

국기국 장관 차관 1차보 분석관 청와대 안기부

PAGE 1

91.11.06 05:54

외신 2과 통제관 FI

0008

외 무 부

종 별 :

번 호 : AVW-1446 일 시 : 91 1105 1900

수 신 : 장 관(국기)

발 신 : 주 오스트리아 대사

제 목 : IAEA 대유엔 보고서

대:WAV-1140

연:AVW-1333

IAEA 측에 의하면, 유엔총회에 대한 연례보고서외에 헌장 제 3 조 B.4 에 따라 IAEA 가 유엔 안보리에 보고한 과거 사례를 찾을수 없으나, 1981 년 이스라엘의 이라크 핵시설 폭격사건과 관련하여 IAEA 이사회 결의에 의해 안보리에 보고한 일은 있다고함. 다만, 동 결의 내용중 법적근거가 명시되지 않아 헌장 제 3 조 B.4 에 의한 것인지 여부는 불명하다함.

예 고:91.12.31 까지.

국기국 장관 차관 1차보 외정실 분석관 청와대 안기부

PAGE 1

91.11.06 07:14

외신 2과 통제관 BD

0009

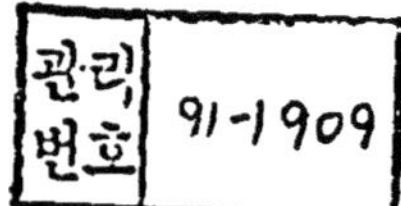

발 신 전 보

분류번호	보존기간

번 호 : WAV-1242 911106 1719 BU 종별 :

수 신 : 주 오스트리아 대사. 총영사

발 신 : 장 관 (국기)

제 목 : 자료송부

대 : (1) AVW-1446, (2) AVW-1199

1. 대호(1), 아래 관련 자료를 구득 ~~fax~~ 지급 송부바람

가. 81년 6월 IAEA 이사회 결의문(81.6.12자)

"military attack on Iraqi nuclear research center and its implications for the Agency"

나. 이스라엘의 이라크 공격 문제 관련 IAEA 사무국장의 보고(Statement)

(1) IAEA 이사회에 대한 보고 (81.6.9자)

(2) 유엔 안보리에 대한 보고 (81.6.19자)

2. 또한 대호(2) 에서 Blix 사무국장이 언급한 핵 안전조치강화관련 사무국 문서 (Action-Oriented Papers)가 작성되는 대로 구득 송부바람. 끝.

(국제기구국장 문 동 석)

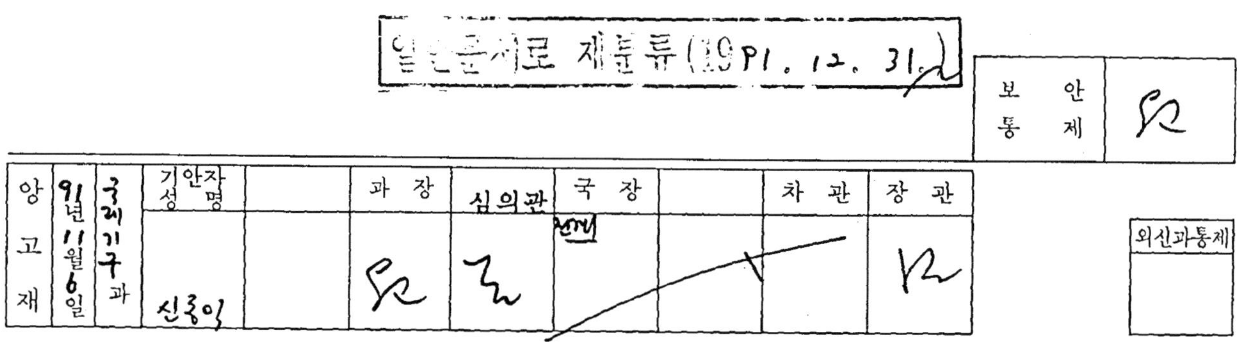

일반문서로 재분류(1991. 12. 31.)

보안통제	

앙고재	91년 11월 6일	국제기구과	기안자 성명		과 장	심의관	국 장		차 관	장 관
			신동익				전결			

외신과통제

0010

71 11/7 신
1. 1항관련 조치 지시
원 본
2. 2항은 11.7 Fax송신

관리번호	91-1913

외 무 부

종 별 :

번 호 : AVW-1455 일 시 : 91 1106 1930

수 신 : 장 관(국기) 사본:주미국대사-중계필

발 신 : 주 오스트리아 대사

제 목 : 미상원 핵관계 청문 자료

대:WAV-1154(USW-5101)

1. 대호 10.17 이라크 핵무기 개발에 관한 청문회시 GLENN 상원의원 연설문, 상원의 이부분 심의 기록과 DAVID KAY 대이락 IAEA 핵사찰 단장의 증언내용 송부바람.

2. 또한 10.23 상원 청문회시 HANS BLIX IAEA 사무총장의 증언이 있었다 하는바, BLIX 사무총장의 증언 내용도 아울러 입수 송부하여 주시기바람. 끝.

예 고:91.12.31 까지.

일반문서로 재분류(1991.12.31.)

국기국 중계

PAGE 1

91.11.07 07:22

외신 2과 통제관 BS

0011

관리번호 91-1071

외 무 부

종 별 :

번 호 : UNW-3712 일 시 : 91 1106 2200

수 신 : 장 관(연일,기정)

발 신 : 주 유엔 대사

제 목 : 소련대표부 접촉

금 11.6. 당관 서대원 참사관의 소련대표부 GRESHNIKH 선임 참사관과 오찬시 동인이 언급한 주요내용을 아래보고함.

1. 핵사찰 관계

0. 최근 북한 주소대사 손성필이 러시아 공화국 외무차관 KUNADZE 및 러시아 공화국의회 국제관계 및 대외무역 위원회 위원장 LUKIN 을 방문한바 , 동면담시 동인들은 손성필에게 북한이 가까운 장래에 핵안전협정에 서명하지 않으면 러시아 공화국으로서는 북한에 대해 군사 및 무역분야에서 적절한 조치를 취할수도 있을 것이라고 (COULD TAKE APPROPRIATE MEASURES) 경고하였음.

0. 손성필은 상기 면담후 즉각 ROGACHEV 외무차관을 찾아와 소련의 대외정책을 누가 결정하는지를 따져 물었는바, ROGACHEV 차관은 소련의 대외정책은 연방정부와 공화국 정부가 같이 다루고 있다고하고 다음과같이 핵문제 관한 입장을밝혔음.

-연방과 공화국의 입장이 항상 같지는 않더라도 핵사찰 문제에 관해서는 입장이 같음.

-핵안전협정 서명은 빨리하면 할수록 소.북한 양자관계 및 한반도 정세발전을 위해 바람직하며, 북한의 대미, 대일 관계개선에도 도움이 될것임.

-부쉬대통령의 전술 핵철수발표도 있고하여 한반도 핵문제 전반에 관한 해결전망이 밝아지고 있는바, 북한으로서도 조치를 취할시기가 되었다고 봄.

0. 이에대해 손성필은 미국이 한반도에 전술핵을 철수하기만 하면, 핵사찰 문제는 사려져 버릴것이라는 입장을 되풀이 하였음.

0. GRESHNIKH 참사관은 중국도 북한에 대해 여사한 압력을 가하고있는 것으로 알고 있다고 부언함.

2. 김일성 방중관계 특기사항

국기국 장관 차관 1차보 2차보 ■■■ 외정실 분석관 청와대
안기부

PAGE 1 91.11.07 13:12
외신 2과 통제관 BS
0012

0. 김일성은 양상군과 회담시 한.중 수교문제 관련 "만약 미.북한간 수교가 이루어진다면 중국이 한국과 수교할수 있다"고 언급하였음.

동언급은 북한측이 중국지도자들에게 직접 언급한 것으로는 최초의 사례임.

0. 중국측은 북한측에 대해 중국의 경제개방 노력을 설명해주고, 더이상의 대북한 경제원조 제공은 불가능하다는 것을 분명히 하였음. 중국측은 유엔 가입관련 이붕수상 방북시 북한측에 대규모 경제원조를 제공한것이 중국측에게 커다란부담으로 남아있음을 강조하였음.

0. 김일성은 등소평 단독면담을 요구하였으며, 또한 양상군과도 단독면담을 고집하였는바, 김일성으로는 서열상 고위인사보다는 과거의 혁명동지 세대와 대화를 갖고 싶어하였음.

3. BAKER 국무장관 방중

0. 미.중간의 정치적 주요현안은 인권및 중국의 대 파키스탄 MISSILE DELIVERY SYSTEM 이전문제로 알고있는바, 동문제가 원만히 타결됨으로써 금번 방중이실현된 것으로 봄.끝

(대사 노창희-국장)

예고:91.12.31. 일반

조

관리 번호	91-1242

외 무 부

종 별 :

번 호 : CPW-3350 일 시 : 91 1107 1730

수 신 : 장관(아이,정특,미이,국기,기정), 사본: 주홍콩총영사-필

발 신 : 주 북경 대표

제 목 : 주평양 스웨덴 대사 접촉(PNIO: 91-079)

당관 윤해중 참사관은 금 11.7(목) 당지 미국대사관 KEYSER 참사관이 주평양 스웨덴 GORAN WIDE 대사를 위해 주최한 오찬에 참석한바, WIDE 대사 언급 요지 보고함.

1. 북한의 핵안전협정 가입문제

가. 북한은 지난 9 월 IAEA 이사회시 핵안전협정서명을 거부한 이유로서 동 이사회 직전 미.일.호주등이 주동이 되어 대북한 결의안 채택등 압력을 행사하려 했기 때문이었다고 말하고 있음.

나. 평야에서 관찰로는 북한은 당초 9 월 이사회에서 서명할 의도가 있었던것 같으나 국제적인 압력에 굴복했다는 인상을 피하기 위해 서명을 거절한 것으로 보고 있으며 차기 12 월 이사회시에는 별다른 상황변화가 없는한 서명할 가능성이 큰 것으로 전망하고 있음.

2. 한.중 관계

검토필(1992. 6. 30.) 13

0 주평양 큐바 대사의 제보에 의하면, 북한 외교부 관계자는 최근 큐바 외교관에게 지난 10 월 김일성 방중시 중국 지도자는 김일성에 대해 1993 년말 까지는 한국과 수교하지 않겠다는 약속을 한바 있다고 말하였다함.(중국 지도자가 누구인지는 밝히지 않았다하며 WIDE 대사는 동 첩보 출처가 북한과 가까운 큐바라는 점에 어느정도 신빙성을 부여함)

3. 북한의 대한국 및 일본 경제교류 문제

0 북한은 남한과 일본을 상호 경쟁시킴으로서 경제적 이득을 최대한 얻고자 시도하고 있으며, 일본에 대해서는 한국을 카드로, 한국에 대해서는 일본을 카드로 사용하고 있기 때문에 한. 일간에 협의 대북한 경제교류를 추진하는 것이 좋을것이라는 의견을 제시함.

아주국	차관	1차보	미주국	국기국	외정실	분석관	정와대	안기부
중계								

0014

PAGE 1

91.11.07 21:04

외신 2과 통제관 CF

4. 김정일 방중 초청

0 중국은 김일성 방중시 김정일의 명년중 방중을 초청하였다는 설이 평양 외교가에 퍼져있으나 방중시기, 방문형식에 관해서는 상금 알려진바 없음.

(대사 노재원-국장)

예고: 92.12.31. 일반

0015

공　　　란

공 란

공 란

공 란

공　　　란

공 란

공 란

공 란

공 란

공 란

공 란

공 란

공 란

공 란

공 란

공 란

공　　란

첨부 1

북한의 핵안전조치 협정체결 거부

1. 북한-IAEA간 협정체결교섭 경위

o 북한은 85.12월 핵무기 비확산조약(NPT) 가입불구, 동 조약상 의무인 국제원자력기구(IAEA)와의 핵안전협정체결 지연 - NPT 제3조는 가입후 18개월간 IAEA와 핵안전조치협정체결 및 발효의무 규정

o 북한은 그간 3차(89.12월, 90.1월, 90.7월)에 걸친 IAEA와의 협정체결 교섭 과정에서 하기를 전제조건으로 요구 - 한반도로부터 핵무기 철거 - 미국의 북한에 대한 개별적 핵선제 불사용 보장(NSA)

o 최근 북한은 태도를 변경, 91.6. 핵안전협정체결의사 발표후 91.7. IAEA측과 교섭결과 협정문안을 최종 확정하였고, 91.9월 IAEA 이사회 승인을 득함.

o 북한은 IAEA 협정문안 합의이후에도 "미국의 핵위협은 북한의 협정체결 및 이행에 있어 주요한 장애가 될 것"이라고 종전입장을 반복

2. 91.9월 IAEA 이사회 및 총회에서의 대북한 결의안 채택

가. IAEA 이사회의 대북한 결의안 채택

o 9.12. IAEA 이사회는 IAEA-북한측의 핵안전협정 문안을 승인하는 한편, 북한에 대해 동 협정의 조속한 서명, 비준 및 이행을 촉구하는 결의안 채택

0033

(찬성-미국, 소련등 27개국, 반대-쿠바, 기권-중국, 인도등 6개국)

o 동 결의안 채택에 대해 북한대표(오창림 본부대사)는 결의안 채택은 북한의 주권침해이며, 북한의 협정체결에 난관을 조성할 것이라고 반대함으로써 사실상 핵안전협정의 조기서명 거부

나. 第35차 IAEA 총회의 결의안 채택

o 9월 이사회 결의에 이어 9.20. IAEA 총회는 이라크에 대한 핵사찰 문제점과 북한의 핵안전협정체결 지연문제를 해결할 수 있도록 핵안전협정제도(Safeguards System) 강화를 위한 결의안을 콘센서스로 채택함.

o 동 결의에 따라 IAEA 사무국장이 91.12월 이사회에서 핵안전조치 제도의 효율성을 강화하기 위한 구체적 조치를 보고한후 91.2월 이사회에서 동건 본격 심의하게 됨.

0034

첨부 2

핵개발문제에 관한 유엔의 조치사례

i) 이스라엘 핵개발 관련 유엔 총회 결의 채택

- ㅇ 1979년 제34차 유엔총회에 제기된 이스라엘의 핵개발위협 문제는 제35차 유엔총회에서부터 매년 총회결의로 채택, 이스라엘의 모든 핵시설을 IAEA 안전조치하에 둘 것을 촉구
  - 단, 이스라엘측의 결의안 준수거부로 상금 미실현

- ㅇ 특히 81년 에는 NPT 체제를 위협하는 이스라엘의 이라크에 대한 공격 행위를 규탄하고, 이스라엘에 대해 즉각적인 IAEA와의 안전조치협정 체결을 촉구 하는 안보리결의(487호) 채택

  ※ IAEA도 1981년 제25차 총회부터 이스라엘의 핵무기 제조능력 및 위협에 관한 IAEA 총회결의를 채택

ii) 유엔 안보리의 대이라크 핵사찰 실시

- ㅇ 관련 결의(91.4.3. 채택 유엔안보리 결의 687호)내용
  - 이라크의 핵, 생.화학무기 및 미사일 파괴, 제거확인 및 현장 사찰을 위한 특별위원회(Special Commission)설치 결정
  - 이라크는 핵무기 사용물질, 개발시설 및 연구활동 관련 정보를 안보리 결의(687호) 채택후 15일내 안보리와 IAEA에 제출, 모든 핵물질과 시설을 특별위원회와 IAEA 감시하에 두고 긴급현장사찰 (urgent on-site inspection)을 수락 할 것

0035

- IAEA 사무국장 에게 특별위원회의 도움을 받아 이라크가 신고한 핵시설과 특별위원회가 추가 지정한 장소에 대해 즉각적인 현장 사찰 (immediate on-site inspection) 을 실시할 것과 45일 이내 에 이라크 내 상기 핵시설을 파괴, 제거하기 위한 계획서를 안보리에 제출 할 것을 요청
- 또한 IAEA 사무국장에게 상기 계획서의 안보리 승인후 45일 이내 동 계획을 이행 하고, 향후 이라크가 핵시설과 물질을 IAEA 안전조치하에 두고 IAEA의 검증과 사찰을 계속 받을 수 있도록 계획을 수립 할 것을 요청

o 유엔의 대이라크 핵사찰 실시내용(별첨3 참조)

참고 유엔 안보리의 대이라크 핵사찰과 IAEA 특별사찰과의 차이점

o 유엔 안보리의 대이라크 핵사찰은 IAEA 안전조치협정(73-78조)상 특별사찰의 전제조건인 당사국 과의 사전협의 없이, 안보리 결의에 의거 당사국의 사찰수락강요
- 안보리 결의에 따라 패전국에 대한 핵사찰 강제 실시로 국제법상 주권 침해문제는 크게 제기되지 않았음.

o IAEA 특별사찰의 경우와는 달리 이라크내 사찰관의 이동과 사찰대상에 대하여 완전한 자유보장
- 따라서 이라크 파견 사찰관들은 미신고 핵시설에 대해서도 사찰 실시

o IAEA 사찰시 당사국은 특정 사찰관의 입국에 대하여 거부할 수 있도록 되어있으나(협정 9조), 안보리에 의한 핵사찰의 경우, 사찰관에 대해서 는 이라크 정부가 입국을 거부할 수 없도록 함.

0036

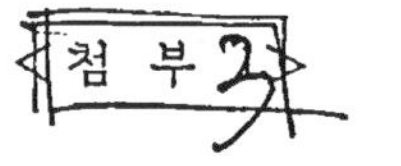

유엔의 대이라크 핵사찰 실시배경 및 내용

1. 대이라크 핵사찰 실시배경

o 91.4.3. 유엔안보리는 결의 제687호를 채택하여 4.17. 이라크의 군비통제를 위한 특별위원회(Special Commission)를 설치하고, 이라크내 핵무기 및 생화학 무기 관련 정보 제공을 요청

- 동 결의는 또한 대이라크 경제제재 조치 해제 이전에 이라크 보유 대량파괴무기 (핵무기, 생.화학무기)를 완전히 폐기토록 규정

o 이에 따라 IAEA 사찰관과 안보리 특별위원으로 구성된 핵사찰반이 이라크가 제출한 핵물질 및 시설관련 정보를 바탕으로 91.5월부터 9월까지 6차례 핵사찰을 실시

o 동 핵사찰은 이라크제재 안보리 결의에 의거한 사찰명령을 이라크가 수락함으로써 실시한것으로, IAEA 안전조치 규정상 특별사찰과 달리 무제한 사찰권한을 행사하는 강제사찰임

2. 핵사찰 실시 내용

가. 제1차 핵사찰 (91.5.14~22)

o 91.4.27. 이라크가 제출한 핵관계 정보내용을 확인하기 위해 Al Tuwaitha 핵연구 시설과 Tarmiya 지역내 핵시설을 사찰

o 사찰결과 고농축 우라늄(HEU)등의 핵물질 존재와 많은 핵시설 장비등이 타지역으로 이전되었음이 확인되어, 사찰단은 이라크측에 이전된 핵시설 장비의 완전한 리스트를 요청

나. 제2차 핵사찰 (91.6.22-7.4)

o 제2차 사찰은 Tuwaitha 핵 연구시설외에 6개지역 핵시설에 대해 실시, 이중 Al Ghraib와 Falluja 에서는 이라크 당국에 의해 사찰반의 접근이 금지, 제한됨

- 이에 따라 유엔 안보리는 의장성명을 통해 이라크의 사찰불응을 규탄한후, IAEA 사무국장, 특위위원장등의 고위급 대표단을 추가파견 함으로써 사찰을 재개

o 사찰결과 이라크가 전자 동위원소 분리기술(EMIS)을 사용한 우라늄 농축 시설을 보유하고 있음을 확인

- 이라크는 IAEA에 밝히지 않은 우라늄 농축 계획 일부가 있었음을 시인하고 91.7.7. 핵시설 장비 추가 리스트를 안보리에 제출

다. 제3차 핵사찰 (91.7.7-18)

o 91.7.7. 이라크 제출 추가 정보내용을 확인하기 위해 제3차 핵사찰을 실시하였고, 7.12. 유엔 안보리는 이라크가 모든 핵개발 계획과 핵 시설 물질을 공개할 것을 요구하면서 이에응하지 않으며 중대한 결과에 직면할 것이라고 경고

- 미국, 영국등은 이라크가 핵무기 개발내용을 완전 공개하지 않을경우 군사력 사용 재개 경고

o 91.7.18. IAEA는 특별이사회 를 소집, 이라크가 IAEA와 체결한 핵 안전 협정상의 의무 불이행을 규탄하고, 이라크 영토내 모든핵 물질을 IAEA 감시하에 둘것을 촉구하는 결의 채택

라. 제4차 핵사찰 (91.7.27-8.11)

o 제4차 핵사찰반은 사찰결과 핵농축 및 재처리 시설 내용을 포함한 이라크의 비밀핵개발 계획을 확인하고, 원심분리법을 이용한 고농축 우라늄(HEU) 생산 시설을 발견

o 동 사찰결과, 91.8.15. 유엔안보리 는 이라크의 안보리 결의(687호) 불이행을 규탄하고, 이라크가 동안보리 결의와 IAEA 안전조치 협정을 완전히 준수할때까지 모든 핵 활동을 중지할 것을 요구하는 결의(707호)채택 ✓

마. 제5,6차 핵사찰 (91.8,9월)

o 상기 이라크의 의무 불이행규탄 안보리 결의(707호) 채택후, 유엔 사찰반은 9월중 2회에 걸쳐 이라크내 핵 시설을 정밀 사찰하였으나, 이라크측은 사찰반의 헬기사용거부 및 사찰단원을 억류하는등 사찰반의 활동을 계속 방해

o 이에대해, 미국은 이라크에 군사력 사용재개를 경고하였고 이라크는 안보리 의장의 요청에 따라 유엔 사찰반 헬기의 무제한 이라크 영공통과 허용 서한을 9.24. 제출하고, 억류했던 사찰단원을 석방함

o 상기사찰결과 이라크가 핵무기개발 계획하에 그간 핵농축은 물론 핵무기 운반체제, 핵탄두등을 개발하고 있었음이 밝혀짐
  - 이라크가 다시 핵무기제조를 추진할 경우 90년대중반까지 2-3개의 핵무기를 생산할것 으로 평가

o 91.10.11. 유엔 안보리는 6차 핵사찰 결과에 따라 이라크의 안보리 결의(687, 707호) 무조건 이행촉구 및 대이라크 핵사찰 무기한 실시를 결의(715호)

공 란

공 란

공 란

공 란

공 란

공 란

공 란

공　　　란

공 란

공 란

11/12 신
검토

대 한 민 국
주 오스트리아 대사관

오스트리아 20332-1010 1991 . 11 . 7 .

수 신 : 장관 (보존기간 :)

참 조 : 국제기구국장

제 목 : 유엔/ IAEA 간 협정

대 : WAV - 1205

대호 유엔과 IAEA 간의 관계에 관한 협정 및 관련 협정문을 별첨 송부합니다.

첨부 : 1. INFCIRC/11 (1959.10.13)

2. INFCIRC/11/Add.1(1963.12.2.) 끝.

주 오스트리아 대 사

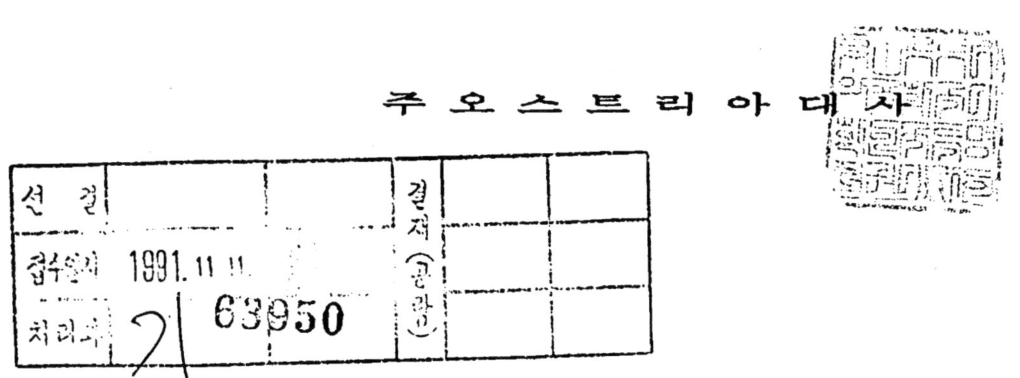

선 결			결재 (공람)		
접수일시	1991. 11 11				
처리과	21	63950			

0050

International Atomic Energy Agency

Distr.
GENERAL

INFCIRC/11
30 October 1959
Original: ENGLISH
and FRENCH

THE TEXTS OF THE AGENCY'S AGREEMENTS WITH THE UNITED NATIONS

The texts of the following agreements and supplementary agreements between the Agency and the United Nations are reproduced in this document for the information of all Members of the Agency:

I. A. Agreement Governing the Relationship Between the United Nations and the International Atomic Energy Agency;

B. Protocol Concerning the Entry into Force of the Agreement between the United Nations and the International Atomic Energy Agency;

II. Administrative Arrangement Concerning the Use of the United Nations Laissez-Passer by Officials of the International Atomic Energy Agency; and

III. Agreement for the Admission of the International Atomic Energy Agency into the United Nations Joint Staff Pension Fund.

0051

I

A. AGREEMENT GOVERNING THE RELATIONSHIP BETWEEN THE UNITED NATIONS AND THE INTERNATIONAL ATOMIC ENERGY AGENCY [1]

The United Nations and the International Atomic Energy Agency,

Desiring to make provision for an effective system of relationship whereby the discharge of their respective responsibilities may be facilitated,

Taking into account for this purpose the provisions of the Charter of the United Nations and the Statute of the Agency,

Have agreed as follows:

ARTICLE I

Principles

1. The United Nations recognizes the International Atomic Energy Agency (hereinafter referred to as the Agency) as the agency, under the aegis of the United Nations as specified in this Agreement, responsible for international activities concerned with the peaceful uses of atomic energy in accordance with its Statute, without prejudice to the rights and responsibilities of the United Nations in this field under the Charter.

2. The United Nations recognizes that the Agency, by virtue of its inter-governmental character and international responsibilities, will function under its Statute as an autonomous international organization in the working relationship with the United Nations established by this Agreement.

3. The Agency recognizes the responsibilities of the United Nations, in accordance with the Charter, in the fields of international peace and security and economic and social development.

4. The Agency undertakes to conduct its activities in accordance with the Purposes and Principles of the United Nations Charter to promote peace and international co-operation, and in conformity with policies of the United Nations furthering the establishment of safe-guarded world-wide disarmament and in conformity with any international agreements entered into pursuant to such policies.

ARTICLE II

Confidential information

The United Nations or the Agency may find it necessary to apply certain limitations for the safeguarding of confidential material furnished to them by their Members or others, and, subject to the provisions of Article IX, nothing in this Agreement shall be construed to require either of them to furnish any information the furnishing of which would, in its judgement, constitute a violation of the confidence of any of its Members or anyone from whom it shall have received such information.

ARTICLE III

Reports of the Agency to the United Nations

1. The Agency shall keep the United Nations informed of its activities. Accordingly it shall:

(a) Submit reports covering its activities to the General Assembly at each regular session;

---

[1] As indicated in the Protocol below, this Agreement entered into force on 14 November 1957.

0052

(b) Submit reports, when appropriate, to the Security Council and notify the Council whenever, in connexion with the activities of the Agency, questions within the competence of the Council arise;

(c) Submit reports to the Economic and Social Council and to other organs of the United Nations on matters within their respective competences.

2. The Agency shall report to the Security Council and the General Assembly any case of non-compliance within the meaning of Article XII, paragraph C, of its Statute.

ARTICLE IV

Report of the Secretary-General of the United Nations

1. The Secretary-General of the United Nations shall report to the United Nations, as appropriate, on the common activities of the United Nations and the Agency and on the development of relations between them.

2. Any written report circulated under paragraph 1 of this Article shall be transmitted to the Agency by the Secretary-General.

ARTICLE V

Resolutions of the United Nations

The Agency shall consider any resolution relating to the Agency adopted by the General Assembly or by a Council of the United Nations. Any such resolution shall be referred to the Agency together with the appropriate records. Upon request, the Agency shall submit a report on any action taken in accordance with the Statute of the Agency by it or by its Members as a result of its consideration of any resolution referred to it under this Article.

ARTICLE VI

Exchange of information and documents

1. There shall be the fullest and promptest exchange between the United Nations and the Agency of appropriate information and documents.

2. The Agency, in conformity with its Statute and to the extent practicable, shall furnish special studies or information requested by the United Nations.

3. The United Nations shall likewise furnish the Agency, upon request, with special studies or information relating to matters within the competence of the Agency.

ARTICLE VII

Reciprocal representation

1. The Secretary-General of the United Nations shall be entitled to attend and participate without vote on matters of common interest in sessions of the General Conference and of the Board of Governors of the Agency. The Secretary-General shall also be invited as appropriate to attend and participate without vote in such other meetings as the Agency may convene at which matters of interest to the United Nations are under consideration. The Secretary-General may, for the purposes of this paragraph, designate any person as his representative.

2. The Director General of the Agency shall be entitled to attend plenary meetings of the General Assembly of the United Nations for the purposes of consultation. He shall be entitled to attend and participate without vote in meetings of the Committees of the General Assembly, and meetings of the Economic and Social Council, the Trusteeship Council and, as appropriate, their subsidiary bodies. At the invitation of the Security Council, the Director General may attend its meetings to supply it with information or give it other

0053

assistance with regard to matters within the competence of the Agency. The Director General may, for the purposes of this paragraph, designate any person as his representative.

3. Written statements presented by the United Nations to the Agency for distribution shall be distributed by the Agency to all members of the appropriate organ or organs of the Agency. Written statements presented by the Agency to the United Nations for distribution shall be distributed by the Secretariat of the United Nations to all members of the appropriate organ or organs of the United Nations.

ARTICLE VIII

Agenda items

1. The United Nations may propose items for consideration by the Agency. In such cases, the United Nations shall notify the Director General of the Agency of the item or items concerned, and the Director General shall include any such item or items in the provisional agenda of the General Conference or Board of Governors or such other organ of the Agency as may be appropriate.

2 The Agency may propose items for consideration by the United Nations. In such cases, the Agency shall notify the Secretary-General of the United Nations of the item or items concerned and the Secretary-General, in accordance with his authority, shall bring such item or items to the attention of the General Assembly, the Security Council, the Economic and Social Council or the Trusteeship Council, as appropriate.

ARTICLE IX

Co-operation with the Security Council

The Agency shall co-operate with the Security Council by furnishing to it at its request such information and assistance as may be required in the exercise of its responsibility for the maintenance or restoration of international peace and security.

ARTICLE X

International Court of Justice

1. The United Nations will take the necessary action to enable the General Conference or the Board of Governors of the Agency to seek an advisory opinion of the International Court of Justice on any legal question arising within the scope of the activities of the Agency, other than a question concerning the mutual relationships of the Agency and the United Nations or the specialized agencies.

2. The Agency agrees, subject to such arrangements as it may make for the safeguarding of confidential information, to furnish any information which may be requested by the International Court of Justice in accordance with the Statute of that Court.

ARTICLE XI

Co-ordination

The United Nations and the Agency recognize the desirability of achieving effective co-ordination of the activities of the Agency with those of the United Nations and the specialized agencies, and of avoiding the overlapping and duplication of activities. Accordingly, the Agency agrees to co-operate, in accordance with its Statute, in measures recommended by the United Nations for this purpose. Furthermore, the Agency agrees to participate in the work of the Administrative Committee on Co-ordination and, as appropriate, of any other

0054

bodies which have been or may be established by the United Nations to facilitate such co-operation and co-ordination. The Agency may also consult with appropriate bodies established by the United Nations* on matters within their competence and on which the Agency requires expert advice. The United Nations, on its part, agrees to take such action as may be necessary to facilitate such participation and consultation.

ARTICLE XII

Co-operation between secretariats

1. The Secretariat of the United Nations and the staff of the Agency shall maintain a close working relationship in accordance with such arrangements as may be agreed upon from time to time between the Secretary-General of the United Nations and the Director General of the Agency.

2. It is recognized that similar close working relationships between the secretariats of the specialized agencies and the staff of the Agency are desirable and should be established and maintained in accordance with such arrangements as may be made between the Agency and the specialized agency or agencies concerned.

ARTICLE XIII

Administrative co-operation

1. The United Nations and the Agency recognize the desirability of co-operation in administrative matters of mutual interest.

2. Accordingly, the United Nations and the Agency undertake to consult together from time to time concerning these matters, particularly the most efficient use of facilities, staff and services and appropriate methods of avoiding the establishment and operation of competitive or overlapping facilities and services among the United Nations, the specialized agencies and the Agency, and with a view to securing, within the limits of the Charter of the United Nations and the Statute of the Agency, as much uniformity in these matters as shall be found practicable.

3. The consultations referred to in this Article shall be utilized to establish the most equitable manner in which any special services or assistance furnished by the Agency to the United Nations or by the United Nations to the Agency shall be financed.

ARTICLE XIV

Statistical services

The United Nations and the Agency, recognizing the desirability of maximum co-operation in the statistical field and of minimizing the burdens placed on national Governments and other organizations from which information may be collected, undertake to avoid undesirable duplication between them with respect to the collection, compilation and publication of statistics, and agree to consult with each other on the most efficient use of resources and of technical personnel in the field of statistics.

---

* Such as the United Nations Scientific Committee on the Effects of Atomic Radiation and the United Nations Advisory Committee on the Peaceful Uses of Atomic Energy, through and with the approval of the Secretary-General.

ARTICLE XV

Technical assistance

The United Nations and the Agency recognize the desirability of co-operation concerning the provision of technical assistance in the atomic energy field. They undertake to avoid undesirable duplication of activities and services relating to technical assistance and agree to take such action as may be necessary to achieve effective co-ordination of their technical assistance activities within the framework of existing co-ordination machinery in the field of technical assistance, and the Agency agrees to give consideration to the common use of available services as far as practicable. The United Nations will make available to the Agency its administrative services in this field for use as requested.

ARTICLE XVI

Budgetary and financial arrangements

1. The Agency recognizes the desirability of establishing close budgetary and financial relationship with the United Nations in order that the administrative operations of the United Nations, the Agency and the specialized agencies shall be carried out in the most efficient and economical manner possible, and that the maximum measure of co-ordination and uniformity with respect to these operations shall be secured.

2. The Agency agrees to conform, as far as may be practicable and appropriate, to standard practices and forms recommended by the United Nations.

3. The Agency agrees to transmit its annual budget to the United Nations for such recommendations as the General Assembly may wish to make on the administrative aspects thereof.

4. The United Nations may arrange for studies to be undertaken concerning financial and fiscal questions of interest to the Agency and to the specialized agencies with a view to the provision of common services and the securing of uniformity in such matters.

ARTICLE XVII

Public information

The United Nations and the Agency shall co-operate in the field of public information with a view to avoiding overlapping or uneconomical services, and where necessary or appropriate, to establishing common or joint services in this field.

ARTICLE XVIII

Personnel arrangements

1. The United Nations and the Agency agree to develop, in the interest of uniform standards of international employment and to the extent feasible, common personnel standards, methods and arrangements designed to avoid unjustified difference in terms and conditions of employment, to avoid competition in recruitment of personnel, and to facilitate interchange of personnel in order to obtain the maximum benefit from their services.

2. The United Nations and the Agency agree:

(a) To consult together from time to time concerning matters of common interest relating to the terms and conditions of employment of the officers and staff with a view to securing as much uniformity in these matters as may be feasible;

0056

(b) To co-operate in the interchange of personnel, when desirable, on a temporary or a permanent basis, making due provision for the retention of seniority and pension rights;

(c) To co-operate, on such terms and conditions as may be agreed, in the operation of a common pension fund;

(d) To co-operate in the establishment and operation of suitable machinery for the settlement of disputes arising in connexion with the employment of personnel and related matters.

3. The terms and conditions on which any facilities or services of the Agency or the United Nations in connexion with the matters referred to in this Article are to be extended to the other shall, where necessary, be the subject of subsidiary agreements concluded for this purpose after the entry into force of this Agreement.

ARTICLE XIX

Administrative rights and facilities

1. Members of the staff of the Agency shall be entitled, in accordance with such administrative arrangements as may be concluded between the Secretary-General of the United Nations and the Director General of the Agency, to use the United Nations laissez-passer as a valid travel document where such use is recognized by States parties to the Convention on the Privileges and Immunities of the United Nations.

2. Subject to the provisions of Article XVIII, the Secretary-General of the United Nations and the Director General of the Agency shall consult together as soon as may be practicable after the entry into force of this Agreement regarding the extension to the Agency of such other administrative rights and facilities as may be enjoyed by organizations within the United Nations system.

3. The United Nations shall invite, and provide the necessary facilities to, any representative of a Member of the Agency, representative of the Agency, or member of the staff of the Agency desiring to proceed to the United Nations Headquarters district on official business connected with the Agency, whether at the initiative of any organ of the United Nations, of the Agency or of the Member thereof.

ARTICLE XX

Inter-agency and other agreements

The Agency shall inform the United Nations before the conclusion of any formal agreement between the Agency and any specialized agency or inter-governmental organization or any non-governmental organization enjoying consultative status with the United Nations, of the nature and scope of any such agreement, and shall inform the United Nations of the conclusion of any such agreement.

ARTICLE XXI

Registration of agreements

The United Nations and the Agency shall consult together as may be necessary with regard to the registration with the United Nations of agreements within the meaning of Article XXII.B of the Statute of the Agency.

0057

ARTICLE XXII

Implementation of this Agreement

The Secretary-General of the United Nations and the Director General of the Agency may enter into such arrangements for the implementation of this Agreement as may be found desirable in the light of the operating experience of the two organizations.

ARTICLE XXIII

Amendments

This Agreement may be amended by agreement between the United Nations and the Agency. Any amendment so agreed upon shall enter into force on its approval by the General Conference of the Agency and the General Assembly of the United Nations.

ARTICLE XXIV

Entry into force

This Agreement shall enter into force on its approval by the General Assembly of the United Nations and the General Conference of the Agency.

B. PROTOCOL CONCERNING THE ENTRY INTO FORCE OF THE AGREEMENT BETWEEN THE UNITED NATIONS AND THE INTERNATIONAL ATOMIC ENERGY AGENCY

Article XVI of the Statute of the International Atomic Energy Agency authorizes the Agency to enter into an agreement establishing an appropriate relationship between the Agency and the United Nations, which agreement shall provide for the submission by the Agency of reports to the United Nations and the consideration by the Agency of resolutions relating to it adopted by the General Assembly or any of the Councils of the United Nations.

Annex I of the Statute adopted by the Conference on the Statute of the International Atomic Energy Agency directed the Preparatory Commission of the Agency to enter into negotiations with the United Nations with a view to the preparation of a draft agreement for submission to the General Conference and to the Board of Governors.

The General Assembly of the United Nations, during its eleventh session in 1956, adopted a resolution authorizing the Secretary-General's Advisory Committee on the Peaceful Uses of Atomic Energy to negotiate with the Preparatory Commission of the International Atomic Energy Agency a draft relationship agreement for submission to the General Assembly, based on the principles set forth in a study prepared by the Secretary-General in consultation with the Advisory Committee.

After some preliminary negotiations, a joint meeting was held on 24 June 1957 between the Advisory Committee on the Peaceful Uses of Atomic Energy and the Preparatory Commission of the International Atomic Energy Agency. At that time the text of the draft agreement was considered and approved, with the exception of the word "primarily" which had originally appeared in the phrase "The United Nations recognizes the International Atomic Energy Agency ... as the agency under the aegis of the United Nations as specified in this Agreement primarily responsible for international activities concerned with the peaceful uses of atomic energy ..." (Article I, par. 1). In an exchange of correspondence between Mr. Carlos A. Bernardes, President of the Preparatory Commission, and Mr. Dag Hammarskjold, Secretary-General of the United Nations and Chairman of the Advisory Committee, it was agreed that the following statement should be included in the record, as

0058

indicating the understanding of the parties concerning this provision of the agreement:

> "With regard to paragraph 1 of Article I of the draft agreement, it is noted that the Agency, which is established for the specific purpose of dealing with the peaceful uses of atomic energy, will have the leading position in this field".

The Board of Governors of the International Atomic Energy Agency on 11 October 1957 recommended to the General Conference of the Agency the adoption of the Agreement. On 23 October 1957, the General Conference, during its first special session, approved the Agreement, taking note of the exchange of correspondence between the President of the Preparatory Commission and the Secretary-General of the United Nations.

The Advisory Committee on the Peaceful Uses of Atomic Energy recommended approval of the Agreement to the General Assembly of the United Nations. On 14 November 1957 the General Assembly, during its twelfth session, approved the Agreement, taking note of the exchange of correspondence between the President of the Preparatory Commission and the Secretary-General of the United Nations.

Article XXIV of the Agreement provides that it shall come into force on its approval by the General Assembly of the United Nations and the General Conference of the International Atomic Energy Agency.

The Agreement accordingly came into force on 14 November 1957.

A copy of the authentic text of the Agreement is attached hereto.

IN FAITH WHEREOF we have appended our signatures on the dates appearing beneath our respective names to two original copies of the present Protocol, the text of which consists of versions in the English and French languages which are equally authentic. One of the original copies will be filed and recorded with the Secretariat of the United Nations and the other will be deposited in the archives of the International Atomic Energy Agency.

(signed) Dag Hammarskjold

Secretary-General of the United Nations

This 10th day of August 1959

(signed) Sterling Cole

Director General of the International Atomic Energy Agency

This 19th day of June 1959

0059

II

ADMINISTRATIVE ARRANGEMENT CONCERNING THE USE OF THE UNITED NATIONS LAISSEZ-PASSER BY OFFICIALS OF THE INTERNATIONAL ATOMIC ENERGY AGENCY [2]

AD 463 IAEA - P.P.
LE 352/3

16 June 1958

Dear Mr. Director General,

I wish to refer to your letter of 13 March 1958 in which you expressed the desire that officials of the International Atomic Energy Agency be enabled at an early date to use the United Nations laissez-passer. You suggested that I propose the terms of the Administrative Arrangements, to be concluded between the Secretary-General of the United Nations and the Director General of the International Atomic Energy Agency, as envisaged in paragraph 1 of Article XIX of the Agreement governing the relationship between the United Nations and the International Atomic Energy Agency, which paragraph provides as follows:

"Members of the staff of the Agency shall be entitled, in accordance with such administrative arrangements as may be concluded between the Secretary-General of the United Nations and the Director General of the Agency, to use the United Nations laissez-passer as a valid travel document where such use is recognized by States parties to the Convention on the Privileges and Immunities of the United Nations."

In pursuance of the afore-quoted provision and in conformity with your wish, I take pleasure in proposing that the United Nations laissez-passer will be issued to officials of the International Atomic Energy Agency in accordance with the following Administrative Arrangements:

1. All members of the staff of the International Atomic Energy Agency will be considered as officials of the International Atomic Energy Agency under the terms of these Administrative Arrangements with the exception of those who are recruited locally and assigned to hourly rates.

2. Requests for issuance of the laissez-passer shall be made by the Director General of the International Atomic Energy Agency or by such person as he shall deputize. Such requests, which will state that the official is about to travel on official duty or home leave, must be accompanied by:

(a) an application, in duplicate, on a form to be prescribed and furnished by the United Nations, which shall be filled in and signed by the official for whom the laissez-passer is required and the contents of which shall be verified and certified by the Director General of the International Atomic Energy Agency or his designated representatives; and

(b) three photographs of the applicant.

Mr. Sterling Cole
Director General
International Atomic Energy Agency
Lothringerstrasse 18
Vienna III
Austria

[2] This Arrangement entered into force on 26 June 1958.

0060

3. Requests for issuance of laissez-passer shall be addressed to the European Office of the United Nations, Geneva, Switzerland. However, in cases of urgency, such requests may be addressed to the United Nations, New York, United States of America.

4. The Director General of the International Atomic Energy Agency shall forward to the European Office of the United Nations, Geneva, Switzerland, four specimens of the signature of such officials as shall have received authority to certify as correct the information given on the application under Section 2.

5. The issuance of the United Nations laissez-passer to officials of the International Atomic Energy Agency shall, wherever appropriate, also be subject to such other conditions as may apply to the issuance of the laissez-passer to officials of the specialized agencies. The Secretary-General of the United Nations shall notify these conditions to the Director General of the International Atomic Energy Agency.

6. The laissez-passer issued to an official of the International Atomic Energy Agency shall make mention of the official's title or rank. It shall contain a statement in the five official languages to the effect that the laissez-passer is issued to an official of the International Atomic Energy Agency in accordance with the Agreement governing the relationship between the United Nations and the International Atomic Energy Agency.

7. Upon the request of the Director General of the International Atomic Energy Agency or that of such person as he shall deputize, the Secretariat of the United Nations shall, if these Administrative Arrangements are still in force, renew such laissez-passer issued to officials of the International Atomic Energy Agency as shall have expired.

8. The Secretariat of the United Nations shall transmit as quickly as possible the laissez-passer for which issue or renewal has been requested to the designated representative of the International Atomic Energy Agency who shall acknowledge the receipt thereof.

9. The International Atomic Energy Agency agrees to take all necessary administrative precautions to prevent the loss or theft of such laissez-passer. It shall immediately notify the Purchase, Supply and Transport Division, European Office of the United Nations, in the event of any loss or theft of a laissez-passer, giving particulars of the conditions under which such loss or theft occurred.

10. The International Atomic Energy Agency agrees to return immediately to the European Office of the United Nations, all laissez-passer issued to its officials

(a) on the expiration of the validity of the laissez-passer, unless renewal has been authorized; or

(b) when the holder ceases to be an official of the International Atomic Energy Agency.

11. The present Administrative Arrangements shall be considered as permanent, subject to the right of either party to terminate their effect by six months' notice given in writing to the other party.

Your acceptance, on behalf of the International Atomic Energy Agency, of the foregoing terms shall constitute the Administrative Arrangements between us governing the issuance of the United Nations laissez-passer to officials of the International Atomic Energy Agency.

Yours sincerely,

(signed) Dag Hammarskjold

Dag Hammarskjold
Secretary-General

0061

26 June 1958

Dear Mr. Secretary-General,

I wish to acknowledge receipt of your letter No. AD 463 IAEA - P.P.: LE 352/3 of 16 June 1958, concerning the issuance of the United Nations laissez-passer to officials of the International Atomic Energy Agency. The letter reads as follows:

(Here follows the text of the immediately preceding letter)

On behalf of the International Atomic Energy Agency, I take pleasure in accepting the terms set forth in your letter quoted above. Consequently, your letter and this reply will constitute the Administrative Arrangements envisaged in paragraph 1 of Article XIX of the Agreement governing the relationship between the United Nations and the International Atomic Energy Agency.

Yours sincerely,

(signed) Sterling Cole

Sterling Cole
Director General
International Atomic Energy Agency

Mr. Dag Hammarskjold
Secretary-General
United Nations
New York, U.S.A.

0062

III

AGREEMENT FOR THE ADMISSION OF THE INTERNATIONAL ATOMIC ENERGY AGENCY INTO THE UNITED NATIONS JOINT STAFF PENSION FUND[3]

WHEREAS Article XXVIII of the Regulations of the United Nations Joint Staff Pension Fund, approved by the General Assembly of the United Nations on 7 December 1948, provides that a specialized agency referred to in Article 57, paragraph 2, of the Charter shall become a member organization of the United Nations Joint Staff Pension Fund on its acceptance of these Regulations provided that agreement has been reached with the Secretary-General of the United Nations as to any payments necessary to be made by such specialized agency to the Pension Fund in respect of the new obligations incurred by the Fund through its admission and as to the other transitional arrangements which may be necessary, including the extent to which these Regulations are to be applicable to employees of the specialized agency at the time of admission to the Fund;

WHEREAS supplementary Article C of the Regulations of the United Nations Joint Staff Pension Fund provides that for the purposes of these Regulations, the International Atomic Energy Agency shall be treated as if it were a specialized agency;

WHEREAS the Board of Governors of the International Atomic Energy Agency has decided to accept the Regulations of the United Nations Joint Staff Pension Fund and to enter into the required agreements and whereas the Director General of the International Atomic Energy Agency has been authorized by the Board of Governors of that Organization to negotiate and sign the required agreements;

WHEREAS, as provided in Article XXVIII of the Regulations of the United Nations Joint Staff Pension Fund, this agreement has been communicated to the Joint Staff Pension Board by the representatives of the Secretary-General on that Board for observations prior to its conclusion and whereas the Joint Staff Pension Board has communicated to the Secretary-General that it has no objections to the execution of this agreement;

IT IS, THEREFORE, AGREED as follows:

Article 1

The International Atomic Energy Agency (hereinafter referred to as the Agency) accepts as of 1 October 1958 subject to the provisions of this Agreement, the Regulations for the United Nations Joint Staff Pension Fund (hereinafter referred to as the Regulations) as applicable to itself and to the members of its staff and becomes from that date a member organization of the United Nations Joint Staff Pension Fund (hereinafter referred to as the Fund).

[3] This Agreement came into force on 29 September 1958 upon signature by the Director General of the Agency on that date, following signature by the Secretary-General of the United Nations on 22 September 1958.

0063

Article 2

In accordance with Article II of the Regulations, the Agency has determined that every full-time member of its staff shall be subject to the regulations if he enters employment under a contract without a time limit; or if he enters employment under a fixed-term contract for five years or more; or if he has completed five years of employment and remains on a contract providing for further service of at least one year, or remains in employment for more than one year thereafter; or if the Agency certifies that the particular fixed-term contract is considered to cover a probationary period and is designed to lead to employment for an indefinite period, provided that he is under sixty years of age at the time of entry into the Fund and that his participation is not excluded by his contract of employment.

The Director General of the Agency shall promptly transmit to the Secretary of the United Nations Joint Staff Pension Board the names and other relevant data to be determined by the United Nations Joint Staff Pension Board (hereinafter referred to as the Board), pertaining to staff members becoming eligible for participation.

Article 3

In accordance with supplementary Article B of the Regulations, the Agency has determined that every full-time member of the staff shall be subject to the regulations applicable to associate participants if he enters employment under a fixed-term contract for at least one year but less than five years; or if he has completed one year of continuous employment, provided that he is not eligible under Article II.1 of the Regulations to become a participant provided that he is under sixty years of age and provided further that his associate participation is not excluded by his contract of employment.

The Director General of the Agency shall promptly transmit to the Secretary of the Board the names and other relevant data to be determined by the Board pertaining to staff members becoming eligible for associate participation.

Article 4

Within one month following the signing of this Agreement, the Director General shall transmit to the Secretary of the Board a complete list of members of the staff of the Agency eligible for participation or associate participation in the Fund on the effective date of the admission of the Agency.

In the case of members of the staff of the Agency eligible for participation, the Director General shall indicate the date at which contributory service shall be deemed to have begun with respect to each such participant, in accordance with the provisions of Article 5 of this Agreement.

Article 5

The period prior to 1 October 1958 during which a participant was in full-time employment as a member of the staff of the Agency or its Preparatory Commission, shall be counted as contributory service under the Regulations, provided that payment is made by the Agency to the Fund of 21 per cent of the pensionable remuneration of each such participant during that period, together with interest at 3 per cent for the period, and provided, further, that there shall also be paid into the Fund by the Agency such an additional sum as may be determined by the Board, on the basis of a report from its consulting actuary, to be necessary in respect of the obligations incurred by the Fund through the counting of all such periods of prior employment as contributory service. Such an additional sum shall become payable when the Board advises the Agency of the determination it has made.

The earliest date from which employment with the Agency can be reckoned for the purpose of participation in the Fund shall be 26 October 1956.

0064

Article 6

Within one month following the signing of the Agreement the Agency shall start paying monthly into the Fund, in respect of each associate participant, a contribution equal to $4\frac{1}{2}$ per cent of his pensionable remuneration, or such percentage contribution, not to exceed 6 per cent, as shall be determined from time to time by the Board on the basis of actuarial valuations of the Fund.

Article 7

All payments to be made by the Agency to the Fund in accordance with the Regulations shall be treated by the Agency as preferred debts which shall be satisfied immediately after payment of salaries due by the Agency to its staff.

Article 8

Should the Agency for any reason interrupt or cease to make its payments to the Fund as required under the Regulations, the Secretary of the Board shall promptly report the facts to the Board and the Board shall determine the date as of which the Agency shall be deemed to be in default. The Board shall then cause an actuarial valuation of the Fund to be made in order to determine the sum necessary to make good the Agency's share of the deficiency, if any, revealed by such valuation, which sum shall then become payable by the Agency to the Fund.

Thereafter, upon the death or cessation of service with the Agency of each participant in the employment of the Agency on the date of default, he or his designated beneficiary shall be paid the actuarial equivalent of the benefit to which he would have been entitled under Article X of the Regulations had he left the service of the Agency on the date of default.

As soon as the Agency has made the additional contributions necessary as determined by actuarial valuation to restore to each such participant remaining in the employment of the Agency during the period of default his contributory service prior to default and during the period subsequent to default, the prospective rights of each participant to the benefit provided in the preceding paragraph shall cease and he shall in lieu thereof be entitled to all the rights of a participant credited in accordance with the Regulations with contributory service from his last date of participation prior to default.

Article 9

The Agency shall furnish to the Board, at its request, information based on adequate books and records relating to participants and associate participants, including salary scales, changes in salaries, pensionable remuneration paid and deductions made therefrom.

Procedure shall be agreed upon between the Agency and the Secretary of the Board, subject to the approval of the Board, with respect to reporting, vouchering and remittance of the contributions payable by the Agency to the Fund in accordance with the Regulations and the members of its staff who are participants in the Fund and with respect to such other administrative matters as it may be necessary to regulate for the implementation of the Agreement.

The Agency shall, in consultation with the Secretary of the Board, provide adequate information to its staff concerning the regulations of the Fund and its operation.

0065

Article 10

This Agreement, of which the English and French texts are equally authentic has been duly signed in duplicate in each of these languages on

FOR THE UNITED NATIONS	FOR THE INTERNATIONAL ATOMIC ENERGY AGENCY
BY (signed) Dag Hammarskjold	BY (signed) Sterling Cole
Secretary-General	Director General
22 September 1958	29 September 1958

0066

韓.日外務長官會談 會議錄

91.11.12. 서울

亞 洲 局

0067

한.일 외무장관회담 회의록

1. 일 시 : 91.11.12(화) 21:00-22:00

2. 장 소 : 신라호텔 Plum Rm. (23F)

3. 참 석 자

우리측		일본측	
장관님		와타나베	외무대신
장만순	제1차관보	야나기	주한대사
김석우	아주국장	다니노	아주국장
김용규	통상국장	오 노	주한참사관
배태수	참사관 (통역)	사이또	외상비서관
조중표	동북아1과장	무 또	북동아과장
이 혁	동북아1과 서기관 (기록)	모리모또	국제보도과장
		통 역	

4. 회담내용

o 이 장관 :

- 대신께서 분망한 일정에도 불구하고, APEC 각료회의 참가를 위해 방한하신 것을 진심으로 환영함.
- 먼저 회담에 앞서 일본의 지도적 정치가의 한분이신 대신께서 부총리겸 외무대신의 중책을 맡게 된 것을 축하드리며, 이는 한.일 양국관계 발전에 크게 공헌할 것으로 믿어 마지 않음.

o 와타나베 외상 :

- 우연치않게 미야자와 내각의 외무대신이 되었으며, 외상취임후 최초의 방문국이 한국이되었고, 처음 만나뵙는 외국의 외무장관도 이상옥 장관이 된 것을 기쁘게 생각함.
- 또한 한국에서의 APEC 회의 개최에 즈음하여, 중국.홍콩.대만 3자의 동시참가가 실현된 것은 매우 획기적인 것으로서, 아시아의 평화와 번영을 위해 크게 기여할 것으로 기대함. 중국.홍콩.대만의 동시참가에 노력하신 한국정부의 관계자들에게 진심으로 경의를 표함.

o 이 장관 :

- APEC 관련, 중국.대만.홍콩의 가입이 실현된데에는 일본의 협조와 지원도 큰 힘이 되었다고 생각하며, 감사드림. 금후 APEC 회의의 성공을 위해 일본의 계속적인 협조를 기대함.

o 와타나베 외상 :

- 일본으로서도 APEC이 좋은 결실을 맺고 실적을 올릴 수 있도록 금후로도 협력해 가고자 함. 또한 귀국의 이니셔티브에 의해 APEC 선언이 채택된 것은 유익하고 의의있는 것으로 생각함.
- APEC의 충실화·강화를 위해서도 양국이 긴밀히 협의하면서, 노력해 나가고자 함.

o 이 장관 :

- 감사함.
- 오늘 저녁 대신과 이렇게 회담을 가지게 되었으나 시간이 제한되어 있으므로, 중요한 몇가지 사항에 대해 중점적으로 협의를 했으면 좋겠음.

o 와타나베 외상 :

- 좋음.

o 이 장관 :

- 먼저 노대통령 취임후, 노대통령과 카이후 전수상간의 상호 방문을 통해 양국관계가 크게 발전했다고 평가함. 특히, 양국정상간에 한.일관계를 미래지향적 관계로 발전시키기로 합의한 것은 매우 의미있는 일이라고 생각함.
- 미야자와 총리대신의 새내각 출범후에도 미야자와 총리와 와타나베 부총리의 영도하에 한.일간의 우호 협력관계가 모든 분야에 있어서 계속 강화.발전될 것으로 확신함.
- 이와 관련, 이미 외교경로를 통해 일정부측에 전달한바 있으나, 노대통령은 가까운 시일내에 미야자와 총리와 만날 수 있는 기회를 갖게 되기를 기대하고 있음.
- APEC이 상징하는 새로운 아.태시대의 도래에 대비, 한.일 양국은 양국간 우호 협력관계의 발전뿐만 아니라, 이 지역의 평화와 번영을 위해 더욱 긴밀히 협력해 나가야 할 과제를 안고 있는 만큼, 그런 의미에서 두 정상간의 만남은 매우 뜻 깊고 바람직할 것으로 봄.

o 와타나베 외상 :

- 장관께서 말씀하신대로, 우리도 양국관계를 증진시켜 나가는 것이 중요하다고 생각함.
- 나까소네 전수상이 취임해서 최초의 해외 방문국이 한국이었던 것으로 알고 있음.

- 미야자와 신총리도 미래지향적 양국관계를 구축한다는 의미에서, 가능한 한 빠른 시기에 방한하고 싶다는 희망을 가지고 있음. 단정적으로 말씀드리기는어려우나, 아마도 방한시기는 1월초순이 되지않을까 생각하나, 외교 경로를 통해 12월초순까지 양측 사정을 보아가면서 결정하고 싶음.

o 이 장관 :

- 감사함.
- 이와 관련, 이미 외교 경로를 통해 전달한 바 있으나, 노대통령은 미야자와 총리 취임이후 가능한 한 빠른 시기에 외무장관을 역임한 이원경 전주일대사를 대통령 특사로 일본에 파견해서, 미야자와 총리에게 노대통령의 정중한 축하 말씀을 전하고, 양국관계 발전을 위한 협의의 기회를 가지기를 기다리고 있다는 취지를 전달하고자 함.
- 그때는 대통령의 친서도 휴대할 예정인 바, 미야자와 총리께서 취임초에 매우 바쁘실 것으로 생각하나, 가능한 한 빠른 시기에 이원경 특사가 미야자와 총리를 뵐 수 있도록 일정을 마련해 주면 감사하겠음.

o 와타나베 외상 :

- 한국측의 마음에 대해서는 매우 감사하게 생각함.
- 이원경 대사는 우리도 잘 아는 분임. 미야자와 총리도 한국측 의향을 들으면 기쁘게 생각할 것임.
- 다만, 아시다시피 현재 국회가 개원중이어서 12월중순까지는 매우 바쁜 일정이 계속될 것임. 모처럼 이특사께서 오셔도 환대할 시간을 충분히 갖지 못할 것이라는 것이 마음에 걸리나, 그래도 한국측에 실례가 되지 않는다면, 이 문제는 외교 경로를 통해 조정해 나가고자 함.

공 란

공 란

공 란

공 란

공 란

공 란

o 이 장관 :

- 그 밖에 여러 문제에 대해서는 멀지 않은 장래에 만나서 협의할 기회가 있을 것으로 생각함.
- 본인은 금년 4월 귀국을 공식 방문한 적이 있는데, 대신께서도 우리의 공식 초청으로 방한할 수 있게 되기를 기대함.

o 와타나베 외상 :

- 감사함.
- 일본국회는 너무 길어서 지루함. 1월에 시작되어 6월말정도까지 계속됨.

o 이 장관 :

- 국회 얘기가 나와서 말씀드리는데, 어제 오늘 오전내내 외무통일위에서 질의.답변에 응하였음.
- 오늘 오전중에는 일측도 관심을 가지고 있는 UR 농산물 문제에 관해 야당의원들로부터 1시간여에 걸쳐 1문1답 하였음. 농산물문제가 어려운 국면에 놓여 있음.

o 와타나베 외상 :

- 쌀의 관세화에 대해서는 여당에서 반대하지 않는지요?

o 이 장관 :

- 우리 국회에서는 초당적으로 쌀시장의 개방을 반대하는 결의를 채택하고 있음. 야당뿐 아니라, 여당에서도 반대하고 있음.

o 와타나베 외상 :

- 제일 골치 아픈 것이 바로 그 문제임.
- 한.일 양국은 동병상련지간인 바, 잘 부탁드림.

o 이 장관 :

- 바쁜 시간을 내어 주셔서 감사함. 끝.

예고 :1991992.12.31에 일반문에 의거 일반문서로 재분류 됨

유엔-IAEA간 협정 주요내용

(Agreement Governing the Relationship Between the United Nations and the International Atomic Energy Agency, 1959년 체결)

(제1조) <u>원칙(Principles)</u>

. <u>2 항</u> : 유엔은 IAEA가 정부간 성격의 국제책임하에 유엔과의 실무관계(working relationship)을 맺어 그 자체의 헌장하에 독립적 국제기구(autonomous international organization)로 운영됨을 인정함

. <u>4 항</u> : IAEA는 평화와 국제협력을 촉진하기 위한 유엔 헌장의 목적과 원칙에 따라 활동을 수행하고, 안전조치하의 범세계적 비무장(safeguarded world-wide disarmament)을 확대하자는 유엔정책과 이러한 정책에 따라 체결된 국제 협정에 따라 활동함

(제3조) <u>IAEA의 대유엔 보고 (Reports of the Agency to the United Nations)</u>

. <u>1 항</u> : IAEA는 유엔에 동기구 활동에 대해 계속 통보함

(a) 매년 유엔 총회에 IAEA의 전반적 활동에 관한 보고서 제출

(b) IAEA 활동과 관련하여 유엔 안보리 권능내의 문제가 발생하였을때 안보리에 보고서를 제출, 동 내용을 통보함

(c) 경제사회 이사회나 유엔 산하 다른 기구의 권능에 속한 문제에 대해서는 해당 기구에 보고서를 제출함

. <u>2 항</u> : IAEA는 IAEA 헌장 12조 C 내용에 따라 의무 불이행(non-compliance)을 유엔 안보리와 총회에 보고함

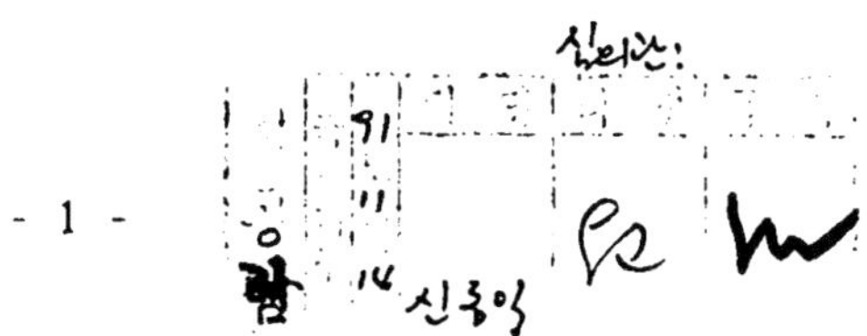

(제4조) 유엔사무총장의 보고(Report of the Secretary-General of the U.N.)

. 1 항 : 유엔 사무총장은 유엔과 IAEA의 공동 활동(common activities)과
양기구간 관계발전에 대해 적절히 유엔에 보고함

. 2 항 : 유엔 사무총장은 상기 1항에 따라 배포된 보고서를 IAEA에도 전달함

(제5조) 유엔결의 (Resolutions of the United Nations)

IAEA는 유엔 총회나 안보리에 의해 채택된 IAEA 관련 결의를 관련 기록들과 함께 검토하며, 검토결과 IAEA나 회원국이 IAEA 헌장에 따라 취한 행동에 대해 보고서를 제출함

(제7조) 상호대표(Reciprocal representation)

. 2 항 : IAEA 사무총장은 협의를 위해 유엔 총회 본회의 및 각종위원회, 경제
사회이사회, 신탁통치 이사회 및 산하기구 회의에 참가할 자격을 갖음.
안보리 요청에 의하여, IAEA 사무구장은 안보리 회의에 참가하여 IAEA
권능내의 문제와 관련한 정보와 기타 지원을 제공할 수 있음

(제8조) 의제 항목(Agenda items)

. 2 항 : IAEA는 의제선택을 유엔에 제의할 수 있음. 즉, IAEA는 유엔 사무총장
에게 관련 의제를 통보하고, 유엔 사무총장은 그러한 의제에 대해 총회,
안보리, 경사리나 신탁통치이사회에 적절히 주의를 환기시킬 수 있음

(제9조) 안보리와의 협력(Cooperation with the Security Council)

IAEA는 국제평화와 안전의 유지나 회복을 위한 책임이행에 요구되는 정보와 지원을 제공함으로써 안보리와 협력함

(제11조) 조정(Coordination)

유엔과 IAEA는 기구활동의 중복을 피하기 위하여 유엔과 전문기구들 간의 관계에 따라 IAEA의 활동을 효과적으로 조정하는 것이 바람직 하다는 것을 인정함

(제12조) 사무국간 협력(Cooperation between Secretariats)

. 1 항 : 유엔사무국과 IAEA 사무국은 유엔사무총장과 IAEA 사무국장간 합의된 내용에 따라 긴밀한 협력관계를 유지함

(제16조) 예산 및 재정 문제(Budgetary and financial arrangements)

. 1 항 : 유엔과 IAEA 및 기타 전문기구들의 행정운영이 가장 효과적이고 경제적인 방법으로 수행되게 하기 위하여 IAEA는 유엔과 긴밀한 예산 및 재정관계를 수립함을 인정함

(제20조) 기구간 및 여타협정(Inter-agency and other agreements)

IAEA는 전문기구 및 정부간 기구 또는 여타 비정부간 기구들과 공식 협정을 체결하기 전에 협정의 성격 및 범위에 대해 유엔에 통보하며, 협정체결후 동 내용을 통보함

(제24조) 효력발생(Entry into force)

이협정은 유엔총회와 IAEA 총회의 승인을 받아 효력을 발생함. 끝.

(1959.6.19. Sterling Cole IAEA 사무국장 서명 / 1959.8.10. Dag Hammarskjold 유엔 사무총장 서명)

International Atomic Energy Agency

INFCIRC/11/Add.1
2 December 1963

GENERAL Distr.

Original: ENGLISH and FRENCH

THE TEXTS OF THE AGENCY'S AGREEMENTS WITH THE UNITED NATIONS

The text of the Special Agreement Extending the Jurisdiction of the Administrative Tribunal of the United Nations to the International Atomic Energy Agency, with Respect to Applications by Staff Members of the International Atomic Energy Agency Alleging Non-Observance of the Regulations of the United Nations Joint Staff Pension Fund, which entered into force on 18 October 1963, is reproduced in this document for the information of all Members.

0083

SPECIAL AGREEMENT EXTENDING THE JURISDICTION OF THE ADMINISTRATIVE TRIBUNAL OF THE UNITED NATIONS TO THE INTERNATIONAL ATOMIC ENERGY AGENCY, WITH RESPECT TO APPLICATIONS BY STAFF MEMBERS OF THE INTERNATIONAL ATOMIC ENERGY AGENCY ALLEGING NON-OBSERVANCE OF THE REGULATIONS OF THE UNITED NATIONS JOINT STAFF PENSION FUND

WHEREAS, by an agreement concluded with the Secretary-General of the United Nations, in conformity with the Regulations of the United Nations Joint Staff Pension Fund, the International Atomic Energy Agency became a member organization of the United Nations Joint Staff Pension Fund and accepted, subject to the provisions of the agreement, as applicable to itself and to the members of its staff, the Regulations of the Fund,

WHEREAS, by Resolution 678 (VII) of 21 December 1952, the General Assembly of the United Nations recommended that the specialized agencies which are member organizations of the United Nations Joint Staff Pension Fund accept the jurisdiction of the United Nations Administrative Tribunal in matters involving applications alleging non-observance of the Regulations of the Fund,

WHEREAS, the Board of Governors of the International Atomic Energy Agency decided on 19 September 1963 that the Agency should accept the jurisdiction of the United Nations Administrative Tribunal with respect to applications by staff members of the Agency alleging non-observance of the Regulations of the United Nations Joint Staff Pension Fund, and authorized the Director General of the Agency to enter into an agreement with the United Nations for this purpose,

WHEREAS, the United Nations Joint Staff Pension Board, at its annual meeting in April 1953, recorded its understanding that for matters involving the Regulations of the United Nations Joint Staff Pension Fund full faith, credit and respect shall be given to the proceedings, decisions and jurisprudence of the Administrative Tribunal, if any, of the agency concerned relating to the staff regulations of that agency, as well as to the established procedures for the interpretation of such staff regulations,

NOW, THEREFORE, IT IS AGREED AS FOLLOWS:

ARTICLE I

1. The United Nations Administrative Tribunal shall be competent to hear and pass judgement, in accordance with the applicable provisions of its Statute and its Rules, upon applications alleging non-observance of the Regulations of the United Nations Joint Staff Pension Fund presented by:

   (a) Any staff member of the International Atomic Energy Agency, eligible under article II of the Regulations as a participant in the Fund, even after his employment has ceased, and any person who has succeeded to such staff member's rights on his death;

   (b) Any other person who can show that he is entitled to rights under the Regulations of the United Nations Joint Staff Pension Fund by virtue of the participation in the Fund of a staff member of the International Atomic Energy Agency.

2. In the event of a dispute as to whether the Tribunal has competence, the matter shall be settled by the decision of the Tribunal.

0084

ARTICLE II

The judgements of the Tribunal shall be final and without appeal and the International Atomic Energy Agency agrees, insofar as it is affected by any such judgement, to give full effect to its terms.

ARTICLE III

1. The administrative arrangements necessary for the functioning of the Tribunal with respect to cases arising under this Agreement shall be made by the Secretary-General of the United Nations in consultation with the Director General of the International Atomic Energy Agency.

2. The additional expenses which may be incurred by the United Nations in connection with the proceedings of the Tribunal relating to cases arising under this Agreement shall be borne by the United Nations Joint Staff Pension Fund. These additional expenses shall include:

(a) Any travel and subsistence expenses of the members of the Tribunal and of the Tribunal staff when such expenses are specially required for dealing with cases under this Agreement and are in excess of those required by the Tribunal for dealing with cases relating to staff members of the United Nations;

(b) Any wages of temporary staff, cables, telephone communications and other "out of pocket" expenses when such expenses are specially required for dealing with cases under this Agreement.

ARTICLE IV

This Agreement, of which the English and French texts are equally authentic, has been duly signed in duplicate in each of these languages at Vienna on 4 October 1963 and at New York on 18 October 1963.

FOR THE UNITED NATIONS	FOR THE INTERNATIONAL ATOMIC ENERGY AGENCY
(signed) U Thant Secretary-General	(signed) Sigvard Eklund Director General

0085

공 란

공 란

공　　　　란

공 란

공 란

공 란

공　　　란

공 란

공 란

공 란

공 란

공　　　란

공 란

공 란

공 란

공　　　란

공 란

공 란

공 란

공　　　란

공　　란

관리 번호	91 -1518

외 무 부

종 별 :

번 호 : UNW-4018 일 시 : 91 1122 1900

수 신 : 장 관(해기,연일,정특,미이,기정)

발 신 : 주 유엔 대사

제 목 : 북한 프레스릴리스

연:UNW-3870

당지 북한대표부는 11.22. 수개월내 핵폭탄제조 가능성 보도등 관련 북한중앙통신 기자 질의에 대한 외교부 대변인 답변(11.20) 내용을 프레스릴리스로 작성, 유엔 외신기자에게 배포한바 별전보고함.

첨부:UNW(F)-888 끝

(대사 노창희-해공관장)

예고:91.12.31. 까지

공보처 장관 차관 미주국 국기국 외정실 분석관 청와대 안기부

PAGE 1

91.11.23 09:52

외신 2과 통제관 BS

0107

Democratic People's Republic of Korea

PERMANENT MISSION TO THE UNITED NATIONS

225 East 86th Street, New York, N.Y. 10028

TEL (212) 722-3536 FAX (212) 534-3612

Press Release

No. 29

November 22, 1991

DPRK FOREIGN MINISTRY SPOKESMAN ANSWERS QUESTIONS BY REPORTER REGARDING PRESSURE FOR NUCLEAR INSPECTION OF DPRK

A spokesman for the Foreign Ministry of the Democratic People's Republic of Korea gave, on November 20, answers to questions raised by a KCNA reporter regarding the current stepped-up moves of the United States and some other countries to put international pressure on the DPRK over the question of nuclear inspection.

He flatly denied as unfounded and false the rumour spread by the United States and its satellite forces these days that the DPRK would "develop" nuclear weapons within a few months. They are circulating such a rumour in an attempt to increase international pressure on us, he said, and continued:

Only yesterday they had said that it would take a few years for us to "develop" nuclear weapons. But, abruptly changing their position, they are alleging that we would "develop" nuclear weapons within a few months. This itself shows that their allegation is a cock-and-bull story. Facts prove that they, in actuality, are not interested in the denuclearization of the Korean peninsula.

If the United States, he went on, truly intend to prevent the proliferation of nuclear weapons on the Korean peninsula, there will arise no problem, provided that it withdraw its nuclear weapons from south Korea, remove the nuclear threat to us and then proceed to verify it through a simultaneous inspection of the north and the south as we have already proposed, instead of resorting to pressure

2-1

0108

-2-

on us. This is a most realistic and reasonable solution to it, and there can be no other condition, he declared.

Noting that the United States and some forces are spreading a false rumour that the DPRK is "evading" a nuclear inspection by continuously raising "new demands", the spokesman said this, too, comes from their intention to keep hold on south Korea as a nuclear base and increase international pressure on us.

Consistent is our stand on nuclear inspection, he said, and stressed: From the very beginning we have proposed that the United States withdraw its nuclear weapons from south Korea, remove the nuclear threat to us and give assurances that it would not use nuclear weapons and the north and the south undergo a simultaneous inspection.

We have never objected to nuclear inspection. What we are against is not nuclear inspection itself but the unreasonable attempts to force nuclear inspection on us alone who have no nuclear arms, far from accepting a nuclear inspection of south Korea where nuclear weapons have been deployed. There is nothing we have deducted from or added to this stand.

The spokesman contended that the United States must not put up new pretext but boldly choose to withdraw its nuclear weapons from south Korea and accept a simultaneous inspection.

Commenting on the public opinion that the DPRK is taking a "negative" view of the proposals brought forward by Bush and the south Korean authorities, he said if the statement of Bush that the U.S. nuclear weapons would be withdrawn from south Korea and the south Korean chief executive's declaration of the denuclearization of the Korean peninsula are carried into practice to the letter, it would mean some progress in denuclearization the Korean peninsula and bailing our nation out of a nuclear scourge.

However, it is hard to believe them only in view of their words, he said, recalling that many a time the United States has failed to honor their words in its relations with small countries.

Pointing out that it is not secret that more than 1,000 pieces of U.S. nuclear weapons are actually deployed in south Korea, he said: The United States, however, is setting afloat the rumor that some 100 pieces of nuclear weapons are in south Korea at present.

We are paying attention to the ill-boding moves noted in the attitude of the United States after the publication of its program for the withdrawal of nuclear weapons and are following their practical action, he stressed.

2--2

0109

관리 번호	91-5518

	분류번호	보존기간

발 신 전 보

번 호 : WUN-4079 911126 1521 DS 종별 :

수 신 : 주 유엔 대사. 총영사 (사본: 주 오스트리아 대사) WAV -1355

발 신 : 장 관 (연일)

제 목 : 북한 외교부성명

대 : UNW - 3978

1. 11.25자 북한 외교부성명(핵안전조치 협정체결 문제관련) 별첨 FAX 송부함.

2. 대호, 피커링 / 박길연 대사 접촉 가능성에 대비, 상기 내용을 미측에 참고로 알리기 바람.

3. 미측에 가능하면 북한 접축시 북한이 미국의 핵무기 철수가 시작 되면, 핵안전조치 협정에 서명하겠다는 것인지, 아니면 4개항 제의를 package로 처리하려는 것인지등에 관해 북측의 진의를 적의 타진해 보는것도 필요할 것으로 본다는 의견을 제시하기 바람.

첨부 : 상기 자료 1부. 끝.

(국제기구국장 문동석)

예고 : 92.12.31.일반

검토필(1991.12.31.) [서명]

검토필(1992.6.30.) [서명]

보안 통제	[서명]

앙 고 재	91년 11월 26일	연1과	기안자 성명		과 장	심의관	국 장		차 관	장 관
			[서명]		[서명]		전결			[서명]

외신과통제

0110

외 무 부

WUNF-0239 911126 1540 DS

WAVF-0116

번 호 : 년월일 : 시간 :

수 신 : 주 유엔 대사(총영사) (사본: 주EC지리대사)

발 신 : 외무부장관(연일)

제 목 : 북한 외교부 성명

보 안 통 제	

총 5 매(표지포함)

외신과 통 제	

0111

예고 : 독후파기

세 948 호

일시 : '91. 11. 25. 20:00

매체 : 중. 평 방

북한 외교부 성명

- 핵담보협정체결 문제 관련

조선민주주의 인민공화국 외교부는 핵담보협정체결문제와 관련해서 성명을 발표 했습니다.

"조선민주주의 인민공화국 외교부 성명 "

오늘 조선반도에서 핵위협을 제거하고 비핵지대화를 실현하는 것은 세계적인 관심사로 이목을 끌고있다.
우리공화국 정부는 남조선에 배비된 미국 핵무기의 철수를 조선반도의 평화를 보장하는데서 필수적인 요구로 제기하고 그 실현을 위하여 꾸준히 노력하여 왔다.
우리 공화국정부는 핵무기 전파방지 조약에 가입할때 미국이 이 조약의 기탁국으로서 마땅이 조약에 의하여 지닌 법적의무를 이행하며 우리에 대한 핵위협을 그만두고 조선반도를 비핵지대화 하는데 호응해 나설것을 기대하였다.
핵무기 소유국인 미국은 조약에 가입한 비핵국가들을 핵무기로 위협하는 행위를 하지 말아야 할 의무를 지니고 있다.

0112

- 1 -

24-3

그럼에도 불구하고 미국은 우리공화국에 대하여 핵무기로 계속 위협, 공갈하며 조선반도에서 핵전쟁분위기를 고취함으로써 조약상 의무를 계속적으로 위반하여 왔다.

공화국이 핵무기 전파방지조약에 가입한 후 핵담보협정체결 문제의 해결이 지연되어 온것은 전적으로 미국이 이와같은 조약 위반행위를 감행하면서 남조선에서 핵무기를 철수하고 핵위협을 제거할데 대한 우리의 정당한 요구를 받아들이지 않는데서 기인되고 있다.

얼마전 미국대통령「부시」는 전술핵무기 축감제안을 발표하였으며 이에 따라 미국은 남조선에 미국 핵무기가 실전 배비되어 있는 사실을 인정하고 이를 철수할데 대한 입장을 밝혔다.

우리는 미국의 이와같은 조치가 우리의 핵담보 협정체결에 길을 열어주는 것으로 보고 그를 환영하였다.

그후 남조선 당국자도 조선반도의 비핵화와 관련한 선언을 내놓았다.

우리는 비핵화라는 말 자체를 반대하여 오던 남조선 당국자가 뒤늦게나마 우리가 이미 내놓은 조선반도의 비핵지대화 제안과 일부 공통된 내용을 담은 제안을 발표한것을 평가한다.

만일 미국과 남조선 당국이 이미전에 이와같은 입장을 취하였더라면 우리의 핵담보협정체결 문제가 오늘처럼 복잡한 문제로 제기되지도 않았을 것이다.

우리는 핵무기전파방지 조약 가입국으로서 핵담보협정체결 자체를 반대한 일이 없으며 그의 조속한 체결을 위하여 성의있는 노력을 다하여 왔다.

우리는 핵무기전파방지조약에 가입한후 우리가 지닌 조약상 의무인 핵담보협정을 체결하겠으니 미국도 조약에 의하여 지닌 의무를 이행하여 남조선에서 핵무기를 철거하고 우리에 대한 핵위협을 제거하여야 한다고 정당하게 주장하였다.

그러나 미국은 남조선에 엄연히 존재하는 핵무기를 가지고 존재하지 않는다고 하면서 우리에 대한 일방적인 사찰만을 강요하여 왔다.

지금에 와서는 모든 것이 명백해진 바와같이 미국이 처음부터 우리의 정당한 주장을 받아들이고 이번에 발표한것과 같은 긍정적인 조치를 취했다면 우리의 핵담보협정체결 문제는 오래전에 해결되었을 것이며 아무일도 없었을 것이다.

앞으로도 우리의 핵담보협정체결 문제가 순조롭게 빨리 해결되는가 못되는가 하는것은 미국이 핵무기 철수에 관한 자기의 공약을 어떻게 성실히 이행하는가 하는데 달려있다.

남조선 당국의 경우를 말하더라도 우리가 조선반도 비핵지대화 안을 제기하였을때 덮어놓고 반대할 것이아니라 그것을 용당 받아들이는 데로 나왔어야 할 것이있다.

북 과남은 동족으로서 다같이 핵무기개발을 하지 말며 핵사찰을 동시에 받아들여야 한다.

조선민주주의 인민공화국 정부는 이와같은 견지에서 다음과 같이 천명한다.

첫째, 미국이 남조선으로부터 핵무기 철수를 시작하면 우리는 핵담보협정에 서명한다.

둘째, 남조선에서의 미국 핵무기의 존재여부를 확인하기 위한 사찰과 우리의 핵시설에 대한 사찰을 동시에 진행한다.

셋째, 동시 핵사찰문제와 우리에 대한 핵위협 제거문제를 협의

- 3 -

0114

하기위한 조.미 협상을 진행한다.

네째, 북과 남이 핵무기를 개발하지 않으며 조선반도를 비핵지대화 할데 대한 상통된 의사를 표명한데 따라 그 실현을 위한 북남 협상을 진행한다.

조선민주주의 인민공화국 정부와 조선인민은 조선반도에서 핵전쟁의 위험을 제거하고 평화와 안전을 보장하며 나가서 아시아와 세계 평화를 공고히 하기위한 우리의 공명정대한 제안이 평화를 사랑하는 세계 모든나라 정부와 인민들의 적극적인 지지를 받을것이라고 확신한다.

1991. 11. 25

평 양

0115

외 무 부

종 별 :

번 호 : UNW-4067 일 시 : 91 1126 1800

수 신 : 장 관(미이,정특,국연,해기,기정)

발 신 : 주 유엔대사

제 목 : 북한 외교부 성명

대: WUN-4083

당지 북한대표부는 11.26 핵관련 북한외교부 성명 (11.25 자)을 프레스릴리스로작성, 유엔 외신기자에게 배포한 바, 별전보고함.

첨부: FAX 3 매: UNW(F)-910 끝

(대사 노창희-해공관장)

미주국	장관	1차보	국기국	외정실	분석관	정와대	안기부	공보처

PAGE 1

91.11.27 09:36 WH

외신 1과 통제관

0116

주 국 련 대 표 부

주국련(공) 35260- 978　　　　　1991. 11. 29.

수신 : 장 관

참조 : 해외공보관장, 외교기획정책실장,
　　　국제기구국장, 문화협력국장

제목 : 북한 프레스릴리스 송부

1. UNW-4018 및 4067의 관련입니다.

2. 연호관련 북한대표부의 프레스릴리스를 별첨과 같이 송부합니다.

첨부 : 동 자료 2종 각 1부. 끝.

주 국 련 대 사

68255

0117

Democratic People's Republic of Korea

PERMANENT MISSION TO THE UNITED NATIONS

225 East 86th Street, New York, N.Y. 10028
TEL (212) 722-3536 FAX (212) 534-3612

Press Release

No. 29
November 22, 1991

DPRK FOREIGN MINISTRY SPOKESMAN ANSWERS QUESTIONS BY REPORTER REGARDING PRESSURE FOR NUCLEAR INSPECTION OF DPRK

A spokesman for the Foreign Ministry of the Democratic People's Republic of Korea gave,on November 20,answers to questions raised by a KCNA reporter regarding the current stepped-up moves of the United States and some other countries to put international pressure on the DPRK over the question of nuclear inspection.

He flatly denied as unfounded and false the rumour spread by the United States and its satellite forces these days that the DPRK would "develop" nuclear weapons within a few months. They are circulating such a rumour in an attempt to increase international pressure on us, he said, and continued:

Only yesterday they had said that it would take a few years for us to "develop" nuclear weapons. But, abruptly changing their position, they are alleging that we would "develop" nuclear weapons within a few months. This itself shows that their allegation is a cock-and-bull story. Facts prove that they, in actuality, are not interested in the denuclearization of the Korean peninsula.

If the United States, he went on, truly intend to prevent the proliferation of nuclear weapons on the Korean peninsula, there will arise no problem, provided that it withdraw its nuclear weapons from south Korea, remove the nuclear threat to us and then proceed to verify it through a simultaneous inspection of the north and the south as we have already proposed, instead of resorting to pressure

0118

on us. This is a most realistic and reasonable solution to it, and there can be no other condition, he declared.

Noting that the United States and some forces are spreading a false rumour that the DPRK is "evading" a nuclear inspection by continuously raising "new demands", the spokesman said this, too, comes from their intention to keep hold on south Korea as a nuclear base and increase international pressure on us.

Consistent is our stand on nuclear inspection, he said, and stressed: From the very beginning we have proposed that the United States withdraw its nuclear weapons from south Korea, remove the nuclear threat to us and give assurances that it would not use nuclear weapons and the north and the south undergo a simultaneous inspection.

We have never objected to nuclear inspection. What we are against is not nuclear inspection itself but the unreasonable attempts to force nuclear inspection on us alone who have no nuclear arms, far from accepting a nuclear inspection of south Korea where nuclear weapons have been deployed. There is nothing we have deducted from or added to this stand.

The spokesman contended that the United States must not put up new pretext but boldly choose to withdraw its nuclear weapons from south Korea and accept a simultaneous inspection.

Commenting on the public opinion that the DPRK is taking a "negative" view of the proposals brought forward by Bush and the south Korean authorities, he said if the statement of Bush that the U.S. nuclear weapons would be withdrawn from south Korea and the south Korean chief executive's declaration of the denuclearization of the Korean peninsula are carried into practice to the letter, it would mean some progress in denuclearization the Korean peninsula and bailing our nation out of a nuclear scourge.

However, it is hard to believe them only in view of their words, he said, recalling that many a time the United States has failed to honor their words in its relations with small countries.

Pointing out that it is not secret that more than 1,000 pieces of U.S. nuclear weapons are actually deployed in south Korea, he said: The United States, however, is setting afloat the rumor that some 100 pieces of nuclear weapons are in south Korea at present.

We are paying attention to the ill-boding moves noted in the attitude of the United States after the publication of its program for the withdrawal of nuclear weapons and are following their practical action, he stressed.

0119

Democratic People's Republic of Korea

PERMANENT MISSION TO THE UNITED NATIONS

225 East 86th Street, New York, N.Y. 10028
TEL (212) 722-3536 FAX (212) 534-3612

Press Release

No.30
November 26, 1991

DPRK GOVERNMENT CLARIFIES ITS STAND ON SIGNING NUCLEAR SAFEGUARDS ACCORD

The Ministry of Foreign Affairs of the Democratic People's Republic of Korea on November 25 published a statement clarifying the stand of the DPRK Government on the question of signing the Nuclear Safeguards Accord.

Follows the full text of the statement:

The removal of nuclear threat from the Korean peninsula and its conversion into a denuclearized zone is a focus of worldwide concern today.

The Government of our Republic raised the withdrawal of the U.S. nuclear weapons from south Korea as an indispensable requisite to the guarantee of peace on the Korean peninsula and has made tireless efforts for its realization.

When joining the Nuclear Nonproliferation Treaty (NNT), it hoped that the United States with which the Treaty is deposited would discharge its legal obligations under the Treaty, renounce its nuclear threat to us and respond to the proposal for the denuclearization of the Korean peninsula.

The United States, a nuclear power, is under obligation to refrain from nuclear threat to the non-nuclear states which have joined the Treaty. It, however, has constantly swerved from its obligation under the Treaty by resorting to continued threat and blackmail with nuclear weapons against our Republic and inciting the atmosphere of nuclear war on the Korean peninsula.

It is entirely attributable to the United States which, violating the Treaty in this way, refused to accept our just demand for the withdrawal of nuclear weapons from south Korea and removal of nuclear threat that the solution of the question of signing the Nuclear Safeguards Accord(NSA) has been delayed after our Republic joined the NNT.

0120

U.S. President Bush, sometime ago, published a proposal for the reduction of tactical nuclear weapons, thus admitting the deployment of U.S. nuclear weapons for a war in south Korea, and made clear the U.S. stand for their withdrawal.

We welcomed this step of the United States, regarding it as one opening the way for our signing the NSA.

Later, the south Korean chief executive made a "Declaration" on the "Denuclearization" of the Korean peninsula.

We appreciate that the south Korean chief executive who had opposed the word of denuclearization itself made public, though belatedly, a proposal carrying some common points with the proposal for the denuclearization of the Korean peninsula already made by us.

If the United States and the south Korean authorities had taken such stand earlier, the question of our signing the NSA would not have become so complicated as today.

As a signatory to the NNT, we have never opposed the signing of the NSA itself but have made sincere efforts for its early signing. After joining the NNT, we said we would sign the NSA as we were obliged by the Treaty, legitimately demanding that the United States also fulfil its obligations under the Treaty by withdrawing its nuclear weapons from south Korea and removing its nuclear threat to us.

The United States, however, demanded a unilateral inspection of our area, persistently denying the presence of nuclear weapons in south Korea, though they undeniably exist.

Everything is clear now. Had the United States accepted our just demand from the beginning and taken such positive step as it made public this time, the question of our signing the NSA would have been solved long ago and there would have arisen no problem.

Whether this problem will be resolved smoothly and quickly in the future, or not, depends on how sincerely the United States fulfils its commitments regarding the pullout of nuclear weapons.

In case of the south Korean authorities, they should have accepted our proposal for the denuclearization of the Korean peninsula, not turning it down categorically when we made it.

The north and the south, as the same nation, must not develop nuclear weapons, but accept nuclear inspection simultaneously.

From this point of view, the Government of the Democratic People's Republic of Korea declares as follows:

Firstly, we will sign the Nuclear Safeguards Accord when the United States begins to withdraw its nuclear weapons from south Korea.

0121

Secondly, inspection to verify whether U.S. nuclear weapons are present in south Korea or not and inspection of our nuclear facilities shall be made simultaneously.

Thirdly. DPRK-U.S. negotiations should be held to discuss simultaneous nuclear inspection and removal of nuclear danger to us.

Fourthly, since the north and the south expressed the same intention not to develop nuclear weapons and to denuclearize the Korean peninsula, they should hold north-south negotiations for its realization.

The DPRK Government and the Korean people believe that our fair proposal to remove the danger of a nuclear war on the Korean peninsula, ensure peace and security there and, furthermore, consolidate peace in Asia and the rest of the world will enjoy active support from the governments and people of all the countries of the world who love peace.

0122

정 리 보 존 문 서 목 록					
기록물종류	일반공문서철	등록번호	2020010110	등록일자	2020-01-16
분류번호	726.62	국가코드		보존기간	영구
명 칭	북한.IAEA(국제원자력기구) 간의 핵안전조치협정 체결, 1991-92. 전15권				
생 산 과	국제기구과/국제연합1과	생산년도	1991~1992	담당그룹	
권 차 명	V.10 1991.11월				
내용목차	* IAEA 12월 이사회 의제 및 대책 * 안전조치제도 강화 관련 포함				

0001

공 란

공 란

공 란

공　　　란

공 란

공 란

공　　란

공 란

공 란

공 란

기 11/9 신

관리 번호	91-1079

원 본

외 무 부

종 별 :

번 호 : AVW-1462　　　　일 시 : 91 1108 1700

수 신 : 장 관(국기)

발 신 : 주 오스트리아 대사

제 목 : 핵안전 조치 제도 강화를 위한 비공식문서

대:WAV-1252

연:AVW-1450 및 1199(91.9.23)

1.IAEA 사무국은 ELBARADEI(에집트국적) 신임 섭외국장의 주재하에 금 11.8(금) 오전(1013-1155) 연호(1199) 제 8 항 다. 에 언급된 특별사찰과 설계정보의 제공에 관한 대호 문서(별전 FAX)에 관한 비공식 브리핑을 실시하였음.

2. 상기 브리핑에서 멕시코와 서서는 상기 문서가 10.23 일자로 되어있으나실제 배부과정에서 회원국간의 차별로 지연된것을 항의하였음.(당관은 10.31 경 접수하고 그후 연휴를 보낸후 금주 파편 본부에 송부할 계획이었음)

3. 상기 브리핑은 금년 12 월 이사회에서의 특별 사찰및 설계정보 제공에 관한 심의를 앞두고 미리 이사국들의 관심을 환기 시키고 의견을 수렴한다는 취지로 이루어 졌는데, 별전(FAX)에 포함된것 이외에는 브리핑자체에 특기할 사항은 없고, 인도와 멕시코, 브라질, 이락등이 논의 자체에 대한 종래의 부정적 입장을 표시하였음.

4. 본직을 포함하여 미국, 항가리등은 상기 문서를 배포한 사무국의 노력을 치하하고 안전조치제도의 조기 강화 필요성을 강조하였음.

5. 친미적인 주요 핵국들은 표제 문서를 가급적 12 월 이사회에서 공식으로 채택 한다는 입장을 견지하고 있는것으로 알려지고 있으나, NON-NPT 국가등의 저항때문에 그 전망이 불부명한것으로 당지의 업써버들은 보고있음.

별첨:WAV(F)-047 16 매.끝

예 고:1992.6.30 일반

검 토 필(1991. 12. 31)
직 권 보 관 승 인

국기국　장관　차관　1차보　외정실　분석관　청와대　안기부

PAGE 1

91.11.09　04:55

외신 2과　통제관 FM

0012

INTERNATIONAL ATOMIC ENERGY AGENCY
AGENCE INTERNATIONALE DE L'ENERGIE ATOMIQUE
МЕЖДУНАРОДНОЕ АГЕНТСТВО ПО АТОМНОЙ ЭНЕРГИИ
ORGANISMO INTERNACIONAL DE ENERGIA ATOMICA

WAGRAMERSTRASSE 5, P.O. BOX 100, A-1400 VIENNA, AUSTRIA
TELEX: 1-12645, CABLE: INATOM VIENNA, FACSIMILE: 43 1 234564, TELEPHONE: 43 1 2360

IN REPLY PLEASE REFER TO:
PRIERE DE RAPPELER LA REFERENCE:

DIAL DIRECTLY TO EXTENSION:
COMPOSER DIRECTEMENT LE NUMERO DE POSTE:

NOTE

The International Atomic Energy Agency presents its compliments to the Permanent Mission of the Republic of Korea to the International Organizations in Vienna and has the honour to answer the Mission's Note KPM 91-97 of 16 October 1991 by stating that reports or communications which would fall under Article III.B.4 of the Agency's Statute, were made to the Security Council in connection with the military attack on Iraqi nuclear research installations in 1981 and in July and September this year, in connection with Iraq's non-compliance with its safeguards agreement with the Agency.

In November 1987 correspondence between Representatives of the Islamic Republic of Iran and the Director General of the Agency in connection with attacks on the Busher Nuclear Power Plant was circulated to the members of the General Assembly and of the Security Council.

The International Atomic Energy Agency avails itself of this opportunity to renew to the Permanent Mission of the Republic of Korea the assurances of its highest consideration.

Vienna, the 8th of November 1991

The Resident Representative of
the Republic of Korea to the IAEA
Praterstrasse 31
A-1020 Vienna

0013

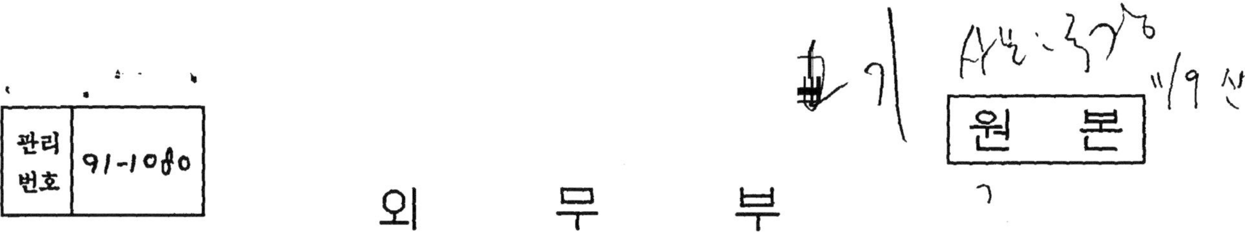

관리번호	91-1080

원 본

외 무 부

종 별 :

번 호 : AVW-1468　　　　일 시 : 91 1108 1830

수 신 : 장 관(국기,미안) 사본:주미대사(본부중계필)

발 신 : 주 오스트리아 대사

제 목 : ELBARADEI 섭외국장 면담(12월 이사회)

대:WAV-1262

연:AVW-1462 및 1450

1. 본직은 금 11.8 오후(1430-1500) ELBARADEI 섭외국장에 대한 신임 축하인사를 겸하여 그와 면담하였음.

2. 그에 의하면 북한으로부터 핵안전협정 체결에 관한 아무런 반응도 최근에 없다고 하였음.

3. 금년 12 월 이사회는 종전과 달리 관례적으로 다루는 기술협력문제 이외에 핵안전조치 강화문제와 두개의 프로 젝트 승인(중공과 씨리아및 중공과 가나간의 핵협력) 문제로 인하여 12.5-6 양일간 이사회를 개최할 예정이며, 12.4사무총장이 이락에 대한 사찰 결과를 비공식으로 브리핑할 예정이므로 사실상 3일간의 회의가 될 전망이라고 그는 말하였음.

4. 그에 의하면 연호(1462)에 첨부한 안전조치 강화문서(특별사찰및 설계 정보의 제공)를 가급적 12 월 이사회에서 통과 시킨다는 목표를 사무국으로서는 세우고 있으나, 인도등의 저항을 어떻게 물리칠 것인가에 관해서는 두고 볼일 이라고하였음.

5. 미국의 대호 NON-PAPER 에 관련하여, 본직은 북한의 핵안전협정체결 의무 불이행을 IAEA 사무총장이 유엔안보리에 보고할수 있는 절차를 물은데 대하여그는 다음과 같이 말하였음(그의 이름이 인용되지 않기를 요망하였음)

가. 연호(1450) 제 3 항 다. 에 언급된 대로 NPT 당사국으로서 핵안전협정을 체결하지 않은 나라가 51 개국이나 되는데 북한의 경우만을 안보리에 보고하는데에는 무리가 있다고 보나, 이사회가 결정을 하기에 따라서는 불가능한것은 아닐것임.

나. 이사회가 결정을 내림에 있어서는 북한의 핵무기 개발에 관한 객관적 정보가 밑받쳐져야 하는데, 사무국으로서는 북한이 핵무기를 개발하고 있다는 공식적 정보가

국기국 장관 차관 1차보 미주국 외정실 분석관 청와대 안기부
중계

PAGE 1　　　　91.11.09 07:03
외신 2과 통제관 CA

0014

없는상태임.

다. 북한은 NPT 핵안전 협정을 체결 비준하지 않았기 때문에, 특별사찰 제도가 적용될수 없는것은 물론이고, IAEA 로서 취할수 있는 조치에 한계가 분명히있으나, 유엔안보리가 북한 문제를 다루는 경우에, IAEA 의 보고를 원용 할수는 있을 것임.끝.

예 고:1992.6.30 일반

공 란

관리 번호	91-1921

	분류번호	보존기간

발 신 전 보

번 호 : WAV-1253 911108 1238 DU 종별 : 지급

수 신 : 주 오스트리아 대사. 총영사

발 신 : 장 관 (국기)

제 목 : 대통령의 비핵.화생 정책 선언

연 : AM-0238

1. 연호 대통령 특별성명 전문(국.영문)을 별항 Fax 송신함

2. 동 영문 성명을 IAEA 이사회 문서로 배포하는 것이 좋을 것으로 사료되는 바, 귀직 판단하에 ▇▇ 시행하고 결과 보고 바람.

별 항 : 상기 Fax 13 매. (표지포함) 끝.

(WAVZ-P2)

(차 관 유종하)

일반문서로 재분류(1991. 12. 31.)

보안 통제	

앙 고 재	91년 11월 8일	국기과	기안자 성명		과장	심의관	국장	1차보	차관	장관
			(신동익)							

외신과통제

0017

공　　　란

공　　　란

공 

공 란

공 란

공 란

공 란

기 11/12 신

관리번호	91-1950

원 본

외 무 부

종 별 :

번 호 : AVW-1480 일 시 : 91 1111 1930

수 신 : 장 관(국기)

발 신 : 주 오스트리아 대사

제 목 : 대통령 비핵 정책선언

대:WAV-1253

1. 당관은 대호 표제선언을 IAEA 이사회 문서로 배포하여 줄것을 11.8 별전(FAX) 본직의 사무총장앞 서한으로 요청하였음.

2. 이와관련 IAEA 사무국은 상기 선언이 11.13(수)경 이사회 문서로 배포될것이라함을 보고함.

첨부:AVW(F)-047 2 매.끝

예 고:91.12.31 까지.

일반문서로 재분류(19 91. 12.31.)

국기국 장관 차관 1차보 분석관 청와대

PAGE 1

91.11.12 07:38

외신 2과 통제관 BD

0025

EMBASSY OF THE REPUBLIC OF KOREA

Praterstrasse 31, Vienna
Austria 1020 (FAX : 2163438)

No : AVW-1480	Date : 1111 1930
To : 장 관 (국기) (FAX No :)	
Subject : 대통령의 비핵 정책선언	

표지포함 2매

Total Number of Page :

0026

2-1

PERMANENT MISSION OF THE REPUBLIC OF KOREA
VIENNA

KPM-91-100

8 November 1991

Sir,

I have the honour to request you, under the instructions of my government, to circulate as an information document for the Board of Governors the Declaration of Non-Nuclear Korean Peninsula Peace Initiative announced by His Excellency President Roh Tae Woo of the Republic of Korea on 8 November 1991.

Please accept, Sir, the assurances of my highest consideration.

LEE Chang-Choon
Ambassador,
Resident Representative
and Governor for
the Republic of Korea

Enclosure : as stated

Dr Hans Blix
Director-General
International Atomic Energy Agency
Vienna

2 - 2

0027

공 란

공 란

	분류번호	보존기간

발 신 전 보

번 호 : WAV-1281 911112 1612 BE 종별 : ~~지급~~, 암호송신

수 신 : 주 오스트리아 대사./총영사 (김의기 참사관)

발 신 : 장 관 (국기 박원화)

제 목 : 업 연

연 : WAV-1266

대 : AVW-1468, 1476

1. 연호 지시는 본부가 1990년 IAEA 년레 보고서 및 IAEA 사무총장 보고서 등을 검토한 결과 현재 핵 안전협정 미체결국이 49개국으로(세인트빈센트, 투발루가 지난 1년 사이에 협정발효 시킨것으로 파악) 나타났기 때문에, 대호 IAEA 섭외국장이 언급한 51개국의 미체결 숫자와 맞지 않은 관계로 그 상이점을 구체적으로 확인코자 하는 것이었음. 동건 가능한대로 조속 IAEA 사무국에 문의하여 주시기 바람.

2. 대사님과 함께 건승을 빕니다. 끝.

보안 통제	

앙 고 재	91년 11월 12일	국기과	기안자 성명		과 장		국 장		차 관	장 관

외신과통제

0030

관리 번호	91-1963

	분류번호	보존기간

발 신 전 보

WAV-1282 911112 1821 DE

번 호 : 종별 :

수 신 : 주 오스트리아 대사. 총영사

발 신 : 장 관 (국기)

제 목 : 12월 IAEA 이사회

주한 미국 대사관 Cohen 참사관이 금 11.12(화) 본부에 알려오기를 미국측이 금번 12월 이사회에서의 핵안전조치제도 강화 방안에 대하여 심층토의하고자 12.5-6로 예정된 이사회 회의기간을 12.7 하루 더 늘릴것을 IAEA사무국에 제의하였는 바, Blix 사무총장으로부터 그럴 용의가 되어있다는 반응을 받았다 함. 끝.

(국제기구국장 문 동 석)

일반문서로 재분류(1991. 12. 31.)

보 안 통 제	

앙 고 재	91 년 11 월 12 일	국제기구 과	기안자 성 명		과 장	심의관	국 장		차 관	장 관
			신경이							

외신과통제

0031

안전조치제도강화방안 관련 사무국 paper 수정 내용

- IAEA 이사회 문서 (GOV/2554, 91.11.12) -

1. 특별사찰 관계

o 4 항 : 사무국 paper는 전면안전조치협정(INFCIRC/153 형태) 및 다른 형태의 포괄적 안전조치 협정하의 특별사찰 시행을 위한 기존의 법적 권위 (legal authority)를 설명함

★ 10.23자 문서에는 사무국 paper가 단순히 특별사찰 문제 검토에 국한한다고 되어 있음에 비추어 상기 수정 내용은 보다 적극적인 것임

o 16항 : 당사국이 IAEA에 의한 특별사찰 수행을 계속 거부 한다면, 이사회는 동 문제를 안보리에 보고할 수 있음

★ 상기 내용을 새로 추가한 것은 미국측 지적과 같이 IAEA 이사회가 특별사찰 방식을 유념만 할것이 아니라 보다 적극적으로 헌장 12조(c)에 따라 의무 불이행은 안보리에 보고해야 함을 강조 한 것임

2. 추가정보 관계

o 31항 : 사무총장은 추가정보제공 방식 (modalities) 에 관해 회원국들과 협의 할 계획 임

★ 사무총장 부속 특별반 설치에 따른 정보재공 및 접수방식에 대해 회원국들과 협의를 통해 보다 구체화 하겠다는 의도임

o 33항 : - 사무총장은 그의 직속으로 소규모 특별반을 설치 함

★ 사무총장이 잠정적으로 부속 특별반 을 설치한다는 10.23 자문서에 비해 강화된 내용임. (잠정적이라는 단어 삭제)

신이산:

공람	국제기구과	91년 11월 일	담 당	과 장	국 장	차관보	차 관	장 관
			신동익	[서명]	[서명]			

0032

- 특별반이 사무총장에게 보고할 때, 특별사찰을 수행하는 안전조치국(Safeguards Dept.)과 긴밀히 협조 함

  ★ 특별반 활동이 기존 IAEA 안전조치국과 사전 협조를 거쳐야함을 지적

0 34항(권고사항) : 모든 회원국들이 특별사찰에 필요한 관련정보를 사무총장에게 제출해 줄것 을 요청

  ★ 당사국들의 협정의무 이행을 위해 특별사찰 절차를 적절히 활용할 것이라는 10.23자 문서 내용에 비해 보다 구체적이고 직접적인 요청 이라고 볼 수 있음

3. 설계정보의 제공 및 활용

o 5 항 : 핵개발 계획 정의 단계에서 획득한 정보는 제한적이므로, 핵시설 설계가 추진되는 단계 에서는 더 많은 정보 제출이 요구 됨

  ★ 10.23자 문서에 비해 더 많은 설계 정보를 요구하는 내용임

o 기타 설계정보 관련 부분 수정 내용은 본질적 내용의 변화없이 단어나 문장 배열의 수정정도 임. 끝.

0033

공　　란

공 란

공 란

공 란

IAEA 사무국작성 안전조치제도 강화 방안 (10.23자) paper 내용 검토

91.11.13. 국제기구과

I. 안전조치제도 강화 방안 내용 (IAEA 사무국 작성)

1. 특별사찰(Special Inspections)

가. 특별사찰 강화 필요성(Introduction)

o 최근 NPT 당사국인 이라크의 비밀 핵개발 계획이 밝혀짐에 따라, 국제여론은 IAEA의 검증활동이 신고된 핵물질, 시설 및 장소에 국한 될수 없으며, 신고되지 않은 내용의 존재여부도 검사해야 한다는 결론을 내림

o 이라크 핵사찰 실시과정에서 IAEA의 광범위한 권한과 의무는 확인 되었으나, 안보리 결의에 기초한 (제687, 707, 715호) 사찰은 예외적 인 것이 었음

o 91.5월 IAEA 이사회 문서 (GOV/INF/613) 검토 내용과 같이 IAEA는 정보부족으로 인해 미신고 핵물질, 시설 및 장소에 접근할 수 있는 특별사찰을 실시할 수 없었으나, 앞으로 미신고 핵 활동에 대한 특별 사찰 실시 권한을 행사할 수 있는 실질적 수단이 제공 되어야 함

o 이를 위해 IAEA 안전조치제도는 종합적으로 검토되야 하며, 안전조치 관련 결의(resolution)를 위해 조속하고 구체적인 조치가 이루어져야 함

- 특별사찰 강화와 함께 핵 설계 정보의 조기 제출 및 검증에 관한 검토도 필요

나. 특별사찰의 법적 근거(Legal Basis)

o 현 전면 안전조치협정(INFCIRC/153 형태) 제23조는 평화적 핵활동을 위한 모든 핵 물질 (all source or special fissionable material)에 대해 안전조치를 적용 할 권리와 의무가 있다고 규정

o 따라서 안전조치 협정상 IAEA의 권한은 당사국이 신고한 핵물질,시설 또는 위치에 국한된다고 볼 수 없음 . 즉 당사국이 신고하지 않은 핵물질이나 시설에 대하여도 안전조치는 적용됨

* 73조(b) ; "IAEA는 당사국이 제공한 정보(일반사찰 결과 획득한 정보 포함)가 협정상 책임이행에 적합하지 않다고 판단될 경우 특별사찰을 실시할 수 있음"

o 다시말해 IAEA가 당사국내 모든 핵물질에 대한 안전조치 확인이 불가능하다고 결론 내릴 경우 특별사찰을 실시할 수 있음

다. 특별사찰 절차(Special Inspection Procedures)

o 전면 안전조치는 협정 77조에 의거 IAEA가 특별사찰을 실시 할 수 있는 권한을 부여

- 73조에 명시된 목적을 위해 특별사찰 실시 상황에서 IAEA는 우선 당사국과 협의

- 협의 결과에 따라 IAEA는 일반사찰에 추가하여 특별사찰 실시 가능

- 특별사찰관련 미합의 사항은 분쟁해결을 위한 조항(제21,22조)에 따라 해결

o 특별사찰 실시가 필요한 상황인가 여부는 IAEA 사무총장이 이사회 규칙 11조(C)에 따라 이사회를 소집 이사회가 결정하며, 이사회는 사무총장에게 특별사찰을 위한 절차를 밟도록 요청함

o 특별사찰 실시 절차는 우선 IAEA 사무총장이 당사국에게 설명을 요청, 당사국의 설명으로는 상황을 정확히 판단하기에 불충분한 경우 특별사찰을 실시 하며, 당사국과 사전에 특별사찰 실시 관련 구체내용을 협의함

o 사찰실시 관련 사무국과 당사국간 의견이 일치하지 않는 경우 당사국은 분쟁조정 관련 조항에 따라 IAEA의 심의를 요청 할 수 있음. 단, IAEA 이사회가 당사국이 핵물질 전용이 없다는 사실을 긴급 확인할 필요가 있다고 판단하면 당사국은 분쟁해결 절차와 관계없이 지체없이 필요한 행동을 취할것이 요구됨

o 당사국이 특별사찰 실시를 수락하면 사찰은 신속하게 수행되어야 하며, IAEA 사찰관에게는 IAEA 특권과 면제 협정내용이 적용 되고, 당사국은 특별사찰을 신속히 실시하는데 필요한 모든 조치를 취할 것이 요구됨

라. 특별사찰 실시 결과

o 특별사찰 실시 결과는 아래 3가지로 나타날 수 있음

① 미신고 시설, 장소 또는 물질이 발견되지 않고 특별 사찰을 초래한 문제가 적절히 해결됨

② 안전조치 협정상 신고되었어야 하나 신고치 않은 시설, 장소 또는 물질이 발견됨

③ 특별사찰을 초래한 문제가 적절히 해결되지 못함 (핵물질 전용사실 부재를 증명할 수 없음)

o 상기 사찰 결과 ①의 경우에는 추가 조치가 필요치 않으며 ②의 경우에는 미신고 시설 및 물질 발견사실을 이사회에 보고, 이사회는 헌장 12조(C)에 의거 협정의무 불이행을 시정시키기 위한 조치를 결정함

o ③ 의 경우 에는 사무국은 이사국과 계속 협의를 통해 동 문제를 회원국, 유엔안보리 및 총회에 보고하고 IAEA 헌장 12조(C)에 따라 필요한 조치를 취함

* IAEA 헌장 12조(C)와 IAEA 와 UN간 협정 3조 2항에 의하면, 이사회는 협정의무 불이행 사실을 회원국, 유엔 안보리 및 총회에 보고토록 되어 있음.

2. 정보에의 접근(Access to Information)

가. 현재 IAEA가 얻고 있는 정보 (presently available information)

o 안전조치협정 발효에 따라 IAEA는 당사국으로 부터 핵 물질 재고에 관한 최초 보고서 (initial report), 기존 핵시설 목록 및 관련 설계 정보 (design information) 그리고 핵물질이 사용되고 있는 시설 밖의 장소에 관한 정보등을 접수 함

o 이러한 정보들의 검증을 위해 당사국과 IAEA는 기록보존, 보고, 일반 사찰 실시등을 구체화하는 보조약정(subsidiary arrangement)을 체결함

- 보조약정에 따라 당사국은 정기적으로 IAEA에 핵 관련 정보를 제출함

o 표준 안전조치협정 34(C) 는 핵 농축 물질이나 최종단계 핵연료(플루토늄)의 수입 및 생산에 대해서는 보고를 의무화 하여, IAEA 안전조치를 받도록 규정

- 핵물질 수입 기록과 수출기록을 비교하여 핵물질의 국제이동 기간중 분실이나 전용이 이루어졌는가를 확인할 수 있음

o 그러나, 핵물질 수출국가들이 국제이전 내용을 완전히 보고하고 있지 않기 때문에 IAEA의 안전조치 활동은 완전하다고 볼 수 없으며, 이 문제를 해결하기 위해 사무국은 이사회에 범세계적 핵물질 등록(universal reporting of nuclear material) 제 도입에 관한 보고서 를 낸 바 있음 (GOV/INF/613/Add.1)

o 안전조치 정보와 함께, IAEA 사찰관들은 미신고 핵활동의 존재 가능성을 평가하기 위해 안전조치 대상 시설의 기능과는 직접 관련이 없더라도 사찰관들의 접근이 거부되고 있는 설계내용 및 핵시설 장소를 관찰할 수 있어야 함

나. 추가정보(additional information)

- o 안전조치 활동 과정에서 정기적으로 수집한 정보외에 협정 당사국내 미신고 핵물질이나 시설에 대해 안전조치제도 밖에서 수집한 정보 가 있을 수 있음
  - 이러한 정보는 출처의 신뢰성과 자료의 가치가 있어야 함
- o 또하나의 정보분야는 전면 안전조치협정 당사국에 대한 첨단 장비와 비핵물질 수출과 관련 된 것으로, IAEA 에 보고할 의무는 없다 하더라도 회원국들은 자발적으로 정보를 제공 할 수 있음
- o 마지막으로 회원국들이 국가차원에서 수집한 정보 (첨단장비와 비핵물질등과 같은 회원국에게 민감한 내용)들도 법적의무는 없지만 IAEA에 제출될 수 있고, 이러한 정보를 바탕으로 IAEA는 특별사찰 실시 여부를 결정할 수 있을 것임
- o 미 신고 핵활동 관련 잠재적 가치가 있는 정보들은 국가차원에서 수집된 정보에 국한되지 않으며 다른 관련 정보들과 함께 IAEA에 의해 평가됨

다. 관련 정보의 활용(use of relevant information)

- o 미신고 핵활동을 발견하고 검증하기 위해 수집한 정보들을 계속 평가하기 위해 IAEA 사무총장은 잠정적으로 사무총장 부속 특별반(small unit)을 설치할 의도가 있음
- o 동 특별반은 회원국들이 제공한 민감한 정보들의 유용성을 평가하되, 동 정보의 특별목적외의 사용제한은 지켜 야 함
- o 또한 특별반은 사무총장에게 보고하며 안전조치 협정 당사국들이 신고한 내용의 정확성을 계속 평가하기위해 안전조치상 취득한 정보와 모든 기타 관련 정보를 검토함

- 5 -

0042

o 특별반 활동을 위해 1992년 안전조치 예산을 사용 하며, 1992년중 동 특별반의 활동을 평가하고 추가기금(additional funding)의 필요성 여부를 결정 할 계획임

라. 권고사항(recommendation)

o 이사회는 상기 보고와 하기 사무총장의 의도를 유념하여 주기 바람
- 안전조치협정 당사국들이 핵물질, 시설 및 장소관련 협정의무를 이행하도록 하기 위한 상기 특별사찰 절차를 적절히 활용할 것
- 안전조치하의 핵물질 관련 추가정보를 수집 및 평가할 수 있는 IAEA 능력을 확보하기 위한 적절한 제도적 조치 를 취할 것

3. 설계정보의 제공 및 활용 (Provision and Use of Design Information)

o 완전한 국가 핵활동 정보는 국제안전조치 제도의 효율성과 신뢰성에 중요하기 때문에 전면 안전조치하에 당사국은 설계정보를 가능한 조속히 제출할 의무 를 갖고 있음
* 보조약정은 "새로운 핵 시설이 최초로 완성되어 핵물질을 공급받기 180 일전에 동 시설관련 완전한 정보를 제공"할것을 요구함
o 그러나 핵시설의 평화적 이용에 관한 신뢰를 강화하기 위해 전면 안전조치하의 당사국은 핵 시설건설이 실제로 시작되기 전에 핵 시설 건설 결정 내용을 IAEA에 보고하는 것이 필요
- 기존의 핵시설에 대한 완전한 최신 설계정보를 제공하여 검증받는 것은 미신고 핵활동이 존재하지 않는다는 추가적 확신을 제공함
o 전면 안전협정하에서 설계정보를 검증하기 위한 IAEA의 권한은 핵시설이 가동되는 한 유효 하며, 동 시설이 폐쇄될지라도 지속됨
- 폐쇄된 시설을 검증하기 위한 IAEA 사찰관의 방문은 동 시설이 재가동되어 미신고 핵활동을 하지 않는다는 것을 확인하는 것임

o 보조약정서상 당사국은 새로운 핵시설 건설 및 기존시설의 개조시 아래 절차에 따라 설계정보를 제공 해야 함(GOV/INF/631/Add.1 검토내용)

① 핵 개발계획의 정의(project definition)

② 사전 설계 내용(preliminary design)

③ 건설(construction)

④ 가동(commissioning)

o 협정 당사국들로부터 새로운 핵시설에 대해 조속히 그리고 적절히 설계정보를 재공 받을수 있도록 아래와 같이 기존 보조약정 내용의 수정 이 필요함

① 협정당사국은 새로운 핵시설 건설 또는 개조 결정을 하는대로 핵시설 건설. 개조계획(programmes)을 IAEA에 통보 해야 하며,

② 설계내용이 진전됨에 따라 최신의 정보를 상기 설계정보 제공 절차에 따라 IAEA에 제출 해야 하며,

③ 완성된 IAEA 설계정보 관련 설문서(questionnaires)를 새로운 핵시설이 건설 되는대로 가능한 빨리, 늦어도 최초 핵 물질이 동시설에 공급되기 180일전에 IAEA에 제출 해야 함

(권고내용)

o 이사회는 설계정보의 제출과 검증에 관한 상기 제안대로 보조약정서를 수정하기 위한 필요한 조치를 취하도록 사무국과 협정당사국에 요구할 것

o 이사회는 모든 협정 당사국들에게 보조약정 내용이 수정될 때까지는 안전조치협정 6항에 따라 설계정보를 제출하도록 요청할 것

II. 사무국 paper에 대한 미국의 입장

1. 일반적 의견(General View)

o 이라크의 NPT 협정 의무 위반 사실이 밝혀짐에 따라 IAEA 안전조치제도 강화를 위한 국제적 노력이 시급함

o 미국은 IAEA가 기구의 신뢰회복을 위해 기능 강화를 위한 조치를 취해야 하며, 강력한 안전조치제도가 없이는 기술원조 계획도 위태로워질 것 이라고 믿음

o 미국은 특별사찰 실시를 위한 정보수집과 평가를 위해 소규모 특별반을 설치하자는 사무국의 제안을 지지 하며, 안전조치협정상 규정되있는 설계정보의 적시 제출(timely submission) 방안도 지지 함

o 그러나, 이러한 안전조치강화 방안이 기존 협정당사국의 협정의무 이행에 부정적 영향을 미쳐서는 안되며 , IAEA와 교섭중인 협정문안 내용에도 영향을 주어서는 안됨

o 사무국 제안의 궁극적 목적은 전면 안전조치를 받고 있는 대상외의 미신고 핵 활동을 검증하여 핵 확산 방지 체제를 구축하자는 것으로 미국은 동 제안이 금번 12월 이사회에서 채택되기를 바람

2. 특별사찰 (special inspection)강화 문제

o 사무국 paper는 사무총장이 협정 당사국내 미신고 핵활동이 이루어지고 있다고 믿는 경우 특별사찰을 요청할 수 있으며, 미신고 핵활동 관련 정보를 수집, 평가하기 위해 특별반 설치를 제안함

★ 사무국 paper 는 특별사찰 방식(approach)에 관하여 이사회가 유념만 하도록 요청하고 있으나, 미국측은 미신고 핵활동이 확인될 경우 IAEA가 안보리의 조치를 목적으로 협정의무 불이행 사실을 안보리에 제기 할 수 있다고 봄.

o 또한 사무국 paper는 IAEA 가 이미 미신고 핵시설, 물질 및 위치에 대해 특별사찰을 실시할 수 있는 전면 안전조치협정상 권한을 갖고 있다고 강조

★ 미국 정부의 지속적인 협정 내용분석에 따라 이러한 해석은 이미 1984 년에 이루어진 것으로 IAEA 법률자문 및 사무총장이 동의하고 있음

o 안전조치협정문안(INFCIRC/153) 2조는 IAEA가 모든 평화적 활동하의 핵물질에 대해 안전조치를 적용할 수 있는 "권리와 의무"(right and ability)" 를 갖고 있다고 규정

- 상기 규정 교섭과정에서 신고(declared)나 미신고(undeclared)의 단어를 포함시키지 않은 것은 우연이 아니며 (not accidental), 신고 또는 미신고 대상을 구분하지 않고 안전조치를 실시하겠다는 의도였기 때문임

o 미국정부는 미신고 핵활동을 조사하기 위한 특별사찰의 빈번한 실시 (frequent conduct of special inspection)는 이 제도가 정치화 되는 것을 방지해야 한다는 차원에서 지지하지 않음

o 이라크의 경우에서 같이 협정의무 불이행 조사를 위한 광범위한 핵사찰에는 엄청난 경비가 소요되고, 특별한 조치가 필요한 경우에만 실시되는 특별사찰 실시 경비 는 예측하기 어렵기 때문에 특별 사찰을 위한 재정 (financing) 문제는 특별회계형식(ad hoc basis)으로 해결 되야 함

3. 설계정보 (design information)

o 사무국 paper는 IAEA 가 핵시설 건설을 위한 설계가 완성되자 마자 핵시설 설계정보를 요청 하도록 되어 있고, 핵시설 건설 단계별 설계정보가 제출되어 IAEA의 사찰을 받아야 하며, 폐쇄된 핵 시설도 방문하여 동시설이 재가동되지 않음이 확인 하도록 언급

o 특히 현 안전조치 보조 약정에는 새로운 핵시설 가동 180일전 까지는 시설 정보가 제출될 필요가 없는 것으로 기술되어 있어, 상기 내용의 핵 시설 설계 정보 조기 제출을 위한 보조약정 수정안이 이사회에 제출될 계획 임

o 또한 IAEA는 상기 설계정보가 제출되지 않은 핵시설이 건설되고 있음이 확인 될 경우, 당사국에 동 시설 설계정보를 요청하고, 정보가 제출되지 않으면 협정의무 불이행에 따라 특별사찰을 실시 하여야 함

o 미국정부는 새로운 핵시설에 관한 적시 정보제출의 중요성을 인식하여 상기 사무국 paper 에 제안된 내용을 적극 지지함

Ⅲ. 사무국 paper에 대한 우리의 입장

1. 일반적 의견 (General View)

o 이라크에 대한 핵사찰 실시 과정에서 나타난 문제점들을 해결하기 위해 IAEA가 시도하고 있는 안전조치제도 강화 노력을 적극지지 함

- 91.9. 제35차 IAEA 총회에서 아국은 안전조치 강화를 위한 결의안 공동 제안국 이었음

o 특히 NPT 당사국으로 핵개발의 위험성이 높은 것으로 평가되고 있는 북한이 안전조치협정 체결후 IAEA에 모든 핵관련 시설 및 물질을 일부 신고하지 않고 비밀리에 핵개발을 시도할 경우에 대비, 사무국이 제안한 미신고 핵시설, 물질 및 위치에 대한 특별사찰 실시와 미신고 핵관련 정보수집과 평가를 위한 사무총장 직속 특별반 설치를 적극 지지 합

- 사무국 제안은 91.11.8. 노대통령이 「한반도 비핵화」 선언을 통하여 우리나라가 IAEA와 체결한 안전조치협정을 준수하여 아국내 핵시설과 물질에 대해 철저한 핵사찰을 받을 것을 밝히고, 이에 상응한 북한의 조치를 촉구한 사실과도 일맥 상통함

- 그러나, 북한은 아직 핵 안전협정에 서명조차하고 있지 않기 때문에 안전조치제도가 강화되더라도 협정상 안전조치를 적용할 수 없는 상황임

o 그러나, 미국정부가 지적한대로 새로운 안전조치강화 내용이 기존 협정 당사국의 협정의무 이행에 지장을 초래 하거나, 당사국들의 평화적 목적의 핵 기술개발 활동을 규제해서는 안될 것 임

2. 특별사찰 및 설계정보 조기제출등에 관한 의견

- 과기처 (원자력 연구소)의 기술적.전문분야 의견 접수후 작성

외 무 부

110-760 서울 종로구 세종로 77번지 / (02)720-2336 / (02)720-2686

문서번호 국기20332-56159
시행일자 1991.11.13.( )

수신 과학기술처 장관
참조

취급		장 관
보존		
국 장	전 결	
심의관		
과 장		
기안	신 동 익	협조

제목 핵안전 협약관련 실무회의

IAEA는 제 35차 IAEA 총회결의 (제553호)에 따라 핵안전협약(nuclear safety convention) 성안준비를 위한 전문가회의를 1991.12.9-13간 IAEA 본부에서 개최할 예정임을 통보하면서 아국대표의 참가를 요청해왔는바, 귀처및 산하 연구기관에서 동회의에 참석할 대표를 91.11.25까지 당부에 추천하여 주시기 바랍니다.

첨 부 : 상기 IAEA 문서 5매. 끝.

외 무 부 장 관

0049

기 11/14 신
결의 559 과장 통과

원 본

외 무 부

종 별 :

번 호 : AVW-1491 일 시 : 91 1113 1930

수 신 : 장 관(국기)

발 신 : 주 오스트리아대사

제 목 : 91.12월 IAEA이사회 의제(안)

91.12.5 개최 예정인 IAEA이사회 의제(안)을 별전(FAX)송부함.

첨부:AVW(F)-051 3매.끝.

국기국

PAGE 1 91.11.14 09:19 WH

외신 1과 통제관

0050

EMBASSY OF THE REPUBLIC OF KOREA

Praterstrasse 31, Vienna
Austria 1020 (FAX : 2163438)

No : AVW(F) - 051	Date : 1113 1930
To : 장 관 (국기) (FAX No :)	
Subject : AVW-1491의 별첨	

폰시 보관 3매

Total Number of Page :

0051

2-1

SENT BY:KOREAN EMB. VIENNA ;15-11-91 ; 8:22PM ; KOREAN EMB. VIENNA→8888888888888888888888:#18/30

B

International Atomic Energy Agency

BOARD OF GOVERNORS

GOV/2555
12 November 1991

RESTRICTED Distr.
Original: ENGLISH

For official use only

PROVISIONAL AGENDA

For meetings starting at 10.30 a.m.
on Thursday, 5 December 1991

- Adoption of the agenda

1. Report of the Technical Assistance and Co-operation Committee

The Board will have before it the report on the Technical Assistance and Co-operation Committee's 1991 meetings, which start on 26 November (document GOV/COM.8/95 gives the items proposed for discussion at those meetings).

2. Strengthening of Agency safeguards

Pursuant to Board discussions on 23 September 1991 in the light of General Conference resolution GC(XXXV)/RES/559, this item is included in the provisional agenda in order to allow the Board to consider further two of issues related to strengthening of the Agency's safeguards. Papers on "special inspections" and "the provision and use of design information" are contained in document GOV/2554.

4180132

91-05405

0052

3-2

3. Reactor projects

The Board's authority will be sought to meet a request by Ghana for assistance in securing the transfer, from the People's Republic of China, of a 30-kW miniature neutron source research reactor and of the special fissionable material required for its operation (see document GOV/2552).

The Board will also have before it, for its consideration, a request by the Syrian Arab Republic for assistance in securing the transfer, from the People's Republic of China, of a 30-kW miniature neutron source research reactor and of the special fissionable material required for its operation (see document GOV/2556).

0053

원 본

외 무 부

종 별 :

번 호 : AVW-1493 일 시 : 91 1113 1930

수 신 : 장 관(국기)

발 신 : 주 오스트리아대사

제 목 : 북한의 한반도 비핵지대화 선언안

91.11.13(수) IAEA 사무국은 당지 북한대표부의 91.11.6자 서면 요청에 따라 제4차남북 총리회담시 북한측이 제의한 한반도 비핵지대화 선언안을 IAEA 이사회 INFO 문서로 별전(FAX)과 같이 배포하였음을 보고함.

첨부:AVW(F)-049 5매.끝

국기국 1차보 외정실 안기부

PAGE 1

91.11.14 09:20 WH

외신 1과 통제관

0054

EMBASSY OF THE REPUBLIC OF KOREA

Praterstrasse 31, Vienna
Austria 1020 (FAX : 2163438)

No : AVW(F) - 049	Date : 1113 1930
To : 장 관(국기) (FAX No :)	
Subject : AVW - 1493의 첨부	

표지포함 5매

Total Number of Page : ____

5 - 1

0055

B

International Atomic Energy Agency

BOARD OF GOVERNORS

GOV/INF/637
13 November 1991

RESTRICTED Distr.
Original: ENGLISH

For official use only

DRAFT DECLARATION ON THE DENUCLEARIZATION
OF THE KOREAN PENINSULA

The attached Draft Declaration on the Denuclearization of the Korean Peninsula, proposed by the north side's delegation (Democratic People's Republic of Korea) at the Fourth North-South High Level Talks held in Pyongyang, Democratic People's Republic of Korea, on 23-24 October 1991, is being circulated to members of the Board of Governors at the request of the Resident Representative of the Democratic People's Republic of Korea.

4198280

91-03491

0056

5 - 2

GOV/INF/6
Attachment

Draft

DECLARATION ON THE DENUCLEARIZATION OF KOREAN PENINSULA

(proposed by the north side's delegation at the 4-th North-South High Level Talks held in Pyongyang, Dem. PR of Korea)

23 October 1991

Pyongyang

0057

f - 3

In order to remove the danger of nuclear war from the Korean peninsula once and for all, to contribute to the peace of our country and to the security of Asia and the rest of the world and to create favorable preconditions for the peaceful reunification of the country, the north and the south declare as follows:

Article 1

The north and the south do not test, manufacture, introduce, possess and use nuclear arms.

Article 2

The north and the south prohibit the deployment of nuclear weapons on the Korean peninsula and in its territory and the passage, landing and call of aircraft and warships which are or might be loaded with nuclear weapons through or in its airspace or territorial waters.

Article 3

The north and the south do not conclude any agreement with foreign country, which allows the deployment and stockpile of nuclear weapons in their regions and which accepts the offer of a "nuclear umbrella".

Article 4

The north and the south do not conduct any war exercise under the simulated conditions of a nuclear war in which nuclear weapons and equipment are mibilized on the Korean peninsula and in its territory.

Article 5

The north and the south make joint efforts to withdraw US nuclear weapons deployed and US troops stationed in the south of the Korean peninsula and to dismantle nuclear bases.

Article 6

The north and the south jointly verify the total and complete withdrawal of US nuclear weapons and the removal of nuclear bases in the south of the Korean peninsula, discharge the duty of simultaneous nuclear inspections as required by the international treaty, and publish at home and abroad the declaration on the denuclearization of the Korean peninsula.

Article 7

The north and the south take an external measure so that the United States and the nuclear-possessing nations around the Korean peninsula may not pose a nuclear threat against our country but respect the status of the denuclearized Korean peninsula.

Article 8

The north and the south form a joint organization to carry into effect this declaration in a short span of time after the publication of the declaration.

Article 9

This declaration will take effect as from the day when the north and the south exchange its texts after going through the necessary formalities.

기 11/14 신

원 본

암호수신

외 무 부

종 별 :

번 호 : AVW-1494 일 시 : 91 1113 1930

수 신 : 장 관(국기)

발 신 : 주 오스트리아 대사

제 목 : 대통령의 비핵 정책선언

대:WAV-1253

연:AVW-1480

연호와 갈이 IAEA 사무국은 표제 선언을 별전 (FAX 본문 생략) 과 같이 금 11.13(수)자 IAEA 이사회 INFO 문서로 배포하였음.

별전:AVW(F)-048 2 매.끝.

국기국 장관 차관 1차보 구주국 분석관 청와대 총리실 안기부

PAGE 1

91.11.14 07:26

외신 2과 통제관 BD

0060

REAN EMB. VIENNA ;13-11-91 ; 1PM ; KOREAN EMB. VIENNA→88886[illegible]888888888888;# 1/30

11/14 신

기

EMBASSY OF THE REPUBLIC OF KOREA

Praterstrasse 31, Vienna
Austria 1020 (FAX : 2163438)

No : AVW(F)-048	Date : 11113 1930
To : 장 관 (국기) (FAX No :)	
Subject : 대통령의 비핵정책선언	

배부처	장관실	차관실	一차보	二차보	기획실	외정실	분석관	의전장	아주국	미주국	구주국	중아국	국기국	경제국	통상국	문협국	영교국	총무과	감사관	공보관	외연원	청와대	총리실	안기부	공보처	
	/	/	/	/			/	/					O									/		/		

표지포함 2매

Total Number of Page :

0061

2-1

B

GOV/INF/638
13 November 1991

RESTRICTED Distr.
Original: ENGLISH

International Atomic Energy Agency

BOARD OF GOVERNORS

For official use only

DECLARATION OF NON NUCLEAR KOREAN PENINSULA PEACE INITIATIVES

The attached Declaration of Non-nuclear Korean Peninsula Peace Initiatives, announced by President Roh Tae Woo of the Republic of Korea on 8 November 1991, is being circulated to members of the Board of Governors at the request of the Resident Representative of the Republic of Korea.

4202280

91-05497

2 - 2

0062

원 본

암호수신

외 무 부

종 별 :

번 호 : AVW-1490 일 시 : 91 1113 1930

수 신 : 장 관(국기)

발 신 : 주 오스트리아대사

제 목 : 핵안전조치 제도 강화

연:AVW-1462

1. 금 1991.11.13 IAEA 사무국은 연호 비공식 브리핑시의 토의 내용을 일부반영하여 별전(FAX)과 같이 공식 IAEA 이사회 문서 (GOV/2554,1991.11.12) 로배포하였음.

2. 별전(FAX)중 밑줄친 부분은 연호와의 차이를 나타내고있음.

첨부:AVW(F)-052 11 매.끝.

국기국	장관	차관	1차보	구주국	외정실	분석관	청와대	안기부

0063

PAGE 1

91.11.14 08:52

외신 2과 통제관 BD

11/14 신
1. 검토
2. 시보관ㄹ장

기

EMBASSY OF THE REPUBLIC OF KOREA

Praterstrasse 31, Vienna
Austria 1020 (FAX : 2163438)

No : AVW(F) - 052	Date : 11113 1930
To : 장 관(국기) (FAX No :)	
Subject : 핵안전제도 조치 강화	

M9

장관실	차관실	1차보	2차보	기획실	외정실	분석관	의전장	아주국	미주국	구주국	중아국	국기국	경제국	통상국	문협국	영교국	총무과	영사관	공보관	외연원	청와대	총리실	안기부	공보처	
/	/	/	/		/	/						O									/		/		

본지포함 11매

Total Number of Page :

0064

11-1

B

GOV/2554
12 November 1991

RESTRICTED Distr.
Original: ENGLISH

International Atomic Energy Agency

BOARD OF GOVERNORS

For official use only

STRENGTHENING OF AGENCY SAFEGUARDS

1. SPECIAL INSPECTIONS

2. THE PROVISION AND USE OF DESIGN INFORMATION

Pursuant to discussions in the Board of Governors in September, the Secretariat has prepared a paper on "Special inspections" and one on "The provision and use of design information". The two papers are attached. Initial drafts of the two papers were circulated to Board members on 23 October.

4190296
91-5480

0065

11 - 2

was called for. What is needed to provide the Agency with a practical means of exercising its right to special inspection of undeclared activities is access to information pointing to their existence. There are now reasons to believe that more information will be available to the Agency.

4. This paper addresses the existing legal authority of the Agency under INFCIRC/153-type agreements and other comprehensive safeguards agreements to conduct special inspections insofar as these relate to the verification of the existence or non-existence of undeclared activities. The paper does not address the possibility of a State prompting a special inspection on its own territory, either by submission of a special report or by requesting such an inspection as a confidence-building measure.

5. Special inspections under INFCIRC/66/Rev.2-type safeguards agreements are not considered in this paper. Since in these cases there may exist nuclear material and facilities that do not have to be declared under safeguards, the situation is very different.

6. It is desirable at this juncture that the Agency's safeguards system be reviewed comprehensively. At the same time, it is essential that the Agency be able to demonstrate early and concrete progress toward the resolution of a number of safeguards issues which have recently attracted world-wide attention. This paper is the first of several that will be forwarded to the Board in the coming months in response to the request of the Board for proposals for strengthening and, where possible, streamlining Agency safeguards.

7. The mechanism of special inspections, as discussed in this paper, already exists in comprehensive safeguards agreements. A declared readiness of the Agency to exercise its rights in conducting such inspections would go a long way toward addressing some of those issues. A companion paper to this (see Attachment 2) describes a strengthening of the provisions concerning the early submission and verification of design information.

0066

ad hoc and routine inspections would be reported by the Director General to the Board of Governors. The State would also have the right to request the Board's consideration of the matter under the provisions of the agreement concerning dispute settlement. Under these provisions, both the State and the Agency would have the right to request arbitration. However, if the Board were to determine that action by the State was essential and urgent to establish that there had been no diversion (e.g. the granting of access for the Agency to carry out a special inspection), the State could be required, as indicated above, to take such action without delay, irrespective of whether the procedures for dispute settlement had been invoked. If the State nevertheless denies access for the Agency to carry out the special inspection, the Board may report the matter to the Security Council.

17. The special inspection would be carried out as expeditiously as possible following acceptance by the State of a Secretariat request therefor or after a decision by the Board to that effect. The privileges and immunities of the Agency and its personnel would, as for other inspection activities, be governed by the terms of the Agreement on Privileges and Immunities of the Agency (INFCIRC/9/Rev.2). Pursuant to its duty to co-operate in the implementing of its safeguards agreement[4/], it would be incumbent upon the State to take all actions necessary to facilitate the carrying out of the special inspection.

18. The outcome of the special inspection could be:

(a) that no undeclared facilities, locations or materials are found as a result of the special inspection and the Agency concludes that the questions which gave rise to the inspection are adequately resolved;

4/ All comprehensive safeguards agreements provide that the Agency and the State shall co-operate to facilitate the implementation of the safeguards provided for in those agreements.

0067

(b) that undeclared facilities, locations or materials are found which should have been declared under the safeguards agreement; or

(c) that, in view of the available evidence, the questions which gave rise to the inspection are not adequately resolved.

19. In the first case, no further action would be taken. The results of the special inspection would be included in the Safeguards Implementation Report and, if need be, would be the subject of a special report.

20. In the second case, the fact that an undeclared nuclear facility or location or undeclared nuclear material had been detected would be reported to the Board. It would be for the Board to determine what action should be taken to remedy the non-compliance in accordance with Article XII.C of the Statute.

21. In the third case, the Secretariat would continue to pursue the matter in consultation with the Board. If the Board finds, on the basis of the results of the special inspection, that the Agency is unable to verify that there has been no diversion of nuclear material required to be safeguarded under the Agreement, the Board may, as provided for in comprehensive safeguards agreements, make a report to the Member States, the Security Council and the General Assembly or take the other measures provided for in Article XII.C, as appropriate.

22. Actions to be taken by the Board in the event of non-compliance are provided for in Article XII.C of the Statute and in Article III.2 of the Relationship Agreement between the Agency and the United Nations. Article XII.C of the Statute stipulates that the "Board shall report the non-compliance to all members and to the Security Council and General Assembly of the United Nations". Article III.2 of the Relationship Agreement provides the "Agency shall report to the Security Council and the General Assembly any case of non-compliance within the meaning of Article XII, paragraph C of its Statute".

0068

B. Additional information

29. Apart from information routinely collected in the course of safeguards activities, information may be obtained outside the safeguards system that suggests the possible existence of undeclared material or facilities in a State subject to a comprehensive safeguards agreement. The most obvious category is publicly available information, such as that contained in scientific journals and media reports. It is evident that care must be taken in assessing the reliability of the sources and the value of the data in the overall context of information from other sources, including safeguards activities.

30. Another directly relevant category of information is that related to exports of sensitive equipment and non-nuclear material to States with comprehensive safeguards agreements. There exists no legal obligation to report such information to the Agency, but Member States may volunteer to do so.

31. Finally, a critical type of information is that collected by Member States through national means. This information would, for the most part, be information considered particularly sensitive by those Member States. As with information on exports of sensitive equipment and non-nuclear material, as referred to above, there exists no legal obligation to report such information to the Agency. Member States may, however, choose to transmit such information to the Agency. Access to information of this type might, in specific cases, be decisive in the Agency's determination that circumstances warrant special inspections. The Director General intends to consult with Member States regarding modalities for the provision of such information.

32. As may be seen from the above, information of potential value for the detection of undeclared activities is not confined to that collected by national means. This information, if made available, would be assessed by the Agency together with all other available information.

0069

C. Use of relevant information

33. In order to be useful in the process of guiding the Agency's safeguards activities related to the discovery of possible undeclared activities, all of the types of information described above must be continuously assessed. For this purpose, the Director General intends to set up a small unit under his immediate direction. The expected availability, from time to time, of sensitive information provided by Member States introduces a special element into the assessment process. Restrictions placed on the use of this information will be scrupulously observed. While the unit will report to the Director General, it will work closely with the Department of Safeguards, which is responsible for the carrying out of special inspections. The unit will make use of safeguards-acquired information and all other relevant information in its continuous assessment of the completeness of the declarations of States under their safeguards agreements. The activities of the unit will, as a safeguards-related function, be funded from 1992 Safeguards appropriations. The unit's activities, and the need for additional funding, will be evaluated during 1992 in the light of experience.

RECOMMENDATION

34. The Board is invited to take note of this report and of the Director General's intention:

- to make appropriate use of the procedures for special inspections as outlined in Section II to verify that States party to comprehensive safeguards agreements comply with their obligations under such agreements with regard to nuclear material, facilities and locations;

0070

- to invite all Member States to provide him with relevant information as described above; and

- to take appropriate organizational measures to ensure an Agency capability to receive and evaluate supplemental information regarding nuclear material subject to safeguards.

0071

11-8

THE PROVISION AND USE OF DESIGN INFORMATION

1. Completeness of information regarding national nuclear activities is fundamental to the effectiveness and credibility of international safeguards. This consideration underscores the importance of providing the Agency as early as possible with necessary information relevant to its safeguards mission. States party to comprehensive safeguards agreements are under an obligation to provide design information as early as possible. The model Subsidiary Arrangements for such agreements currently call for the "provision of completed Agency design information questionnaire[s] for new facilities normally not later than 180 days before the facility is scheduled to receive nuclear material for the first time". In practice this has come to mean providing design information anywhere from 30 to 180 days before nuclear material is introduced into the facility. Experience has demonstrated that this is not sufficient and that much earlier notification to the Agency is needed both to enhance knowledge and to reinforce confidence.

2. In order to achieve the above and to provide additional confidence in the peaceful nature of the facility, it will be necessary for all States under comprehensive safeguards to report to the Agency the decision of the State to construct or to authorize the construction of any nuclear facility before construction actually begins. It will also be necessary that design information be shared with the Agency sufficiently early to:

(a) promote the incorporation of features which will make it easier to implement safeguards into the design of the facility, including its nuclear materials accountancy system;

(b) plan and carry out any necessary safeguards research and development;

4201296

0072

11 - 9

(c) enable the Agency to undertake the necessary budgetary planning and to implement safeguards in the most effective and efficient manner; and

(d) identify and schedule actions which need to be taken jointly by the State, the facility operator and the Agency, including

(i) the installation of safeguards equipment during construction of the facility, and

(ii) the verification of information on the design of the facility.

3. The provision and verification of up-to-date and complete design information on existing facilities ensure that the safeguards regime applied to them continues to be appropriate and provide additional assurance that no undeclared activities are taking place. Reporting to the Agency significant modifications to facilities and the provision and verification of design information during their modification are also an important confidence-building measure. Under comprehensive safeguards agreements, the Agency's authority to verify design information is a continuing right which does not expire when a facility goes into operation. Nor does this continuing right expire with the closing-down of a facility. Visits by Agency inspectors to verify that such facilities remain in their closed-down condition are part of design verification and provide assurance that they are not re-activated and being used for undeclared activities.

4. As discussed in GOV/INF/613/Add.1, the Subsidiary Arrangements should provide that States make available, on an iterative basis, information on the safeguards-relevant features of the design early in the following phases of the planning and construction of new facilities (including imported facilities) and modifications to existing facilities: project definition, preliminary design, construction, and commissioning.

0073

11 - 10

5. The information available and required during the project definition phase will be limited. More information will be required as the design is developed during the subsequent phases. A completed Design Information Questionnaire based on the "as-built" design will be required as early as possible, and in any event not later than 180 days before the first receipt of nuclear material at the facility. The Agency will verify the design information through physical examination during the construction and commissioning of new or modified facilities.

6. To ensure that States supply early and adequate design information on new or modified facilities, it may be necessary to amend existing Subsidiary Arrangements. States with comprehensive safeguards agreements should, pending such amendments:

(a) inform the Agency of their programmes for new nuclear facilities and activities and for any modifications to existing facilities through the provision of preliminary design information as soon as the decision to construct, to authorize construction or to modify has been taken; and

(b) provide the Agency with further information on the design as it is developed. The information should be provided early in the project definition, preliminary design, construction, and commissioning phases; and

(c) provide the Agency with completed Agency Design Information Questionnaires for new facilities as constructed as soon as possible, and in any event not later than 180 days before the first receipt of nuclear material at such a facility.

0074

11 – 11

11/15신 기

관리번호	91-1981

외 무 부

종 별 :

번 호 : JAW-6482 일 시 : 91 1114 2059

수 신 : 장관(경과,국기)

발 신 : 주 일 대사(일경)

제 목 : 제2차 한.일 원자력 협의회 결과보고

11.13-14. 간 당지에서 개최된 표제회의 참가결과 요지를 다음과 같이 보고함.

1. 수석대표 별도회의(11.13. 오전)

가. 일측 언급요지

0 북한의 IAEA 안전조치 협정체결 및 이행을 계속 촉구 예정

0 노대통령의 비핵화 선언 환영

0 일본은 IAEA 의 특별 사찰 강화 및 핵시설 설계 180 일 이전 사전 봉고 조치등 지지

나. 아측 수석대표

0 북한의 핵무기시설 개발 및 IAEA 안전조치 협정체결 지연에 우려 표명

0 북한은 NPT 가입국으로서 안전조치 협정 체결 포함 의무이행 필요성 역설

0 노대통령의 비핵화 선언설명 및 IAEA 안전조치 강화지지

2. 본회의 토의 요지

가. 의제 1(양국의 원자력 기본정책)

0 일본측은 에너지 수급동향 및 원전개발 계획, 핵연료 싸이클의 기본정책 및 원자력 안전정책에 관하여 설명

0 아측은 원전이용개발 동향과 안전정책에 관해 설명하고, 차세대 원자로등중요원자력 기술의 이전과 협력강화를 촉구함.

나. 의제 2(제 3 국과의 협력)

0 일본측은 91 년도에 개최된 중국 및 쏘련과의 협력현화 설명

- 중국은 원전을 1 기 건설중이며, 안전정책에 유의하고 있고, NPT 에 불원가입할 것으로 보이나, 런던 지침가입에는 소극적 태도 견지

- 고르바쵸프 방일계기로 일.쏘 원자력협정 체결(91.4), 91.10 월 제 1 차

경제국 장관 차관 1차보 2차보 아주국 국기국 외정실 분석관
청와대 안기부

91.11.14 22:32
외신 2과 통제관 CE
0075

공동위원회를 개최한바, 원전의 경제성과 안전성에 관해 의견교환을 함. 특히 쏘련은 안전정책면에서 연방과 공화국간의 관계가 유동적인 것을 관찰함.

0 아측은 91 년도에 개최된 미, 불, 카나다 및 쏘련과의 공동위원회 개최 경과를 설명한바, 일측은 한. 쏘간 협력에 관심을 표명함.

다. 의제 3A(양국간 협력)

0 본회의에 앞서 개최된 전문가 회의(11.11-12)결과 보고 및 11.15 일 개최예정인 전문가회의 토의 계획에 대한 보고 청취

0 제 1 차 회의시 합의한 23 개 과제에 대한 협력 실적을 평가하고 차기회의부터는 전문가회의 결과를 본회의 토의록에 첨부키로 합의

0 아측은 금년도 신규과제로서 지능로보트의 개발등 2 개 사업에 대한 추진을 강력히 요청한 결과, 일측과 합의에 도달함.

라. 의제 3B(다자간 협력)

0 일측발언요지

- 북한의 IAEA 안전조치 협정 체결을 위한 노력을 경주하고, IAEA 안전조치강화를 지지

- NPT 및 IAEA 가입국에 대한 특혜조치가 필요하며, IAEA 의 FOOT NOTE A 사업지원 계획 설명

- NPT 의 95 년 이후 연장에 찬성하며, NPT 의 보편성 및 신뢰성 향상 희망

- 런던지침, NPT 및 FULL SCOPE 안전조치가 핵장비등의 수출의 조건으로 되기를 희망하고, 한국의 런던지침 가입을 요청함.

0 아측 발언요지

- 북한의 IAEA 안전조치 협정체결 종용과 IAEA 안전조치 강화를 지지

- IAEA 의 FOOT NOTE A 사업과 RCA 에 만족하며, 아국의 지원실적 설명

- 런던지침에의 참가는 검토중이나, 가입에 앞서 국내입법정비 및 필요한 정책적 검토가 선행되어야 함.

마. 기타 안건

0 제 3 차 협의회는 92 년 하반기에 서울에서 개최

0 본회의 이전에 2 개 전문가회의를 개최

3. 회의 참가 성과

0 북한의 IAEA 안전조치 협정체결 유도에 대한 공동입장 재확인

0 원전의 안전성 및 경제성 제고를 위한 기술협력의 필요성을 합의하고, 지능로보트 개발등 기술협력과 원자력 안전조기연락망의 가동계획을 합의

0 협력과제에 대한 전문적인 검토를 하는 전문가회의의 상설운영과 동 전문가회의 결과를 본회의 토의록에 첨부토록 합의

0 IAEA, NPT, RCA 등 지역 및 다자간 협력시 상호협력

0 중국의 NPT 가입동향 및 런던지침 가입동향 파악. 끝.

(대사 오재희-차관)

예고:91.12.31. 일반

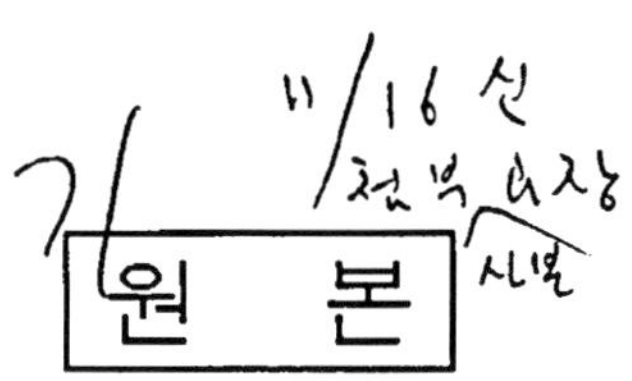

외 무 부

종 별 :

번 호 : AVW-1498 일 시 : 91 1114 2330

수 신 : 국제기구국 박원화 과장

발 신 : 주 오스트리아 김의기

제 목 : 업연

안전조치협정 미체결국 현황

1.표제협황을 별전(FAX) 송부합니다.

2.건승을 기원합니다.

첨부:AVW(F)-054 3매.끝.

국기국

PAGE 1

91.11.15 20:03 ED

외신 1과 통제관

0078

EMBASSY OF THE REPUBLIC OF KOREA

Praterstrasse 31, Vienna
Austria 1020 (FAX : 2163438)

No : AVW(F) - 054	Date : 1114 2330
To : 국제기구국 박원화 과장 (FAX No :)	
Subject : 안전조치 협정	

AVW-1498 보완

표지포함 3매

Total Number of Page : ____

0079

US : 1991-11-14

States which have not concluded the required safeguards agreement with the Agency in connection with NPT

NNWS party to NPT with no SG agreement in force a/ (1)	Date of ratif. access. or succession to NPT (2)	Status of negotiation (3)	Date agreement should enter into force (4)
Albania	12 Sep 1990		12 Mar 1992
Antigua and Barbuda b/	1 Nov 1981	Signed 1 Feb 1990	1 May 1983
Bahamas	10 Jul 1973		10 Jan 1975
Bahrain	3 Nov 1988		3 May 1990
Barbados	21 Feb 1980		21 Aug 1981
Belize	9 Aug 1985	Approved 19 Feb 1986	9 Feb 1987
Benin	31 Oct 1972		30 Apr 1974
Bolivia b/	26 May 1970	Signed 23 Aug 1974	5 Mar 1972
Botswana	28 Apr 1969		5 Mar 1972
Burkina Faso	3 Mar 1970		5 Mar 1972
Burundi	19 Mar 1971		19 Sep 1972
Cameroon	9 Jan 1969		5 Mar 1972
Cape Verde	24 Oct 1979		24 Apr 1981
Central African Rep.	25 Oct 1970		25 Apr 1972
Chad	10 Mar 1971		10 Sep 1972
Colombia	8 Apr 1986		8 Oct 1987
Congo	23 Oct 1978		23 Apr 1980
Dem. Kampuchea	2 Jun 1972		2 Dec 1973
Dem. P.'s Rep. Korea	12 Dec 1985	Approved 12 Sep 1991	12 Jun 1987
Dominica	10 Aug 1984		10 Feb 1986
Equatorial Guinea	1 Nov 1984	Approved 13 Jun 1986	1 May 1986
Gabon	19 Feb 1974	Signed 3 Dec 1979	19 Aug 1975
Grenada	19 Aug 1974		19 Feb 1976
Guinea	29 Apr 1985		29 Oct 1986
Guinea-Bissau	20 Aug 1976		20 Feb 1978
Haiti b/	2 Jun 1970	Signed 6 Jan 1975	2 Jun 1972
Kenya	11 Jun 1970		11 Jun 1972
Kuwait	17 Nov 1989		17 May 1991
Lao P.'s Dem. Rep.	20 Feb 1970	Approved 22 Feb 1989	5 Mar 1972
Liberia	5 Mar 1970		5 Mar 1972
Lithuania	23 Sep 1991		23 Mar 1993
Malawi	18 Feb 1986		18 Aug 1987
Mali	10 Feb 1970		5 Mar 1972
Mozambique	4 Sep 1990		4 Mar 1992
Panama b/	13 Jan 1977	Signed 22 Dec 1988	13 Jul 1973
Qatar	3 Apr 1989		3 Oct 1990
Rwanda	20 May 1975		20 Nov 1976
St.Vincent & Grenadines	6 Nov 1984	Approved 12 Sep 1991	6 May 1986
San Marino	10 Aug 1970	Approved 23 Feb 1977	5 Mar 1972
Sao Tome & Principe	20 Jul 1983		20 Jan 1985
Saudi Arabia	3 Oct 1988		3 Apr 1990
Seychelles	12 Mar 1985		12 Sep 1986
Sierra Leone	26 Feb 1975	Signed 10 Nov 1977	26 Aug 1976
Solomon Islands	17 Jun 1981	Approved 26 Feb 1991	17 Dec 1982
Somalia	5 Mar 1970		5 Mar 1972
Syrian Arab Republic	24 Sep 1969		5 Mar 1972
Tanzania	7 Jun 1991		7 Dec 1992
Togo	26 Feb 1970	Signed 29 Nov 1990	5 Mar 1972
Tonga	7 Jul 1971	Approved Feb 1975	7 Jan 1973
Trinidad and Tobago	30 Oct 1986		30 Apr 1988

0080

[illegible]US : 1991-11-14

(1)	(2)	(3)	(4)
Uganda	20 Oct 1982		20 Apr 1984
Yemen, Republic of	1 Jun 1979		1 Dec 1980
Zambia	15 May 1991		15 Nov 1992
Zimbabwe	26 Sep 1991		26 Mar 1993

a/ [illegible] (1) and (2) was provided to the [illegible] Governments of NPT and an entry in column (1) does not imply the expression of any opinion on the part of the Secretariat concerning the legal status of any country or territory or of its authorities, or concerning the delimitation of its frontiers. The Table does not contain information relating to the participation of Taiwan, China in NPT.

b/ The relevant safeguards agreement refers to both NPT and the Treaty of Tlatelolco.

ETesar
(00571)

0081

공 란

공 란

관리 번호	91-1124

	분류번호	보존기간

발 신 전 보

번 호 : WAU-0899 911119 1811 BE 종별 :

수 신 : 주 호주 대사.총영사

발 신 : 장 관 (국기)

제 목 : IAEA 12월 이사회 관련 대책

연 : WAU - 0882

연호, 표제관련 귀주재국과의 협의 사항 보고바람. 끝.

(국제기구국장 문 동 석)

예 고 : 91.12.31 일반

일반문서로 재분류(1991. 12. 31.)

보 안 통 제	

앙 고 재	91년 11월 19일	국제기구과	기안자 성 명		과 장	심의관	국 장		차 관	장 관
			신동익				전결			

외신과통제

0084

관리 번호	91-2016

분류번호	보존기간

발 신 전 보

번 호 : WAV-1328 911121 1544 BE 종별 :

수 신 : 주 수신처참조 대사. 총영사

WUN -4035 WUS -5311
WAU -0902 WJA -5298

발 신 : 장 관 (국기)

제 목 : EC 공동성명 (안)

91.11.20(수) EC 의장국인 화란 외무부측이 제공해온 노대통령의 「한반도 비핵화 정책」선언 관련 EC 공동성명의 주요내용을 아래 타전하니 귀관 업무에 참고 바람.

The European community and its member States welcome the declaration of non-nuclear Korean peninsula peace initiatives...

<중략>

... The EC and its member States therefore call upon the Democratic People's Republic of Korea to respond positively to this declaration. Moreover they urge the Democratic People's Republic of Korea to sign and implement its Safeguards Agreement with the International Atomic Energy Agency as required by its adherence to the Non-Proliferation treaty without further delay and without pre-conditions. 끝.

일반문서로 재분류(19 P(국제외 국제기구국장 문 동 석)

수신처 : 주오스트리아, 유엔, 미국, 호주, 일본 대사

보안 통제	

앙 고 재	91년 11월 21일	국제기구 과	기안자 성명		과 장	심의관	국 장		차 관	장 관
			신동익		서명		서명			서명

외신과통제

0085

관리번호	91-1135

원 본

외 무 부

종 별 :

번 호 : AUW-0982 일 시 : 91 1121 1720

수 신 : 장관(국기)

발 신 : 주 호주 대사

제 목 : IAEA 12월 이사회 개최

연:WAU-0882

1, 금 11.21 12:00 양공사가 COUSINS 외무성 군축부국장(ADAMSON 핵정책과장및 MCCATHER 한국과장)면담, 대호 대책 문의한내용을 아래와같이 보고함.

가.COUSINS 부국장은

1)지난번 9 월총회시 선출된 신이사진들중 상당수가 IAEA 이사회 경험이 생소, 대북한 결의안 채택에 자신이 있는 태도를 보이지 않고(예:신임 이사회 MEMBER 중 베트남, 파키스탄, 알제리아, 루마니아, 불가리아등 상당 수에 "계몽교육" 기간이 필요하다고 했음)

2. 중국 전기침 외상이 최근 APEC 참석기회에 EVANS 외상과 면담시 북한에 대하여는 PRIVATE TALKS 를 통한것이 더유효하다고 말하면서 다소 시간적 여유를달라는 요청도 있었고, 최근 노대통령및 부쉬대통령의 핵관련 정책선언도 감안북한에게 일단 여유를 제공, 북한태도를 살필 필요성도 있고

3)금번 12 월 이사회는 근본적으로 기술협력위원회 보고및 안전조치 제도강화에 대한 IAEA 사무총장의 보고서를 채택하는 일종의 기술회의로서 회의가 하루반 정도밖에 되지않는점등의 새로운 요건들을 감안하여 금번 12 월 이사회에서는대북한 결의안 제출을 행하지 않고 대신 대호 4 항에 언급한바와같이 IAEA 사무총장의 특별사찰제도등을 명시한 안전조치제도 강화에 관한 보고서 심사시(IAEA 이사회문서, GOV/2554(91.11.12 자 배포참조) 10 여개 우방국가들이 대북한 협정체결을 촉구할것으로 전망했음.

나. COUSINS 부국장에 의하면 11 월초순경 미국측으로부터 12 월 IAEA 이사회대책과 관련하여 대북한 결의안을 준비해야할 필요가 없겠는가고 문의받았을 당시에도(미측의 이러한 DEMARCHE 는 부쉬 핵정책선언이후 노대통령 특별선언이

국기국 장관 차관 1차보 2차보 아주국 외정실 분석관 청와대 안기부

PAGE 1 91.11.21 20:13

외신 2과 통제관 CH

0086

나오기전이었다고함)호주측은 사전 일본측과 협의 새로운 상황을 예시하면서 결의안 추진은 내년 2 월 이사회로 넘기는것이 현명할것으로 말하자 미측도 이를 납득, 동의 했다고함.

다. 12 월 이사회기간이 짧고 북한 핵안전협정이 주의제가 아니고 IAEA 사무총장의 보고서 심사서를 활용, 대북한 촉구 발언을 행하자는것이 금번 회의 분위기이므로 발언자수는 많아야 10 명정도로 예상된다고 하면서 동발언 예상국가들로 호주, 미, 일, 카나다, 한국등 자동발언국 5 개국과 기타 영, 불, 독등 총 10 개국가들이 자진해서 발언할것으로 기대했음.

라. COUSINS 부국장은 내년 2 월 IAEA 이사회시 제출을 구상하고 있는 결의안에는 지난 9 월 이사회시 1 차 초안에 넣었다가 삭제한바있는 IAEA 사무총장으로 하여금 북한의 핵안전협정 체결이행의 보고를 유엔안보리에 제출토록하는 문구를 삽입시키는것이 주안점이 될것이라고 말하면서 미국이 지금까지 선호해온 양자간의 협의가 북한에 대하여 아무런 결실을 가져오지 않자, 과거와는 달리 IAEA 다자간 협의에 적극적인 점에 비추어, 그간 한. 미 양국대통령의 핵특별선언도 있었고 중국의 체면을 감안한 내년 2 월까지의 유예기간도 감안 내년 2 월 IAEA 는 이느때보다도 대북한 강력한 채택분위기가 고조될것이라고 예상했음.

마. 한편 COUSINS 부국장의 전망으로는 (동인은 외무성에서 군축문제만 10 년이상 취급)내년 2 월 IAEA 이사회 개최 직전 북한은 핵안전협정에 일단은 결의안 분위기를 와해시킨다음 내년 4-5 월 북한 최고인민회의 개원을 빙자하여 동 안전협정 비준을 지연시키는 술수를 북한측이 쓰지 않을까 전망하면서 남북대화 차원에서 가진 북한 핵관련 협의내용중 참고로 호주측이 향후대책 수립을 위하여참고될만한 사항이 있으면 브리핑 받기를 희망했음.

2. 한편 지난주 호주를 방문한 스웨덴 외무성대표단(단장 BYARME, DEPUTY ASSISTANT UNDERSECRETARY DISARMAMENT DIVISION)과호주 외무성군축국간 양자회담시 스웨덴측이 밝힌바에 의하면 덴마크주재 북한대리대사가 최근 스웨덴을 방문 강석주 북한 외교부부부장이 12 월초순 전후 독일, 벨지움등 서방측과의 관계개선차 구주 순방하는 기회에 12.13 경 스웨덴을 방문(비엔나 12.5.IAEA 회의가 종료된후임)." NPT INPLEMENTATION"에 관하여 협의하고 싶다는 희망을 피력하였다고 하며 평양에 스웨덴 상주공관이 상존함에도 덴마크 주재 대리대사를 파견시킨점과 강석주의 스웨덴 방문목적을 NPT 이행에 관하여만 협의하겠다고 방문목적을 밝힌점에 호주.스웨덴

양국대표단들은 관심과 의아를 표시했다고 함을 참고로보고함. 끝.

(대사 이창범-국장)

예고:92.12.31. 일반.

검 토 필(1991. 12. 31.)
직권보관승인 (인)

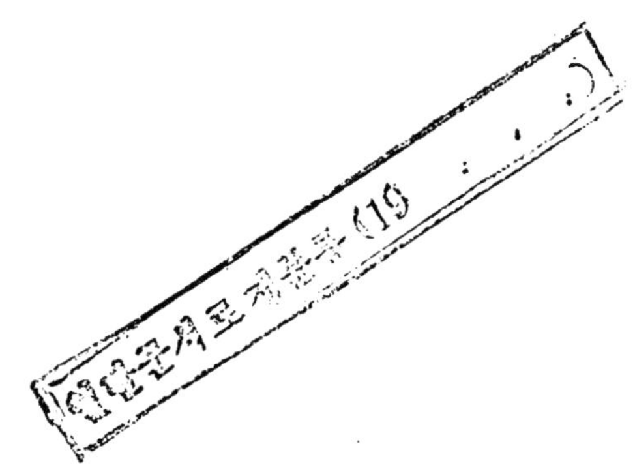

PAGE 3

0088

91.11.22 <코리아 타임즈> 1면

EC Urges NK to Renounce Nuclear Weapons

THE HAGUE, Netherlands (AP-Reuter) — The European Community Wednesday called upon North Korea to renounce nuclear weapons to make the Korean peninsula a nuclear-free zone.

In a statement, the 12-nation West European trade bloc urged North Korea to "respond positively" to South Korean President Roh Tae-woo's call for a ban on nuclear weaponry in both North and South Korea.

The release of the statement by the Netherlands, current holder of the EC presidency, coincided with a visit by U.S. Secretary of Defense Dick Cheney to Seoul. U.S. officials have called North Korea's nuclear weapons program the biggest threat to security in Asia.

On Nov. 8, Roh pledged to refrain from manufacturing, possessing or deploying nuclear weapons and called upon North Korea to do the same.

"The EC and its member states... urge the Democratic People's Republic of Korea to sign and implement its safeguards agreement with the International Atomic Energy Agency as required by its adherence to the Non-Proliferation Treaty, without further delay and without pre-conditions," the statement said.

The Community was adding its voice to those of Japan, South Korea and its chief military ally the United States.

North Korea has denied its secretive nuclear development program is aimed at making weaponry but has refused to allow international inspection of its known facilities at Yongbyon, 95 km (60 miles) north of Pyongyang.

0089

北 來2月「核협정」서명

政府, 美中통해「內部결정」확인

査察압력 회피작전 추정

유엔安保理 强壓策거론 원치않는듯

비준이유 발효지연여부 관심

北韓은 점증하고있는 국제핵사찰수락압력으로부터 벗어나기 위해 내년2월 국제원자력기구(IAEA) 정기이사회이전에 핵안전협정에 서명할 것으로 22일 알려졌다.

정부의 한 고위관계자는 「北韓은 자신들의 핵문제가 유엔으로 옮겨지는 것을 원치않고 있다」고 설명하고 「北韓은 이미 내부적으로 핵안전협정에 서명하기로 결정을 내렸다는 정보를 美國과 中國측으로부터 받았다」고 밝혔다.

이 관계자는 국제원자력기구는 오는 12월과 내년 2월 두차례의 이사회를 통해 北韓에 강제핵사찰방안을 마련한후 이를 유엔안보리로 가져갈 계획이라고 말하고 「따라서 北韓의 핵안전협정서명은 2월 정기이사회이전에 있게될것」이라고 덧붙였다.

이 관계자는 그러나 「北韓은 핵안전협정에 서명하더라도 국내 비준절차등을 이유로 그 발효시기는 늦출 것으로 예상된다」고 말하고 「정부는 北韓이 핵안전협정에 서명하더라도 국제핵사찰을 받고 핵무기개발의 근원이 되는 핵연료재처리시설까지도 모두 폐기하도록 北韓에 대한 외교적 압력을 늦추지 않을 것」이라고 말했다.

한편 北韓의 對日수교회담 수석대표인 田仁徹외교부副部長과 현재 美國을 방문중인 崔宇鎭외교부순회대사는 최근 北韓이 핵안전협정에 서명할 의사가 있음을 강력히 시사한바 있다.

美、北核시설 空襲검토

완성경우 禁輸조치ㆍ海空봉쇄 병행

日紙 美의회자료 인용보도

【東京=李洛淵】 美國행정부는 北韓이 플루토늄생산을 위한 核연료재처리시설을 완성할 경우 그 대응조치로서 거점폭격에 의한 핵시설파괴와 北韓봉쇄도 검토하고 있다고 日本산케이(産經)신문이 22일 美의회조사국(CRS)의 보고서를 인용, 워싱턴發로 보도했다.

산케이신문은 上下 양원의원들의 법안심의자료로 작성된 이 보고서엔 북한이 외교적 압력에도 불구, 핵연료재처리시설을 완성할 경우 「군사수단등 실력행사의 대응책이 검토될 것」이라는 행정부당국자의 설명이 곁들여져 있다고 밝혔다.

이 보고서는 북한이 核처리시설을 완성할 경우 △유엔 安保理에 호소, 국제적 禁輸에 의해 핵무기개발계획을 포기토록 압박한다 △유엔의 禁輸조치를 철저히 하기 위해 북한을 공중과 해상의 양면에서 봉쇄한다 △핵재처리시설이 건설되고 있는 寧邊지구를 거점폭격, 핵시설을 파괴한다 △韓國내부및 한반도 주변 美軍의 병력을 증강한다는등의 대응책이 실제로 검토될 것이라고 밝혔다.

이 보고서는 북한이 平壤북방 90㎞지점의 寧邊에 군사용 원자로(2백메가와트)와 핵연료를 분리해 플루토늄을 생산하는 재처리시설을 건설중이며 현상태대로라면 94년경 핵무기제조능력을 확실히 갖게될것이라고 지적했다.

이 보고서는 한국과 일본이 사정권에 들어가는 핵탄두발사 스커드 미사일도 북한에서 개발되고 있다고 밝혔다.

한반도 4년內 危機

美 대비태세 갖춰야

월포위츠次官

【워싱턴=卞相根】 美국방부의 정책담당 폴 월포위츠차관은 北韓의 임박한 핵무기개발과 金日成의 고령에 다른 북한지도층의 불안정성등으로 부시행정부가 제2기를 맞을 앞으로 4년내에 한반도에 위기가 닥칠 가능성이 있음을 지적하고 美國은 이에 만반의 대비태세를 갖추어야하며 북한의 군사도발이 효율적으로 격퇴되고 말것이라는 모든 신호를 북한에 보내야한다고 강조했다.

駐韓美軍과 동시실시

北韓核사찰 수용시사

美전략硏 부소장

【東京=李洛淵】 최근 北韓을 방문하고 현재 서울에 머물고있는 美國전략국제연구센터(CSIS)윌리엄 테일러부소장은 북한측이 「주한미군이 동시사찰을 받아들이는것을 유일한 조건으로 핵사찰을 수용할 용의가 있다」고 밝혔다고 전했다.

0090

RECEIVED NOV 21 1991

SEOUL
HILTON

395-5ga, Namdaemun-no Chung-gu, Seoul, Korea 100-095

TEL: (02) 753-7788 TELEX: K26695 KHILTON FAX: (02) 754-2510

FAX TO : U.S. Embassy

FAX NO.: 738-8845

ATTN. : Ambassador Don Gregg

DATE : 11/21/91

FROM : Bill Taylor

ROOM NO. (REF): 1230

TOTAL PAGES: 1
(INCL. COVER PAGE).

Just returned Seoul from Pyongyang. After 9 1/2 hrs. of separate discussions W/Kim Hyong U (Deputy Director, KWP: Deputy to Supreme peoples Ass'y and Adviser to DPRK Institute for International Affairs) and Maj. Gen Kim Young Chul (Principal Military Spokesman, DPRK Delegation to Ministerial Talks), I was asked explicitly to deliver the following message to you, Dick Cheney, Sam Nunn, Def. Min Lee Jong Koo and National Security Adviser Kim, Jong Hui:

> North Korea is prepared to receive IAEA inspections as soon as South Korea and the United States are prepared to receive simultaneous inspections of nuclear weapons in the South. There are no other conditions.

Much more was discussed, but this is the specific proposal I was asked to pass on. They appear concerned about the Def. Minister Lee/Carl Ford talk about strikes against their nuclear facilities. They say that in such an event, we will be in a second Korean War.

May I request that your staff pass on this message?

The two Kims agreed that I can write or talk about this as I wish. I am doing so now.

0091

11/28

신

대 한 민 국
주 오스트리아 대사관

오스트리아 20332-1102　　　　　　　　　　　　　　　　　199 1 . 11 . 22 .

수 신 : 장관　　　　　　　　　　　　　　　　　　　　　　(보존기간 :　　)

참 조 : 국제기구국장

제 목 : IAEA 대유엔 보고

대 : WAV - 1140

연 : AVW - 1446

대호 관련 당관의 문의에 대한 IAEA 사무국의 공식 답신을 별첨 송부합니다.

첨부 : 1. KPM-91-97

2. IAEA 공한 사본　　끝.

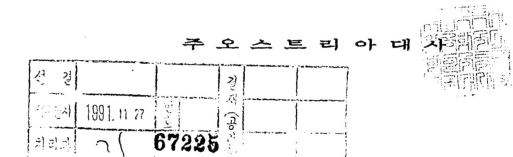

주 오 스 트 리 아 대 사

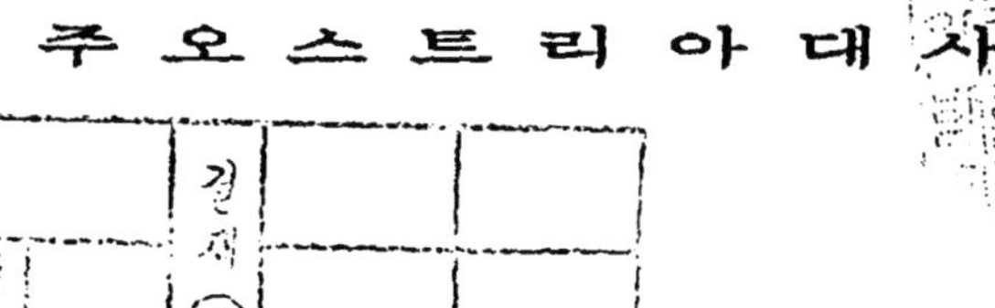

선 결			결재(공)		
접수일시	1991. 11. 27	번호			
처리과	ㄱ(67225				

0092

INTERNATIONAL ATOMIC ENERGY AGENCY
AGENCE INTERNATIONALE DE L'ENERGIE ATOMIQUE
МЕЖДУНАРОДНОЕ АГЕНТСТВО ПО АТОМНОЙ ЭНЕРГИИ
ORGANISMO INTERNACIONAL DE ENERGIA ATOMICA

WAGRAMERSTRASSE 5, P.O. BOX 100, A-1400 VIENNA, AUSTRIA
TELEX: 1-12645, CABLE: INATOM VIENNA, FACSIMILE: 43 1 234564, TELEPHONE: 43 1 2360

IN REPLY PLEASE REFER TO:
PRIERE DE RAPPELER LA REFERENCE:

DIAL DIRECTLY TO EXTENSION:
COMPOSER DIRECTEMENT LE NUMERO DE POSTE:

NOTE

The International Atomic Energy Agency presents its compliments to the Permanent Mission of the Republic of Korea to the International Organizations in Vienna and has the honour to answer the Mission's Note KPM 91-97 of 16 October 1991 by stating that reports or communications which would fall under Article III.B.4 of the Agency's Statute, were made to the Security Council in connection with the military attack on Iraqi nuclear research installations in 1981 and in July and September this year, in connection with Iraq's non-compliance with its safeguards agreement with the Agency.

In November 1987 correspondence between Representatives of the Islamic Republic of Iran and the Director General of the Agency in connection with attacks on the Busher Nuclear Power Plant was circulated to the members of the General Assembly and of the Security Council.

The International Atomic Energy Agency avails itself of this opportunity to renew to the Permanent Mission of the Republic of Korea the assurances of its highest consideration.

Vienna, the 8th of November 1991

The Resident Representative of
the Republic of Korea to the IAEA
Praterstrasse 31
A-1020 Vienna

0093

KPM-91-97

The Permanent Mission of the Republic of Korea to the International Organizations in Vienna presents its compliments to the International Atomic Energy Agency (IAEA) and has the honour to request the latter to provide the Mission with information as to whether IAEA has submitted any reports or communications to the Security Council of the United Nations in accordance with Article III.B.4. of the Statute.

The Permanent Mission of the Republic of Korea avails itself of this opportunity to renew to the International Atomic Energy Agency the assurances of its highest consideration.

Vienna, 16 October 1991

0094

모두가 과학하는 마음을

과 학 기 술 처

우 427-760 경기 과천 중앙 1, 정부 제2종합청사내 / (02)503-7651 /

문서번호 원협 16222- 1125

시행일자 1992. 11. 24.

(경유)

수신 외무부장관

참조 국제기구국장

선결			지시		
접수	일자 시간		결재·공람		
	번호				
처리과					
담당자					

제목 국제원자력기구 (IAEA) 12월 이사회

1. 관련 : 국기 20332-822 ('92. 11. 16)

2. 표제회의에 대한 우리처 의견을 별첨과 같이 송부하며, 동 회의에 우리처 및 산하기관에서는 참가자가 없음을 알려드리오니 양지하여 주시기 바랍니다.

첨부 12월 이사회 의제검토 의견. 끝.

과 학 기 술 처 장 관

원자력정책관 전 결

0095

국제원자력기구 (IAEA) 12월 이사회

1. 일　시 : 1992. 12. 3 - 4

2. 장　소 : IAEA 회의실

3. 참석범위 : 주오지리 대사 조창범 공사, 허 남 과학관, 김의기 참사관 조건우 과학관 보

4. 잠정의제

[Agenda Item 1] 기술지원협력위원회 보고

- '92년 11월 24일 - 27일 개최된 기술지원협력위원회의 보고서 접수

[Agenda Item 2] 안전조치 (Safeguards)

(a) 사무총장 보고서

- 사무총장이 현재 수행중인 안전조치 현황을 보고하며, 북한의 안전조치 협정 체결 이행상황에 대한 보고가 포함됨.
- 이사회에서 채택된 안전조치강화 방안에 관해 사무국에서 회원국에 요구한 사항에 대한 반응 보고
- 구소련의 신생 독립국에 대한 안전조치 수행준비
- 비핵무기 IAEA 회원국이면서 유럽공동체 회원인 경우 이들 국가에 대한 안전조치적용과 관련 공동추진방안 등에 대한 진전사항

(b) 안전조치 협정체결

- 안전조치협정 체결 신청이 있을 경우 심의

0096

[Agenda Item 3] 원자로 프로젝트

o 1-2개의 원자로 프로젝트를 심의할 예정

[Agenda Item 4] 기여금 미납으로 지연중인 기술협력사업 추진

o Gov/2620 에서 사무국은 기구의 재무규정 (INFCIRC/8/Rev.1 and Mod.2)의 제 5.03조 및 5.04조 개정에 대한 이사회 승인을 요청하며, 이 규정적용중지를 요구
  - 주요 체불연장기간에 연기된 사업활동의 수행을 허용하기 위함.

[Agenda Item 5] 이사회 및 관련 회의일정 조정

o '92년 9월 28일 이사회에서 1993년도 6월 이사회는 6월 14일 개최하기로 잠정 결정된 것과 관련 사무국은 같은 날 UN 인권총회가 비엔나에서 개최되는 것을 고려 '93년 6월 이사회를 당초 계획보다 일주일전인 '93년 6월 7일 (월) 개최할 것을 제의

0097

국제원자력기구 (IAEA) 기술지원협력위원회 (TACC)

1. 기　간 : '92. 11. 24 (화) - 11. 27 (금)

2. 장　소 : 비엔나 IAEA 회의실

3. 참석범위 : IAEA 회원국

4. 잠정의제

[Agenda Item 1] 1993-94 기술지원협력사업

(1) Gov/2618 및 Add. 1 : 1993-94 2년 동안 수행될 전문가, 장비지원, 훈련 등 기술지원협력사업 계획

- 기술협력위원회는 1993-94 사업중 1993년도 사업에 관하여 이사회에 제출할 권고안을 작성

(2) Gov/INF/668 : 1992년 9월 30일 현재의 기구기술지원협력사업 추진현황

(3) Gov/INF/669 : 재정지원 대기중인 Footnote-a 사업

(4) Gov/INF/670 : 1993-94년도 기구정규기술협력사업에 포함되지 않은 기술지원 요청 사업

[Agenda Item 2] 기술협력평가

(1) Gov/INF/671 : 기구기술협력평가활동 및 1993년도 평가계획 개요

0098

1

5. 의제 주요내용

[Agenda Item 1]

(1) 1993-94년도 기술지원협력사업 (Gov/2618)

▣ 의제내용

o 기구기술지원협력사업의 종류
- "Core" 프로그램 : 기술지원협력자금 (TACF) 으로 지원
- "Footnote-a" 프로그램 : 특별기여국에서 지원

o 1993-94년도 기술지원협력자금 (TACF) 규모

(단위 : US $)

	'93	'94	비 고
TACF 목표액	55,500,000	58,500,000	
서약금액 (추정)	40,258,000	42,434,000	목표액의 72.5%
기타수입	2,176,000	2,751,750	잉여금, 잡수입 등
TACF가용재원(추정)	42,434,000	45,185,750	
사업계획	41,334,250	43,603,950	

o 1993-94 "Footnote-a" 사업 규모
- 1993년 : US$ 12,096,900
- 1994년 : US$ 10,176,250

o 기술지원협력사업 재원

- '92. 9 총회에서 '93년도 기구기술지원협력사업 규모를 $56,500,000로 결정

- 루블화의 평가절하로 달러화로 환산시 1992년도에는 총 NCC (Non-convertible currency) 목표액의 14% 달성에 그침.

- 이러한 결과로 TACF 총목표액에 대한 자금확보수준은 1988년 86% 에서 '91년 77%, '92년 72%로 계속 감소되고 있음.

- CC (Convertible currencies) 부분에서는 1993-94년에 CC 목표액의 81%을 확보할 것으로 전망

- NCC 부분에서는 1993-94년에 NCC 목표액의 15%만 확보가능할 것으로 전망

- 종합적으로 1993년에는 목표액의 72.5%인 $40,258,000이 서약될 것임.

o 사업개요

- 총 736개 사업이 검토되었으며, 신청과제중 240개 사업은 승인되지 못함. (Gov/INF/670)
- 1993-94년 "Core" 프로그램은 507개의 신규프로젝트와 127개의 계속 프로젝트로 구성됨.

- 이중 634개 프로젝트는 '93년에 시작되며, 56개 프로젝트는 '94년에 시작됨.

- 1993-'94 "Footnote-a" 프로그램은 98개 프로젝트를 포함함.

- 프로젝트수를 감소하고 대신 프로젝트 규모를 대형화하려는 시도가 계속 강조되고 있으나, 몇몇 회원국을 제외하고는 회원국들은 상대적으로 적은 규모로 많은 프로젝트를 하려는 경향이 있음.

3 0100

- 1993-94년 "Core" 프로그램 예산은 84.9 백만불임.
  - 1993년 : 41.3 백만불
  - 1994년 : 43.6 백만불

- '93년도 총 "Core" 프로그램의 84.7%는 개별 프로젝트이며, 11.6%는 훈련과정, 3.7% 는 예비비 및 제잡비 임.
  - 예비비는 총가용자금의 2.5% 이내임.
  - '93년에 10만불, '94년도에 20만불이 신규가입국의 기술지원을 위해 별도 책정되어 있음.

- '93-'94년도 이후 계속되는 다년도 프로젝트에 대한 비용은 당해년도 예상재원의 50% 이하로 유지해야 함. (이사회에서 규정)
  - '95년에 9백만불, '96년에 약 2백만불 정도

- 구성간 균형은 장비구입 37% ('91-'92사업 42%), 훈련비 38% ('91-'92사업 37%), 전문가 활용 25% ('91-'92사업 20%)로 개선되고 있음.

o 재원의 지역적 배분

- 1993-94 "Core" 프로젝트의 지역배분

· 아프리카	: $ 19,916,800	(27.9%)
· 아·태	: $ 17,324,500	(24.2%)
· 남미	: $ 17,815,600	(24.9%)
· 중동·유럽	: $ 15,628,500	(21.9%)
· 다지역	: $ 728,750	(1.1%)
계	$ 71,414,150	(100.0%)

o 재원의 분야별 배분

A.	원자력발전	4%	F.	산업 및 지구과학	11%
B.	핵연료주기	2%	G.	물리·화학	19%
C.	방사성폐기물관리	3%	H.	방사선방호	12%
D.	식품 및 농업	18%	I.	원자력시설안전	5%
E.	보건	13%	J.	행정지원	14%

o 기술수원대상국가 : 78개국 (IAEA 회원국 118개국중 선진국, 신규가입국 또는 평화적 원자력활동에 관심없는 국가 등 제외)

- 우리나라 : 9개 프로젝트 '93 : $ 435,600
  '94 : $ 485,200

- 북 한 : 11개 프로젝트 '93 : $ 459,500
  '94 : $ 527,000

o 위원회의 권고안

- 위원회는 1993-94년도 기술협력사업에 관하여 이사회에 다음과 같이 권고한다 :

(a) 부록에 수록된 1993-94년도 기구기술지원 프로젝트와 이들 프로젝트 지원을 위해 1993년에 $47,091,150의 재원을 사용할 것을 승인함.
* Core 프로그램 $ 34,994,250 + Footnote-a 프로그램 $ 12,096,900

(b) General Operating Rule 에 의거 사무총장이 승인할 1993년도 훈련과정에 $ 4,785,000 을 사용할 것을 승인하고, 1993년도 프로그램 제잡비로 $ 705,000의 사용을 승인함.

(c) General Operating Rule 의 제 21조와 22조에 의거 1993년도 예비비 (Reserve Fund)를 $ 750,000로 책정하고, 신규회원국의 요구에 대비하여 비상금 (Contingency fund) $ 100,000을 책정함.

5 0102

(2) '92. 9. 30 현재 기구기술협력프로그램 추진현황 (Gov/INF/668)

o '92년 전체사업에 대한 세부내용은 1992년도 기구기술협력사업 연차보고서에 수록예정
  - 본 자료는 '92. 9월 까지의 사업 개요와 통계적·재정적인 내용임.

o 구성요소별 추진현황이 지역별로 제시
  - 전문가, 장비, 훈련생, 훈련과정

o 루블화의 가치가 '91년 12월 1불당 175에서 '92년 9월에는 1불당 167로 절하됨에 따라 기술협력사업에 타격을 줌.
  - 모든 재원 포함시 이행율 53.5%
  - CC 부분의 사업 이행율 57.1%

(3) 재정지원 대기중인 Footnote-a 프로젝트 (Gov/INF/669)

o 1990-92 기간중에 기구가 사업을 승인하였으나, 지원재원이 할당되지 않은 기구기술협력프로그램

o 1992. 10. 15 현재 재원을 기다리는 각국별 사업목록이 제시됨.
  - Footnote-a 사업에서 전문가 1개월 활용 소요비용은 $ 11,400임.

o 국별현황

  - 알바니아 1, 알제리아 2, 볼리비아 1, 브라질 4, 칠레 2, 코스타리카 2, 중국 2, 큐바 1, 에콰도르 3, 이집트 3, 이디오피아 1, 가나 4, 그리스 1, 인도네시아 4, 케냐 4, 멕시코 4, 모로코 1, 나이제리아 3, 파키스탄 1, 페루 3, 필리핀 1, 포르투갈 1, 시리아 3, 태국 1, 우루과이 1, 유고 3,

(4) 1993-94년도 정규기술협력 프로그램에서 탈락된 기술지원 사업

▣ 탈락사유

(1) 프로젝트 목적이 다음방법으로 충족될 수 있음 :

(a) 1993-94 타유사사업과 통합
(b) 이전 승인사업의 활용 (즉, 요구내용이 가용재원 이용으로 가능)

(2) 다음이유중의 하나에 해당 (미숙)

(a) 가용 하부구조의 부적정
(b) 사업계획준비 미흡
(c) 가용기술에 비해 과도한 목표

(3) 요구 프로젝트가 기구의 능력이나 기술협력 프로그램 이외의 것이거나 타 재원의 이용이 적정한 경우

(4) 다음과 같이 기술적으로 실현성이 없는 경우

(a) 당해지원으로 목표를 성취하기 곤란
(b) 목표 달성에 필요한 기술이 부적절하거나 이상적일 경우

(5) 프로젝트가 지향하는 목표를 충분히 달성할 수 없다고 생각되는 다음의 경우

(a) 지원활동이 문제해결에 도움이 될 수 없는 경우
(b) 활동이 순수학문 또는 기초연구를 포함하는 경우

(6) 프로젝트가 기술이전과 무관함.

[Agenda Item 2] 1992년도 기술협력평가활동 (Gov/INF/671)

■ 개   요

o 금년도 기술협력 평가활동은 1991년도 기술지원협력위원회 (TACC)에 보고된 평가계획에 의한 것임.
  - 평가의 목적은 기구의 기술협력활동을 개선시키는 것임.

■ 프로젝트 수행 감독

o 기구의 프로젝트 수행보고 시스템은 각국의 담당자들이 그들 프로젝트의 진행 상황과 당면문제를 보고하는 방법위주임.
  - 프로젝트 중간보고서 (IPIRs, Interim Project Implementation Reports)의 목적은 기구와 현장간의 원만한 정보교환을 통한 프로젝트의 목표를 효율적으로 달성하는데 있음.
    · 기구에 프로젝트 관련 최신정보제공
    · 기구 TC 담당자에게 프로젝트 계속 수행에 필요한 사항이나 개선될 사항의 제공

o '92년 IPIRs의 보고율은 71% 임 ('90. 70.5%)
  - IPIRs의 64% : 계획대로 진행되며 별도조치 불요
  - IPIRs의 28% : 계획대로 진행되나 부가적인 조치가 필요
  - IPIRs의 8% : 계획대로 진행되고 있지 못함. 별도조치가 요구됨.

■ 지역별 평가

o 아프리카지역에 대한 집중평가 (매회 각지역중 1개를 집중평가)

■ 국가에 대한 평가

o 칠레에 관한 평가

▣ 기술협력 프로젝트의 기획·관리 및 평가에 대한 훈련

- o 각국의 TC 사업 조정관이나 프로젝트 책임자를 대상으로 1989년 이후 실시
- o 1992년 필리핀에서 29명의 Project Counterparts 가 참석

▣ 국제훈련과정

- o '91년에 19개의 국제훈련과정이 개최되어 436명이 참석
- o 언어문제가 가장 큰 어려움이며 (강사, 훈련생 모두), 빈약한 시설도 문제점으로 지적됨.
- o 유용한 기술은 배웠으나, 활용할 기회가 없다는 문제점도 제시

▣ 연기된 평가활동

- o 아·태지역에서 3개국의 평가가 예산상의 문제로 수행되지 못함.

▣ 평가 활동비용

- o 평가비는 기술지원비용의 0.8% 소요

▣ 평가계획

- o 1989년 TACC는 다음해의 평가계획을 제시하도록 요구하였으며, 이의 목적은 각국이 우선순위를 잘 배정하도록 유도하는데 있음.

6. 검토의견

(1) 1993-94년도 기술지원협력사업

<사무국 노고치하>

- o 기술지원협력사업을 보다 효율적으로 추진하고자하는 사무국 기술협력부의 노력에 대하여 치하함.

- 2년 주기 기술협력 프로그램이 '89-'90년 및 '91-'92년 4년 동안의 시범사업 기간에 잘 진행되고 3번째로 착수하게된 것은 이것이 계속 정착될 것이라는 것을 의미한다고 봄.

0106

- 이러한 사무국의 노력은 회원국이 사업계획을 잘 준비하고, 선정된 사업을 안정적으로 수행하고, 사무국의 신청 프로젝트 검토 노력의 절감 등 많은 장점을 가진 효율적인 제도로 공감받고 있음.

<기술협력사업 재원 문제>

o 그러나, 기구기술협력사업은 재정문제와 관련 많은 어려움을 겪고 있음.

- 총회 및 이사회에서 결정된 목표액과 각국의 서약액 사이의 격차가 매년 확대되고 있음. (목표액의 72.5%)
- 이러한 격차를 감소시키기 위한 회원국의 자발적 노력과 공동체 의식이 중요하다고 봄.
- 회원국의 특별기여금으로 추진되는 Footnote-a 사업이 계속 감소되고 있음. ('91년 16.2 백만불, '92년 14.0 백만불, '93년 12.1 백만불)
- 이에 따라, 전체적인 기술협력사업의 실제적 규모가 오히려 '91년 보다 '93년에 감소된 것은 매우 우려할 만한 일임. ('91년 51.4 백만불, '93년 47.1 백만불)

o 기구기술협력사업이 원자력의 평화적이용 촉진을 위해 가장 중요한 국제협력사업으로 인식되고 있는 바, 이를 보다 활성화시키기 위한 기구 사무국의 노력과 병행하여 회원국의 대책 마련을 위한 논의가 본 위원회 및 12월 이사회에서 중점 협의 될 수 있기를 바람.

<유사 프로젝트를 수행하는 회원국간 정보교환>

o 기술협력사업 내용을 보면 (Gov/2618/Add.1) 유사하거나 동일한 협력과제가 많이 있음.

o 각국별로 원자력기술 수준이나 발전 패턴은 다르지만, 유사한 프로젝트를 수행하는 국가간 정보교환 체제가 형성되기를 바람.

0107

10

o 다른나라의 경험이 자국의 기술개발 및 사업수행에 큰 도움을 줄 수 있을 것임.
예) - 유사 협력사업 수행 책임자간 Workshop 개최
- 유사 협력사업 수행 책임자간 각종 보고서 등 정보교환

<각국 원자력기술수준에 관한 기술협력 정보체제 확립>

o 선진국의 평화적 원자력 활동관련 주요연구기관·학교 등의 기술현황이나, 전문가 등이 수록된 자료가 기술수원 회원국에게 제공됨으로써, 전문가 초청 활용이나 기술협력 등에 많은 도움을 줄 수 있을 것으로 보며, 기술 협력사업 이행율 제고에도 기여할 수 있다고 봄.
- 이러한 역할을 사무국이 담당해 주기를 바람.

(2) 1992년도 기술협력평가활동

o 기술협력평가활동은 기구의 기술협력사업의 효율적 추진과 개선을 위해 중요한 과정 / 수단으로 볼 수 있음.

o 부족한 인력에도 불구하고 사무국이 이에 대한 자발적 노력을 지속하고 있는 것에 대하여 치하함.

o 프로젝트에 대한 중간보고서 (IPIRs) 는 평가활동에서 가장 중요한 사항의 하나로써 '92년 보고서 제출율이 '92년에 비해 다소 증가되었다고 하나 71% 에 그치고 있는 바,
- 이러한 중간보고서의 제출율이 보다 제고될 수 있도록 방안을 강구하여 주고,
- 이러한 중간보고서를 제출치 않을 경우 그 프로젝트를 점검할 수 있는 별도의 방안도 기구에서 강구해 주기를 바람.

o 현재의 평가 시스템을 기구가 수행하는 사업을 기구가 평가함으로써 주관적인 평가가 될 우려가 있는 바, 보다 객관적인 평가방안을 강구하는 것이 필요함.

o 예를 들어, 선진국의 연구기관이나 평가기관의 자발적 평가참여 유도 (예산사정이 호전된다면 평가의뢰)

11

0108

<참고 1>

우리나라 IAEA Footnote-A 사업

〈사업개요〉

- o 근 거 : 기구헌장 제 14조 G항
  - 기구는 회원국으로 부터 자발적기여금(Voluntary Contribution)을 받을 수 있다.

- o 우리나라는 '87년 이후 '91년 까지 5년간 년 5만불 규모로 기여금 분담
  - '91년말 현재 : 총 $ 268,000 분담 적립
  - 집행현황

    ① 이집트의 "컴퓨터를 이용한 안전성분석사업" 지원중
    - · 기 간 : '91 - '92 (계속 추진중)
    - · 사업규모 : $ 99,000

    ② Footnote-a 사업비에서 별도사업으로 특별기여한 금액 : $ 40,248
    - · 사찰장비구입 지원 : $ 30,000
    - · 컴퓨터 구입지원 : $ 10,000
    - · 핵물질 방호조약 검토 : $ 248
  - 잔액 : $ 128,752

- o '92년도 기여예정액 : 약 $ 46,000

- o '92년말 예상잔액 : $ 174,752

〈신규지원사업 발굴 추가〉

- o '93년 초까지 아국의 Footnote-a 사업 예산범위내에서 지원가능한 신규사업을 발굴지원 예정 (외무부, 관련 국내기관 등과 협의 발굴)

0109

12

〈참고2- RCA〉

I. RCA 훈련과정 추진배경 및 추진실적

1. 추진배경

사업개요 및 재원

- RCA는 아시아·태평양 지역에 있어서의 핵과학 및 기술의 연구, 개발 및 훈련에 관한 협력협정으로
  - 1972년 발효이래 현재까지 14개 지역 국가가 참여중
- 연간 사업규모는 약 250만불 - 300만불 규모로써, 이의 재원은 일본, 호주정부 기여금과 UNDP의 지원금이 대부분이며,
- 한국, 인도, 중국도 '80년대 중반부터 지원국가로써 참여중임.

아국 훈련과정 개최배경

- '80년대 중반 아국의 경제력신장과 원자력활동의 활성화에 따라
  - 국제사회에서 아국지위향상 및 영향력 확대와 장차 개도국 원자력시장 진출기반 확보를 위하여 내부적으로 RCA사업의 Donor Country로써 역할 담당 필요성 대두
  - 지역내 외부시각도 개도국에 대한 아국의 기술경험 지원 사업 전개를 요청
- 1986년 IAEA 정기총회 수석대표 기조연설문에서 아국이 RCA 사업 지원국으로 참여할 것임을 약속
- '87년 추진방안에 대하여 국내 유관기관과의 협의를 거쳐
  - '88년에 개도국 대상 "원전 사업계획 수립 및 추진" 훈련과정 개설

0110

13

2. 개최실적

년 도	과 정 명	참 가 국 (인원)
1988 (11. 7 - 26)	원전계획수립 및 추진에 관한 IAEA 지역간 훈련과정 (IAEA Regional Training Course on Nuclear Power Project Planning and Implementation)	o 12개국 14명 o 아르헨티나, 방글라데쉬, 중국(2) 인도(2), 인도네시아, 말레이지아 파키스탄, 시리아, 태국, 베트남, 터키
1989 (10.23-11.10)	"	o 10개국 13명 o 방글라데쉬, 중국(2), 인도(2), 이집트(2), 인도네시아, 모로코, 파키스탄, 스리랑카, 태국, 베트남
1990 (10.22-11. 9)	"	o 8개국 11명 o 방글라데쉬, 중국(2), 인도, 말레이지아, 파키스탄(2), 태국, 터키, 베트남(2)
1991 (10. 7-25)	원전사업계획 사전관리 및 인력개발에 관한 IAEA 지역간 훈련과정 (IAEA Regional Training Course on Nuclear Pre-project Activities and Manpower Development)	o 8개국 15명 o 방글라데쉬, 중국(2), 인도, 인도네시아(4), 말레이지아, 파키스탄(2), 태국(2), 베트남(2)

0111

Ⅱ. '92년도 훈련과정 개요

□ 과 정 명

원자력발전소 비파괴검사기술에 관한 국제원자력기구 지역 훈련과정
(IAEA Regional Training Course on Non-Destructive Testing and Evaluation in Nuclear Power Plants)

□ 일 시 : 1992. 10. 7 - 10. 17 (3주간)

□ 장 소 : 한국원자력연구소 원자력연수원

□ 훈련목적

- 아국의 원전기술개발 경험을 지역내 개도국에 이전시킴으로써
  - 원자력분야에서 지역 개도국과의 유대를 강화
  - 장기적으로 원자력발전소 및 관련기술의 수출기반을 구축
- 원자력의 평화적 이용 활동이 활발한 지역국가의 하나로써
  - IAEA 헌장의 기본정신을 준수하고 RCA 협정에 적극적으로 참여한다는 대외적 인식고취 등 아국위상 강화

□ 대 상 : 아시아·태평양지역 개발도상국 (RCA 회원국 및 옵저버국)의 훈련생 15명 내외
8개국 10명 참석 (참석예정국중 파키스탄 불참)

□ 소요재원 : 한국국제협력단 대외기술공여자금 (5,000만원 내외)

□ 주관 및 후원기관

- 주관기관 : 과학기술처 (한국원자력연구소)
- 후원기관 : IAEA, 외무부 (국제협력단)

0112

15

〈참고 3〉

1. 한·IAEA 기술협력사업 회의

가. 기술협력회의 (I)

ㅇ 일시 및 장소 : 1992.9.21 (월) 17:30-18:30, 비엔나 오스트리아센터 회의실

ㅇ 참 석 자 : IAEA측 - 기술원조부 Ridwan 국장
기술원조부 Javed Aslam 아·태지역과장
기술원조부 Reyad Kamel 아·태지역담당
기술원조부 John Colton 훈련담당외 6인
한국측 - 과학기술처 강병수 기좌
원자력연구소 정준극 부장
원자력연구소 최한권 실장

ㅇ 협의내용

- 아국이 '92년 3월 IAEA에 요청한 '93-'94년도 정규기술협력 사업은 10개 프로젝트였음. 그중 IAEA가 '93-'94년도 사업에 포함시킨 것은 9개 과제임. (Data Base for Integrated Energy System 과제는 이미 지원된 바 있으므로 제외되었음)

- IAEA가 '93-'94년도 기술협력 사업에 아국에 포함시킨 전체규모는 다음과 같음.

· '93년도 : 전문가 자문 16 m/m (165,600불)
기자재 지원 (45,000불)
훈련생 75 m/m (225,000불)
계 435,600불

· '94년도 : 전문가 자문 16 m/m (172,800불)
기자재 지원 (10,000불)
훈련생 96 m/m (302,400불)
계 485,200불

0113

16

- '92년 8월말 현재 아국에 대한 IAEA 정규기술원조 사업의 추진현황은 전문가 지원 38% (재원은 45.4%), 기자재지원 4.3%, 훈련생 13.6% 가 추진되므로서 전체적으로 28.7% 만이 추진되었음.

- 한편, 현재까지 미추진 훈련생 현황은
  · 추천되었으나 아직 평가는 완료안된 훈련생 22명
  · 추천되어 추진중인 훈련생중 아직 수락안된 훈련생은 11명임.

- IAEA는 아국이 개도국 수준에서 벗어난 상태이므로 선별적인 과제중심으로 협력 요청하기를 희망하였음.

- 특히, UNDP 가 지원하는 사업을 IAEA 정규기술협력 사업에 포함되지 않도록 유의하여 주기를 희망하였음.

- 한편, 훈련생 추천과 관련, IAEA 는 유의사항 10개항을 제시하고 협조를 당부하였음. (예 : 어학능력 등)

- 전문가는 한국과학자중 외국기관에서 활동중인 전문가를 적극 활용할 것을 권고하였음.

0114

17

나. 기술협력회의 (II)

ㅇ 일시 및 장소 : 1992. 9. 23 (수) 15:00 - 17:00, VIC, Rm 11-11

ㅇ 참 석 자 : Mr. Kamel (기술협력국 아·태지역 담당관)
이문기, 강병수, 정준극, 최한권

ㅇ 주요내용

① 일반사항

- Mr. Kamel은 아시아 4개국 (한국, 말레이시아, 몽고 및 태국) 담당자로서 본 회의중 한국과의 협력과제 수행에 있어서 '91-'92년 과제의 진도율이 상대적으로 낮은 점을 지적하고 앞으로 협력 추진과정중 행정처리 시간의 단축을 위하여 세부적인 기술문제에 대해서는 해당 연구기관과의 직접 접촉을 통해 보다 신속한 행정조치가 될 수 있기를 희망하였음.
- 아국에서는 이러한 제의에 기본적으로 동의하며 다만, 공식적으로는 현재와 같이 과기처를 통한 협력이 이루어지는 것이 바람직 하다고 하였음.

② 협력과제 현황

- '93. '94년도 기술협력과제는 총 21개가 제출되었으며 (아국) 이를 유사 분야끼리 합쳐 총 10개 과제로 재구성하면서 검토한 결과 9개 과제가 승인되었음을 통보받았음.
- 동 9개 과제는 대부분 전문가 파견 및 Fellowship Program 이며, 보다 신속한 행정조치를 위하여 사전에 초청을 희망하는 전문가 또는 접수기관과의 접촉을 통하여 비공식적으로 확정한 후 IAEA로 조속히 통보하여 줄 것을 요청하였음.
- 나머지, 1개 과제는 KAIST 이병휘 교수가 제안한 것으로써 현재 상대기관과의 추가 협상이 필요하다고 하였음.

0115

〈승인된 과제명〉

① Nuclear Power & Safety Technology
- 5개 세부과제로 구성되었음. 즉 YGN 3&4 Peer Review, Regulatory Supervision of Commissioning NPPs, Implementation of IAEA National Training Course on Nuclear Power & Safety Tech, Tritium Removal Process for Wolsung PHWRs, Personal Dosimetry 임.

② Man-Power Development in Nuclear Science & Technology
- 기본적으로 Man-Power 투입예상이 확정되었으므로 (총 108 m/m for 93/94 의 Fellowship과 2 m/m 의 전문가 활용) 아국이 희망하는 대로 세부운용계획을 수립, 활용할 수 있다함.

③ Study of Condensed Matter Physics by Neutron Beam Experiment

④ Mc-50 Cyclotron Utilization : 후보자 1명 추가 추천희망

⑤ Marine Environmental Radioactivity

⑥ Monitoring of Environmented Radiation

⑦ Stellization of Tissue Graffs

⑧ Establishment of a Biological Dosimetry Lab.

⑨ Activity and Environmental Fate of Pesticides

〈특기사항〉

상기과제중 제 1과제의 부속과제인 "YGN 3&4 Peer Review" Program을 위하여 동 Program 개최 기관중 Secretarial Service를 아국에서 제공하거나, IAEA Service에 대한 비용을 부담해 줄 것을 IAEA에서 요청하였음.

0116

19

다. '93년도 IAEA 훈련생 신청 검토내용 협의

o 일시 및 장소 : '92. 9. 24 (목) 11:30 - , IAEA 사무국 기술협력부 사무실

o 참 석 자 : IAEA측 - John P. Colton 훈련생담당관
한국측 - 원자력연구소 정준극 부장

o 협의내용

- '93년도 IAEA 훈련생 신청 22명중 10명 검토 완료

① ROK 93002 박기성 : 6개월, 미국 ANL 계획

② ROK 93005 임건재 : 6개월, 미국 USDA (농무성) Maryland주 소재 계획

③ ROK 93006 김진화 : 6개월, IAEA 본부 농업적 이용부서 및 산하연구소 계획

④ ROK 93015 김완태 : 6개월, 미국 국립표준기술연구소계획

⑤ ROK 93016 나승호 : 6개월, 미국 국립표준기술연구소 (방사선방어분야)

⑥ ROK 93017 채종서 : 3개월, 스웨덴 Uppsala 대학교 계획

⑦ ROK 93019 김석현 : 6개월, 모나코 해양환경연구소 계획

⑧ ROK 93025 김경욱 : 2개월, 미국 생물물질연구소 (Mayo소재) 계획

⑨ ROK 93027 임창준 : 1개월, 미국 하바드대학교 (보스톤소재) 계획

⑩ ROK 93028 심해섭 : 6개월, 덴마크 Risoe 연구소 계획

- IAEA측은 수락된 훈련후보자가 해당기관과 사전 협의하여 훈련일정, 카운터파트 등을 잠정 결정하여 주기를 희망 (신속한 행정처리를 위함.)

- 훈련후보자의 신상변경이 있을 때는 즉시 통보요망

0117

20

11/25
주한 미대사관
과학관 전달

STRENGTHENING IAEA SAFEGUARDS: PROPOSALS FOR THE DECEMBER BOARD MEETING

IT IS THE VIEW OF THE U.S.G. THAT FOR THE KOREAN GOVERNOR TO MAKE A BOARD STATEMENT THAT THE MEASURES CALLED FOR IN THE SECRETARIAT'S PAPER ON SPECIAL INSPECTION DO NOT GO FAR ENOUGH WOULD BE PREJUDICIAL TO THEIR ADOPTION. THE U.S. WHOLLY AGREES WITH THE NEED TO BRING THE NORTH KOREAN NUCLEAR PROGRAM UNDER IAEA INSPECTION. HOWEVER, IT IS IMPORTANT TO THE ADOPTION OF THE PAPER ON SPECIAL INSPECTIONS THAT THESE INSPECTIONS BE PERCEIVED, CORRECTLY, AS PROPER EXERCISE OF EXISTING IAEA RIGHTS UNDER NPT-TYPE SAFEGUARDS AGREEMENTS. THERE IS ALREADY SOME CONCERN THAT THE PAPER ON SPECIAL INSPECTION WOULD GIVE THE IAEA NEW POWERS, AND THAT IT WILL NOT EXERCISE THESE POWERS IN AN APPROPRIATE MANNER. WE DO NOT WANT THE BOARD DEBATE IN DECEMBER TO CONTRIBUTE TO THIS CONCERN.

THE IAEA'S AUTHORITY TO APPLY SAFEGUARDS REQUIRED BY THE NPT FLOWS FROM THE SAFEGUARDS AGREEMENT THAT THE NPT REQUIRES ALL NON-NUCLEAR-WEAPONS STATE PARTIES TO CONCLUDE WITH THE IAEA. IN THE ABSENCE OF SUCH AN AGREEMENT, THE AGENCY HAS NO AUTHORITY TO CONDUCT SAFEGUARDS ACTIVITIES IN ANY COUNTRY, INCLUDING AN NPT STATE. THE UNIQUE RESPONSIBILITIES ASSIGNED THE IAEA BY THE UNSC RESOLUTIONS IN THE CASE OF IRAQ, WHICH POSED A SERIOUS THREAT TO INTERNATIONAL PEACE AND SECURITY, ARE OUTSIDE THE SCOPE OF THE IAEA'S NORMAL SAFEGUARDS RESPONSIBILITIES AND ITS FULL SCOPE SAFEGUARDS AGREEMENTS. THEY WERE EXTENDED BY THE SECURITY COUNCIL DUE TO THE COMPREHENSIVE THREATS POSED BY THAT SITUATION. THE RESPONSIBILITIES ASSIGNED THE IAEA WERE NOT DIRECTLY RELATED TO ITS TRADITIONAL ROLE OF APPLYING SAFEGUARDS UNDER SAFEGUARDS AGREEMENTS. IT IS IMPORTANT THAT THESE RESPONSIBILITIES GRANTED BY UNSC RESOLUTIONS 687 AND 707 NOT BE CONFUSED WITH THE IAEA'S EXISTING AUTHORITY TO CONDUCT SPECIAL INSPECTIONS OF NUCLEAR MATERIAL UNDER INFCIRC/153-TYPE AGREEMENTS. WE WOULD URGE THE KOREAN GOVERNOR, THEREFORE, TO STRONGLY SUPPORT THE IAEA PAPERS AND RESERVE COMMENTS ON THE POSSIBILITY OF INSPECTIONS IN THE ABSENCE OF A REQUIRED SAFEGUARDS AGREEMENT FOR ANOTHER OCCASION.

0118

長 官 報 告 事 項

報 告 畢

1991. 11. 25.
國際機構局
國際機構課 (60)

題 目 : IAEA 안전조치제도 강화방안

91.10.23. IAEA 사무국이 작성 배포한 안전조치제도(Safeguards System) 강화방안관련 paper의 주요내용을 아래와 같이 보고합니다.

1. 특별사찰 강화

o IAEA의 안전조치 검증 활동이 신고되지 않은(undeclared) 핵시설 및 물질에도 적용되야 함.

~~- 안보리 결의(제687,707,715호)에 의한 대이라크 강제사찰은 예외적인 것~~

o 특별사찰 실시결과 미신고 핵시설 및 물질이 발견되거나 특별사찰이 적절히 실시 될수 없는 경우 (당사국의 거부나 관련시설 은폐등), IAEA 이사회는 동 문제를 헌장12조(C)에 따라 IAEA회원국, 유엔 안보리 및 총회에 보고

2. 정보에의 접근

o IAEA 사무총장은 미신고 핵활동 관련 정보를 수집.평가하기 위해 사무총장 직속으로 소규모 특별반(small unit)을 설치

o 미신고 핵활동 관련 정보 외에 첨단장비와 비핵물질 수출관련 정보 도 회원국들이 자발적으로 IAEA에 제공할것을 권고

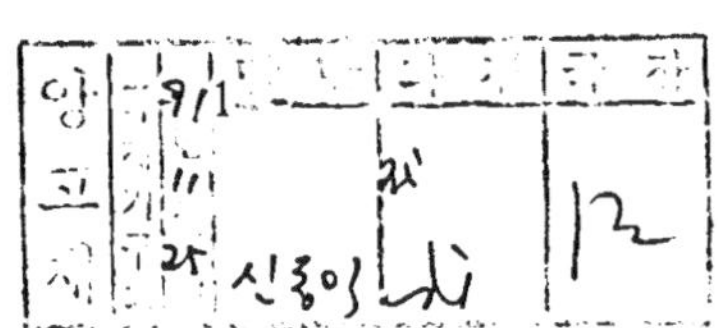

0119

- IAEA사무국은 범 세계적 핵물질 보고제(universal reporting of nuclear material) 도입을 제안

o 미신고 핵활동 존재 가능성을 평가하기 위해 IAEA 사찰관들 은 당사국에 의해 접근이 거부되고 있는 핵시설 장소 및 설계내용을 관찰할 수 있어야함

3. 설계정보의 제공 및 활용

o 핵시설의 평화적 이용에 관한 신뢰강화를 위해 당사국은 핵시설 건설이 실제 시작되기전 에 설계정보를 IAEA 에 보고 하도록 함

※ 현재는 핵물질을 공급받기 180일전에 시설관련 완전한 정보제공

4. 사무국 paper에 대한 일반적 검토 의견

o 대이라크 핵사찰 실시과정에서 나타난 안전조치제도 문제점을 해결, 또다른 핵개발 위험 국가의 출현 가능성을 방지하기 위한 IAEA의 적극적인 노력임

- 미신고 핵시설, 물질 및 장소에 대한 특별사찰 실시 와 미신고 핵관련 정보수집. 평가 를 위한 IAEA내 특별반 설치운영 은 안전조치 강화를 위한 효과적인 방법

★ 북한은 아직 안전조치협정 미체결국이므로 안전조치제도 자체를 적용 할수 없음

o 현재 과기처에서 세부내용 검토중

5. 언론대책 : 해당사항 없음. 끝.

이

예고 : 독후파기

세 948 호 일시 : '91. 11. 25. 20:00

매체 : 중 · 평 방

북한 외교부 성명

- 핵담보협정체결 문제 관련

조선민주주의 인민공화국 외교부는 핵담보협정체결문제와 관련해서 성명을 발표 했습니다.

"조선민주주의 인민공화국 외교부 성명 "

오늘 조선반도에서 핵위협을 제거하고 비핵지대화를 실현하는 것은 세계적인 관심사로 이목을 끌고있다.

우리공화국 정부는 남조선에 배비된 미국 핵무기의 철수를 조선반도의 평화를 보장하는데서 필수적인 요구로 제기하고 그 실현을 위하여 꾸준히 노력하여 왔다.

우리 공화국정부는 핵무기 전파방지 조약에 가입할때 미국이 이 조약의 기탁국으로서 마땅이 조약에 의하여 지닌 법적의무를 이행하며 우리에 대한 핵위협을 그만두고 조선반도를 비핵지대화 하는데 호응해 나설것을 기대하였다.

핵무기 소유국인 미국은 조약에 가입한 비핵국가들을 핵무기로 위협하는 행위를 하지 말아야 할 의무를 지니고 있다.

0121

그럼에도 불구하고 미국은 우리공화국에 대하여 핵무기로 계속 위협, 공갈하며 조선반도에서 핵전쟁위기를 고취함으로써 조약상 의무를 계속적으로 위반하여 왔다.

공화국이 핵무기 전파방지조약에 가입한 후 핵담보협정체결 문제의 해결이 지연되어 온것은 전적으로 미국이 이와같은 조약 위반행위를 감행하면서 남조선에서 핵무기를 철수하고 핵위협을 제거할데 대한 우리의 정당한 요구를 받아들이지 않는데서 기인되고 있다.

얼마전 미국대통령 「부시」는 전술핵무기 축감제안을 발표하였으며 이에 따라 미국은 남조선에 미국 핵무기가 실전 배비되어 있는 사실을 인정하고 이를 철수할데 대한 입장을 밝혔다.

우리는 미국의 이와같은 조치가 우리의 핵담보 협정체결에 길을 열어주는 것으로 보고 그를 환영하였다.

그후 남조선 당국자도 조선반도의 비핵화와 관련한 선언을 내놓았다.

우리는 비핵화라는 말 자체를 반대하여 오던 남조선 당국자가 뒤늦게나마 우리가 이미 내놓은 조선반도의 비핵지대화 제안과 일부 공통된 내용을 담은 제안을 발표한것을 평가한다.

만일 미국과 남조선 당국이 이미전에 이와같은 입장을 취하였더라면 우리의 핵담보협정체결 문제가 오늘처럼 복잡한 문제로 제기되지도 않았을 것이다.

우리는 핵무기전파방지 조약 가입국으로서 핵담보협정체결 자체를 반대한 일이 없으며 그의 조속한 체결을 위하여 성의있는 노력을 다하여 왔다.

우리는 핵무기전파방지조약에 가입한후 우리가 지닌 조약상 의무인 핵담보협정을 체결하겠으니 미국도 조약에 의하여 지닌 의무를 이행하여 남조선에서 핵무기를 철거하고 우리에 대한 핵위협을 제거하여야 한다고 정당하게 주장하였다.

그러나 미국은 남조선에 엄연히 존재하는 핵무기를 가지고 존재하지 않는다고 하면서 우리에 대한 일방적인 사찰만을 강요하여 왔다.

지금에 와서는 모든 것이 명백해진 바와같이 미국이 처음부터 우리의 정당한 주장을 받아들이고 이번에 발표한것과 같은 긍정적인 조치를 취했다면 우리의 핵담보협정체결 문제는 오래전에 해결되었을 것이며 아무일도 없었을 것이다.

앞으로도 우리의 핵담보협정체결 문제가 순조롭게 빨리 해결되는가 못되는가 하는것은 미국이 핵무기 철수에 관한 자기의 공약을 어떻게 성실히 이행하는가 하는데 달려있다.

남조선 당국의 경우를 말하더라도 우리가 조선반도 비핵지대화 안을 제기하였을때 덮어놓고 반대할 것이아니라 그것을 응당 받아들이는데로 나왔어야 할 것이었다.

북 과남은 동족으로서 다같이 핵무기개발을 하지 말며 핵사찰을 동시에 받아들여야 한다.

조선민주주의 인민공화국 정부는 이와같은 견지에서 다음과 같이 천명한다.

첫째, 미국이 남조선으로부터 핵무기 철수를 시작하면 우리는 핵담보협정에 서명한다.

둘째, 남조선에서의 미국 핵무기의 존재여부를 확인하기 위한 사찰과 우리의 핵시설에 대한 사찰을 동시에 진행한다.

세째, 동시 핵사찰문제와 우리에 대한 핵위협 제거문제를 협의하기위한 조.미 협상을 진행한다.

네째, 북과 남이 핵무기를 개발하지 않으며 조선반도를 비핵지대화 할데 대한 상통된 의사를 표명한데 따라 그 실현을 위한 북남 협상을 진행한다.

조선민주주의 인민공화국 정부와 조선인민은 조선반도에서 핵전쟁의 위험을 제거하고 평화와 안전을 보장하며 나가서 아시아와 세계 평화를 공고히 하기위한 우리의 공명정대한 제안이 평화를 사랑하는 세계 모든나라 정부와 인민들의 적극적인 지지를 받을것이라고 확신한다.

1991. 11. 25

평 양

71

관리 번호	91-1144

원 본

외 무 부

생산 : 3부

종 별 :

번 호 : AVW-1558 일 시 : 91 1126 2330

수 신 : 장 관(국기,미안,아동)

발 신 : 주 오스트리아 대사

제 목 : IAEA 12월 이사회대책 (G-77회의)

연:AVW-1490,1462

1. 금 11.26(화) 오전(0915-1010) 개최된 G-77 회의는, 표제 회의에서 심의할 특별사찰제도 확립및 설계정보의 조기제공에 관련된 이사회 문서(GOV/2554, NOVEMBER 12,1991)에 대한 그룹으로서의 입장을 토의하였음.

2.LAVINA 필리핀대사는 별전(FAX)과 같은 아세아그룹 의장 자격으로서의 자신의 IAEA 이사회 의장앞 서한 사본을 금일 회의장에서 배포하였고, 이서한을 중심으로 상기 그룹입장이 논의되었는데, 본국의 훈령을 받는데 시간이 필요하고 법적, 정치적 문제점등에 대한 충분한 검토가 있어야 한다는 이유로 12 월 이사회에서 어떤 결정을 내리는데에 반대한다는 입장이 주류를 이루었음.

3. 상기 2 항에 언급된 주류에 가담한 국가는 필리핀, 멕시코, 알젠틴, 베트남, 인도, 말레이시아, 에짚트, 쿠바 이었음.

4. 본직은 필리핀대사가 충분한 토의없이 아세아 그룹의장 자격으로 IAEA 이사회 의장에게 상기 2 항에 언급된 서한을 발송한 것에 유감을 표시하면서 다음과 같이 수차에 걸쳐 완강히 말하였음.

가. 아세아 그룹내에는 이문제에 관해 아직 콘센서스가 없음.

나. 의장은 문제의 서한을 발송할 권한을 위임받지 않았음.

다.12 월 이사회에서 토의가 있을 것이지만, 경우에따라 예비적인 토의 일수도있고 (A PRELIMINARY DISCUSSION) 아주 예비적인 토의 일수도 있을것이므로 (A VERY PRELIMINARY DISCUSSION) 현단계에서 이사회 문서(GOV/2554)가 대단히 심각한 내용을 포함하고 있다고 속단하면서 선수를 미리 치는것 (PREEMPTIVE REACTION)은 바람직스럽지 못함.

라. 이에 관해서는 11.8 일자로 사무국이 이사회문서에 관해 브리핑할때 본직이

국기국 장관 차관 1차보 아주국 미주국 외정실 분석관 청와대 안기부

91.11.27 13:37

외신 2과 통제관 BN

0125

제기한 문제에 대하여 동 이사회문서가 단순히 현존 규칙과 제도를 해명 정리 (RESTATEMENT AND CLARIFICATION) 하고 있다고 한 IAEA 섭외국장의 설명을 상기 해야 함.

마. 본건은 제기된 배경과 이유를 일일이 설명할 필요는 없으나, NPT 당사국(이락)의 핵안전협정 이행 위반으로 안전조치 강화문제가 제기된것을 지적하면서, 오히려 본직은 현존 규칙과 제도의 해명정리에 급급하고 있는 동 이사회 문서가 더 보완되어야 할것임을 강조하였음.

5.G-77 의장국인 칠레 대표는 동 이사회문서의 실체에 대한 자세한 검토없이 정치적 선입견이 그룹내에 팽배하고 있는것은 바람직스럽지 않다는 입장을 보인 가운데, G-77 의장인 GUTIERREZ 대사는 아래와 같이 요약하였음.

- 시급한 분석과 자세한 토의 (URGENT ANALYSIS AND DETAILED DISCUSSION)를 가지는 것이 중요하며, 필요하면 앞으로 더 회합하기로 한다.

6. 상기 의장의 요약에 대하여 인도는 차기회의 일자를 당장 확정하자고 요구하였으나 의장에 의하여 무시되었고, 필리핀은 URGENT 대신 'THOROUGH ANALYSIS'로 하자고 제의하여 WORDING 을 그렇게 바꾸었음.

7. 상기 회의 경과로 볼때, 핵문제에 직접적인 이해관계가 없는 필리핀의 경우에는 최근 IAEA 및 UNIDO 이사국 출마에서 낙선 또는 자진 사퇴한것을 포함하여 당지 외교단의 입지가 대단히 약화되어 있는 LAVINA 대사가 인도, 멕시코등에 추파를 던지면서, 미국에 저항하는것이 역역하였으며, 지난 9 월 이사회의 대북한 결의안 채택 당시에 기권한 나라들이 12 월 이사회에서도 안전조치 강화를 회피하는 소극적 태도로 나올것이 확실시 되었음.

8. 한편, 상기 회의의 대세에도 불구하고 의장국인 칠레가 아국의 강력한 유보입장에 결과적으로 동정적인 사회로 일관한 것은, 미국을 의식하거나, 미국의 입김이 작용한 것을 배제하지 못하는것으로 느껴졌음. 끝.

별첨:AVW(F)-059 2 매.끝.

예 고:92.6.30 일반.

검 토 필(1991. 12. 31.)
직권보관승인 (인)

EMBASSY OF THE REPUBLIC OF KOREA

Praterstrasse 31, Vienna
Austria-1020 (FAX : 2163438)

No : AVW(F)-0579	Date : 11126 2330
To : 장 관 (국기. 미안. 아동) (FAX No:)	
Subject : 첨 부	

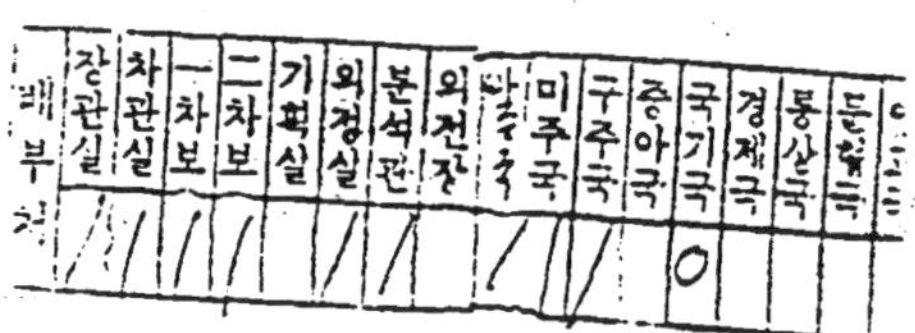

표지 포함 2 매

Total Number of Page :

0127

2-1

Pasuguan ng Pilipinas  Embassy / Mission of the Philippines

Vienna

20 November 1991

Sir:

It is in my capacity as Chairman of the Asian Group that I write to you about the forthcoming meeting of the Board of Governors of the IAEA on 5th December 1991.

As decided at the previous meeting of the Board, given the availability of time, a very preliminary discussion can take place on the Secretariat papers on "Special Inspections" and "Early Design Information". However, these are significant matters, having far-reaching consequence and involving legal, political and constitutional considerations. These need thorough and detailed study by the respective governments. This would naturally take time.

Any effort therefore to take final decisions at the 5th December meeting will create serious difficulties for the Asian Group.

Very truly yours,

NELSON D. LAVINA
Ambassador
Permanent Representative

The Chairman
Board of Governors
International Atomic Energy Agency

0128

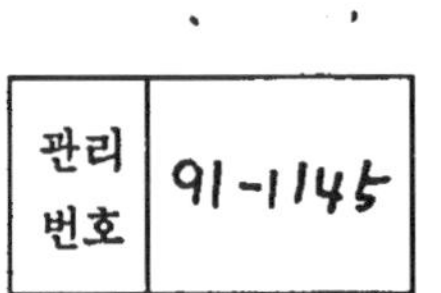

원 본

외 무 부

종 별 :

번 호 : AVW-1559　　　　일 시 : 91 1126 2330

수 신 : 장 관(국기,아동)

발 신 : 주 오스트리아 대사

제 목 : IAEA 기술협력 위원회

1. 금 11.26 오전(1030-1300) 개최된 IAEA 이사회 기술협력 위원회에서는 1992 년도 국별 협력사업을 심의하는 가운데 IAEA 의 대북한 협력 사업 (GOV/2553, ADD 1, 작주 파우치편 자료송부, 별전 FAX 참조) $314,000 의 제공에 대한 유보의 표시가 있었음.

2. 상기 유보는 일본, 미국, 한국, 카나다, 소련, 호주, 영국의 순서로 표시되었음.(본직 참조 발언문및 미국대표 발언해당 부분 별전 FAX 참조)

3. 상기에 관련하여, 파키스탄, 인도, 브라질, 쿠바등 개도국들은 원자력 기술협력과 핵안전 협정체결은 별개문제로서 연계시키는것이 부당하다고 말하였음.

4. 북한대표부의 윤호진 참사관은 업서버로서 오후 회의에서 발언권을 얻어기술협력과 NPT 는 직접적으로 관계가 없다고 말하면서 미국이 재한 핵무기를 철수하고 핵무기를 북한에 대하여 사용하지 않는다는 조건하에 핵안전협정을체결하고 이행할 용의가 되어 있다고 말하였음. (DPRK IS READY TO CONCLUDE AND IMPLEMENT THE SAFEGUARDS AGREEMENT PROVIDED THAT THE UNITED STATES WITHDRAWS ITS NUCLEAR WEAPONS FROM SOUTH KOREA AND MAKES BINDING COMMITMENTS NOT TO USE THEM AGAINST THE DPRK)

5. 금일 기술협력 위원회는 상기 2 항의 유보를 달아 1992 년도 국별 협력사업을 통과 시켰는데 12.5 이사회에서 최종승인될 예정임.

별전:AVW(F)-058 3 매.끝.

예 고:92.6.30 일반.

검 토 필(1991 . 12 . 31 .)
직 권 보 관 승 인

국기국	장관	차관	1차보	아주국	외정실	분석관	청와대	안기부

PAGE 1　　　　91.11.27 13:42

외신 2과 통제관 BN

0129

EMBASSY OF THE REPUBLIC OF KOREA

Praterstrasse 31, Vienna
Austria 1020 (FAX : 2163438)

No : AUW(F)- 058	Date : 1112-6 2330
To : 장 관(국기, 아동) (FAX No :)	
Subject : 첨 부	

표지포함 4매

Total Number of Page :

4-1

0130

18. DEMOCRATIC PEOPLE'S REPUBLIC OF KOREA

1. URANIUM PROSPECTING (DRK/3/003) B1

YEAR	Experts		Equipment		Fellowships				Training	Sub-contracts		Total		Grand total
	Months	CC $	CC $	NCC $	Months	CC $	Months	NCC $	CC $	CC $	NCC $	CC $	NCC $	
1992	2	18,600	30,000	-	-	-	-	-	-	-	-	48,600	-	48,600

Total expenditure to 30 September 1991: $281,235 (TACF)

2. NUCLEAR INSTRUMENTATION (DRK/4/003) G2

YEAR	Experts		Equipment		Fellowships				Training	Sub-contracts		Total		Grand total
	Months	CC $	CC $	NCC $	Months	CC $	Months	NCC $	CC $	CC $	NCC $	CC $	NCC $	
1992	2	18,600	30,000	-	-	-	-	-	-	-	-	48,600	-	48,600

Total expenditure to 30 September 1991: $209,054 (TACF)

3. CYCLOTRON FOR NUCLEAR ANALYTICAL TECHNIQUES (PHASE II) (DRK/4/004) G5

YEAR	Experts		Equipment		Fellowships				Training	Sub-contracts		Total		Grand total
	Months	CC $	CC $	NCC $	Months	CC $	Months	NCC $	CC $	CC $	NCC $	CC $	NCC $	
1992	1	9,300	60,000	10,000	6	19,800	-	-	-	-	-	89,100	10,000	99,100

Total expenditure to 30 September 1991: $26,206 (TACF)

4. UTILIZATION OF RADIATION AND RADIOISOTOPES IN INDUSTRY (DRK/8/002) F1

YEAR	Experts		Equipment		Fellowships				Training	Sub-contracts		Total		Grand total
	Months	CC $	CC $	NCC $	Months	CC $	Months	NCC $	CC $	CC $	NCC $	CC $	NCC $	
1992	2	18,600	30,000	-	6	19,800	-	-	-	-	-	68,400	-	68,400

Total expenditure to 30 September 1991: $32,206 (TACF)

5. MONITORING OF MARINE RADIOACTIVITY (DRK/9/003) E4

YEAR	Experts		Equipment		Fellowships				Training	Sub-contracts		Total		Grand total
	Months	CC $	CC $	NCC $	Months	CC $	Months	NCC $	CC $	CC $	NCC $	CC $	NCC $	
1992	1	9,300	30,000	-	-	-	-	-	-	-	-	39,300	-	39,300

Total expenditure to 30 September 1991: $43,000 (TACF)

별첨 1.

4-2

0131

REMARKS BY AMBASSADOR C.C. LEE

GOVERNOR FROM THE REPUBLIC OF KOREA

ON 26 NOVEMBER 1991

Mr. Chairman,

I would like to join previous speakers in commending Dr. Noramly and his colleagues for the efforts they have made at promoting the Agency's technical co-operation activities over the last year.

As one of major countries utilizing nuclear power, especially nuclear electricity, we are going to expand our co-operation with other developing countries in the context of South-South co-operation in the coming years. We will increase our contributions to IAEA technical co-operation, particularly in the field of training of manpower by inviting experts and technicians from developing countries to the Republic of Korea. And we are also sending our experts and scientists to those countries in the developing world which are in the process of developing nuclear energy for peaceful uses.

Like previous speakers, we also would like to register our position that the Agency's technical co-operation should be extended primarily to those countries which comply with their international obligations, particularly the provisions of NPT and its safeguards agreement. In this regard, special attention is brought to the Agency's projected technical co-operation with the Democratic People's Republic of Korea. The DPRK has yet to sign and ratify its safeguards agreement with the Agency which the Board of Governors approved last September. North Korea continues to delay the fulfilment of its treaty obligations. As long as North Korea avoids observing its international commitments, it does not deserve to enjoy international co-operation, particularly IAEA co-operation at a time when its failure to sign and ratify the NPT safeguards agreement is seriously questioned.. Therefore, we disapprove of the Agency's technical co-operation with the DPRK for the time being until it signs and ratifies its safeguards agreements with the Agency.

0132

ㄷ-3

TACC - 1

美국의 結論 部分

26 Nov 1991

Before closing, my government would like to express, for the record, a reservation. In light of North Korea's failure to implement a safeguards agreement with the Agency, an issue currently under consideration by the Board of Governors, we believe that Agency assistance and corresponding funding planned for North Korea, as specified in the annex to GOV/2553, should be deferred until the Board has had the opportunity to receive a report from the Director General on North Korea's progress. With this reservation, we otherwise support the recommendations in paragraph 16 of GOV/2553.

4-4

0133

원 본

외 무 부

종 별 :

번 호 : SZW-0590 일 시 : 91 1127 1810

수 신 : 장 관(정특)

발 신 : 주 스위스 대사

제 목 : 북한 핵사찰 수락의사표명 관련기사(자료응신 37호)

1. 주재국 금 11.27.자 JOURNAL DE GENEVE 지는북한측의 핵사찰 수락의사 표명관련하기 요지와 같이 보도함.

가. 동경에서 11.25. 청취된 북한외교부 성명에 의하면, 북한은 미국이 주한 핵무기 철수를 개시하는대로 북한내 핵시설에 대한 국제사찰을 수락하겠다고 처음 밝혔는바, 이는 지금까지 핵시설 사찰을 거부해온 북한측 태도의 방향전환을 의미하는것으로 보임.

나. 지난 11.22. 아시아를 순방중인 DICK CHENEY 미국방장관은 동경에서 북한내핵무기 확산위험은 오늘날 동북아시아 안보의 가장 큰 위험요인임을 지적한바 있음.

다. NPT 협정의 서명국으로서 북한은 핵시설사찰을 허용하는 핵안전협정 서명을반대한 사실이 없다고 강조하면서 북한은 아래와 같은 요지의 성명을 발표하였음.

1) 미국은 한국에서 핵무기 철수를 시작하면 북한은 핵안전 협정을 서명할 것임.2) 한국내 핵시설이 없다는 것이 확인되면 북한내 핵시설을 동시에 사찰허용

3) 핵시설 동시사찰 및 북한, 미국을 위협하는 핵철수문제 논의를 위하여 북한,미국 핵협상.

4) 북과 남이 핵비개발및 한반도 비핵화 의사를 희망하므로 이를 실현하기 위한북-남 협상개시

2. 동 기사를 차정파편 송부 위계임.끝

(대사 이원호-외교정책기획실장)

외정실 장관 1차보 분석관 청와대 안기부

0134

PAGE 1

91.11.28 07:52 WH

외신 1과 통제관

신 71

관리번호	91-1147

원 본

외 무 부

종 별 :

번 호 : AVW-1564 일 시 : 91 1127 1800

수 신 : 장 관(국기)

발 신 : 주 오스트리아 대사

제 목 : IAEA 12월 이사회 의제 및 대책

연:AVW-1491, 오스트리아 20332-1013(91.11.17)

1. 연호 91.12.5-6 양일간 개최될 이사회 12.7 오전까지 연장될 가능성도 있음. 의제안(연호에이어 2 개의 항목이 더추가됨)을 별전 FAX 송부함.

2. 금차 12 월 이사회에서는 북한문제에 관하여 진전이 없다는 취지의 사무총장 보고서 청취 직후 또는 의제 4 항(안전조치 협정체결) 심의시, 일본, 미국등 이사국들이 북한의 협정조기 체결을 촉구할것으로 보임.

3. 본직은 11.29(금) 당지 주재 일본, 미국, 호주, 카나다대사와 오찬협의를 가질 예정인데 상기 2 항및 연호 '안전조치 강화'에 관한 문서(GOV/2554)에대한 본부의 검토결과를 회시하여 주시기바람.

4. 상기 3 항의 본부 검토시 특히 설계정보의 제공에 관해 관계 부처와 긴밀하게 협의한 결과를 지급 알려주시기바람.

첨부:AVW(F)-060 3 매.끝.

예 고:92.6.30 일반.

일반문서로 재분류(1992. 6 .30 .)

검 토 필(1991 .12 .31 .)
직 권 보 관 승 인

국기국 차관 1차보 분석관 청와대 안기부

PAGE 1

91.11.28 05:32
외신 2과 통제관 FI

0135

EMBASSY OF THE REPUBLIC OF KOREA

Praterstrasse 31, Vienna
Austria 1020 (FAX : 2163438)

No : AVW(下)-060	Date : 11122 1800
To : 장 관(국기) (FAX No :)	
Subject : 첨 부	

표지 포함 4매

Total Number of Page :

4-1

0136

International Atomic Energy Agency

BOARD OF GOVERNORS

GOV/2555
12 November 1991

RESTRICTED Distr.
Original: ENGLISH

For official use only

PROVISIONAL AGENDA

For meetings starting at 10.30 a.m.
on Thursday, 5 December 1991

\- Adoption of the agenda

1. Report of the Technical Assistance and Co-operation Committee

The Board will have before it the report on the Technical Assistance and Co-operation Committee's 1991 meetings, which start on 26 November (document GOV/COM.8/95 gives the items proposed for discussion at those meetings).

2. Strengthening of Agency safeguards

Pursuant to Board discussions on 23 September 1991 in the light of General Conference resolution GC(XXXV)/RES/559, this item is included in the provisional agenda in order to allow the Board to consider further two of issues related to strengthening of the Agency's safeguards. Papers on "special inspections" and "the provision and use of design information" are contained in document GOV/2554.

4180132

91-05405

0137

3. Reactor projects

The Board's authority will be sought to meet a request by Ghana for assistance in securing the transfer, from the People's Republic of China, of a 30-kW miniature neutron source research reactor and of the special fissionable material required for its operation (see document GOV/2552).

The Board will also have before it, for its consideration, a request by the Syrian Arab Republic for assistance in securing the transfer, from the People's Republic of China, of a 30-kW miniature neutron source research reactor and of the special fissionable material required for its operation (see document GOV/2556).

4 - 3

0138

GOV/2555/Add.1
25 November 1991

RESTRICTED Distr.
Original: ENGLISH

International Atomic Energy Agency

BOARD OF GOVERNORS

For official use only

PROVISIONAL AGENDA

For meetings starting at 10.30 a.m.
on Thursday, 5 December 1991

Two additional items

4. Conclusion of a safeguards agreement with Argentina, Brazil and the Brazilian-Argentine Agency for Accounting and Control of Nuclear Materials

The Board's approval will be sought of a proposal for the conclusion of a safeguards agreement with Argentina, Brazil and the Brazilian-Argentine Agency for Accounting and Control of Nuclear Materials.

5. Iranian loan for the International Centre for Theoretical Physics

The Board will be asked to consider the question of the acceptance of an offer from the Islamic Republic of Iran of an interest-free loan in respect of the International Centre for Theoretical Physics, Trieste.

4180132

4-4

91-5649

0139

관리번호	91-1148

	분류번호	보존기간

발 신 전 보

WAV-1364 911128 1020 FJ

번 호 : 종별 : 지급.

수 신 : 주 오스트리아 대사. 총영사

발 신 : 장 관 (국기)

제 목 : 12월 IAEA 이사회 대책

대 : AVW-1462, 1558

1. 표제 이사회시 토의될 안전조치제도 강화 관련 사무국 paper에 대한 본부의 일반적 검토의견을 아래 통보하니 회의참가시 활용바람

o IAEA의 기존 안전조치제도의 문제점들을 해결하고 미신고 핵개발 위협국가의 출현 가능성을 방지하기 위한 IAEA의 적극적 노력을 평가하며 안전조치 제도 강화를 위한 사무국 paper(GOV/2554, 91.11.12) 내용을 지지함

o 아국은 1975년 NPT 가입 및 전면 안전조치협정 체결후 모든 원자력 활동을 사찰 대상으로 하고 있으며, 91.11.8. 노대통령의 「한반도 비핵화」 선언을 통해 한국내 핵시설과 물질에 대해 ████ 철저한 국제 사찰을 계속하여 받을 것을 천명한 바 있음

o 전면 안전조치협정을 체결한 국가들은 자국의 모든 원자력 활동이 IAEA 안전조치 대상이 될수 있도록 철저히 보고하고 사찰을 받음으로서 당사국의 국제적 신뢰를 높이고 핵 비확산을 통한 세계 평화와 안전에 기여할 수 있을 것임

/계속...

보안통제	(서명)

앙고재	91년 11월 27일	국제기구과	기안자 성명		과 장	심의관	국 장	제1차관보	차 관	장 관
			신동익		(서명)		(서명)	(서명)	(서명)	(서명)

외신과통제

0140

o 사무국 paper에 제시된 미신고 핵시설, 물질 및 장소에 대한 특별사찰 실시와 미신고 핵관련 정보수집과 평가를 위한 사무국장 직속 특별반 설치 운영은 안전조치제도를 실질적으로 강화할 수 있는 효과적인 방법으로 봄.

o 또한 사무국이 검토하고 있는 모든 핵물질 수출입 관련 정보의 범세계적 보고제(universal reporting)가 완전한 안전조치제도의 운영을 위해 모든 국가들에게 의무적으로 적용되는 것을 찬성함

o 그러나, 새로운 안전조치제도강화 내용이 평화적 목적의 핵기술 개발 활동을 규제해서는 안될것임

2. 금번 12월 이사회에서는 회의 의제상 ~~북한의 핵 안전협정체결 문제보다는~~ 상기 사무국 paper의 공식 채택 여부에 주안점을 둘것으로 예상되므로, 아국 대표단은 특히 안전조치제도 강화방안 토의과정에서 북한의 핵안전협정체결을 [blacked out] 관련시켜 거론하지 말기 바라며, 상기 1항의 입장에 따라 미국등 서방 이사국들과 함께 동 사무국 paper가 채택되도록 하는데 [blacked out] 협조하기 바람

3. 단, 12월 이사회를 계기로 신임이사들과 적극접촉, 북한의 조속한 핵안전 협정체결촉구 필요성을 설득하는 동시에, 91.9월 IAEA이사회 결의 내용을 상기, 북한이 계속 협정체결을 지연시킬 경우 92.2월 이사회에서 강력한 내용의 대북한 결의를 채택해야 한다는 이사국간 공동인식을 갖게하는등 우리가 추진하는 방향으로 여건이 조성되도록 노력하기 바람.

4. 상기 사무국 paper에 대해 과기처에서 검토한 관련자료를 11.28(목) 파편 송부하며, 기술협력분야등 의제 토의관련 원자력 연구소 전문가 1인을 금번 이사회에 참석시킬 예정임을 참고 바람.

일반문서로 재분류 (1991 . 12 . 31 .)

예고: 91.12.31. 일반

(장 관)

0141

관리번호	91-1151

분류번호	보존기간

발 신 전 보

번 호 : WAV-1368 911129 1153 WH 종별 : 지급

수 신 : 주 오스트리아 대사 ✓총영사

발 신 : 장 관 (국기)

제 목 : IAEA 12월 이사회 대책

대 : AVW-1564

연 : WAV-1364

1. 대호 4항의 설계정보 ~~조기 제출~~ 제공에 대한 아국입장을 아래 통보함

가. IAEA가 추진하고 있는 새로운 핵시설 건설시 설계정보의 조기제출 요청은 IAEA가 사전에 충분한 검토를 통해 체계적으로 안전조치를 적용할 수 있다는 점에서 안전조치제도 강화에 크게 기여할 것임. ~~며, 이경우 핵 시설 건설시 사찰 장비(비데오 카메라등)의 균형설치 및 사찰에 필요한 예산의 사전 확보도 필요하게 됨~~

나. 이미 폐쇄된 핵시설이라 할지라도 동 시설이 재가동되어 미신고 핵활동을 하는 것을 방지하기 위해 폐쇄 시설에 대한 설계정보 검증 및 사찰실시는 안전조치를 더욱 강화시키는 방안이 될것임

/계속...

보안통제	(서명)

앙 고 재	91년 11월 29일	국제기구과	기안자 성명		과 장	심의관	국 장		차 관	장 관
			신증이		(서명)		전결			(서명)

외신과통제

0142

다. 그러나, 설계정보의 사전제출 시기 (건설 계획 수립후 부터 완공후 가동 시접사이)의 구체적 조정은 시설의 종류에 따라 전문가들의 기술적 검토 및 IAEA의 사찰 필요성등을 종합적으로 고려하여 개선해 나가야 할 것임

2. 상기관련, 앞으로 수개의 원자력 발전소와 관련 핵 연구시설 건설이 계획 되어 있는 우리나라의 경우 사전 설계정보 조기제출로 인해 IAEA의 지나친 규제를 받을 수 있다는 것이 전문가들이 우려는 표명하는 점도 귀직 참고로 하여 동건 토의에 대처바람. 끝.

예 고 : 91.12.31 일반

(국제기구국장 문 동 석)

0143

관리번호	91-2049

외 무 부

110-760 서울 종로구 세종로 77번지 / (02)720-2336 / (02)720-2686

문서번호 국기20332-2915

시행일자 1991.11.27.( )

수신 주오스트리아 대사

참조

취급		장 관
보존		
국 장	전 결	
심의관		
과 장		
기안	신 동 익	협조

제목 안전조치강화 방안 검토 자료

연 : WAV- 1364

대 : 오스트리아 20332-1013

연호, 안전조치제도 강화 관련 사무국 paper에 대해 과기처와 산하 연구기관에서 검토한 관련 자료를 별첨 송부하니 아국 대표단의 12월 IAEA 이사회 참가 준비에 활용하시기 바랍니다.

첨 부 : 상기 참고자료 1건. 끝.

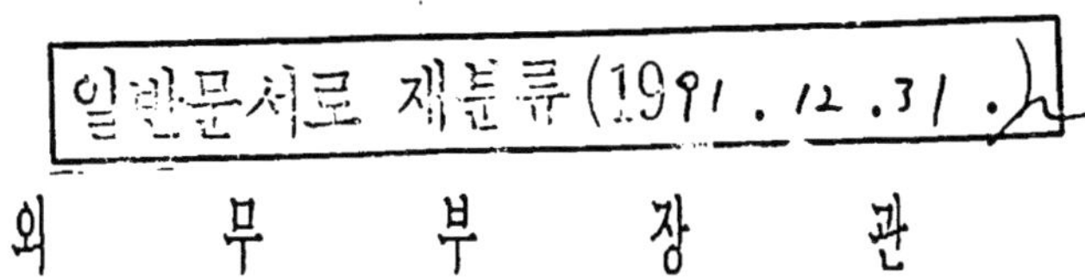

외 무 부 장 관

0144

IAEA '91년 12월 이사회 특별사찰 의제에 관한 의견

1. IAEA의 보장조치를 포괄적으로 검토하여 IAEA의 보장조치를 강화하고 효율적으로 개선시키기 위한 사무총장 및 사무국의 노고에 감사함.

2. 아국은 NPT에 가입하고 IAEA와 전면보장조치 협정체결 후 아국의 모든 원자력활동을 사찰대상으로 하고 있으며, 협정에 규정된 당사국의 의무조항들을 성실하게 준수하고 있음. 앞으로도 IAEA 보장조치 강화에 따라 국가차원에서 보강이 필요한 사항은 핵물질 계량관리 국가체제에 반영해 나갈 것임. 이를 위해 IAEA 보장조치 당국과의 협력관계를 강화하기 위해 '91. 8월 『제 1차 한국 - IAEA간 보장조치 검토회의』를 한국에서 개최한 바 있음.

3. NPT에 가입하고 IAEA와 전면보장조치협정을 체결한 국가들은 그 협정에서 수락한 의무에 언급되어 있는 바와 같이 자국의 모든 원자력활동이 IAEA의 보장조치대상이 될 수 있도록 스스로 보고하고 사찰을 받음으로써 국제적 신뢰성을 제고하고 세계평화에 이바지 해야함. 이는 세계 원자력산업계의 활성화에 기여하는 중요인자임. 또한 NPT에 가입하고 IAEA와의 전면보장 조치협정체결을 지연시키거나 발효를 지연시키는 경우에는 IAEA는 물론 UN 차원에서 적절하고 효과적인 조치가 취해져야 하며, 이와 같은 의무 불이행 당사국에 대해 조속한 의무이행을 강력히 촉구함은 세계평화유지의 관건임과 동시에 IAEA에 의무수항임.

0145

4. NPT에 따라 IAEA 보장조치하에서도 미신고 시설에서 핵무기 개발이 추진될 수 있다는 사실은 UN을 통한 국제평화 유지에 걸림돌이 되고 IAEA 회원국 모두에게 실망을 안겨주고 있음. 따라서, IAEA에 가입한 모든 당사국들은 이러한 불행한 사태를 미연에 방지해 나가야 함. IAEA는 이미 보장조치 협정에 명시되어 있는 특별사찰의 효과적 실시체제를 갖춰 나가고 당사국은 설계정보를 IAEA에 미리 제공하여 IAEA가 사전 충분히 검토할 수 있도록 해야 할 것임.

5. 특별사찰과 관련하여 몇가지 의견을 제시하고자 함.

첫째, IAEA는 의문이 제기되는 핵활동 정보를 신속히 수집·분석할 수 있는 능력을 갖추어야 함.

둘째, 수집된 정보에 의하여 IAEA는 특별사찰을 적용하고 강력하게 추진되어야 함.

세째, 특별사찰을 지연시키거나 거부하는 경우에 현재 미약한 재제조치가 강화되어야 함.

네째, 특히 특별사찰의 거부 또는 지연 기간동안 핵물질, 핵폭발장치, 시설, 장비 등 의 은닉과 이동으로 사찰관들이 탐지하기 어렵거나 탐지못하는 것은 심히 우려되는 만큼 사찰의 신속한 적용이 중요함.

0146

(General Views)

o 기구의 안전조치를 포괄적으로 검토하는 것과 관련, 기구의 안전조치를 강화하고 가능한 분야에 대하여 효율적으로 개선시키기 위한 노력을 환영하고, 사무총장 및 사무국의 문서준비에 대한 노고에 감사함.

o NPT에 가입하지 않고 있는 국가들의 핵비확산체제 가입 유도를 위한 핵무기 보유국들의 수직적 핵비확산 노력이 확대되고 있는 현황에 대해 환영을 표하고, 이러한 노력이 가일층 확대되기를 희망함.
또한 이러한 노력이 수직적 핵비확산 그 자체도 IAEA 안전조치의 대상이 됨으로서 궁극적으로 세계평화로의 진전이 이루어지도록 핵무기 보유국들의, 일반 민간 원자력시설 뿐 아니라 모든 원자력 시설, 장비, 정보, 물질 및 활동에 대한, 안전조치 수락이 전세계에서의 핵비확산체제의 타당성과 정당성 그리고 일반성을 제고시킬 것임.

o NPT에 가입하고 기구와의 안전조치협정체결을 지연시키거나 발효를 지연시키는 경우에는 적절하고 효과적인 조치가 취해져야 하며, 의무 불이행 당사국에 대한 아국의 강력한 입장을 표명.

o 아국은 NPT에 가입하고 기구와 전면안전조치 체결후 아국의 모든 원자력활동을 사찰대상으로 하고 있으며, 협정에 규정된 당사국의 의무조항들을 성실하게 준수하고 있고, 이번 대통령 비핵화선언~~에 따라~~ 을 계기로 아국은 핵물질계량관리 국가체계를 설립하여 안전조치 체제를 강화할 예정이며 IAEA 지역사무소를 아국내에 설치를 고려하고 있음을 주지하고, NPT에 가입하고 기구와 전면안전조치협정을 체결한 국가들은 그 협정에서 수락한 의무에서 언급되어 있는 바와 같이 자국의 모든 원자력활동이 기구의 안전조치 대상이 될 수 있도록 스스로 보고하고 사찰을 받음으로서 당사국의 국제적 신뢰성 제고 및 세계 평화 그리고 세계 원자력산업계의 활성화에 기여할 수 있기를 희망함.

1

0147

o 핵무기개발 계획을 갖고 있거나 추진하고 있는 국가들의 책임과 문제의 성격은 그 당사국은 물론 핵무기 보유국들의 산업계 및 이미 어느정도 핵무기 기술에 연관된 산업기술보유국들의 묵시적 지원이 또한 중요하게 작용하게 마련임. 따라서 핵비확산조약에의 가입여부를 떠나 기구에 가입한 모든 당사국들은 불행한 사태를 미연에 방지하기 위한 조치로서 모든 원자력 수출관련, 쌍무 및 다자간 협정, 비밀협정 등에 의해 지원되는 어떠한 경우에 있어서도 그 수출입 현황이 기구에 통보되어야 할 것임은 물론 핵확산에 대한 방지를 위한 특별사찰 적용이 신속하고 강력하게 추진되어야 하며, 특별사찰을 지연시키거나 거부하는 경우에 그 제재조치가 현재는 미약한 상태로 강화되어야 할 것임을 피력. 특히 특별사찰의 거부 또는 지연기간동안 핵물질, 핵폭발장치, 시설, 장비 등의 은닉과 이동으로 사찰관들이 탐지하기 어렵거나 탐지못하는 것은 심히 우려되는 만큼 사찰의 적용이 신속하게 적용되는 것이 중요함. 또한 아국은 universal reporting이 모든 국가에 의무적으로 적용되는 것을 환영하며, 다만, 원자력활동에 저해를 주는 어떠한 경우도 발생되어서는 안될 것임.

o 이사회에 권고된 사항 등 설계정보의 제공에 대한 내용에 대해 아국은 이 조치가 필요함을 인식하며, 조속히 실시약정의 개정이 이루어질 것을 기대.

0148

특별사찰의 주요 내용

1. 특별사찰 절차

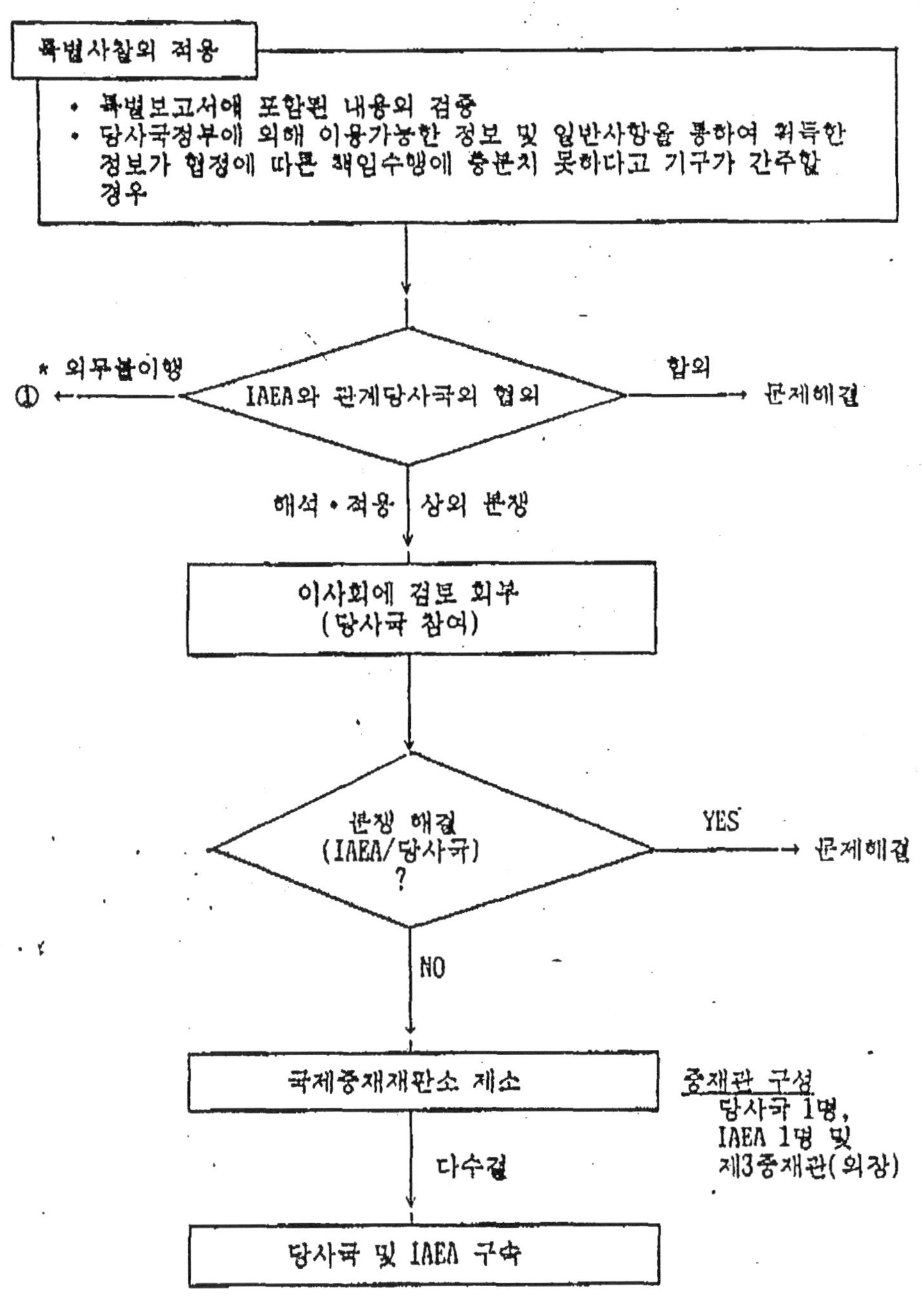

* 관련조항 : 헌장 제12조 A.6, 헌장 제12조 A.2, 헌장 제11조 F.4

0149

- 1 -

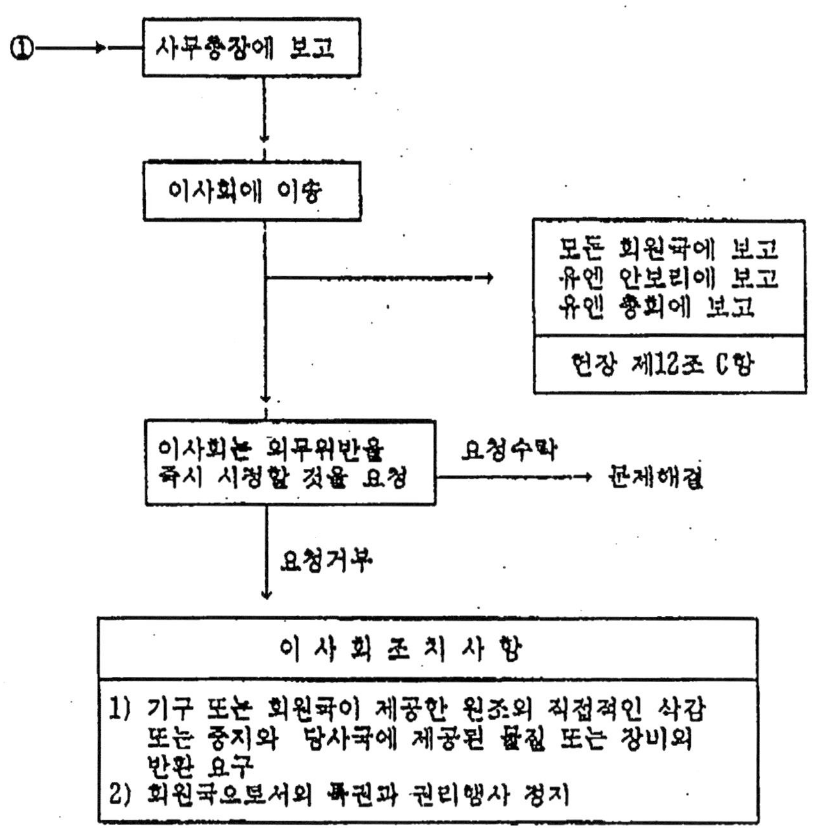

①
사무총장에 보고
이사회에 이송
모든 회원국에 보고
유엔 안보리에 보고
유엔 총회에 보고
헌장 제12조 C항
이사회는 의무위반을 즉시 시정할 것을 요청
요청수락
문제해결
요청거부
이 사 회 조 치 사 항
1) 기구 또는 회원국이 제공한 원조의 직접적인 삭감 또는 중지와 당사국에 제공된 물질 또는 장비의 반환 요구
2) 회원국으로서의 특권과 권리행사 정지

0150

2. 특별사찰을 위한 정보의 수집

• 안전조치 수행중 정보수집

- 당사국내에 존재하는 모든 핵물질의 재고량을 기록한 초기보고서 및 핵시설과 그에 대한 설계정보, 그리고 핵물질을 이용하는 핵시설이외의 장소에 대한 정보를 당사국으로부터 제공받아 이를 분석함.

- 당사국이 제출하는 핵물질의 위치 및 현황에 대한 보고서를 운영기록 및 검증활동기록과 비교하여 정보를 수집함.

- 핵보유국가들 및 전면적인 안전조치를 준수하고 있는 국가들로부터 핵물질의 수출입에 관한 정보를 정기적으로 보고받음.

- INFCIRC/153의 34(c)에 명시되어 있는 단계에 미치지 못하는 핵물질의 수출입관련 사항도 통보를 받아 정보로 활용하고 있음.

-사찰관들이 사찰과정에서 관찰한 정보

보 강 내 용

• 부수적으로 이용하는 정보수집
  - 과학저널이나 매스컴에서 유포되는 정보, 즉 공개적으로 입수가 가능한 정보
  - 전면적인 안전조치협정을 체결하고 있는 국가로 수출되는 민감성 장비 및 비핵물질의 수출관련정보(보고의무 없음)
  - 각 회원국들이 자국의 기관을 이용하여 수집한 정보 (보고의무 없음)

• 이처럼 여러 정보원을 통하여 얻어진 정보들이 유용하게 활용되기 위해서는 수집된 정보들을 평가하는 작업이 계속해서 이루어 져야 함. 이러한 정보의 평가를 위하여 IAEA는 사무총장직속의 정보평가단을 설치하여 한시적으로 운영하려는 계획을 추진하고 있음.

0151

3. 설계정보의 제공과 사용

보 강 내 용

- 기존의 전면안전조치 협정의 보조약정에서는 핵물질 최초반입 180일 이전에 설계정보서를 IAEA에 제출하도록 되어 있으나, 현재는 30-180일 사이에 제출하고 있어서 문제점이 지적되고 있음.
- 최근 논의되고 있는 사항으로써, 새로운 시설의 계획, 건설, 기존시설의 개조시 사업의 정의, 예비단계, 건설, 가동의 각 단계에서 안전조치와 관련된 설계특성정보를 계속 조속히 제공하여야 하는 것으로 되어 있음.
- 또한 이러한 설계정보의 제출과 검증이 가능하도록 전면안전조치협정을 체결한 모든 국가와 IAEA사무국이 실시약정을 개정하기 위한 필요한 조치를 취하도록 함.

• Universal Reporting

- 현재는 핵물질 등의 이전에 대하여 의무를 진 국가들만 IAEA에 보고하도록 되어 있으나, 향후에는 전세계 핵물질의 생산과 존재를 cross check 하기 위한 세계적인 보고체계가 구축될 전망임.
- 또한 기구와 안전조치협정을 체결하지 않은 국가가 핵물질을 수출할 경우 그러한 내용을 IAEA에 보고할 의무가 없으나 세계적 보고체계는 모든 핵물질의 수출정보를 요구하게 될 것임.

0152

특별사찰

서문

1. 세계적으로 다수의 국가들이 고도의 핵기술에 근접해 있고, 핵무기보유국들이 자국의 핵병기감축을 위한 조치를 취하고 있으며, 핵비확산 및 군축에 관한 공약이 확대됨에 따라 이러한 공약의 검증에 대한 신뢰가 매우 중요해지고 있다. 국제원자력기구는 현재까지 핵군축과 관련하여 어떠한 검증역할도 부여받지 못했으나, 기구가 핵비확산 약속의 효율적 검증을 제공하도록 기대되고 있다.

2. 핵무기비확산조약 가입국인 이라크내에서 비밀 우라늄 농축 및 무기프로그램의 존재가 밝혀 진후 대부분의 정부·일반대중의 반응에 따라 INFCIRC/153(개정판) 형태, 혹은 기타 포괄적인 안전조치협정을 체결한 국가에 대한 검증활동은 공개된 핵물질, 시설 및 위치에 한정되어서는 안되고 공개대상에 해당되지만 공개되지 않은 항목의 존재가능성도 조사할 수 있어야 한다는 결론에 도달했다. INFCIRC/153 및 이와 유사한 협정의 특별사찰에 관한 규정은 이와 같은 조사를 수행할 수 있는 수단을 제공한다. 이라크와의 경험으로 기구는 몇 가지 교훈을 얻을 수 있으나, 이 경우 기구의 광범위한 권리와 의무 및 이에 대한 근거를 제공하는 안보리결의 687, 707, 715(1991)는 그 영역에 있어서 예외적인 것이다.

3. GOV/INF/613에 보고된 바와 같이, 기구는 기구와 연관이 있는 국가에 의해 공개된 위치에 대해서만 특별사찰을 행할 수 있으나, 포괄적인 안전조치협정상의 특별사찰방법은 공개되지 않은 핵물질, 시설 혹은 위치에 대해 사용되어 오지 않았으며, 이는 기구가 이와 같은 행동이 필요하다는 충분히 구체적인 정보를

확보하지 못했기 때문이다. 기구가 공개되지 않은 활동에 대한 특별사찰수행권리를 행할 수 있도록 하는 실질적인 방법은 이와 같은 행위를 입증할 수 있는 정보에의 접근이다. 이라크의 경우 이후에 기구가 보다 더 많은 정보를 제공받으리라고 믿을 만한 이유가 있다.

4. 본 문서는 비공개활동의 존재여부검증과 관련된 특별사찰 수행을 위한 INFCIRC/153-형태 및 기타 포괄적인 안전조치협정상의 기존 법적 근거에 초점을 맞추고 있다. 본 문서는 신뢰도 제고의 수단으로 어느 국가의 특별 보고서제출 혹은 특별사찰요구를 통한 자국영토내에서의 특별사찰 요청가능성에 대해 언급하고자 하는 것이 아니다.

5. INFCIRC/66/Rev.2-형태 안전조치협정상의 특별사찰은 본 문서에서 고려하지 않는다. 이 경우에는 안전조치상 선언할 필요가 없는 핵물질과 시설이 존재할 수도 있기 때문에 상황은 매우 상이하다.

6. 이 시점에서 기구의 안전조치체계를 포괄적으로 검토하는 것이 바람직하다. 이와 동시에 최근 전세계적으로 관심이 집중된 몇 가지 안전조치관련 문제점을 해소하기 위해 기구가 조기에 실천에 옮겨 구체적인 진척을 보일 수 있는 것이 필요하다. 본 문서는 이사회의 요청에 따라 기구의 안전조치를 강화하고 가능한 분야에 대해서는 효율적으로 개선키 위해 향후 수 개월내에 이사회에 제출될 여러 문서중의 첫번째 것이다.

7. 본 문서에 언급된 바와 같이 특별사찰조치는 포괄적 안전조치협정내에 이미 존재하고 있다. 이와 같은 사찰을 수행할 수 있는 권리를 기구가 행사할 수 있다는 공개적인 준비완료상태에도 불구하고 몇 가지 문제점을 극복하기에는

장애가 많을 것이다. 본 문서외에 첨부2(The Provision and Use of Design Information)는 설계정보의 조기제출 및 검증관련 조항의 강화와 관련된 사항을 기술하고 있다.

I. 법률적 근거

8. 기구의 포괄적인 안전조치협정하에서는, 한 국가에서 행해지는 모든 평화적인 원자력 활동에서의 모든 선원물질 및 특수 분열성 물질은 안전조치를 받아야 하며, 기구는 그러한 물질에 안전조치를 적용할 권리와 의무를 가지고 있다. 핵물질은 비록 그것이 공개되지 않는다 하여도 안전조치대상에 해당한다. 따라서 포괄적인 안전조치협정하에서 기구의 권리와 의무는 해당 국가의 핵물질과 시설에 관 한 공개여부에 의해 제한되지 않는다. 이와 비슷하게, 핵시설과 핵물질 이 통상 사용되는 시설외부의 위치에 대한 기구의 접근뿐만 아니라 정보에 대한 권리도 한 국가에 의해 공개된 시설과 위치로 한정되지 않는다. 이러한 협정은 뒤에 나오는 문서 GOV/____에서 논의되는 설계정보의 제공과 검증과 같이 실제로 핵물질을 포함하고 있지 않는 시설에 관한 기구와 해당국가의 권리와 의무를 규정하고 있다.

(주) 1) 포괄적인 안전조치협정이란 해당 국가내의 모든 평화적인 원자력 활동에 사용되는 모든 물질에 대한 안전조치 적용을 위한 지침뿐만아니라 INFCIRC/153(Corr.)에 설명된 지침을 말한다.

9. 핵무기의 비확산에 관한 조약에 따라 체결되는 안전조치협정의 기본골격을 제공하는 INFCIRC/153은 paragraph 73(b)에서 다음과 같은 경우에 특별사찰이 실행될 수 있음을 언급하고 있다:

[만약] 기구는 해당 국가로 부터의 설명과 정규사찰로 부터 획득된 정보를 포함하여 해당 국가가 제공한 정보 가 협정상 기구의 책임을 충족시키기에 적정하지 않다 고 간주하는 경우

10. 기구와의 다른 포괄적인 안전조치협정도 동일한 내용을 포함하고 있다. 이 규정하에서 고려된 특별사찰은 부적절한 정보, 또는 정 보의 부재, 또는 해당 국가의 공개의무 수행완료에 대한 의혹을 초래하는 정보에 의해서도 시행될 수 있다.

11. 따라서 만약 유용한 정보에 의해서 기구가 문제의 해당 국가에서의 모든 평화적인 원자력 활동에서 발생하는 모든 선원물질 또는 특수 핵분열 물질에 안전조치를 적용해야 하는 기구의 의무를 특 별사찰에 의하지 않고는 충족시킬 수 없을 것이라는 결론이 타당한 것으로 된다면 모든 그러한 곳에 대해서 기구는 특별사찰을 실시할 수 있다.

II. 특별사찰 절차

12. 기구의 포괄적인 안전조치협정은 어떤 조건하에서 이 협정이 나열된 절차에 따라 특별사찰을 수행할 수 있는 권리를 기구에 부여한다. INFCIRC/153의 paragraph 77에서와 같이, 이러한 절차는 다음을 규정한다:

...... 특별사찰로 연관될 수 있는 상황에 있어서 해당국가와 기구는 즉시 협의한다. 이와 같은 협의의 결과로 기구는 다음의 것을 할 수 있다. 그리고 기구는 특별임시(ad hoc) 또는 정규 사찰을 위하여 해당 국가와 합의하여 특별임시(ad hoc) 또는 정규 사찰을 위한 지정된 접근에 덧붙혀서 정보나

- 4 -

0156

위치에 접근할 수 있다. 부가적 인 접근에 대한 의견의 불일치는 [논쟁해결절차]에 따라 해결되어 야 한다; 만약 해당 국가의 행동이 필수 불가결하고 긴급한 것이라 면, 위의 paragraph 18이 적용된다.

(주) 2) INFCIRC/153 의 para. 18은 다음과 같다: "이사회가, 사무총장의 보고에 따라, 이 협정에 따른 안전조치의 대상이 되는 핵물질이 핵무기 또는 기타 핵폭발장치에 전용되지 않고 있다는 검증을 보장하기 위해 해당 국가에 의한 어떤 조치가 본질적이고 긴급하다고 결정하면, 이사회는 분쟁의 해결을 위한 이 협정의 제22조에 따른 절차가 개시되었는지의 여부에 관계없이 해당정부에 대하여 그 필요한 조치를 취하도록 요구할 수 있다."

13. 기구의 안전조치실행은 이사회에 의해 사무총장에게 위임된다. 따라서, 다른 안전조치활동과 함께, 사무총장은 그러한 협정하에서 특별사찰 실행의 필요성과 실행지시를 결정할 권한을 가지고 있다.

14. 그러나, 사무총장이 상황에 따라 특별사찰의 필요성을 결정하는 의무와 권한은 이사회 잠정의사진행규칙 11(c)에 따라 회원국이 이사회에 제기하고자 하는 헌장 XII.A.6항에 해당되는 긴급한 사항을 다루기 위한 회원국의 이사회 소집요구권리와 배치되지 않는다.

(주) 3) Article XII.A.6: 한 또는 수개 수원국의 영역내에 관계국가와 상의후 기구가 지정한 사찰관을 파견한다. 이 사찰관은 공급된 선원물질, 특수 핵분열성 물질 및 핵분열생성물의 계량과 본 헌장 제11조 F항 4에 언급한 군사목적의 조장을 위하여 사용하지 않는다는 약속 및 본조 A항 2에 언급한 보건과 안전한 조치 및 기구와 관계국간의 협정에 규정된 기타의 조건에 대한

위반여부를 결정함에 필요한 모든 장소와 자료 그리고 직업상 안전조치하에 두도록 본 헌장에 의하여 요청되는 물질과 설비, 시설을 취급하는 모든 사람에게 항상 개방된다. 기구가 지정한 사찰관은 관계국가가 요청할 때에는 그 국가당국의 대표자를 동반한다. 단 사찰관은 직무수행이 이로 인하여 지연되거나 방해를 받아서는 아니된다.

15. 주어진 상황에서 특별사찰의 필요성을 평가하는데 있어서 제1단계로 사무총장은 당사국으로 부터 설명을 요구할 것이다. 만일 그 당사국의 반응이 그 상황을 명확히 하는데 불충분하고 특별사찰의 실시가 필요하다면 기구와 당사국 사이의 논의가 있어야 할 것이며, 이러한 논의의 목적은 특별사 찰 수행에 필요한 상세작업이 될 것이다.

16. 사무국과 당사국 사이의 수시사찰 및 일반사찰에 규정된 것 외에 정보 또는 소재지에의 접근 필요성에 관한 어떠한 의견 불일치들도 사무총장은 이사회에 보고 한다. 당사국은 또한 쟁점해결에 관한 협정의 규정에 따라 문제점에 대한 이사 회의 고려를 요청할 권한을 갖고 있다. 이러한 규정에 따라 당사국과 기구는 조정을 요청할 권리를 갖고 있다. 그러나 만일 이사회가 당사국이 취할 행동(예를 들어 특별사찰을 위한 기구의 접근 허용)이 어떠한 전용도 없었다는 입증을 위해 필요하고 긴급하다고 결정한다면 논쟁 해결절차가 회부되건 안되건 간에 위에서 언급한 바와 같이 지체없이 조치를 취하도록 요청받을 수 있다. 만일 해당국가가 특별사찰수행을 위한 기구의 접근을 거부한다면 이사회는 이 사실을 안보리에 보고할 수 있다.

17. 특별사찰은 이사회가 이러한 결과를 결정하자마자 사무국의 요청에 의해 당사국이 수락함에 따라 가능한 신속하게 수행된다. 기구 및 사찰관의 특권과 면

- 6 -

0158

책은 다른 종류의 사찰 행동들과 마찬가지로 기구의 특권과 면책에 관한 협정 (INFCIRC/9/Rev. 2)의 규정에 따른다. 안전조치 협정의 수행에 협력할 당사국의 의무에 따라 당사국은 특별사찰 수행이 용이하게끔 모든 필요한 조치를 취해야 한다.

18. 특별사찰의 결과는 다음과 같을 수 있다. (가) 어떠한 비공개된 시설, 장소, 물질들도 특별사찰의 결과로 밝혀질 수 있 으며, 기구는 사찰을 초래한 문제점들이 적절히 해결되었다고 결론을 내린다. (나) 안전조치 협정에 따라 공개되어야 했을 비공개 시설, 장소, 물질들이 밝 혀질 수 있다. (다) 확보된 증거의 관점에서 사찰을 초래한 의문점들이 적절히 해소되지 않을 수 있다.

19. 첫번째 경우에 어떠한 추가적인 조치도 취해지지 않는다. 특별사찰의 결과들은 SIR 에 포함되며, 필요하다면 특별보고서의 내용이 된다.

20. 두 번째 경우에는 비공개 핵시설, 장소 또는 핵물질이 탐지되었다 는 사실은 이사회에 보고된다. 이사회는 헌장 제12조 C항에 따라 위반에 대해 어떠한 조치를 취할 것인지 결정한다.

21. 세번째 경우로서 사무국은 이사회와 논의하는데 있어 문제점을 계속 추적한다. 특별사찰의 결과들을 바탕으로 이사회가 발견했고 기구는 협정에 따라 안전조치가 필요한 핵물질이 전용되었다는 사실을 검증할 수 없다면 이사회는 포괄 적 안전조치 협정에서 규정된 바와 같이, 회원국들에게 보고하고 또한 국제연 합 안보리와 총회에 보고할 수 있으며, 헌장 제12조 C항에 규정된 다른 조치를 적당하게 취한다.

22. 의무를 위반한 경우 이사회에 의해 취해진 조치들은 기구 헌장 제12조 C항과 기구와 국제연합간 체결한 관계협정의 제3조 2항에 규정되어 있다. 기구 헌장 제12조 C항에는 의무위반을 전 회원국에게 보고하고 또한 국제연합 안보리와 총회에 보고한다"고 규정하고 있다. 관계협정 제3조 2항에는 "기구 는 기구 헌장 제12조 단락 C가 의미하는 한도내에서 어떠한 의무 위반에 대해 서도 안보리와 총회에 보고해야 한다"고 규정하고 있다.

III. 정보

A. 현재 이용가능한 정보

23. 아래에 서술되어 있듯이, 공개된 핵활동으로부터 나오는 핵물질의 비전용을 검증하기 위한 특별사찰은 안전조치를 수행하는 과정에서 정기적으로 국제원자력기구가 수집한 정보로부터 촉발되어 왔다. 이 정보는 공개되지 않은 핵활동의 존재유무를 파악하는 데 특별사찰이 필요한지 결정하는데에도 이용될 수 있을 것이다.

24. 전면적인 안전조치협정이 효력을 발생하게 되면, 국제원자력기구는 협정당사국으로부터 협정에 따라 안전조치를 적용받는 당사국내에 있는 모든 핵물질의 재고량을 기록한 초기보고서를 접수한다. 또한 국제원자력기구는 이와 함께 협정당사국내에 현존하는 핵시설과 그에 관한 설계정보, 그리고 핵물질을 이용하는 핵시설외의 장소에 대한 정보들의 리스트를 제공받는다. 국제원자력기구는 협정당사국으로부터 접수한 이러한 정보들을 검증하고, 검증이 끝나면 국제원자력기구와 협정당사국은 기록유지, 보고, 그리고 일반사찰에 필요한 요건과 같은 구체적인 내용을 담게 되는 부속약정(subsidiary

- 8 -

0160

arrangement)을 체결한다.

25. 국제원자력기구는 협정당사국에 생산되는 핵물질에 대한 보고서뿐만 아니라 당사국내에 있는 핵물질의 위치 및 현황에 대한 보고서를 정기적으로 받는다. 국제원자력기구는 접수한 보고서와 운영기록 및 검증활동기록들을 비교한다. 가끔 일치하지 않는 사항들이 발견되기는 하지만, 대부분의 경우 특별사찰을 수행할 필요없이 쉽게 해결이 된다.

26. 또한 국제원자력기구는 핵보유국가들 및 전면적인 안전조치를 준수하고 있는 국가들로부터 핵물질의 수출입에 관한 정보를 정기적으로 보고받고 있다. INFCIRC/153의 34(c)항과 기타 관련협정에 들어 있는 문안을 보면, 핵연료성형가공 및 동위원소농축에 사용될 수 있는 핵물질의 생산과 수입은 국제원자력기구에 보고하도록 규정되어 있으며, 핵연료주기중 후반부에서 생산되는 핵물질도 보고하도록 되어 있다. 이러한 물질들은 국제원자력기구의 전면안전조치의 적용을 받는다. 국제원자력기구는 이러한 물질의 수입과 관련된 보고와 수출국의 수출통보를 비교하여 국제이전시 핵물질이 상실 또는 전용되었는지의 여부를 확인하게 된다. 그러나 이점과 관련된 국제원자력기구의 활동은 불완전하다고 할 수 있다. 왜냐하면 이러한 핵물질의 이전은 모두 보고되지 않으며, 또한 수출국들이 모든 사항을 보고하도록 되어 있지도 않기 때문이다. 이 점은 이사회를 위한 개별보고서(핵물질에 관한 일반보고)에 언급될 예정이다.

27. 또한 국제원자력기구는 INFCIRC/153의 34(c)에 규정되어 있는 단계에 미치지 못하는 핵물질의 수출입에 대하여도 통보를 받고 있는데, 비핵목적으로 이전되는 것이 분명할 경우에는 통보대상에서 제외된다. 수출국(핵보유국들 및

전면안전조치협정 미체결국가들)들의 서로 다른 보고요건으로 말미암아 우라늄정광이 주요 물질인 이러한 물질의 수출입수지는 항상 맞아 떨어지지는 않고 있다. 그럼에도 불구하고 한 특정국가가 상당량의 우라늄을 수입한 것을 알게 되면 해당국가의 핵활동을 파악하는데 상당한 도움이 된다. 원래 이러한 보고의무는 특정국가의 핵활동을 파악하기 위한 것이었다. 이 사안 역시 위에서 언급한 이사회를 위한 보고서(핵물질에 일반보고)에 언급될 예정이다.

28. 위에서 언급한 정량적인 안전조치자료이외에도 이외에도, 사찰관들은 사찰과정중 공개되지 않은 핵활동의 존재유무를 파악하는데 큰 도움을 줄 수 있는 관찰을 할 수 있고 현재하고 있다. 사찰관들이 수행하고 있는 관측내지는 관찰활동의 범위는 핵시설지역내에 사찰관이 보지 못하도록 하는 시설이 존재한다는 것에서부터 안전조치를 받고 있는 시설의 고유기능과 직접적인 연관이 없는 설계특성의 포착과도 같은 미세한 부분에 이르기 까지 다양하다.

B. 추가이용정보

29. 전면안전조치를 준수하고 있는 한 특정국가의 공개되지 않은 핵물질이나 핵시설의 존재유무를 파악하는 데에는 안전조치활동을 수행하는 과정에서 정기적으로 수집된 정보이외에도 안전조치체제밖에 존재하는 다른 정보들을 이용할 수 있다. 이러한 정보중 가장 먼저 언급할 수 있는 정보로는 과학저널이나 매스컴으로부터 나오는 정보, 즉 공개적으로 입수가 가능한 정보이다. 물론 이러한 정보원들의 신뢰성이나 자료의 가치는 안전조치활동 및 다른 정보원에서 나오는 정보들과의 전반적인 맥락속에서 신중히 평가되어야 할 것이다.

-10 -

0162

30. 두 번째로 이용가능한 정보는 전면안전조치협정을 체결하고 있는 국가로 수출되고 있는 민감성 장비 및 비핵물질의 수출관련정보이다. 각 회원국들은 수출관련정보를 국제원자력기구에다 보고하여야 할 법적인 구속력은 없으나 자발적으로 보고할 수 있을 것이다.

31. 마지막으로 이용할 수 있는 중요한 정보는 각 회원국들이 자국의 기관을 이용하여 수집한 정보이다. 대부분의 경우, 이러한 정보는 각 회원국이 매우 민감하다고 간주하는 정보들일 것이다. 민감성 장비 및 비핵물질의 수출에서처럼, 각 회원국은 이러한 정보를 국제원자력기구에다 보고하여야 할 법적인 의무는 없다. 그러나, 각 회원국들은 그러한 정보를 국제원자력기구에 전달할 수 있을 것이다. 특별한 상황이 발생한 경우, 이러한 정보는 국제원자력기구가 특별사찰의 시행유무를 결정하는데 결정적인 역할을 담당할 수도 있다. 이러한 정보의 제공과 관련된 기준의 정립을 위하여 국제원자력기구의 사무총장은 각 회원국들과 교섭을 벌일 것을 계획하고 있다.

32. 위에서 본 것처럼, 공개되지 않은 활동을 탐지하는데 도움을 주는 정보는 국가기관을 통하여 입수된 정보에만 국한되지 않는다. 국제원자력기구는 이러한 정보가 이용가능하기만 하다면, 다른 모든 이용가능한 정보들과 함께 이들을 평가할 것이다.

C. 적합한 정보의 이용

33. 공개되지 않은 활동을 찾아내고 검증하기 위한 국제원자력기구의 안전조치활동이 유용한 것이 되기 위해서는 위에서 언급한 모든 종류의 정보들이 계속적으로 평가되어야 한다. 이러한 평가를 위하여 사무총장은 직속부서로

한시적인 소규모 작업단을 설치하려는 계획을 가지고 있다. 가끔씩 회원국들이 제공할 것으로 예상되는 민감한 정보는 평가과정에서 중요한 역할을 담당할 가능성이 높다. 이러한 민감한 정보가 제한된 범위내에서만 이용되는 지는 철저하게 감시할 것이다. 비록 이 작업단은 사무총장에게 보고하도록 되어 있지만 특별사찰을 집행하는 주무부서인 안전조치부와 밀접한 연관을 맺으며 일을 처리할 것이다. 이 작업단은 안전조치과정에서 얻어진 정보 및 기타 관련정보들을 이용하여 안전조치협정에 준하여 각 국가들이 공개한 내용이 완전한 것인지 지속적으로 평가하게 될 것이다. 작업단의 활동은 안전조치와 관련된 활동의 일부로 여겨져 1992년도 안전조치준비금에서 예산을 지원받게 될 것이다. 작업단의 활동 및 자금의 추가지원은 과거의 경험을 고려하여 1992년에 평가될 것이다.

권고사항

34. 이사회는 본 보고서 및 사무총장의 세 가지 의도에 세심한 배려를 기울여야 할 것이다. 첫째, 전면안전조치협정을 체결하고 있는 협정당사국들이 핵물질, 시설, 그리고 장소와 관련된 자국의 의무사항을 준수하고 있는 지를 입증하기 위하여 II절에 서술된 특별사찰절차를 적절히 이용하고자 함, 둘째, 위에서 언급한 관련정보를 모든 회원국들로부터 제공받고자 함, 세째, 안전조치를 받고 있는 핵물질에 대하여 보충정보를 접수하고 평가할 수 있는 국제원자력기구의 능력을 제고하기 위하여 적절한 조직적인 조치를 취하고자 함.

0164

초 안

설계정보의 제공과 사용

1. 각국가의 원자력 활동에 관한 정보의 완전함은 국제 안전조치의 효율성과 신뢰성의 기초가 된다. 이사실은 국가의 안전조치 의무와 관련되어 필요한 정보를 가능한 한 조속히 기구에 제 공하는 것이 중요하다는 것을 뒷받침한다. 전면 안전조치 협정을 체결하고 있는 당사국들은 가능한 조속히 설계 정보를 제공해야할 의무를 지고 있다. 현재 그러한 협정을 위한 실시약정 모델에 의하면 새로운 시설에 대하여 기구가 요구하는 설계정보서는 통상 그러한 시설이 핵물질을 처음 취급 하기 180일 전에 제출하여야 한다. 실제로 이러한 제출은 핵물질이 시설에 투입되기 전인 30-180일 사이의 어느때나 설계 정보를 제공하는것을 의미해 왔다. 지식수준을 높이고 신뢰성을 보강하기 위하여 이러한 정도로는 충분하지 않으며 좀더 빠른 시일내에 기구에 통보해야 한다는 것이 입증되었다.

2. 상기 사항을 달성하고 시설의 평화적 이용에 대한 신뢰를 제고하기 위하여는 전면 안전조치를 받는 모든나라는 국가가 어떠한 핵시설을 건설하거나 핵시설의 건설을 승인하는 결정을 기구에 보고하는 것이 필요할 것이다. 또한 다음사항을 추진하기 위하여 충분한 빠른시일내에 설계정보를 기구와 공유 하는것이 필요하다. a) 핵물질 계량체제를 포함한 시설의 설계에 안전조치 이행을 용이하게할 특성들을 포함하는것을 추진함. b) 필요한 안전조치 연구개발을 계획하고 수행함. c) 기구가 필요한 예산계획을 짜고 가장 효과적이고 효율적인 방법으로 안전조치를 이행할 수 있도록 함. d) 국가, 시설운영자와 기구간에 공동으로 해야할 활동을 확인하고 일정을 정함. 이는 다음을 포함함. i) 시설

건설기간중 안전조치 장비의 설치 ii) 시설 설계에 대한 정보의 검증

3. 기존 시설에 대한 최신의 완전한 설계 정보의 제공 및 검증은 그 시설에 적용되는 안전조치 제도가 계속 적절히 유지되게 하고 공개되지 않은 활동들이 일어나지 않고 있다것을 더욱 확실히 보증해 준다. 시설의 중요한 개조, 시설의 개조기간 동안 설계 정보를 제공하고 검증하는 것도 기구에 보고하는 것과 신뢰구축의 중요한 수단이다. 전면 안전조치 협정하에서 설계 정보를 검증하기 위한 기구의 권한은 시설이 가동된 후에도 파기되지 않고 계속적으로 존재한다. 또한 이권한은 시설이 폐쇄된 후에도 파기되지 않는다. 그러한 시설이 폐쇄상태에 있는것을 확인하기 위한 기구 사찰관의 방문은 설계 검증의 한 분야이며,그러한 시설들이 활동을 재개하지 않았으며 공개되지 않은 활동에 사용되지 않고 있다는 것을 확인해 준다.

4. GOV/INF/613/Add.1에서 논의 되었듯이 실시약정은 수입되는 시설을 포함하며 새로운 시설의 계획, 건설, 기존시설의 개조시 사업의 정의, 예비설계, 건설, 승인 단계에서 안전조치와 관련된 설계 특성에 대한 정보를 반복적으로 이용할 수 있게 해주어야 한다는 규정을 포함해야 한다.

5. 사업정의단계에서 이용가능하고 요구되는 정보는 한정될 것이다. 설계가 이후의 단계로 진행됨에 따라 더욱많은 정보가 요구될 것이다. 원설계를 기반으로 완성된 설계정보 설문서는 가능한한 조속히, 어떠한 경우라도 시설에 핵물질이 처음 투입되기 180일내에 요구 될 것이다. 기구는 새로운 또는 개조된 시설의 건설기간및 승인 기간동안 물리적 검사를 통하여 설계정보를 검증할 것이다.

6. 새로운 또는 개조된 시설에 대한 올바른 설계정보를 국가가 조속히 제공하도록

증진하기 위하여는, 기존의 실시약정을 개정하는것이 필요할 것이다. 전면 안전조치 협정을 체결한 국가는 그러한 개정때 까지 a) 시설의 건설, 승인이나 개조에 대한 결정이 취해지는 동시에 예비설계정보를 제공함으로써 새로운 핵시설과 활동과 기존 시설에 대한 어떠한 개조에 대한 각국가의 프로그램을 기구에 통보해야 하며 b) 설계가 진행됨에 따라 설계에 대한 더깊은 정보를 기구에 제공해야한다. 이러한 정보는 사업정의, 예비설계, 건설 및 승인 단계에서 조속히 제공되어야 한고 c) 새로운 시설이 건설됨과 동시에 가능한 조속히 안성된 설계정보 설문서를 기구에 제공하여야 하며 어떠한 경우라도 그러한 시설에 핵물질이 처음 반입되기 180일전에 이루어 져야한다

권고사항

7. 이사회가 다음과 같은 사항을 실행하도록 권고한다. a) 설계정보의 제출과 검증에 대한 제안이 가능하도록 하기 위하여 전면 안전조치 협정을 체결한 모든 국가와 사무국이 실시약정을 개정하기 위한 필요한 조치를 취하도록 요구함. b) 실시 약정의 개정시 까지 포괄적안전조치 협정을 체결한 모든 국가가 6항에 나와 있는 정보를 제공하도록 요구한다.

<참고자료>

IAEA 사무국이 작성한 안전조치제도 강화 방안 주요 내용

(91.12월 IAEA 이사회 토의 의제 관련)

1. 특별사찰 (Special Inspection) 강화

가. 특별사찰 실시 강화 배경과 법적 근거

o 최근 NPT 당사국인 이라크의 비밀 핵 개발 계획이 밝혀짐에 따라, 국제 여론은 IAEA의 검증활동이 신고된 핵물질, 시설 및 장소에 국한될 수 없으며, 신고되지 않은 내용의 존재 여부도 검사해야 한다고 결론을 내림

- 이라크에 대한 핵사찰 실시 과정에서 안보리 결의(687호)에 의해 부여된 IAEA의 사찰 권한은 기존 IAEA 특별사찰 권한보다 광범위하였음 (미신고 핵시설 사찰 포함)

o 따라서 향후 이라크와 유사한 미신고 핵개발 위험 국가의 출현을 방지하기 위해, IAEA가 미신고 핵 활동에 대해 특별사찰을 실시할 수 있는 권한을 행사할 수 있는 실질적 수단을 제공받아야 함

o IAEA는 전면 안전조치협정(INFCIRC/153) 규정상 미신고 핵 시설 및 물질에 대해 특별사찰을 실시할 수 있다고 적극적인 해석을 함

- 제23조 : 평화적 핵활동을 위한 모든 핵물질(all source or special fissionable material)에 대해 안전조치를 적용할 권리와 의무가 있음

- 제73조(b) : 당사국이 제공한 정보(일반사찰 결과 획득한 정보포함)가 협정상 책임이행에 적합하지 않다고 판단될 경우 특별사찰을 실시할 수 있음

나. 특별사찰 실시

o 특별사찰실시 절차 (안전조치협정 77조 규정)

- 특별사찰 실시가 필요한 상황인가 여부는 IAEA 사무국장이 이사회 규칙 11조(C)에 따라 이사회를 소집 이사회가 결정하며, 이사회는 사무국장에게 특별사찰을 위한 절차를 밟도록 함
- 특별사찰 실시가 결정되면 우선 IAEA 사무국장이 당사국에게 설명을 요청, 당사국의 설명이 정확한 상황판단에 불충분한 경우 특별사찰을 실시
- 사무국과 당사국간 의견이 일치하지 않는 경우 당사국은 분쟁조정을 위해 IAEA의 심의를 요청할 수 있음
- 당사국이 특별사찰 실시를 수락하면 IAEA 사찰관들은 IAEA 협정상 특권과 면제를 받게되며, 당사국은 특별사찰 실시에 필요한 협조제공이 요구됨

o 특별사찰 실시 결과 및 조치

- 특별사찰 실시 결과 ① 미신고 시설, 장소 또는 물질이 발견되지 않거나, ② 미신고 시설, 장소 또는 물질이 발견되거나 ③ 특별사찰을 초래한 문제가 적절히 해결되지 못하는 (핵물질 전용 사실의 부재 증명 불가) 경우가 발생
- 상기 ②, ③의 경우에는 사무국장이 동 결과를 이사회에 보고하여 헌장 12조(C)에 따라 당사국의 협정의무 불이행을 시정시키기 위한 조치를 취하도록 함

- IAEA 헌장 12조(C)에 의하면 이사회는 당사국의 협정의무 불이행 사실을 전회원국, 유엔안보리 및 총회에 보고하게 되어 있으며, 일정기한내 당사국이 시정조치를 취하지 않을 경우 IAEA 차원에서는 원자력 협력 관련 지원중단 및 회원자격 중지등의 제재조치를 취할 수 있음

0169

2. 정보에의 접근 (Access to Information)

o IAEA는 안전조치협정 발효후 당사국과 체결한 보조약정(subsidiary arrangement)에 따라 당사국들의 핵물질 재고에 관한 보고서, 핵시설 목록 및 관련 설계정보를 접수하여 이에 근거하여 정기적인 사찰을 실시함

o 그러나 이같이 IAEA가 정기적으로 수집한 정보외에 협정당사국내 미신고 핵물질이나 시설에 대해서는 안전조치제도 밖에서 수집한 정보가 있을 수 있음

- 회원국들이 개별적으로 수집한 정보(첨단장비와 비핵물질등에 관한 정보도 포함)를 IAEA에 자발적으로 제공할 수 있음

o 이렇게 당사국이 제출한 정보외에 여러가지 출처를 통해 수집한 정보들은 미신고 핵활동을 발견하기 위해 필요한 것이며, 이러한 정보들을 계속 수집. 평가. 분석하기 위해 사무국장 직속 특별반(small unit)을 설치할 수 있음

o 동 특별반은 수집된 다양한 정보들의 유용성을 평가하여 그 결과를 사무국장에게 보고하며 사무국장은 이러한 정보 분석내용을 바탕으로 미신고 핵시설에 대한 특별사찰 실시여부를 결정할 수 있을 것임

3. 설계정보의 제공 및 활동 (Provision and Use of Design Information)

o IAEA 안전조치제도의 효율적 운영을 위해 전면 안전조치협정 당사국은 핵시설 설계 정보를 가능한 조속히 제출할 의무를 갖고 있음

- 현행 보조약정은 새로운 핵 시설이 완성되어 핵물질을 공급받기 180일 전에 동 시설 관련 완전한 정보 제공을 요구

o 그러나, 핵시설의 평화적 이용에 관한 신뢰 강화를 위해 당사국이 핵시설 건설이 실제로 시작되기 전에 설계정보를 IAEA에 제출하도록 하는 것이 필요함

- 신규 핵시설 건설시 개발계획, 설계, 건설, 가동등의 단계별로 관련 정보를 제공하는 것이 바람직

- 3 -

0170

o 전면 안전조치협정하에서 설계정보를 검증, 사찰을 실시하는 IAEA의 권한은 핵시설이 가동되는한 유효하며, 동 시설이 폐쇄될지라도 지속되야 함

- 폐쇄된 핵시설이 재가동 되어 미신고 핵 활동을 하지 않는다는 것을 확인하기 위한것임. 끝.

〈참고 자료〉

IAEA 사무국이 작성한 안전조치제도 강화 방안 주요 내용

(91.12월 IAEA 이사회 토의 의제 관련)

1. 특별사찰 (Special Inspection) 강화

가. 특별사찰 실시 강화 배경과 법적 근거

o 최근 NPT 당사국인 이라크의 비밀 핵 개발 계획이 밝혀짐에 따라, 국제 여론은 IAEA의 검증활동이 신고된 핵물질, 시설 및 장소에 국한될 수 없으며, 신고되지 않은 내용의 존재 여부도 검사해야 한다고 결론을 내림

- 이라크에 대한 핵사찰 실시 과정에서 안보리 결의(687호)에 의해 부여된 IAEA의 사찰 권한은 기존 IAEA 특별사찰 권한보다 광범위하였음 (미신고 핵시설 사찰 포함)

o 따라서 향후 이라크와 유사한 미신고 핵개발 위험 국가의 출현을 방지하기 위해, IAEA가 미신고 핵 활동에 대해 특별사찰을 실시할 수 있는 권한을 행사할 수 있는 실질적 수단을 제공받아야 함

o IAEA는 전면 안전조치협정(INFCIRC/153) 규정상 미신고 핵 시설 및 물질에 대해 특별사찰을 실시할 수 있다고 적극적인 해석을 함

- 제23조 : 평화적 핵활동을 위한 모든 핵물질(all source or special fissionable material)에 대해 안전조치를 적용할 권리와 의무가 있음

- 제73조(b) : 당사국이 제공한 정보(일반사찰 결과 획득한 정보포함)가 협정상 책임이행에 적합하지 않다고 판단될 경우 특별사찰을 실시할 수 있음

- 1 -

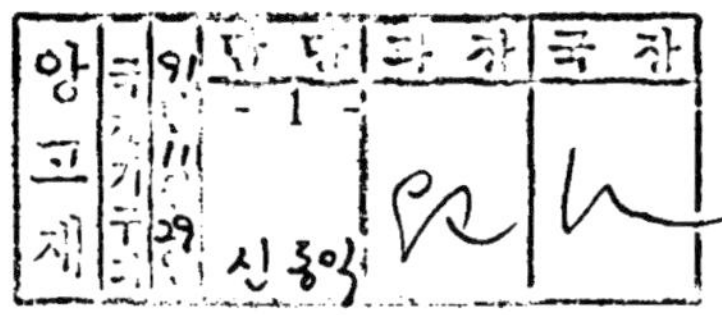

0172

나. 특별사찰 실시

o 특별사찰실시 절차 (안전조치협정 77조 규정)

- 특별사찰 실시가 필요한 상황인가 여부는 IAEA 사무국장이 이사회 규칙 11조(C)에 따라 이사회를 소집 이사회가 결정하며, 이사회는 사무국장에게 특별사찰을 위한 절차를 밟도록 함
- 특별사찰 실시가 결정되면 우선 IAEA 사무국장이 당사국에게 설명을 요청, 당사국의 설명이 정확한 상황판단에 불충분한 경우 특별사찰을 실시
- 사무국과 당사국간 의견이 일치하지 않는 경우 당사국은 분쟁조정을 위해 IAEA의 심의를 요청할 수 있음
- 당사국이 특별사찰 실시를 수락하면 IAEA 사찰관들은 IAEA 협정상 특권과 면제를 받게되며, 당사국은 특별사찰 실시에 필요한 협조제공이 요구됨

o 특별사찰 실시 결과 및 조치

- 특별사찰 실시 결과 ① 미신고 시설, 장소 또는 물질이 발견되지 않거나, ② 미신고 시설, 장소 또는 물질이 발견되거나 ③ 특별사찰을 초래한 문제가 적절히 해결되지 못하는 (핵물질 전용 사실 부재 증명 불가) 경우가 발생
- 상기 ②, ③의 경우에는 사무국장이 동 결과를 이사회에 보고하여 헌장 12조(C)에 따라 당사국의 협정의무 불이행을 시정시키기 위한 조치를 취하도록 함

- IAEA 헌장 12조(C)에 의하면 이사회는 당사국의 협정의무 불이행 사실을 전회원국, 유엔안보리 및 총회에 보고하게 되어 있으며, 일정기한내 당사국이 시정조치를 취하지 않을 경우 IAEA 차원에서는 지원중단 및 회원자격 중지등의 제재조치를 취할 수 있음

2. 정보에의 접근 (Access to Information)

o IAEA는 안전조치협정 발효후 당사국과 체결한 보조약정(subsidiary arrangement)에 따라 당사국들의 핵물질 재고에 관한 보고서, 핵시설 목록 및 관련 설계정보를 접수하여 이에 근거하여 정기적인 사찰을 실시함

o 그러나 이같이 IAEA가 정기적으로 수집한 정보외에 협정당사국내 미신고 핵물질이나 시설에 대해서는 안전조치제도 밖에서 수집한 정보가 있을 수 있음

- 회원국들이 개별적으로 ~~국가차원에서~~ 수집한 정보(첨단장비와 비핵물질등에 관한 정보도 포함)를 IAEA에 자발적으로 제공할 수 있음

o 이렇게 당사국이 제출한 정보외에 여러가지 출처를 통해 수집한 정보들은 미신고 핵활동을 발견하기 위해 필요한 것이며, 이러한 정보늘을 계속 수집. 평가. 분석하기 위해 사무국장 직속 특별반(small unit)을 설치할 수 있음

o 동 특별반은 수집된 다양한 정보들의 유용성을 평가하여 그 결과를 사무국장에게 보고하며 사무국장은 이러한 정보 분석내용을 바탕으로 미신고 핵시설에 대한 특별사찰 실시여부를 결정할 수 있을 것임

3. 설계정보의 제공 및 활동 (Provision and Use of Design Information)

o IAEA 안전조치제도의 효율적 운영을 위해 전면 안전조치협정 당사국은 핵시설 설계 정보를 가능한 조속히 제출할 의무를 갖고 있음

- 현행 보조약정은 새로운 핵 시설이 완성되어 핵물질을 공급받기 180일 전에 동 시설 관련 완전한 정보 제공을 요구

o 그러나, 핵시설의 평화적 이용에 관한 신뢰 강화를 위해 당사국이 핵시설 건설이 실제로 시작되기 전에 설계정보를 IAEA에 제출하도록 하는 것이 필요함

- 신규 핵시설 건설시 개발계획, 설계, 건설, 가동등의 단계별로 관련 정보를 제공하는 것이 바람직

o 전면 안전조치협정하에서 설계정보를 검증, 사찰을 실시하는 IAEA의 권한은 핵시설이 가동되는한 유효하며, 동 시설이 폐쇄될지라도 지속되야 함

- ~~IAEA는~~ 폐쇄된 핵시설이 재가동 되어 미신고 핵 활동을 하지 않는다는 것을 확인하기 위한것임 ~~할 수 있어야 함~~

4. 참고사항

o 북한은 아직 핵 안전조치협정을 체결하지 않고 있는 관계로 상기와 같이 안전조치제도가 강화되더라도 동 강화 내용을 북한에 적용할 수 없는 실정임

o 우리나라는 1975년 NPT 가입 및 전면 안전조치협정 체결후 모든 원자력 활동을 사찰대상으로 하고 있으며, 91.11.8. 노대통령의 「한반도 비핵화」 선언을 통해 한국내 핵시설과 물질에 대해 철저한 국제사찰을 계속하여 받을 것으로 천명하였음

o 우리나라는 모든 원자력 활동이 평화적인 목적에만 국한되어야 한다는 점에서 기본적으로 IAEA가 작성한 상기 안전조치 강화 방안을 적극 지지하는 입장임. ~~이며, 구체적인 기술적 내용에 대해서는 과기처 및 관계기관에서 검토중임.~~

끝.

o 또한 수교관계에 있는 일부 중남미,아프리카 국가에 대하여는 주요인사의 방북을 초청하거나, 내년의 김일성 생일에 사절단 파견을 요청하는 등 기존관계 강화에 주력

o 북한의 수교노력에 따라 브루나이,우루과이등 일부국가는 북한과의 수교를 긍정적으로 검토중인 것으로 보임.

o 한편, 일부국가는 대북수교의 선행조건으로 북한의 핵문제 이외에 양국간 현안해결등 추가사항 제시

- 독일 : 국제테러중지, 인권개선, 무기수출 자제
- 화란,프랑스 : 북한의 부채 문제 해결
- 알젠틴 : 대사관 건물 방화 피해보상 및 곡물 수입대금 지불

2. 핵사찰 압력에 대한 북한의 대응

북한은 우리의 한반도 비핵화선언(11.8)에 대하여 11.12. 외교부 대변인 담화를 발표한데 이어 11.24. "조국평화통일위원회" 서기국 명의로 공개질문장을 발표하였으며, 11.25에는 핵안전협정서명 및 핵사찰 수용에 관한 외교부성명을 발표하였음.

가. "조평통"의 5개항 공개질문 요지(11.24)

① 한반도를 비핵화하려면 그 실현을 위한 구체적인 내용을 담아야 함

- 이미 반입된 핵무기를 그대로 놔두는 비핵화는 무의미 함

② 한반도 비핵화의 관건은 북한의 핵사찰인가, 남한의 미국 핵무기인가 ?

③ 한반도 비핵지대화 문제 관련, 남한에 배치된 미국 핵무기에 대해 일언반구도 할 수 없는 남한당국의 제한성을 인정하는가 ?

- 남한의 비핵화선언은 미국의 핵무기철수와 핵무기 적재 비행기나 함선을 끌어들이지 않겠다는 담보가 없음

④ 남한은 비핵화를 운운하면서 미국의 핵우산 보호를 구걸

⑤ 남한은 핵 재처리 및 핵 농축을 위한 현존설비를 공개하고 폐기 문제를 밝혀야 함

- 남한은 90년 어느 대국에 가서 레이저 농축법등을 견학하고 공동 연구 개발을 추진중

나. 외교부성명 요지(11.25)

① 미국이 남한으로부터 핵무기철수를 시작하면 핵안전협정에 서명한다

② 남한에서의 미국 핵무기의 존재여부를 확인하기 위한 사찰과 북한의 핵시설에 대한 사찰을 동시에 진행한다

③ 동시 핵사찰문제와 북한에 대한 핵위협 제거 문제를 협의하기 위한 조미협상을 진행한다

④ 북과 남이 핵무기를 개발하지 않으며 한반도를 비핵지대화하는데 대한 공통된 의사를 표명한데 따라 그 실현을 위한 북남협상을 진행한다

다. 우리측 외무부 당국자 논평(11.27)

o 북한 외교부가 11.25자로 발표한 성명과 관련하여, 우리는 북한이 핵확산 금지조약(NPT) 당사국으로서 당연히 이행해야할 의무사항과는 아무런 관계없는 조건을 붙이고 있다는 점에서 새로운 내용은 없다고 생각함

20-8

0177

o 다만 북한 외교부 성명에서 다소 태도변화를 보일 수 있는 가능성을 보인점에 대해서는 유의하고자 함

o 본건에 관해서는 정부내에서 면밀한 검토와 협의가 진행중이며 정부입장이 결정되는 대로 발표할 예정임

라. 북한 외교부성명의 분석

o 북한은 미국이 핵무기철수를 "시작하면" 핵안전협정에 서명하겠다고 함으로써 서명과 관련, 종래보다는 다소 긍정적으로 변화된 입장을 보인 것으로 평가됨

o 이는 그간 우리와 미국을 비롯한 국제사회가 북한의 핵개발 저지를 위하여 공통의 노력을 기울인 결과로서, 북한으로서는 우선 당면한 국제사회의 압력에서 벗어나기 위하여 핵문제를 몇단계(서명,비준, 핵사찰 이행등)로 구분, 단계적으로 대응하려는 의도로 보임

※ 국제사회의 북한 핵문제에 대한 압력

- APEC 기간중 한,미,일,중간 북한 핵문제에 관한 집중 논의
- IAEA, 이사회 개최(91.12, 92.2), 핵사찰 강화 방안 토의 예정
- 미국, 의회 청문회등을 통한 북한핵 저지문제 논의(91.11)
- 제4차 일.북 수교회담에서의 일측의 강경한 입장
- EC, 우리의 한반도 비핵화선언 지지(11.20)
  . 북한에 대해 즉각적인 핵안전협정 서명 및 의무이행 촉구

20-9

0178

o 그러나 아직 북한은 남.북한 동시 핵사찰, 조.미 회담, 비핵지대화 실현등 여전히 기존 주장을 되풀이 하고 있으며, 이러한 북한측 주장은 북한이 핵문제에 관한 기존입장을 바꾸기 위해 명분을 축적하기 위한 의도에서 나온 것으로 보임

3. 남북고위급회담 대표접촉 결과

가. 개 요

o 제4차 남북고위급회담시 합의한 바에 따라 「남북사이의 화해와 불가침 및 교류협력에 관한 합의서」의 내용조정과 문안정리를 위한 대표접촉 진행

- 대표접촉 : 4회(11.11-11.26)
- 합의서 문안 교환 : 2회(11.23, 11.25)

o 쌍방은 서문을 비롯하여 상호체제존중 등 일부조항에 대해서는 의견접근을 보였으나, 4차고위급회담시 의견대립을 보였던 본질적인 사항에 대해서는 여전히 절충점을 찾지 못함으로써 내용조정을 마무리하지 못한채 제5차회담 개최예정

나. 주요쟁점사항에 대한 양측입장

(1) 정전상태의 평화상태로의 전환

※ 평화체제라는 용어에 북한이 반대입장을 표함에 따라 북측 입장을 수용키위해 평화상태라는 용어사용

o 우리측 : 한반도 평화유지 문제는 남북한간에 협의.해결해야 하며, "쌍방이 군사정전 협정을 계속 준수해야 한다"

20-10

0179

공　　란

공　　　란

공 란

관리번호	91-1156

	분류번호	보존기간

발 신 전 보

번 호 : WAV-1377 911130 1237 DQ 종별 :

수 신 : 주 오스트리아 대사 ./총영사

발 신 : 장 관 (국기)

제 목 : IAEA 12월 이사회 의제

대 : AVW-1564

대호 2항의 새로운 의제(의제 4 : 알젠틴, 브라질의 안전조치협정체결등)가 채택되게된 경위와 동 의제관련 내주 이사회에서 논의될 사항을 파악 보고 바람. 끝.

예 고 : 91.12.31 일반

(국제기구국장 문 동 석)

일반문서로 재분류(1991 . 12.31 .)

보안통제	

앙고재	91년 11월 30일	국제기구과	기안자 성명		과 장	심의관	국 장		차 관	장 관
			신동익				전결			

외신과통제

0183

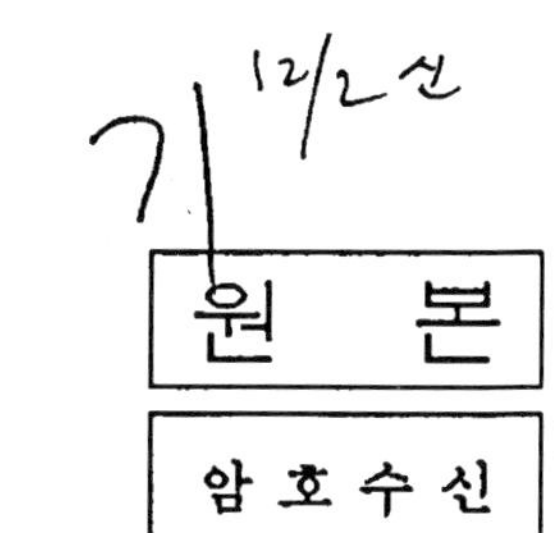

외 무 부

종 별 :

번 호 : AVW-1586 일 시 : 91 1129 2330

수 신 : 장 관(국기,과기처)

발 신 : 주 오스트리아 대사

제 목 : IAEA 기술협력 위원회

연:AVW-1557, 오스트리아 20332-1113

91.11.26-28 간 개최된 표제회의의 의제별 주요 토의 내용은 다음과 같으며, 12 월 이사회에 회부될 회의 결과 보고안은 파편 송부 위계임.

1.1992 년도 기술원조 협력사업

가.IAEA 의 기술원조 협력사업은 근년에 규모나 질적인 면에서 발전이 있은것으로 평가함. 많은 국가는 기술원조 협력기금(TACF) 서약액 납부실적이 저조한점에 우려를 표명하는 한편 금년도 예산부족(약 5,500 만불)에 따른 예산 감축운용(약 13.5%)으로 인해 기술원조협력사업이 영향을 받지 않아야 할것임을 주장함.

나. 또한 G-77 국가들은 상기와 관련 기술협력 사업의 자발적 기여금 의존도를 줄이고, 상당부분이 IAEA 정규예산으로 집행되어야 할것임을 주장함.

다. 북한등 NPT 협정 의무 불이행 국가에 대한 기술지원 문제(연호 AVW-1559 참조)

2. 기술협력 사업 평가

가. 대부분의 국가는 현행 기술협력사업 평가제도에 대해 긍정적 입장을 표명하였으며, 사업평가 결과를 협력사업 집행에 더욱 반영되어야 할것이라는 의견을개진함.

나. 일부 선진국은 기술원조 협력사업 수원국가의 사업 수용능력, 특히 방사선 방지를 위한 수원국의 INFRASTRUCTURE 의 중요성을 강조함.

3.2 년제 기술협력사업 계획 평가

가. 많은 나라가 현행 2 년제 사업계획이 기간에 있어서 적절한것으로 평가함

나. 동제도를 평가하기 위한 POLICY REVIEW CONFERENCE 를 1993 년 총회 기간중 개최 문제는 소규모 대표단 파견국가의 편의를 고려 총회를 전후하여 적절한 시기에 개최하기로 합의.

국기국 장관 차관 1차보 외정실 분석관 청와대 안기부
과기처

PAGE 1 91.11.30 13:20

외신 2과 통제관 BD

0184

4. 훈련과정

가. 일부 개도국은 훈련과정 수립에 있어서 INTERREGIONAL COURSE 는 특수 선진 기술분야에 중점을 두고, REGIONAL 또는 NATIONAL COURSE 에서는 기초적인 기술훈련에 치중하여야 할것이라는 견해를 표명함.

나. 또한 훈련과정 내용및 결과를 비참가 전문가에게 전파하기 위해 훈련과정 자료를 발간 배포할 필요가 있음을 강조함. 끝.

외교문서 비밀해제: 북한 핵 문제 8

북한 핵 문제 IAEA 핵안전조치협정 체결 4

초판인쇄 2024년 03월 15일
초판발행 2024년 03월 15일

지은이 한국학술정보(주)
펴낸이 채종준
펴낸곳 한국학술정보(주)
주 소 경기도 파주시 회동길 230(문발동)
전 화 031-908-3181(대표)
팩 스 031-908-3189
홈페이지 http://ebook.kstudy.com
E-mail 출판사업부 publish@kstudy.com
등 록 제일산-115호(2000. 6. 19)

ISBN 979-11-7217-081-3 94340
979-11-7217-073-8 94340 (set)

책에 대한 더 나은 생각, 끊임없는 고민, 독자를 생각하는 마음으로 보다 좋은 책을 만들어갑니다.

북한 핵 문제

우방국 협조

북한 핵 문제

우방국 협조

한국학술정보

| 머리말

1985년 북한은 소련의 요구로 핵확산금지조약(NPT)에 가입한다. 그러나 그로부터 4년 뒤, 60년대 소련이 영변에 조성한 북한의 비밀 핵 연구단지 사진이 공개된다. 냉전이 종속되어 가던 당시 북한은 이로 인한 여러 국제사회의 경고 및 외교 압력을 받았으며, 1990년 국제원자력기구(IAEA)는 북핵 문제에 대해 강력한 사찰을 추진한다. 북한은 영변 핵시설의 사찰 조건으로 남한 내 미군기지 사찰을 요구하는 등 여러 이유를 댔으나 결국 3차에 걸친 남북 핵협상과 남북핵통제공동위원회 합의 등을 통해 이를 수용하였고, 결국 1992년 안전조치협정에도 서명하겠다고 발표한다. 그러나 그로부터 1년 뒤 북한은 한미 합동훈련의 재개에 반대하며 IAEA의 특별사찰을 거부하고 NPT를 탈퇴한다. 이에 UN 안보리는 대북 제재를 실행하면서 1994년 제네바 합의 전까지 남북 관계는 극도로 경직되게 된다.

본 총서는 외교부에서 작성하여 최근 공개한 1991~1992년 북한 핵 문제 관련 자료를 담고 있다. 북한의 핵안전조치협정의 체결 과정과 북한 핵시설 사찰 과정, 그와 관련된 미국의 동향과 일본, 러시아, 중국 등 우방국 협조와 관련한 자료까지 총 14권으로 구성되었다. 전체 분량은 약 7천여 쪽에 이른다.

2024년 3월

한국학술정보(주)

| 일러두기

· 본 총서에 실린 자료는 2022년 4월과 2023년 4월에 각각 공개한 외교문서 4,827권, 76만여 쪽 가운데 일부를 발췌한 것이다.

· 각 권의 제목과 순서는 공개된 원본을 최대한 반영하였으나, 주제에 따라 일부는 적절히 변경하였다.

· 원본 자료는 A4 판형에 맞게 축소하거나 원본 비율을 유지한 채 A4 페이지 안에 삽입하였다. 또한 현재 시점에선 공개되지 않아 '공란'이란 표기만 있는 페이지 역시 그대로 실었다.

· 외교부가 공개한 문서 각 권의 첫 페이지에는 '정리 보존 문서 목록'이란 이름으로 기록물 종류, 일자, 명칭, 간단한 내용 등의 정보가 수록되어 있으며, 이를 기준으로 0001번부터 번호가 매겨져 있다. 이는 삭제하지 않고 총서에 그대로 수록하였다.

· 보고서 내용에 관한 더 자세한 정보가 필요하다면, 외교부가 온라인상에 제공하는 『대한민국 외교사료요약집』 1991년과 1992년 자료를 참조할 수 있다.

| 차례

정리보존문서목록

기록물종류	일반공문서철	등록번호	38560	등록일자	2011-09-30
분류번호	726.64	국가코드		보존기간	준영구
명 칭	북한 핵문제 : 우방국 협조, 1992. 전4권				
생 산 과	동북아1과/북미1과/특수정책과	생산년도	1992~1992	담당그룹	
권 차 명	V.1 일본				
내용목차					

0001

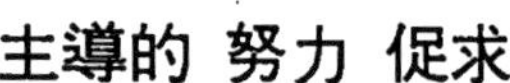

日 社會黨 重鎭議員, 北韓 核開發 沮止 위한 日本의 主導的 努力 促求

<1882>

1. 1.3 「우에하라」日 社會黨 豫備內閣 外相 겸 防衛廳 長官은 記者會見을 통해

가. 北韓의 核開發은 日本을 비롯, 東北亞 安保의 威脅要因이 되므로 日本이 主導的으로 北韓의 核保有를 沮止할 것을 촉구하면서

나. 北韓의 核問題 解決手段으로서 軍事制裁 등은 오히려 北韓을 孤立化시켜 緊張造成의 要因이 될 수 있다는 점을 들어

다. 日 政府는 北韓에 影響力을 갖고 있는 中國과의 긴밀한 協議를 통해 北韓의 核開發에 對應해 나가야 할 것이라고 言及했음.

※ 豫備內閣 (Shadow cabinet) : 英國 勞動黨이 실시하고 있는 制度로 野黨이 執權에 대비, 閣僚 候補者들로 구성하며 日 社會黨은 91.9 豫備內閣을 發足시킨 바 있음

2. 그동안 北韓 核問題에 대한 日 社會黨의 立場을 보면

가. 南韓내 美軍의 核撤收를 목표로 한 北韓의 韓半島 非核化 主張을 전폭 支持하는 立場을 견지해 오고 있는 가운데

28-10

0002

나. 최근 美國 및 IAEA 등이 北韓의 核開發과 관련된 각종 實證資料를 提示하자

다. 92년 運動方針에서 北韓의 核査察 問題와 관련 「國際機構(IAEA)와의 關係를 중시하여 對處할 것을 기대한다」고 闡明한 데 이어

라. 91.12.19 「다나베」委員長이 제58차 定期黨大會(91.12.19 - 21) 開會辭를 통해 「北韓이 核査察 問題에 政治的 決斷을 내리기를 希望한다」고 언급하는 등 北韓에 대해 IAEA 核査察 受諾을 촉구한 바 있음.

3. 評 價

가. 비록 私見이기는 하나 日 社會黨 議員이 北韓의 核保有 沮止를 위한 日本의 主導的 努力을 促求한 것은 이번이 처음으로서 北韓 核에 대한 危機意識이 社會黨내 확산되고 있음을 反映한 것으로 보여 注目되는 바

나. 이와같은 社會黨내 움직임은

○ 최근 北韓의 核開發이 日本의 安保에 威脅이 되고 있다는 認識이 高潮되고 있는 상황에서

○ 동 問題에 대한 態度를 명확히 하지 않을 경우 社會黨이 北韓의 核開發을 묵인한다는 國民의 疑懼心을 초래할 수 있다는 判斷과 함께

○ 특히 오는 7월 參議院 選擧를 앞두고 黨의 反核 平和的 이미지를 부각시킴으로써 國民的 支持 獲得을 極大化하려는 意圖에서 비롯된 것으로 評價됨.

28-11

0003

원 본

암호수신

외 무 부

종 별 :

번 호 : JAW-0025 일 시 : 92 0106 1805

수 신 : 장관(아일,정특)

발 신 : 주 일 대사(일정)

제 목 : 북한의 핵문제

연 : JAW(F)-5365(92.1.1.)

미야자와 수상은 연호 91.12.28 행한 연두기자회견에서 내외관계 전반에 걸쳐 언급한바, 한반도 관련 언급내용을 아래 보고함.

0 본인은 총리가 되어 외국을 방문하게 되면 제일 먼저 아시아지역 국가를 택하고 싶었음. 한국은 그중에서도 몇안되는 성장된 국가임.

0 한반도의 핵문제에 대해서 주한미군을 포함하여 한국측이 대담한 대응을 했으므로, 이제는 북한측이 움직일 차례임. 북한의 핵무기 개발능력 문제에 대해서는 일본도 중대한 관심을 갖고 있음. 이문제에 대해서는 방한시 노태우 대통령과 얘기하고 싶음. 끝

(대사 오재희-국장)

이주국 장관 차관 1차보 외정실 분석관 청와대 안기부

PAGE 1

92.01.06 19:35

외신 2과 통제관 BW

0004

관리번호	92-18.

원 본

외 무 부

종 별 :

번 호 : JAW-0063 일 시 : 92 0107 2244

수 신 : 장 관(아일,정특,미이) 사본:부총리겸 국토통일원장관

발 신 : 주 일대사(일정)

제 목 : 북한 핵문제등

연 : JAW(F)-0055

1. 금 1.7(화) 팀스피리트 중지 발표와 관련, 가또 관방장관은 금일 오전 기자회견에서 아래와 같이 답변하였음.

0 (팀스피리트 중지를 환영하는가하는 질문에 대해) 팀스피리트 중지를 환영하는 것이 아니고 한반도를 둘러싼 긍정적인 움직임에 따라 결정되었다는 점에서 동 발표를 환영함.

0 (한반도정세와 일본의 방위정책에 미칠 영향에 관하여) 긍정적인 영향을 가져올 것으로 생각함. 한반도에서 핵을 제거하고 긴장완화를 도모하고자 하는 금번 움직임도 당연히 중기 방위력 정비계획 수정에 있어서의 검토대상에 포함됨.

2. 이와 관련, 외무성 북동아과장은 금일 팀스피리트 중지발표 및 북한의 핵사찰 수락 발표와 관련, 담화나 성명형식으로 논평하는 대신에 상기 관방장관등의 기자회결에 대비 대외 답변요령을 작성하였다고 하면서, 동 내용을 다음과 같이 아측에 알려왔음.

0 (북한의 핵사찰 수락발표에 관하여) 금일 오전 북한외교부 대변인이 '빠른 시일내에 핵안전 협정에 서명하고, 이어서 가장 빠른시일내에 법적수속을 밟아 이를 비준하며, IAEA 와 합의하는 시기에 사찰을 받기로 하였다'는 내용의 성명을 발표한것으로 알고 있음. 이는 지난번 '한반도 비핵화에 관한 공동성명'과 함께, 한반도의 비핵화 실현을 향한 커다란 진전이며, 일본으로서도 환영하는 바임.

0 (팀스피리트 중지발표에 관하여) 또한 금일 오전 한국 국방부 대변인이 92년도 팀스피리트 훈련의 중지를 내용으로하는 발표를 행한것으로 알고 있음. 이는 한반도를 둘러싼 최근의 긍정적인 움직임을 감안하여 이루어진 것으로 이해하고 있음.

0 일본으로서는 금후 북한이 팀스피리트 92 의 중지를 포함하여, 한반도의

아주국 장관 차관 1차보 2차보 미주국 외정실 분석관 청와대
안기부 통일원

PAGE 1 92.01.08 03:38
외신 2과 통제관 FI

0005

긴장완화를 향하여 한국 및 미국등이 취해온 일련의 건설적인 조치에 응하고, 금번 북한외교부 성명에 따라 IAEA 핵사찰 협정을 조기에 그리고 무조건적으로 체결. 완전이행함과 동시에, 지난번 비핵하에 관한 남북공동선언을 조기에 발효시키고, 재처리 시설을 보유하지 않는등, 그내용을 실행에 옮겨갈 것을 기대하며, 이를 주시하고자 함.

0 (북한이 핵사찰을 수락할 경우 일북 수교교섭에 미칠 영향에 관하여) 금후 북한이 금번 성명에 따라 핵안전 협정을 조기에 그리고 무조건적으로 체결. 완전 이행함과 동시에, 지난번 비핵화에 관한 남북 공동선언의 내용을 성실히 이행하고, 남북상호 사찰등의 수속을 통하여 북한의 핵무기개발에 대한 국제적 의혹이 해소되어 간다면, 일북 수교교섭의 진전에 있어서도 긍정적인 영향을 미칠것으로 생각함. 끝

(대사 오재희-국장)

예고:92.12.31. 일반

0006

관리번호	92-20

원 본

외 무 부

종 별 :

번 호 : JAW-0083 일 시 : 92 0108 1816

수 신 : 장관(아일,미일,정특)

발 신 : 주 일 대사(일정)

제 목 : 부시대통령 방일(북한핵문제)

1. 1.7-10 간 방일중인 부시대통령은 금 1.8(수) 미야자와 총리와의 업무오찬시 북한의 핵문제에 대해 아래와 같이 언급한 것으로 회담에 참석한 외무성 북미국장이 언론에 설명하였음.

0 북한이 IAEA 의 핵사찰을 받아들여야 할것임.

0 작년말 솔라즈의원이 북한 방문시 북한측이 거짓말을 한것이 분명함.

(당시 북한측은 북한이 핵무기를 보유하고 있지 않으며 핵무기를 만들 의사도 능력도 없다는 얘기를 계속 되풀이 했다함.)

0 북한이 핵재처리시설을 건설하고 있다는 충분한 증거가 있음.

0 미국이 주한미군의 삭감을 동결한 것은 이러한 이유 때문임.

0 (상기에 대해 미야자와 총리는 특별한 언급이 없었다함.)

2. 구체 언급내용등 파악 추보예정임.끝

(대사 오재희-국장)

~~예고:92.12.31. 일반~~

19 . . . 에 예고문에 의거 일반문서로 재분류됨

아주국 장관 차관 1차보 2차보 미주국 외정실 분석관 청와대 안기부

PAGE 1

92.01.08 19:21

외신 2과 통제관 BW

0007

공 란

北韓 30일 核안전협정 서명

IAEA본부서 공개진행… 査察일정도 밝힐듯

【베를린=연합】北韓의 국제핵안전협정 서명일정이 오는 30일로 확정됐다.

빈의 국제원자력기구(IAEA) 관계자는 24일 북한대표단과 IAEA간에 핵안전협정서명식이 30일 오전10시 IAEA본부에서 공개로 진행된다고 밝혔다. 이 관계자는 또 북한 대표단이 공식서명후 기자회견을 갖고 비준 발효및 부속약정서 체결 등 실제 사찰 개시전의 필요절차와 일정 등에 관해 밝힐 것으로 예상된다고 말했다.

한편 홍근표 원자력공업부 부부장(단장)과 장문선 외교부 조약국장 등 3명의 북한대표단은 28일 빈에 도착한다.

日-北韓수교회담 韓日우호가 기본

와타나베외무

【도쿄=연합】와타나베(渡邊)日本외상은 24일 北韓과의 국교정상화 회담은 韓-日관계를 저해하지 않는 선에서 추진할 것임을 확인했다.

와타나베외상은 이날 국회에서 외교 연설을 통해 韓半島 문제와 관련,「東北아시아의 장기적인 안정을 확보한다는 견지에서 韓-美는 물론 中國과 충분한 유대를 취하면서 정치 경제면에서 적극적으로 외교를 전개해 나갈 방침」이라고 말했다.

그는 이어 북한과의 교섭에 대해 기존의 韓-日관계를 해치지 않는 선에서 추진해 나갈 것임을 표명했다.

세계 92. 1. 25 (1)

0009

공　　　란

공 란

JOINT DECLARATION ON DENUCLEARIZATION OF THE KOREAN PENINSULA

The South and the North,

in order to eliminate the danger of nuclear war through the denuclearization of the Korean Peninsula, to create an environment and conditions favorable for peace and peaceful unification of our country and to contribute to the peace and security of Asia and the world,

declare as follows :

1. The South and the North will not test, manufacture, produce, receive, possess, store, deploy or use nuclear weapons.

2. The South and the North will use nuclear energy solely for peaceful purposes.

3. The South and the North will not possess nuclear reprocessing and uranium enrichment facilities.

4. The South and the North, in order to verify the denuclearization of the Korean Peninsula, will carry out inspection on the subjects selected by the other side and agreed upon by both sides, in a manner and in accordance with the procedures to be established by the South-North Joint Nuclear Control Commission.

5. The South and the North, in order to implement this Joint Declaration, will establish and operate a South-North Joint Nuclear Control Commission within one month after the effectuation of this Joint Declaration.

6. This Joint Declaration will enter into force on the day the South and the North exchange the texts after the completion of their respective procedures required for the effectuation.

* * *

0013

14일(14이:사본)

관리번호	92-127

외 무 부

(3과 보관)

우110-760 서울 종로구 세종로 77번지 / (02)720-2531/2317 / (02)738-4353

문서번호 아일 20524-135

시행일자 1992.1.27. ( )

선결		지시		
접수	일자 시간		결재		
	번호				
처리과			공람		
담당자					

수신 수신처 참조

참조

제목 한.일 정상회담 결과

1.16-18간의 미야자와 일본총리 방한 관련, 정상회담에서 논의된 사항중 귀실(국) 소관사항 회담록을 별첨 송부하니, 후속조치 추진등 업무에 참고바랍니다.

첨 부 : 상기 회담록 1부. 끝.

수신처 : 외교정책기획실장, 미주국장, 문화협력국장, 동남아과장, 동북아2과장
국제기구국장, 국제경제국장

예 고 : 92.12.31. 일반

검토필(1992.6.30.)

(92.12.31) 일반문서로 재분류

아 주 국 장

0014

2.

공 란

공 란

공 란

공 란

공　　란

공 란

공 란

공 란

공 란

공 란

공　　　란

공 란

主要外信隨時報告

美, 북한의 안전협정서명 환영

비준 사찰전 고위급 회담 배제

外務部 情報狀況室
受信日時 92. 1 .31.09:20

(워싱턴=聯合) 李文鎬특파원 = 美국무부의 조 스나이더 대변인은 30일 북한의 核안전협정 서명과 관련, 미국은 核비확산조약상의 의무를 이행하기 위한 북한의 첫 조치를 환영한다고 말했다.

그는 이 문제에 대한 국제사회의 우려가 명백히 표명됐던 만큼 미국은 북한이 더이상 지체하지 않고 협정을 비준, 사찰을 허용한다는 약속을 가능한한 조속히 이행할 것을 기대한다고 덧붙였다.

그는 북한이 안전협정에 서명했다고해서 북한측과 고위급 회담을 재개할 계획은 없으며 다만 北京대사관의 참사관급 대화채널이 계속 가동될 것이라고 재확인했다.

미국은 지난 22일 뉴욕에서 개최된 북한과의 고위급회담에서도 핵사찰이 시작되기 전까지는 고위회담을 재개할 의향이 없음을 분명히 전달했었다.

그러나 북한이 서명에 이어 비준과 사찰등의 후속절차를 약속대로 조속히 추진할 경우 미국은 통신과 여행제한완화와 같은 관계개선조치를 취할수도 있을 것으로 일부에서는 관측하고 있다.(끝)

日.北 쌍방 국교정상화 조약안 이미 제시

(東京=聯合)吳俊東특파원=일본과 북한은 그동안 계속돼 온 국교 정상화 고섭에서 쌍방 모두 '조약안'을 이미 제시한 것으로 일본의 아사히(朝日)신문이 31일 北京발로 보도했다.

아사히 신문은 이같은 사실은 북한 관계 소식통에 의해 확인됐다고 전하고 그러나 구체적인 조약 내용은 밝혀지지 않았다고 말했다.

아사히 신문이 인용한 북한 관계 소식통에 따르면 일본은 제 4차 고섭에서 '기본관계 조약안'을, 북한은 제5차 고섭에서 일본측 제안에 대응하는 형식으로 '선린우호 조약안'을 내놓은 것으로 밝혀졌다.

한편 田仁徹북한측 고섭 대표는 30일 저녁 6차 정상화 고섭 첫날 회의가 끝난뒤 가진 회견을 통해 일본측이 제안한 조약안을 염두에 둔듯 "일본은 조약 체결의 전제가 되는 양국 공동문서의 작성에 있어서 까지 과거를 정당화 시키려는 내용을 포함시키려 하고 있다"고 비난하고 북한은 일본에 ▲과거 행위에 대한 분명한 사죄 표명 ▲그에 따른 보상 이행▲패권의 不추구와 새로운 침략의 중지등을 명확히 규정할 필요가 있다는 점을 요구하고 있다고 밝혔다.

0027

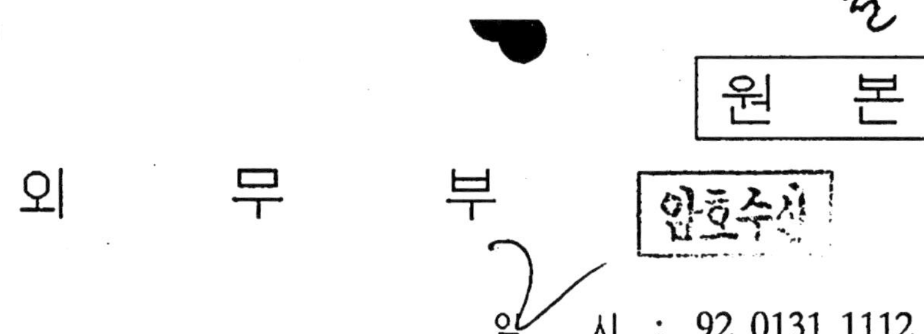

종 별 : 지 급

번 호 : JAW-0551 일 시 : 92 0131 1112

수 신 : 장관(아이,정특)

발 신 : 주 일 대사(일정)

제 목 : 북한 핵안전협정 서명(언론보도)

작 1.30(목) 북한의 IAEA 핵안전협정 서명관련, 금 1.31(금) 당지 주요언론은 북한의 핵안전협정 서명사실을 1 면톱으로 보도하면서 해설기사를 통해 1.30-31 간 북경에서 개최중인 제 6 차 일.북한 수교회담과도 관련시켜 큰 관심을 보이고 있는바, 동 보도요지를 아래 보고함.

1. 일반논조

0 금번 서명으로 북한의 핵의혹 해명, 한반도 긴장완화, 일북 수교교섭 진전등이 기대됨. 그러나 본격적인 사찰실현을 위하여는 협정의 발효, 보조약적 체결등이 필요한바, 여전히 곡절이 예상됨.

0 금후 북한이 비준절차를 지연시키는등 '핵카드' 를 계속 유지하려 한다면, 미국은 보다 강경한 태도로 나오게 될 것임.

0 금번 서명은 핵문제로 인하여 북한이 계속 국제사회의 비난을 받는다면, 후계체제의 부담이 될것이므로, 이를 피하기 위한 계산이 작용한 것으로 보임.

0 북한이 이라크처럼 원폭제조로 연결되는 물질을 이동하여 핵사찰을 피하고자 하면, 유엔안보리에서 강제사찰을 촉구하는 움직임이 대두될 것이고, 한반도의 긴장이 일거에 고조될 위험도 있음.

0 지금까지 북한이 협정서명을 지연시켜온 사실 및 수차에 걸친 국제테러등의 '전과'에 비추어 볼때 국제사회의 불신감은 강하게 남아있음. 북한이 핵사찰 실시를 수용하고, 국제사회가 이를 인정할 때까지는 여전히 핵의혹이 남게될 것임.

0 금후, 북한이 영변, 박천을 포함하는 일체의 핵시설을 보고서에 포함시킬지 여부가 초점이 될 것임. 미국을 비롯한 국제사회가 북한의 보고내용에 대하여'불충분' 또는 '불성실' 하다고 판단할 경우에는 분규가 재연될 것이 확실함.

0 IAEA 사찰은 비강제적이며, 완전한 사찰수용은 북한사회의 개방으로 연결되지

아주국	장관	차관	1차보	2차보	미주국	외정실	분석관	청와대
안기부	통일원							

PAGE 1

92.01.31 13:20

외신 2과 통제관 BN

0028

않을수 없으므로, 북한당국이 당초부터 모든것을 공개할지 여부는 의문시됨.

2. 언논별 논조

0 북한은 지금까지 핵사찰수용을 요구하는 국제압력을 견디어 내면서 '핵카드'를 백퍼센트 활용하여, 주한 미국핵철수, 팀스피리트 중지등 여러가지 정치.군사 목표를 달성했음. 금번 북한의 협정서명은 국제여론에 대한 굴복이라기 보다는, 오히려 용의주도하게 계획된 외교전략의 하나였다고 할수 있음(동경신문)

0 한, 미양국 입장에서는 팀스피리트 중지 및 전술핵 철수는 어디까지나 북한의 사철거부 구실을 막기위한 조치에 지나지 않음. 그러므로 북한의 대응여하에 따라서는 팀스피리트가 내년이후 재개될 가능성도 남아 있음.(동경신문)

0 금번 북한의 협정서명으로 남북관계개선의 '가시'가 제거된 셈이 되었으며, 남북 정상회담이 성사될 가능성이 고조되었음. 다만 미국등은 북한의 핵개발에 대한 의혹을 버리지 않고 있으므로, 만일 남북 정상회담이 개최되면, 한국만이북한과의 관계개선에 있어서 돌출되는 셈이 될것임.(일본경제신문)

0 금번 북한의 협정서명은 체제유지 및 경제난 타개라는 2 대 목표달성을 겨냥한 것으로서, 북한은 이를 계기로 대미, 대일 관계개선의 조속한 실현을 도모할 전략인것으로 보임.이에 대해 한국, 미국, 일본 공히 "협정서명은 제 1 보에불과하다"는 신중한 자세임. 북한으로서는 금후, 이미 제시한 핵카드를 더한층유효하게 활용하면서 상기 2 대 목표달성을 위해 전력을 다할 것으로 보임(요미우리신문)

0 북한은 일본으로부터는 자금을 확보하여 경제를 재건하고, 미국으로부터는 국제사회의 인지를 얻어 안전보장을 확립하며, 한국으로부터는 불가침보장과 체제인정(독일식 흡수통일 방식이 아니라는)을 받음으로써, 김정일에의 권력이양을 무난히 추진하려는 전략임 (요미우리신문)

0 고조되는 국제압력하에서 "핵카드"의 가치가 떨어지기 직전에 서명을 결단한 북한의 태도에는 용의주도함까지도 느끼게됨 (요미우리신문)

0 북한이 금년 5 월중에 재처리시설을 완성시킬 것이라는 관측도 있으므로,금번 협정서명은 단지 제 6 차 일.북 수교회담에서의 입장을 유리하게 하기 위한 작전일 뿐이라는 지적도 가능함 (마이니치 신문)

(대사 오재희-국장)

관리 번호	92-246

원 본

외 무 부

종 별 :

번 호 : JAW-0854 일 시 : 92 0214 1548

수 신 : 장관(아일,미일,정특)

발 신 : 주 일 대사(일정)

제 목 : 북한 핵문제 가네마루 동정)

1. 금 2.14(금)자 당지 언론 보도에의하면 아마코스트 주일 미국대사는 작 2.13 가네마루 자민당 부총재를 방문 약 30 분간 면담한바, 아마코스트대사는 동 면담시 북한의 핵사찰 문제와 관련 "미국으로서도 하루빨리 동문제를 해결하여 평화의 아시아가 되기를 원하고 있다'고 언급하였다함.

2. 상기 면담 상세는 당지 미국대사관측에 확인 추보예정임.끝

(대사 오재희-국장)

예고:92.12.31 일반 예고문에 의거 일반문서로 재분류

아주국 미주국 외정실 분석관 청와대 안기부

PAGE 1

92.02.14 17:10

외신 2과 통제관 BW

0030

공 란

관리 번호	

외 무 부

종 별 :

번 호 : JAW-1190 일 시 : 92 0303 1111

수 신 : 장 관(아이,아일)

발 신 : 주 일본 대사(일정)

제 목 : 다께시다 일한의련회장 면담(강택민 총서기 방일)

1. 다께시다 일한의련 회장은 3.2.(월) 본직과 면담한 자리에서 중국 공산당 강택민 총서기가 오는 4.6. 부터 방일 예정이며, 체일기간중 자신과 단독 면담할 기회가 있게 될것이라고 밝히면서 그기회에 한국측으로서 자신이 강택민에게 전달해줄 일이 있으면 사전에 알려달라고 말했음.

2. 이에대해 우선 본직은 북한이 핵정책을 포기하도록 중국측이 보다 적극적으로 대응해 주도록 하는것이 좋겠다고 일단 언급해둔 바, 아국으로서 다께시다회장을 통하여 중국측에 전달하거나 측면지원 요청할 사항이 있으면 회시바람.끝.

(대사 오재희-국장)

예고: 92.12.31. 일반 예고문에 의거 일반문서로 재분류됨

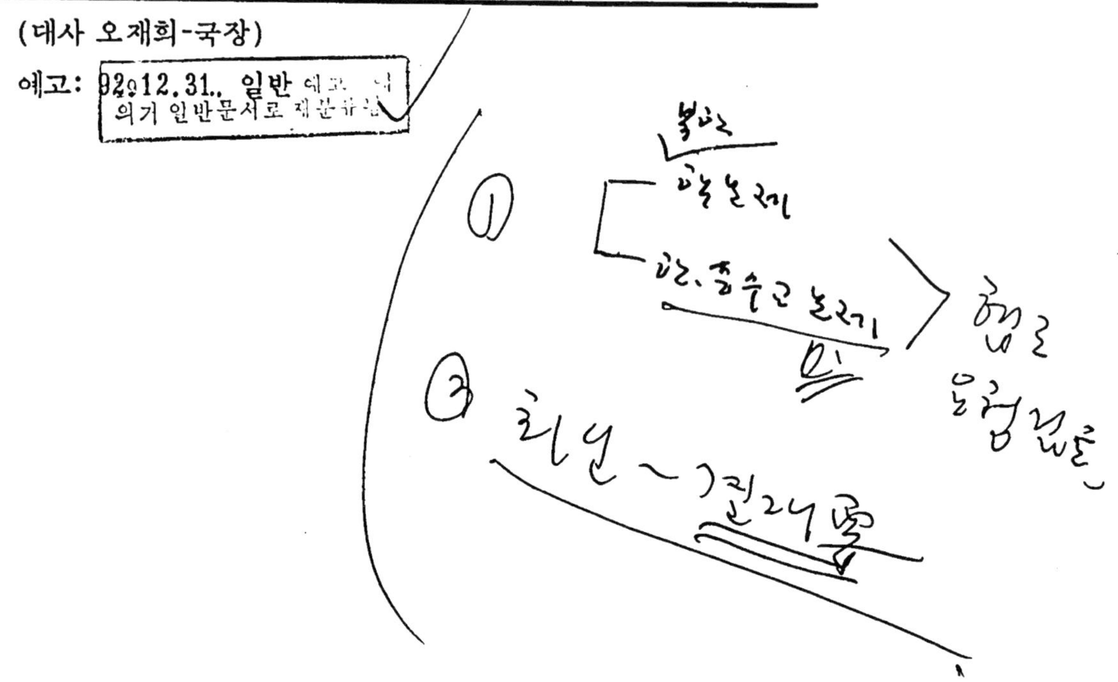

아주국 장관 차관 아주국 외정실 분석관 청와대 안기부

PAGE 1

92.03.03 13:26

외신 2과 통제관 BS

0032

관리 번호	X

원 본

외 무 부

종 별 :

번 호 : JAW-1254 일 시 : 92 0305 1147

수 신 : 장관(아일,정특) 사본:주일대사

발 신 : 주 일 대사(일정)

제 목 : 북한핵문제(일외상 국회답변)

연 : JAW(F)-0781

연호, '외상, 북한의 핵의혹관련 북한을 일응 신용'제하 와타나베외상의 작3.4 중원예산위 발언관련 금 3.5(목)자 산께이 조간 보도에 대해 외무성측에 확인한 발언요지를 아래 보고함.

0 질문(민사당 이또에세 의원) : 북한의 핵문제에 어떻게 대처할 할것인지,IAEA 특별사찰 실시는 ?

0 외상답변 : (북한의 핵사찰 수락의 중요성을 언급한후) 북한측은 핵을 갖고 있지않으며 핵개발 능력도 없다고 말하고 있음. 북한측의 말을 믿고싶으나, 현재로서 중요한 것은 북한이 핵사찰을 수락하여 북한측 주장을 제기된 문제로서현재는 북한이 아직 IAEA 핵안전협정에 비준도 하지 않은 단계이므로 우선은 북한이 협정에 비준하고 핵사찰을 받도록 해야할 것임.끝

(대사대리 남홍우-공사)

예고:92.12.31. 일반

아주국	장관	차관	1차보	2차보	아주국	외정실	분석관	청와대
안기부								

PAGE 1

92.03.05 13:22

외신 2과 통제관 BX

0033

※ 3月 [illegible]日까지 308号 [illegible] 提出要望.

TELEPHONE:
TOKYO 3465-1111

CABLE ADDRESS:
RADIONHK TOKYO
TELEX NO. J22377
J24338

NIPPON HOSO KYOKAI

(JAPAN BROADCASTING CORPORATION)
JINNAN, SHIBUYA-KU
TOKYO, JAPAN

國務總理 秘書室長貴下

삼가 貴國의 무한한 繁榮과 發展을 祈願합니다.
평소 弊社의 뉴스取材에 대한 協力과 配慮에 심심한 謝意를 표합니다.
昨年 12月 南北高位級會談에서 鄭 元植總理의 눈부신 活躍으로 歷史的인 南北基本合意書를 採擇, 바야흐로 韓半島는 冷戰對決의 時代로 부터 平和共存의 새로운 時代를 맞이하여 역동적으로 움직이기 시작 했습니다.
이러한 韓半島의 움직임은 이제 아시아 뿐만아니라, 全世界인의 關心을 모으고 있으며, 저희 NHK에서도 뉴스報道, 특히 아시아와 韓國 뉴스에 큰 比重과 힘을 쏟고 있습니다.
이제 韓半島가 統一을 향한 큰 발걸음을 내딛은 이러한 즈음,
저희 NHK 메인뉴스 프로그램로 每日밤 9時 放送하고 있는 「뉴스21」에서는 3月23日 韓國 特輯을 編成, 앵커인 園田矢(소노다 타구시)씨가 서울에 直接와서 약30분간에 걸쳐 韓國, 韓半島情勢등을 전할 豫定입니다.
放送日이 總選擧 전날이기에 選擧 様相도 전하게 됩니다만, 日本에서 무엇보다 關心을 갖고있는 南北對話에 대해서도 選擧와는 別途의 話題로 對話의 責任者이신 鄭 總理와의 인터뷰를 放送하고 싶습니다.
國事에 多忙 하시리라 사료됨에도 불구, 무리한 부탁말씀을 드려 대단히 죄송한 마음 금할 수 없습니만 時間을 내어 주신다면 더없는 榮光으로 생각하겠습니다.
만약 可能 하시다면, 3月20일 午後에서 23日사이, 總理께서 可能하신 時間에, 저희 園田矢 앵커가 約15分에걸쳐,

▽ 南北對話의 現狀
▽ 北韓이 核査察을 늦추고 있는 理由
▽ 對話 當事者로서 今後 南北對話를 어떻게 보고 계신지,

등에 대해 質問을 드리고자 합니다.
참고로 저희「뉴스21」은 日本 國內外에 걸쳐 거의 千五百萬 以上의 視聽者를 갖고 있으며, 이번 機會에 鄭總理의 見解를 통해 韓日 兩國民間의 相互理解와 韓國의 鄭 總理를 이곳 日本에 꼭 紹介하고 싶습니다.
모쪼록 저희의 希望이 이루어져 鄭 元植 總理의 高見을 들을 수 있는 機會가 있길 渴望합니다. 感謝합니다.

92年 3月 5日

NHK 서울 支局長
佐藤 俊行 (서명)
佐 藤 俊 行
(TOSHIYUKI SATO)

0034

受信 : 國務總理 秘書室
參照 : 지원운 秘書官 貴下

國事에 多忙하심에도 불구하고 저희 NHK 인터뷰에 應해 주심에 대단히 感謝 드리며, 아울러 좋은 프로그램이 되도록 最善을 다하겠습니다.
(中略)

質問項目

南北統一의 推進

1, 昨年 12月 南北 高位級會談에서의 南北 和解와 韓半島 非核化 宣言의 歷史的인 合意 課程을 지켜 보면서, 南北韓이 統一을 향해 빠른 速度로 움직이고 있다는 인상을 받았습니다.
그러나, 지난 2月 平壤에서 열린 第6次 會談에서 合意書의 發效라는 成果는 있었습니다만, 北韓의 核査察 問題가 障害가 되어 交涉이 岩礁에 걸려 있는 듯한 印象을 지울 수 없습니다.
南北會談의 交涉 當事者로서 이와 같은 北韓의 立場變化를 어떻게 보고 계십니까

2 具體的으로 北韓의 核査察 問題에 대해 어떻게 解決해 가실 計劃이십니까.

3, 核問題가 解決된다면, 그후 「共存으로부터 統一」을 향한 南北頂上會談의 實現이 期待됩니다만, 南北 頂上會談의 展望은 어떻게 보고 계십니까.

4, 南北韓이 共存의 時代으로부터 統一의 時代로 가기 위해, 今後 韓國은 어떻게 交涉해 나가실 豫定이시며, 어떻게 南北關係를 構築해 나아가실지, 그 시나리오를 세삼 여쭙고 싶습니다.

南北關係의 發展을 위한 日本의 役割은

5, 現在, 日本은 北韓과 國交 正常化를 위한 交涉을 하고 있습니다만 韓國으로서는, 日北韓間의 交涉에서 北韓에대해 日本이 무엇을 主張해 주길 바라며, 또한 日北韓交涉에서 바라고 싶은 바는 무엇 입니까.

6, 從軍慰安婦 問題를 契機로 韓國에서는 다시한번 反日 氣運이 高調되고있습니다.
今後 韓日關係를 「진정한 이웃」關係로 發展시키기 위해서는 兩國은 무엇을 어떻게, 特히 日本은 어떻게 해야만 한다고 생각 하십니까.

※ ②. ⑤. ⑥ 外務部

0035

공　　　란

관리 번호	92-3185

	분류번호	보존기간

발 신 전 보

번 호 : WJA-1269 920323 1516 FO 종별 :

수 신 : 주 일 대사. 총영사

발 신 : 장 관 (아일)

제 목 : 강택민 총서기 방일

대 : JAW-1190

연 : WJA-1221, WJA-1245

1. 귀직은 다께시따 일.한 의련 회장과의 접촉 기회에 연호 남북 핵통제 공동위원회 제1차 회의 결과등을 설명하면서, 다께시따 회장의 강택민 총서기 면담시, 중국측이 북한에 대해 IAEA핵 안전협정 및 남북한 비핵화 공동선언의 내용을 성실히 이행토록 보다 적극적으로 설득해 줄 것을 요청해 주기 바란다는 우리의 요망을 전달바람.

2. 이와관련, 3.30. 대통령의 다께시따 회장 접견시 대통령께서도 상기에 관한 동 회장의 협조를 요청하실것을 건의코자 하니, 참고바람. 끝.

(장 관)

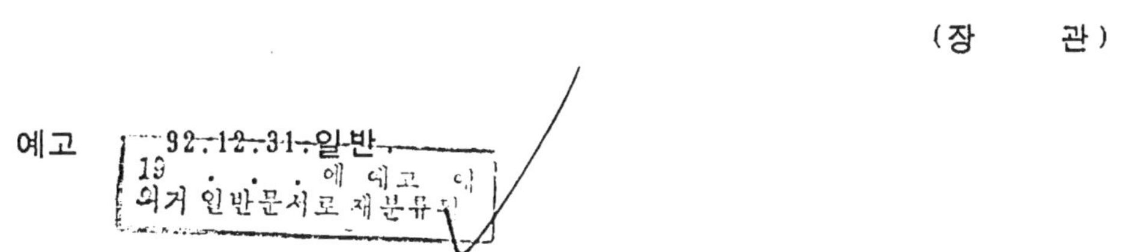
예고 ~~92.12.31. 일반~~
19 . . . 에 예고 의거 일반문서로 재분류됨

보안 통제	

미국3장 :

앙 고 재	92년 3월 21일	동북아 1과	기안자 성명	과 장	심의관	국 장	1차보	차 관	장 관
			이혁						

외신과통제

0037

공 란

공　　　　란

공 란

공 란

연합 H1-227 S06 외신(389)

'北韓의 핵개발 저지 유효수단은 경제봉쇄'

日전문가주장,무력사용은 반격불러일으킬것

(東京=聯合)文永植특파원=日本 평화안전보장 연구소의 쓰카모토(塚本勝一)이사는 25일 도쿄 산케이회관에서 개최된 「原則重視 日朝交涉을 생각하는 會」주최 강연회에서 북한의 핵개발을 저지하는 가장 유효한 수단은 경제봉쇄라고 주장,주목을 끌었다.

쓰카모토이사는 이날 『최근 경위로 보아 북한이 금년 전반기에 핵개발 능력을 갖는다고 판단해도 좋을 것』이라고 말하고 『북한이 국제원자력기구(IAEA)의 핵사찰을 받아들일 것으로 알려진 오는 6월 이전에 핵폭탄을 제조하게 될것』이라고 전망했다.

그는 또 『IAEA의 핵사찰이 실시된다고 해도 핵개발의혹은 남게된다』고 지적하고 북한의 핵개발을 저지하는 유효한 수단으로서, 『무력행사는 북한에의한 반격도 예상된다. 가장 유효한 것은 경제봉쇄다』라고 말해 북한의 핵개발이 분명해진 단계에서 국제사회는 경제봉쇄를 단행해야한다는 방안을 제시했다.(끝)

(서울=聯合) 北韓은 최근 金永南외교부장 명의로 美國 英國 濠洲 캐나다등 일부 유엔사 소속 국가들에게 서한을 보내 駐韓유엔사령부에 파견하고 있는 인원을 철수해줄 것을 요청한 것으로 26일 알려졌다.

北韓측은 이 서한에서 유엔가입과 상호불가침을 천명한 <南北사이의 화해와 불가침및 교류.협력와 관한 합의서>채택에도 불구하고 유엔사령부가 철수하지 않고 있어 北韓과 유엔과의 관계가 비정상적으로 유지되고 있다고 주장, 유엔사에 파견된 연락장교들을 철수시켜야 한다고 주장했다고 정부의 한 소식통이 전했다.

이 소식통은 그러나 "캐나다 호주등 관련국들은 南北韓간의 평화협정이 체결되기전까지는 휴전협정이 존속돼야 하며 이에 따라 유엔사령부도 그대로 유지돼야 한다는 입장을 갖고 있다"면서 "이들 국가들은 현재 북한측의 서한에 대해 외교경로를 통해 이같은 공식입장을 북측에 전달할 방침인 것으로 알고 있다"고 말했다.(끝)

(YONHAP) 920326 1014 KST

8

0042

원

외 무 부

종 별 :

번 호 : JAW-2178 일 시 : 92 0414 1524

수 신 : 장 관(국기,아일,정특,미이)

발 신 : 주 일대사(일정)

제 목 : 북한 핵문제

금 4.14 자 당지 공동통신 보도에 의하면, 북한의 원자력 공업성 최정순 대외사업국 장은 금 4.14 평양에서 기자회견(김일성생일 행사참석 방북대표단 수행기자단 포함)을 통해 북한의 핵사찰 문제에 대해 언급하였는 바, 동 내용아래 보고함.

0 북한의 IAEA 핵사찰 대상 시설은 영변지역에 있는 1) 1986년 완성된 5천 KW의실험용원자로 2) 현재 건설중인 5만 KW 의발전용 원자로 3) 건설중인 20만 KW 의발전용원자로-3개소가 중심이 될것임.

0 이와 관련 60년대초에 소련에서 도입한 실험용 원자로(8천 KW, 영변)와 임계실험용 원자로(영변)에 대해서는 이미 IAEA 의 사찰을 받고 있는 바, 금년 3월에도 정기사찰이행해졌음.

0 IAEA 와의 핵 안전협정이 4.9 최고인민회의에서 비준되었으므로 금후는5월말까지의 가능한 빠른시기에 IAEA 에 핵물질에 대한 보고를 행하는등 정해진 절차를 순조롭게 밟아 나가도록 성의를 갖고 노력할것임. 북한은 모든 시설에 대해 통보할 것임.

0 사찰실시는 6월에도 가능함.

0 (재처리 시설과 관련) 핵연료 사이클 연구의 일환으로서 재처리에 대해서도 연구하고 있으나 재처리시설은 보유하고 있지 않음.

0 또한 신포에 4개의 원자로 도입계획하에 부지 조사중이며, 평산과 박천에 우라늄 정련공장이 있고, 순천에는 우라늄 광산이 있으나, 지하공장은 존재하지 않음.끝

(대사 오재희-국장)

국기국 아주국 미주국 외정실 분석관 청와대 안기부

PAGE 1

92.04.14 16:21 WH

외신 1과 통제관 B

0043

관리번호	92-787

원 본

외 무 부

종 별 : 지 급

번 호 : JAW-2235 일 시 : 92 0416 1701

수 신 : 장관(아일,정특)

발 신 : 주 일 대사(일정)

제 목 : 김일성 생일행사(사회당대표단 김용순회담)

연: JAW-2179

연호 표제행사 참석차 방북중인 사회당 다나베 위원장은 금 4.16.(목) 평양에서 김용순 노동당 국제부장과 약 1 시간 회담한바, 당지언론이 보도한 동 회담내용을 아래 보고함(구체내용은 대표단 귀국후 탐문 보고예정)

1. 다나베위원장 언급 요지

-IAEA 핵안전협정 서명및 비준을 평가함. 금후 조속히 핵사찰을 받게되기를기대함

-국교정상화 교섭 추진방식으로 우선 국교정상화 선언을 행한후, 제과제의 교섭을 진행시켜 구체적 문제를 해결하고, 평화조약을 체결하는것이 어떻겠는가

-일본인 처 고향방문이 조기에 실현될수 있도록 노력해주기 바람

2. 김용순 국제부장

-북한에는 핵무기가 존재하지 않으며, 핵무기를 보유할 의사도, 능력도 없음

-핵사찰 수락과 핵무기 개발을 하지 않는다는 점은 분명히 약속할수 있음. 다만 핵연구는 어느나라에서도 행해지고 있으며, 학문의 일종임. 핵무기개발과 연구는 별문제임

-이미 IAEA 실무레벨의 협의를 하고 있으며, 핵사찰 수용준비는 확실히 진행되고 있음

-핵사찰 시기는 명시할수 없으나, 절차는 국제적 시간예정표에 따라 진행되고 있어 절차등이 합의되면 가능한한 조기에 사찰을 받아들일것임

-핵사찰은 공정한 원칙에 따라 해결되어야 함.(한국에) 완전히 핵무기가 철거되었는지는 실제로 확인하지 않고는 알수 없음. 원래 미국의 문제로서 미.북한간 협의가 필요함

-(다나베위원장의 국교정상화 선언 우선제의에 대해) 전면적으로 찬성함. 핵문제를

일반문서로 재분류(1992.6.30.)

아주국 차관 외정실 분석관 청와대 총리실 안기부

PAGE 1

92.04.16 17:50

외신 2과 통제관 CE

0044

비롯 많은 과제를 전부 해결하는데는 시간이 걸림. 국교수립에 의해 정치. 경제등 구체적 과제 해결을 촉진할 분위기가 생길것임

-(일본인 처 고향방문 문제) 일.북 관계가 양호해지면 국교정상화 이전에도실현가능함. 다만, 일본측이 일.북교섭의 일방적인 조건을 제시하는것은 적절치 않음. 끝

(대사 오재희-국장)

예고: 92.12.31. 일반

PAGE 2

0045

관리번호 92-487

원 본

외 무 부

종 별 :

번 호 : JAW-2269

일 시 : 92 0417 2333

수 신 : 장관(미이,아일,정특,국기)

발 신 : 주 일 대사(일정)

제 목 : 북한 핵문제

연: JAW-2718

대: WJA-1660

1. 연호 최정순 북한 원자력공업성 외사국장 회견및 북한 조선중앙통신의 핵관련시설 영상방영과 관련, 당지 주요언론의 분석요지를 하기 보고함

-금번 최국장의 발언중 주목되는것은 핵재처리 시설에 관한 부분의 애매함이라 할수 있는바, 플루토늄을 취급하는 방사능 방호실과 '로보암'을 갖춘 연구시설 정도는 보유하고 있을지도 모른다고 정부소식통은 보고있음

-'안전대책에 신경쓰지 않아도 된다면, 재처리시설의 건설은 그다지 어려운일이 아니다'라고 보는 전문가도 있음

-원자력관계 전문가에 의하면 금번 영상을 분석한 결과 '제어계통등은 서방국가의 원자로와 비교할때 무척 낙후되어 있으나, 플루토늄 제조에 적합한 원자로라고 하지 않을수 없음. 기초연구및 환경 모니터링을 실시하는 영상도 포함되어 있어, 안전성에도 유의하며 소박하게 원자력개발을 추진하고 있음을 인상지우려는 의도'인것으로 보인다 함

-핵무기개발 의도는 없다고 북한은 주장하고 있으나 북한은 1985 년 NPT 가맹후에도 조약상의무인 핵사찰 수락을 지연시켜 왔음. 이러한 배경이 북한이 핵무장을 위한 시간벌기를 의도하고 있지 않은가 하는 의혹을 불러 일으켜왔음

-사찰을 실시하면서도 이라크의 핵무기개발을 간과했던 IAEA 는 지난 2 월 이사회에서 특별사찰제도등 제도를 강화했음. NPT 체제의 신뢰성을 회복할수 있기를 기대하며, 북한의 성의있는 대응을 요망함

2. 한편, 외무성 수뇌는 4.15. 금후 일.북한 수교교섭에의 대응과 관련, '사찰을 조기에 수락한것을 요망함. 또한 남북 상호사찰을 통하여, 핵무기 개발에의 우려를

미주국 차관 1차보 2차보 아주국 국기국 외정실 분석관 청와대 총리실 안기부

PAGE 1

92.04.17 23:54

외신 2과 통제관 FK

0046

조기에 해소하는것이 중요하다'고 언급, IAEA 사찰에 덧붙여 상호 사찰실시를 중시할 자세를 명백히 하였다고 보도됨

3. 또한 외무성 관계자느 (핵재처리시설 존재의 부정과 관련) '북한이 핵사찰의 완전수락을 거부하고, 시간벌기를 의도할 가능성이 높아졌으며, 이러한 북한의 태도로서는 IAEA 의 특별사찰및 유엔안보리에의 통보등 국제적인 강경수단이 취해질 가능성이 있다'고 언급하였다 함

4. 상기관련, 금 4.17.(금) 당관 김영소 정무과장이 외무성 사다오까 원자력과장에게 금번 북한측(최정순 국장)의 발표내용에 대한 일측의 의견을 타진한바, '일본으로서는 확실한 정보가 없어 확인할수는 없으나 북한측이 핵연료 재처리시설을 보유하고 있지 않다고 말하면서, 재처리시설에 대한 연구를 하고 있다고 언급하는등 어딘지 좀 이상하며, 따라서 불완전한 발표가 아닌가 생각한다'는1 차적인 반응을 보이고, 금후 '북한측 발표를 구체적으로 검토하고자 한다'고언급하였음. 끝

(대사 오재희-국장)

예고: 92.12.31. 일반

공 란

공 란

공　　란

공 란

공 란

공 란

공 란

7ㄴ

외 무 부

암호수신

종 별 :

번 호 : JAW-2671 일 시 : 92 0508 1027

수 신 : 장 관(정특,아일,미이)

발 신 : 주 일본 대사(일정)

제 목 : 제 7차 남북 고위급회담(언론 보도)

연: JAW(F)-1646

작 5.7. 개최된 제 7 차 남북 고위급회담 관련, 금 5.8.(금) 당지 주요언론(조간)의 분석요지를 하기 보고함

1. 아사히 신문(사설 '대화중단의 역사에 종지부를' 제하)

-금번 회담에서 남북합의를 구체화시킬 실무기구 설치와 이산가족 재회에 합의한 것은 일보 전진으로 평가할 수 있으나, 주목을 끌었던 남북 상호 핵사찰 문제에서 진전이 없었던것은 유감임

-북한은 상호사찰에 적극적인 태도를 보이지 않고 있는 바, IAEA 사찰에 대한 태도와는 상당한 갭이 있는것 같음

-개방노선에 들어서기 시작한 북한은 '남북대화' 카드는 사용한 셈이나, '핵'카드는 최후까지 남겨두고자 하는 의도인것으로 보임. 즉 IAEA 사찰에는 국제여론을 고려하여 가능한한 적극적 자세로 임하는 한편, 상호사찰은 미국과의 교섭을 유리하게 추진하기 위하여, 최후의 카드로 사용하려는 것으로 보임

-한국으로서는 총선거에서의 여당의 패배에 더하여 노 대통령의 임기만료를앞두고 권력기반이 약화되고 있으며, 경제재건 우선의 필요성 때문에 남북대화에 본격적으로 임할 상황이 아닌것이 사실임

-이러한 남북한 양측의 복잡한 사정에도 불구하고, 중단과 재개의 연속이었던 남북대화의 역사에 종지부를 찍게되기를 바람

2. 일본 경제신문('당사자 능력발휘가 촛점' 제하)

-금번 회담은 공동위원회 활동에 관하여는 추상적 합의에 그치고 있으며, IAEA 사찰과 별도로 실시하는 남북 상호사찰에 관하여는 구체적 진전이 없었음. 남북교류의 착실한 진전을 보여준 반면, 앞으로 수많은 과제가 남겨져 있음을 인상지원준

의정실 장관 차관 1차보 아주국 미주국 분석관 청와대 총리실 안기부

PAGE 1

92.05.08 11:49

외신 2과 통제관 BS

0055

회담이었음

-'북한은 한국과의 남북대화 보다는 미국및 일본과의 관계에 더 신경을 쓰고 있다'는 견해도 있는만큼, 한국이 핵문제에서 당사자로서의 능력을 어느정도 발휘할수 있을지가 금후의 촛점이 될것으로 보임

3. 요미우리 신문('남북 공존 실천단계에' 제하)

-금번 회담에서의 각 공동위원회 설치및 이산가족 방문 합의는 남북한이 사실상 '공존시대'의 실천단계에 진입하였음을 의미하는 것임. 그러나 금번 합의는 남북한의 최대현안인 상호 사찰문제 해결을 거의 전면적으로 뒤로 미룬채, 타협이 용이한 부분에서 성과를 올리고자 한 결과라고 할수 있음

-금후 남북불가침등 한반도 안전보장에 직결되느 중요 테마가 부상되지 않을수 없는 만큼, 공존의 실천에 있어서는 우여곡절도 예상됨

-금번 회담에서 각 공동위원회 설치에는 합의하였으나, 구체적 운영규정인 '부속 합의서'에는 합의하지 못한 상태인바, 금후 대립이 재연될 상황도 충분히 예상되고 있음

4. 산케이 신문('교류에 신중한 북한' 제하)

-남북한은 '남북 합의서' 및 '비핵화 공동선언'의 역사적 문서를 채택한후 지금까지 계속하여 '문서 작성'으로 일관하여 왔으며, 구체적인 관계개선의 진전은 지연되어 온 상태임

-금번 이산가족 상하방문 합의도, '남북 합의서' 채택에도 불구하고 구체적성과가 아무것도 없었기 때문에, '기념 행사'로서 무엇인가 내세워야 하겠다는측면에서 남북 양측의 호흡이 우연히 일치한 결과에 지나지 않으며, 남북간의 본격적인 인적교류를 목표로 한것은 아님

-체제유지를 최대목표로 하는 북한으로서는 1 천만에 달하는 이산가족의 자유왕래에 대하여 경계적인 자세인 만큼, 금번 합의는 화해.교류의 무드를 내외에인상지우기 위한 선전적 행사로 보아도 좋을것임

-금번 합의로 남북 연락사무소가 판문점에 개설되게 되었으나, 판문점에서는 종래부터 남북 연락관 접촉이 행하여져 왔으므로, 상주사무소 설치에 따라 곧 남북교류가 질적.양적으로 확대되리라는 보장은 없음

-오히려 서울과 평양에 각각 사무소를 개설하자는 한국측의 주장이 실현되지 못한 점에, 교류확대에 대하여 신중한 북한의 자세가 엿보이고 있음

PAGE 2

0056

-핵문제에 있어서 북한의 기본자세는 'IAEA 사찰로 종결'이라는 것임. 남북 상호사찰은 폐쇄체제를 유지하여 온 북한사회의 대외공개로 연결되는 문제이며, 비핵화 공동선언에는 강제력도 없으므로, 상호사찰의 실현은 용이하지 않을 것으로 보임. 끝.

(대사 오재희-국장)

0057

공　　란

공 란

공 란

공 란

공 란

공 란

공 란

공 란

외 무 부

암호수신

종 별 : 지 급

번 호 : JAW-2792　　　　일 시 : 92 0513 1420

수 신 : 장관(아일,정특)

발 신 : 주 일 대사(일정)

제 목 : 제 7차 일.북수교회담결과(2)

연 : JAW-2741

표제 제 1 일 회담이 금 5.13(수) 오전 10 시(일본시간 11 시) 북경주재 일본대사관에서 개최된바, 회담 모두에 있었던 일측수석대표 나까히라 대사의 인사말 개요(언론보도내용)을 아래 보고함.

0 그간의 협의결과를 볼때 양측의 기본입장에 여전히 차이가 있고, 북한의 핵개발 문제에 대해서도 아직 국제사회의 우려가 해소되지 않고 있음. 그러나, 교섭의 전도를 양측의 노력으로 타개할수 있다는 생각으로 건설적이고 솔직한 자세로 회담에 임하고자 함.

0 일측의 기본입장으로서, 우선 외교관계를 개설하고 그후 남은 의제를 토의하자고 하는 북한측 제안은 수용할수 없음. 북한의 관할권등 기본문제 관련 아직 양측의 입장차가 있는 문제에 대해 더 논의를 행하고 싶음. 재산, 청구권등 경제문제 관련 실질적 진전은 보이지 않으나, 양측의 입장차이를 메워 나가고 싶음.

0 '한반도의 비핵화에 관한 공동선언'및 북한과 IAEA 과의 핵안전협정 발효를 환영함. 그러나, 중요한것은 핵안전협정을 조기에 완전히 이행함과 동시에 비핵화에 관한 공동선언의 내용을 착실히 실시해, 하루빨리 국제사회의 우려를 불식시키는 것임. 이문제의 해결없이는 국교정상화를 행하는 것은 곤란함.

0 북한은 일본인처의 고향방문 실현에 어떻게 대응할 것인가. 동문제를 교섭의 진전과 연결시키지 말고 인도적 관점에서 조속히 해결할 필요가 있음. 끝

(대사 오재희-국장)

예고:92.12.31. 일반

아주국	장관	차관	1차보	미주국	외정실	분석관	청와대	안기부

PAGE 1　　　　92.05.13 14:54

외신 2과 통제관 CH

0066

공 란

공　　　　란

공 란

공　　　란

공 란

공 란

2

암호수신

외 무 부

종 별 : 지 급

번 호 : JAW-2827 일 시 : 92 0514 1133

수 신 : 장관(아일,정특,국기)

발 신 : 주 일 대사(일정)

제 목 : 제7차 일.북수교회담 결과(6)

작 5.13(수) 북경에서 개최된 제 7 차 일.북수교회담 관련, 금 5.14(목) 당지 주요언론(조간) 보도요지를 하기 보고함.

1. 관할권문제

0 북한측은 남북한이 통일을 지향하는 과정의 특수한 관계에 있다는 입장에서, 현재의 휴전선을 국경으로 할수는 없다고 하면서도, 현실적으로 유효하게 관할권이 미치고 있는 범위는 한반도의 북반부 임을 인정했음.

0 관할권문제에 관해 일본측은 분단국가라는 현실에 입각하여, 북한의 관할권을 명확히 해야한다고 하여, 조건을 붙이는데 난색을 표한반면, 북한측은 분단고정화로 연결되므로 승복할수 없다 고 반론을 제기, 관할권문제는 최종합의에도달하지 못했음.

2. 지배권조항

0 북한측은 국교 정상화에 있어서, 서로가 지배권 패권을 추구하지 않음을 확인하는 것은 중요하다 고 주장한 반면, 일본측은 지배권을 추구할 의도도 없으며, 그러한 내용은 유엔 헌장으로 충분히 담보될수 있다는 입장을 거듭 강조했음.

3. 핵문제

0 금번 교섭에서 일.북한 양측의 핵문제에 관한 입장의 차이가 선명히 부각되어, 핵문제가 여전히 교섭의 최대 난제임을 드러내었음.

0 IAEA 핵사찰 실시 문제가 급템포로 움직이고 있는 상황하에서 , 이문제를남북대화와 균형을 맞추어 일북수교교섭을 추진함에 있어서의 "브레이크"로서 이용하여온 일본측으로서는 , 새로운 브레이크 를 찾아내어야 할 필요성을 절감하여 왔음.

0 이러한 가운데 금번 회담에서 일본측은 "허들"을 더한층 높이 하였다고도해석될수 있는 발언을 하였음.

아주국 장관 차관 1차보 국기국 외정실 분석관 청와대 안기부

PAGE 1

92.05.14 13:19

외신 2과 통제관 BZ

0073

0 즉 지금까지 일본측은 IAEA 핵사찰 수용과, 한반도 비핵화 공동선언 실시를 교섭진전 의 조건으로 하여 왔으나, 금번 회담에서는 이를 국교정상화 의 조건으로 격상 시켰음.

0 상기 두가지 조건중, 한반도 비핵화 공동선언 실시에 의한 남북상화사찰은 현재 남북한간에 난항을 보이고 있어, 일본이 두가지 조건을 철회하지 않는한, 남북상호 사찰의 지연이 일.북한 수교교섭 진전여부에도 영향을 미치게 되지 않을수 없을것임.

4. 이은혜 문제

0 일본측은 지난 1 년간원 북한측의 대응은 극히 유감이었다 고 하고, 거듭조사를 요구한데 대해, 북한은 KAL 기 폭파사건은 한국의 자작극임. 있지도 않은 문제의 조사에 응할수는 없다 고 종래의 주장을 반복, 평행선으로 끝났음.

5. 이삼로 수석대표 평가

0 이삼로는 제 1 차 일.북한 수교회담시부터 참석하여 왔으나, 작년 8 월 제 4 차 회담시 돌연 차석대표로 승격된 인물이며, 그 배경에는 김일성의 사위 장성택의 추천이 있다고 하는바, 일본측도 이삼로를 전인철 다음의 보이지 않는 실력자 로 보아왔음.

0 13 일 회담에서 이삼로는 일.북한 양국은 가깝고도 친밀한 사이로 만들기위해 노력한 전인철씨의 염원을 실현시키기 위해 최선을 다할 생각임.일본측 나카히라 수석대표의 협조를 바람 이라고 언급, 우선은 저자세의 태도를 보였음.

0 이삼로는 전인철과 같이 테이블을 두드리며 열변을 토하는 장면을 보여주지는 않았는바, 수석대표 교체로 회담의 분위기도 바뀌었음.

(대사 오재희-국장)

PAGE 2

0074

공　　　란

공 란

공 란

공 란

공 란

공　　란

공 란

공 란

공 란

공 란

공　　　란

공 란

공 란

공　　란

공 란

공 란

외 무 부

종 별 : 지 급

번 호 : JAW-2892 일 시 : 92 0516 1048

수 신 : 장 관(아일,정특,국기)

발 신 : 주 일 대사(일정)

제 목 : 제7차 일.북 수교회담 결과(12)

연: JAW(F)-1772

작 5.15.(금) 폐회된 표제회담 관련, 금 5.16.(토) 당지 주요언론(조간) 분석요지를 하기 보고함

1. 아사히신문('일본측 원칙론 견지' 제하)

-금번회담에서 주목된것은 일본측이 일.북 국교정상화의 조건으로서 남북한상호사찰의 실현을 새로이 덧붙인 점인바, 핵의혹이 해소되지 않으면 교섭을 진전시킬수 없다는 일본측의 입장이 확연히 드러난 셈임

-한편, 종군위안부 문제와 관련 일본측이 재산. 청구권의 틀속에서 검토 가능성을 언급한 것과 관련, 일부에서는 일본측이 유연한 자세를 표명한 것으로 해석하고 있으나, 이는 정 반대임

-북한측은 종군위안부 문제에 있어서 '보상'을 인정하지 않고있는 일본측을어떻게해서든 설득해보려 하였으나, 이에대해 일본측이 청구권의 틀속에서만 대응 가능하다고 언급한것은 '거부 회답'으로 보아야 할것임

2. 마이니치 신문('대립과 합치, 선명히 부각 제하)

-금번회담에서는 북한 핵문제에 관한 의혹해소 여부를 둘러싸고 일.북 양측이 정면으로 대립한 반면, 북한의 관할권 문제및 일본의 과거행위에 대한 보상등의 분야에서는 진전을 보인면도 있는등, 대립점과 합치점이 선명히 드러난 결과가 되었음

-일본측이 금번 회담에서 남북상호사찰 실시를 요구함으로써, 북한 핵문제에 대한 '허들'을 한단계 높인것은 IAEA 사찰만으로 북한의 핵의혹이 불식되지 않을 경우를 대비한 포석으로 해석됨

-그러나 남북 상호사찰은 북한의 주한미군기지 사찰 요구로 인해, 실현의 전망이 불투명한 상태인 바, 일본측이 일.북 국교정상화의 전제조건으로서 남북상호사찰을

아주국 장관 차관 1차보 미주국 국기국 외정실 분석관 청와대
종리실 안기부

PAGE 1 92.05.16 14:59

외신 2과 통제관 DE

0091

끝까지 요구할수 있을지는 매우 어려운 문제임

-또한 금번회담에서 일본측은 종군위안부 보상문제와 관련, 재산. 청구권의틀속에서 논의에 응할것임을 밝혔음. 일측 대표단 관계자는 이를 보상에는 응할수 없음을 명확히 한것이라고 말하고 있으나, 일본측 대응에 있어서의 진전임에는 틀림없음

3. 요미우리 신문('핵문제에서 신국면' 제하)

-금번 회담에서 일본측은 북한에 대해 남북 상호사찰실시를 요구한바, 상호사찰은 현재 남북하간의 의견대립으로 난항으 보이고 있으나, 동 문제는 기본적으로 남북한간의 문제인 만큼, 금후 일.북 수교교섭 진전의 열쇠를 핵사찰문제의당사자인 한국측이 쥐게된 것으로 볼수 있음

4. 산케이 신문

가. '고조되는 핵개발 의혹' 제하

-금번 회담에서 북한이 플루토늄 추출사실을 명확히 한것은 북한의 핵무기 개발능력 보유 가능성을 나타낸것임. 이로써 미국등으로 부터의 북한에 대한 핵의혹이 더욱 고조되지 않을수 없을것이며, 일본 정부로서도 금후 일.북 수교교섭추진에 있어서 북한의 핵의혹에 더한층 엄격한 대응이 요청될것임

-일본정부는 핵문제는 실질적인 해결이 필요하다는 입장에서 6 월중순의 IAEA 사찰결과 보고를 주시하는 한편, 이와는 별도로 보다 강제력이 있는 남북한 상호사찰의 실시를 북한에 대해 강력히 요구할 방침임

나. 사설 '핵의혹 추급의 고삐를 늦추지 말라' 제하

-그동안 핵무장의 의사도 능력도 없다는 주장으로 일관해온 북한이 금번회담에서 플루토늄 추출사실을 명백히 하는등 조금씩 두꺼운 베일의 내부를 공개하기 시작한 점은 주목할 가치가 있음. 그러나 북한의 자세가 유연화되었다고 판단하기에는 아직 시기상조임

-북한은 미국등으로 부터의 핵의혹 해소에 대한 강력한 요구에는 변화가 없을것이라는 판단하에, 조금씩 관련정보를 외부에 공개하고 있는것은 아닐까. 또한 결국 IAEA 사찰만으로 핵의혹 문제를 종결지으려는 의도가 아닐까

-따라서 일본으로서는 금후의 일.북 수교교섭에 있어서 핵의혹이 해소되지 않는한 국교정상화에는 응할수 없다는 입장을 끝까지 관철해야 할것임

-일.북 수교교섭에서는 가네마루, 다나베등 특정 정당간부의 망동이 두드러지고

있음. 그들의 발언에는 상기 원칙을 벗어나는 부분이 허다한바, 그들의 자각을 촉구해 두고자 함

5. 동경 신문

가. '차기회담이 고비' 제하

-금번 회담에서는 북한 핵문제가 장애가 되어 실질적인 진전이 없었으나, 북한측이 현실적인 교섭태도로 전환할 징조를 보여주고 있어, IAEA 사찰이 종료된후 개최되는 차기회담이 큰 고비가 될 가능성이 높아졌음

-금번 회담에서 실질적 성과가 없었던것은 그동안 국교정상화의 전제조건으로 내세우고 있는 북한 핵문제가 아직 미해결인 채로 남아 있음을 이유로, 일본측이 관망자세로 일관했기 때문임

-그러나 6 월 초순 IAEA 의 '특정사찰'이 실시되면, 7, 8 월경의 '통상사찰' 이전이라도 북한의 핵의혹에 대해서는 해결의 전망이 서게 될것인 바, 이를 계기로 사회당뿐 아니라, 자민당의 일부로 부터도 일.북 수교교섭 촉진의 요구가고조될것으로 예상됨

-이에 대비한다는 측면을 고려, 금번 회담에서 북한측이 관할권 문제등과 관련 현실적인 교섭태도를 보인 것으로 분석됨

-또한 이러한 북측 태도변화의 배경에는 김정일의 측근인 이삼로가 수석대표에 취임함으로써 수석대표의 재량권이 확대된 때문으로 보는 견해도 있음

나. 사설 '핵의혹은 아직 해소되지 않았음' 제하

-지금껏 핵개발의 의사도 능력도 없다고 주장해온 북한의 금번 회담에서 '실험용으로서 평화목적'이라고는 하나 플루토늄 추출을 명백히 한것은 매우 중요한 의미를 가지고 있음

-핵문제를 둘러싼 논의는 결코 어중간하게 끝내서는 안됨. 일본으로서는 금후 IAEA 사찰의 추이를 지켜보면서, 차기 회담에서도 계속 IAEA 사찰과는 별도로남북 상호사찰의 실시를 강력히 요구해야 할것임. 끝

(대사 오재희-국장)

공　　란

공 란

공 란

관리 번호	92-1132

원 본

외 무 부

종 별 : 지 급

번 호 : JAW-2947 일 시 : 92 0519 1804

수 신 : 장관(정특,아일,미이)

발 신 : 주 일 대사(일정)

제 목 : 최우진 기자회견

대 : WJA-2216

연호, 당지 특파원 15 명은 금 5.19(화) 10:40-11:50 간 일본기자클럽내 별실에서 최우진 북한군축평화 연구소 소장과 회견한바, 동회견 요지를 하기 보고함.

1. 최우진은 북한의 IAEA 핵사찰문제 및 그간의 상호사찰에 관한 남북간 협의경과를 약 40 분에 걸쳐 장황하게 설명함.(내용은 북한의 기존입장 반복이었으며, 장시간에 걸친 일방적 설명으로 인해 기자들이 충분히 질문할 여유가 없었다함)

2. 동인 답변 내용중 특기사항은 다음과 같음.

0 (IAEA 사찰과 관련) 5.25 부터, 또는 늦어도 6 월초 부터 실시될 예정이며, 북한은 모든것을 공개할 것이라고 언급

0 (IAEA 보고서에 포함되지 않은 시설등에 대해서도 사찰되을 받겠다고 북한이 표명해온데 대해 질문한바) 북한이 보유하고 있는 시설 및 예견되는 시설은전부 IAEA 에 보고했으므로, 그이외의 시설에 대해 IAEA 가 사찰을 요구하지는않을 것이라고 생각한다고 언급, 구체적 답변은 회피

0 영변의 방사능 화학 연구소에서 극히 소량의 플루토늄을 추출한바, 이는 실험용으로서 평화목적을 위한 것이며, 북한에 재처리시설은 없다고 언급하고, 예를 들어 폭발물을 실험적 방법으로 만들어 평화적으로 사용하면 평화목적이 되는 것이라고 강변

0 (플루토늄 추출 시기에 관한 질문에 대해) 그 문제는 IAEA 보고서에도 제출하지 않았다고만 언급, 시기공개를 회피

0 (북한의 신헌법 내용에 관한 질문에 대해) 국가사회제도의 발전에 따라 법률도 수정되는 것인바, 새헌법은 남북관계 진전도 고려한 것으로 본다고만 언급

0 (김정일의 방중 및 제 1 부수석 취임여부에 대해) 북한이 공식발표한 것만

외정실 장관 차관 1차보 아주국 미주국 분석관 청와대 안기부

PAGE 1

92.05.19 19:02

외신 2과 통제관 CE

0097

믿는게 좋다고 답변

0 (북한의 미사일 개발 및 수출문제에 대해) 북한은 미사일을 수출하지 않고 있으며, 무개개발 및 보유상황은 지난번 창군 기념일에 모두공개 했다고 언급

0 동인은 북한이 핵개발을 할 능력도 없으며, 해개발의 필요성도 없다는 점을 누차 강조함. 끝

(대사 오재희-국장)

예고:92.12.31. 일반

일반문서로 재분류(1992.12.31.)

검 토 필 (1992. 6 . 30.)

0098

공 란

공 란

북2 길

主■■外信隨時報告

外務部 情報狀況室
受信日時 92.5.20. 8:25

北韓의 플루토늄 이용 목적에 의문 제기

IAEA 사무총장,日과기청장관과 회담

(東京=聯合) 文永植 특파원=日本을 방문중인 한스 블릭스 국제원자력기구(IAEA) 사무총장은 19일 다니가와 간조(谷川寬三) 日 과기청장관과 회담을 갖고 北韓측이 밝히고 있는 플루토늄의 이용 목적에 대해 거듭 의문을 표명했다.

블릭스 총장은 이날 회담에서 북한이 지난 90년에 핵연료 재처리를 통해 소량의 플루토늄을 추출했다고 설명하고 『북한측은 재처리가 핵연료 사이클과 고속증식로 개발을 위해 필요하다고 말하고 있으나 이를 실제로 개발하는 데는 시간이 걸리게 될 것』이라며 플루토늄의 핵연료 이용 목적에 대해 회의적임을 비쳤다.

그는 이어 『북한을 방문하는 동안 가동중인 실험용 원자로,건설중인 원자력발전소,핵개발 의심이 가는 방사화학연구소 등을 방문했다』고 밝히고 북한의 實驗爐와 건설중인 爐에 언급, 『연료는 천연우라늄,減速材는 흑연,냉각재는 2산화탄소를 사용하고 있다』며 비교적 舊式 爐型임을 분명히 했다.

그는 또 북한의 핵개발 의혹과 관련,『모든 의문이 풀렸다는 뜻은 아니다.앞으로 1,2주간내에 사찰팀을 파견할 것』이라며 최초의 핵사찰을 중시한다는 자세를 시사했다.

한편 그는 사찰팀과는 별도로 안전 전문가의 파견을 북한측에 제안했다고 말했다.(끝)

(YONHAP) 920520 0823 KST

0101

공 란

공 란

공 란

공 란

공　　　란

공 란

공 란

공 란

공 란

공 란

공　　란

공 란

공　　　　란

2특

주 일 대 사 관

일본(영)725- 4294 1992. 5. 22.

수신 : 장 관

참조 : 외교정책기획실장, 아주국장

제목 : 북한 군축평화연구소 부소장 기자회견

연 : JAW-2921

대 : WJA-2216

당지 주재 아국 특파원단의 최우진 북한 군축평화연구소 부소장 기자회견 내용을 별첨과 같이 보고합니다.

첨부 : 기자회견 내용 1부. 끝.

주 일 대

선 견			결재 (담)		
접수일시	1992. 5. 30	31065			
처리과					

0115

최우진 북한군축평화연구소 부소장 기자회견 내용

1. 일시 : 92.5.19. 10:30~11:55

2. 장소 : 日本 프레스센터 9F 소회의실 B

3. 참석 : 주일한국특파원 14개사 20명(카메라맨 5명 포함)

4. 주요내용

가. 최우진 부소장의 한반도 비핵화 선언 및 핵 문제에 대한 북측 입장 및 배경설명

o 북에는 핵 재처리 시설이 없으며 영변의 핵 시설은 평화적 목적의 연구용임

o 북도 남북한간에 합의한 비핵화선언 내용을 이행해 갈 것이며 "핵무기 개발" 운운은 근거없음

o 남측은 "일반 군사기지" 까지도 사찰대상에 포함 시키자고 주장하고 있으나 이는 군사공동위원회의 소관사항임

o 남북한 동시사찰관련, 북에는 영변 포함 수개의 시설에 불과하나, 남에는 원자력 관련 시설이 많아 남측이 의도하는 상호 동시사찰 주장은 타당하지 않음

0116

o 남은 북의 핵 개발을 의심하고 있으며 북은 남의 핵무기 철거사실을 확인해야함. 따라서 상호간의 "의심 동시 해소원칙"에 입각한 사찰이 실현되이야 하며, 이는 핵통제 공동선언 취지에 부합되는 것임

o IAEA에 제출한 리스트외의 대상에 대해서도 사찰을 허용할것인지의 여부와 관련, 건설중인 시설까지도 모두 동 리스트에 포함되어 있으므로, IAEA가 그러한 요구를 제기할 필요성도 없을것이며, 요구해올 것으로도 생각하지 않음

o 평화적인 목적의 핵 개발 연구는 계속되어야 하며 이를 막는것은 북의 경제개발을 방해하는 것임

o 핵 개발 의혹이 해소된후 남북간에 핵의 평화적 이용을 위한 상호 협조도 가능할 것임. 북에는 우라늄 광산이 적지않게 있음

나. 질의 응답

(질의) 신형미사일 이란 수출 소문

(답변) 우리의 미사일 개발 내역등은 이미 모두 공개한바 있어 언급의 필요성이 없음

(질의) 일.북 국교교섭

(답변) 담당분야가 아니므로 언급할수 없음

0117

(질의) 심포지움 참석차 방일중인 공로명 외교안보연구원장
과 모종의 막후교섭 여부

(답변) 그러한 일이 있을수 있겠는가 (웃음)

(질의) "핵 문제로 시간벌기" 라는 견해

(답변) 언론들이 제멋대로 추측한 논리에 불과함. 우리는
IAEA 의 모든 규정과 의무를 준수하고 있음

0118

공 란

공 란

공　　란

공　　란

72

관리 번호	92-815

원 본

외 무 부

종 별 : 지 급

번 호 : JAW-3650 일 시 : 92 0624 1529

수 신 : 장관(미이,아일,정특,국기)

발 신 : 주 일 대사(일정)

제 목 : 북한 핵문제

연: 1) JAW-2954, 2) JAW(F)-2244

연호, 북한 최우진 대사가 지난 5 월 제 8 회 '한반도 통일문제에 관한 국제 학술 심포지움' 참석차 방일기간중 일 나까히라 대사와 접촉시(연호 1) 참조), '방사성화학연구소의 건설을 중단하게 될것'이라는 점을 일측에 전했다는 연호 2) 보도와 관련, 당관 김영소 정무과장이 당시 오찬접촉에 배석한 북동아과 후지이 수석사무관에게 확인한바, '북한은 재처리시설을 보유하지 있지 않으며 앞으로도 보유할 생각이 없음. 만약에 IAEA 가 북한이 재처리시설을 보유하고 있는 것으로 인정한다면 동 시설 중단을 고려할것'이라고 언급하였다함. 끝

(대사 오재희-국장)

예고: 92.12.31. 일반

검토필(1992. 6. 30.)

- IAEA가 (사무총장) in our terminology, it is reprocessing plant.
- 반박자료 보는 기조연설문 작성시 활용

미주국	장관	차관	1차보	아주국	국기국	외정실	분석관	청와대
안기부								

PAGE 1 92.06.24 15:58

외신 2과 통제관 AN

0123

2(발)

관리번호	92-1648

외 무 부

종 별 :

번 호 : JAW-3667 일 시 : 92 0624 2301

수 신 : 장관(아일,미일,정특)

발 신 : 주 일 대사(일정)

제 목 : 가네마루 부총재 방미

연 : JAW-3280

금 6.24(수) 본직은 마쯔나가 외무성고문(전 외무차관)과 면담 기회에 동 고문이 6월초 가네마루 자민당 부총재 방미시 수행한 것과 관련 방미 내용을 타진한 바, 동 고문의 설명내용을 아래 보고함.

1. 방미 배경

가. 가네마루는 과거 한번도 공식 방미한 적이 없었는 바, 자신이 자민당내에서 킹메이커로서의 위상을 높이기 위해 방미한 것임.

나. 90 년 방북후 친북 정치인들이 가네마루로 하여금 북한문제로 방미토록설득하였으나 미측의 반발로 거부되어 실현이 되지 않음.

다. 따라서 주위에서 북한문제로 방북하지 않도록 설득하여 동인도 북한문제 로는 방북치 않기로 마음을 굳히고 있었는 바, 미야자와 수상의 권유로 금번에 방미케 된 것임. 미야자와 수상으로서는 가네마루 부총재의 지원이 필요 하다는 점에서 동인의 방미를 권유한 것임.

라. 한편 가네마루 방미시 뜻밖의 사태가 발생되지 않도록 자신이 수행하는 것이 좋겠다는 요청을 받고 동인의 방미에 수행함.

2. 부쉬대통령과의 면담(5 개사항)

가. 일.미관계, 특히 일.미안보체제의 견지 재확인

나. 일본 국내경제정책, 특히 내수확대 약속

다. 대러시아정책 관련 북방 4 도 반환문제에 관한 미측의 지지확보

라. 우루과이라운드의 원활한 협상타결을 위한 협력확보(양측 실무진간의 사전 협의를 통해 쌀개방문제에 대해서는 제기하지 않기로 약속하여 제기되지 않음)

마. PKO 관련(PKO 에 관해서는 당초 의제에 포함되지 않았으나 가네마루 부총재가

아주국 장관 차관 1차보 미주국 외정실 분석관 청와대 안기부

PAGE 1 92.06.25 01:18

외신 2과 통제관 BZ

0124

PKO 대책관계로 조속히 귀국해야한다고 언급한데 대해 부쉬대통령이 일정부가 PKO 관계로 많은 노력을 하고 있다고 언급함)

끝.

(대사 오재희 - 장관)

예고 : 92.12.31 일반

일반문서로 재분류(1992.12.31.)

검토필(1992.6.30.)

PAGE 2

0125

공 란

'92年 7月 2日 7:22 駐日大使館 P. 2/6

駐 日 大 使 館 (Page 121)

JAW(F) : 2358 日 時 :
受 信 : 長 官 (아일, 미이) (사본: 주러시아대사관)
發 信 : 駐日大使 (일정, 일경)
題 目 : 솔로몬 차관보 회견 (7.2 朝, 夕 刊)

'92 7-2

「安保で日本に活発な行動求めぬ」

リチャード・ソロモン米国務次官補語る

(東アジア・太平洋担当)

【ワシントン一日＝定森大治】リチャード・ソロモン米国務次官補（東アジア・太平洋担当）はこのほど、朝日新聞記者と会見し、朝鮮民主主義人民共和国（北朝鮮）が国際原子力機関（IAEA）の核査察を受け入れたことを評価しながらも、南北朝鮮が合意した相互核査察の実施が当面の最重要課題であると強調。カンボジア復興への日米協調を重視する一方で、米国は安全保障の領域で日本に「今以上の活発な行動は求めていない」との認識を示した。

南北核査察の実施が最重要

約三年間にわたり対アジア政策にかかわってきた同次官補は、ブッシュ大統領から新しい駐フィリピン大使に指名されており、米議会の承認を得て七月中旬に着任の予定。

同次官補の発言要旨は次の通り。

【北朝鮮】IAEAの査察で見るかぎり、当面は核兵器の開発能力に懸念を抱く必要はなさそうだ。だが、今回の査察対象は包括的なものでなく、問題が解決したわけではない。米国が外交を通じた緊張緩和の手段を探るのと同時に、在韓米軍が北朝鮮に対する軍事的圧力を緩めていないのは、そうした理由があるからだ。

核査察問題や南北対話推進に関し、米国は期限を設けているわけではない。ただ、問題の早期解決は、北朝鮮自身の利益につながる。核の相互査察が実現すれば、北京での参事官級の米朝接触を、ニューヨークに場所を移して格上げする用意がある。だが両国間には核問題のほか、ミサイルをはじめとする大量殺傷兵器の拡散、国際テロ支援、米兵遺骨の返還など多くの問題が山積している。

【国連平和維持活動（PKO）協力法】日本が地球規模での平和維持や災害救援活動に乗り出すことは、国連の枠組みに沿った日米協調の要素でもあり、軍事的役割の拡大とは関係ないものだ。

ソ連消滅で日米安保条約を取り巻く国際情勢は変わったが、現時点で安全保障に関する日本の役割に変化が生じたとは思わない。米国は、軍事力の拡大や安全保障面でのより活発な行動を日本に求めていない。

【カンボジア】復興援助で日本が一億五千万－二億ドル、米国が一億三千五百万ドルなど、関係各国・機関が総額八億八千万ドルの拠出を約束したのは、良いスタートだ。もしポル・ポト派が協力を拒めば、援助は他派から始めることになろう。

朝日新聞 6面

0127

駐 日 大 使 館

(Page 1 - 1)

JAW(F) : 2431

日 時 :

受 信 : 長 官 (아일. 기정국)

発 信 : 駐日大使 (일정)

題 目 : 한국, 북한 관계

(7. 9 朝、夕 刊)

'92 7. 9 7:43

毎日新聞 3 面

北朝鮮の核疑惑解消 査察対象施設拡大を

核共同委の韓国側委員長

韓国と朝鮮民主主義人民共和国（北朝鮮）の相互核査察の枠組みを協議している南北核管理共同委員会の韓国側委員長、孔魯明（コン・ノミョン）韓国外交安保研究院長はこのほど東京都内のホテルで毎日新聞のインタビューに応じた。この中で孔氏は、南北相互査察について「北がどういう場所でも見なさいというようなすっきりした形で出てきた場合、それ自体相当の信頼を作ると思う」と述べ、現在北朝鮮が主張している寧辺の核施設以外の軍事基地や民間施設の査察にも応じるという姿勢を示すだけでも、北朝鮮の核疑惑が相当程度解消されるとの見方を示した。

また南北相互査察の目的について、①朝鮮半島における非核化共同宣言の実施の検証のために相互査察をやるのだから、死角地帯ができては意味がない②北朝鮮が、韓国の米軍基地は核兵器のあったと疑われる場所だから検証したいというのなら、疑いのある北朝鮮の軍事基地を見せるべきだ——と説明した。

朝日新聞 30 面

慰安所記述

削除分を一部復活

防衛研究所図書館

所蔵文書の一部から「慰安所」の記述などを削除して公開していた防衛庁の防衛研究所図書館（東京都目黒区）は八日、「パナイ島にある「慰安所」の項目を復活したコピーを、閲覧用ファイルにとじ込み直した。「慰安所」の下に書かれた個人名は、「プライバシーの保護」という理由で、苗字だけ残して黒く塗りつぶした。

また、同文書の記述の一部を白く塗ってコピーしていたため「空欄だけでは削除の事実もわからない」との指摘があった部分は、「削除の理由がなかった」として全部復活させた。図書館側は「削除する際は、黒く塗りつぶしてひと目でわかる方法を徹底する」と話している。

読売新聞 17 面

ミニ時典

従軍慰安婦

旧日本軍が侵攻した地域などに設置された、一種の「公娼（こうしょう）制度」。政府が6日に公表した内部資料調査で、軍が募集や慰安施設の経営に直接関与していた実態が明らかになり、日本、朝鮮半島のほか中国、台湾、フィリピン、インドネシア出身の慰安婦がいたことも裏付けられた。

慰安婦の起こりは日清戦争とされ、各地に大がかりに慰安施設が設置されたのは、日中戦争、太平洋戦争の際だった。同期間中には、兵29人に慰安婦1人の割合で配置されていたとの説もあり、20万人以上いたとも言われている。

韓国を始めとして、日本に補償を求める動きが強まっているが、日本政府は韓国に対する補償問題について日韓請求権・経済協力協定で解決済みとしており、中国、フィリピン、インドネシア、台湾との間でも、法律上は決着したとの立場。とはいえ、デリケートな問題だけに、今後苦しい対応を迫られそうだ。（石）

毎日新聞 30 面

フィリピンでも集団提訴検討

慰安婦問題で市民団体

【マニラ8日大野俊】第二次大戦中に日本軍がフィリピンを含むアジア各国で慰安所の経営などにかかわっていた問題で、フィリピンの左派系市民団体「新愛国主義者同盟」（バヤン）は八日、比政府に広範な独自調査と日本政府への謝罪要求を求める声明を発表した。

バヤンなど市民団体は、日本軍がフィリピン人慰安婦の性病検査を行っていたという中部のパナイ島で独自の調査を進めており、結果次第では韓国人慰安婦同様、日本政府に補償を求める集団提訴を日本国内の裁判所に起こすことを検討中という。

0128

공 란

공 란

공 란

공 란

공 란

공　　란

공　란

공 란

공 란

7L

관리 번호	92 -912

원 본

외 무 부

종 별 :

번 호 : JAW-3936 일 시 : 92 0709 1555

수 신 : 장관(미이, 아일, 정북)

발 신 : 주 일 대사(일정)

제 목 : 북한 외교부대변인 기자회견

대 : WJA-2995

연 : JAW-3907

1. 대호, 당관 김영소 정무과장은 작 7.8(수) 외무성 무또 북동아과장을 방문, 7.2 부쉬 대통령의 전술핵무기 철수선언과 미 국방성대변인의 발표에 대한 7.5 표제 북한측 논평, 동 논평에 대한 아측의 분석과 평가 및 남. 북상호사찰 관련 아측입장을 설명하고, 향후 북측의 예상태도 등에 대한 일측의 견해를 문의하였음.

2. 상기에 대해 무또과장은 북한측의 논평내용을 분석해 볼 때, 아측 분석과 같이 북한측이 금후 주한미군기지 사찰주장을 철회하고 남북 공히 민간 핵시설만을 사찰대상으로 하는 형식적 사찰규정을 제안할 가능성은 충분히 있다고 생각 한다고 하면서, 이는 북한측이 북한의 군사시설 사찰만은 절대로 피하려고 할것이기 때문이라고 언급하였음. 동 과장은, 그러나 주한미군기지 사찰 주장 철회는 그간 활용해온 대미카드의 상실을 의미하므로 실제로 동 결정을 행할지 여부는 여전히 불투명하다고 첨언하였음.

3. 동 과장은 북한 핵문제와 관련하여서는 철저하고 포괄적인 사찰을 행해야 한다는 아측입장을 적극 지지하는 바, 이러한 아측입장을 관철시키기 위해서는 북한측에 계속 외교적 압력을 가해야할 것으로 생각되므로, 일측으로서는 금후에도 일.북수교회담 등을 통해 북한이 남.북 상호사찰에 응하도록 강력히 촉구해 나가겠다고 말하였음.

4. 김과장이 연호 7.6 공로명 원장과 나까히라 대사 오찬시, 나까히라 대사가 "북한이 내심으로는 남한에 핵무기가 없다고 생각하면서도 미국이 이를 확인해 주는 형식으로 북한의 체면을 세워주기를 바라는 것 같다"는 견해를 표명한 것과 관련, 7.2 부쉬 대통령의 전술핵무기 철수선언 및 미 국방성 대변인의 발표가 북한측의 체면을

미주국 장관 차관 1차보 아주국 외정실 분석관 청와대 안기부

PAGE 1

92.07.09 16:18

외신 2과 통제관 AN

0138

세워준 것으로 볼 수 있는지를 타진한 바, 무또과장은 일부 온건파들은 그렇게 받아들일지 모르겠으나, 북한측이 "공군전술핵무기를 포함한 모든 종류의 핵무기 완전철수...."운운하고 있음에 비추어, "미국이 체면을 세워주었으므로 과감한 조치를 취하겠다"고 생각하지는 않을 것으로 본다고 말하였음. 끝.

(대사 오재희 - 국장)

예고: 92.12.31 일반

PAGE 2

0139

공 란

공　　　　란

관리번호	92-1122

외 무 부

종 별 : 지 급

번 호 : JAW-4535　　　　일 시 : 92 0818 1610

수 신 : 장관(아일, 통일, 정특, 미이)

발 신 : 주 일 대사(일정)

제 목 : 외무차관과의 정례오찬 협의

본직은 8.26(수) 오와다 외무차관과의 정례업무오찬(금번 오와다차관 초청)을가질 예정인 바, 아래 사항을 포함하여 아측에서 특별히 제기할 사항이나 본부지시사항 있을 경우 회시바람.

1. 미야자와 총리 방한 후속조치

가. 정신대문제(아국 국내조치현황, 금후 추진방향 등)

나. 경제. 통상관계(액션플랜 후속조치 등)

다. 기타(인적교류 등)

2. 남. 북대화

가. 북한정세

나. 각 분과위 진행현황 등(특히, 핵통제공동위 관련 아측입장)

다. 제 8 차 남. 북고위급회담 관련사항(아측입장 등)

라. 기타(부총리 방북추진 등에 대한 아측입장)

3. 북한 핵문제

가. 현황 및 금후전망등(IAEA 사찰결과에 대한 아측평가 등)

나. IAEA 9 월 이사회대책 등

다. 김종휘 외교안보수석 방미시 관련협의사항

4. 일.북한 관계

5. PKO(아국의 PKO 참여문제 포함)

6. 대외관계(외교일정 등)

가. 옐친 대통령 방한 및 방일관련사항

나. 대통령 방미(유엔포함) 관련사항

다. 일황방중 관련사항(일 정부는 8.25 각의에서 일황방중을 결정할 방침 이라 함)

아주국 장관 차관 1차보 2차보 미주국 통상국 외정실 분석관
청와대 안기부

PAGE 1　　　　92.08.18 17:00
외신 2과 통제관 CH

0142

라. APEC 각료회의

1) APEC 사무국 설치문제

2) APEC 정상회담문제

3) 한. 중 외무장관회담 전망(한. 중 관계 현황 및 전망 포함)

마. 한-베트남 관계

바. 기타(금후 한. 일간 주요외교일정 등). 끝.

(대사 오재희 - 국장)

예고 : 92.12.31.일 예고문에 의거 일반문서로 재분류됨

PAGE 2

0143

공 란

공 란

공　　란

공 란

공 란

공　　　란

공　　란

관리 번호 92-2211

원 본

외 무 부

종 별 :

번 호 : JAW-5350 일 시 : 92 1006 1853

수 신 : 장관(아일 정특)

발 신 : 주 일 대사(일정)

제 목 : 북한 핵문제 (외무성 아주국장 발언)

북한 핵문제 및 일.북 수교교섭과 관련, 지난 10.1(목) 일 외무성 이케다 아주국장이 기자 간담회에서 언급한 내용을 당관이 입수하였는 바, 동 요지 아래보고함.

0 질문 : 최근 보도에 의하면, 한국과 미국이 북한 핵문제에 대해 호의적인시각을 보이고 있는듯함.

0 답변 (이케다 국장)

- 워싱턴 등을 통하여 관계 당국에 확인하였는 바, 그러한 내용을 뒷받침 하는 것은 아무것도 없다는 대답이었음. 아무런 상황진전도 없다는 결론임.

- 다만 여사한 내용이 보도된 것은 북한이 IAEA 핵사찰과 관련 지금까지는 상당히 얌전하게 (오토나시쿠) 응해오고 있기 때문인 것 같음. 감각적으로 "북한의 핵문제는 상당히 개선되었다"는 식의 보도임.

- 그러나 IAEA 사찰결과가 나오기까지는 매우 시간이 걸릴것 같은바, 이라크의 경우 반년이나 걸렸으며, 게다가 결국은 (이라크에) 속은 셈이 되었음.

- 한국과 미국의 태도를 보면, IAEA 사찰보다는 오히려 남북 상호사찰을 중시하고 있는 것 같음. 남북 상호사찰은 CHALLENGENG INSPECTION 이라 하여, 갑자기 시행하는 사찰인 바, 북한으로서 받아 들이기는 쉽지 않을 것임.

- 그러나 북한이 남북 상호사찰을 수락한다면, 일본으로서도 문제가 해결 되었다고 생각할 수 있을 것임.

0 질문 : 그렇다면 다음번 일.북 수교교섭에서의 일본의 대응은 그다지 변화가 없을 것인가.

0 답변 (이케다 국장) : 다음번 회담까지 아직 시간이 있으므로 어찌될지 모름. 북한측이 핵문제에서 대폭적으로 태도를 유연화시킬수도 있을 것이고.....,그러나

아주국 장관 차관 1차보 외정실 [redacted] 분석관 청와대 안기부

PAGE 1 92.10.06 19:33

 외신 2과 통제관 DI

0151

지금으로서는 아무런 변화도 없다고 하지 않을 수 없음. 끝.

(대사 오재희 - 국장)

예고 : 92.12.31-일반

공 란

공 란

공 란

공 란

공 란

공 란

관리번호 92-705

외 무 부

우110-760 서울 종로구 세종로 77번지 / (02)720-2531/2317 / (02)738-4353

문서번호 아일 20005-2403
시행일자 1992.11.2. ( )

수신 수신처참조
참조

선결			지시		
접수	일자 시간		결재		
	번호				
처 리 과			공람		
담 당 자					

제목 한.일 외무장관 회담록 송부

1992.12.31.에 예고문에 의거 일반문서로 재분류됨

92.10.30(금) 동경에서 개최된 한.일 외무장관 회담 기록을 별첨 송부하니 참고 바랍니다.

수신처 : 외정실장, 미주국장, 구주국장, 국제기구국장, 조약국장, 통상국장

아 주 국 장

0159

공 란

공　　란

공 란

공 란

공 란

공 란

공 란

공 란

공　　　　란

공 란

공 란

공　　　란

공 란

공 란

공　　　란

공 란

관리번호	92-2703

외 무 부

종 별 : 지 급

번 호 : CPW-5132 일 시 : 92 1105 2200

수 신 : 장관(아일,아이) 사본: 주일대사

발 신 : 주 중 대사

제 목 : 제8차 일.북한 수교회담(1)

표제회담이 11.5 오전회의 내용과 관련, 동 회담 일본측 대표인 후지이 북동아과 수석사무관이 11.5 12:55-13:10 간 일본인 기자단에 대해서만 행한 브리핑 내용 아래 보고함.

1. 오전회의 개요

0 오전회담은 10:00-12:15 간 개최되었는바, 먼저 나까히라 대사가 기조 발언을 하였으며, 북한의 이삼로 대사가 핵무기 개발문제 및 일본인처 문제에 대한입장 표명을 한후, 기조 발언을 하였음.

0 제 1 의제(기본관계) 협의는 시작하지 못하였음.

2. 발언내용(후지이 사무관 설명내용)

가. 나까히라 대사의 기조발언 내용(요지 별도 FAX 송부)

나. 이삼로 대사는 기조발언에 들어가기에 앞서 핵무기 개발문제 및 일본인처 문제에 대해 입장을 표명하였으나, 우선 핵문제 관련, IAEA 사찰이 3 차에 걸쳐 이루어 졌으며, 제 4 차 IAEA 사찰도 11.2 부터 실시되고 있고, 이로 인하여 세계 각국도 북한의 태도가 협조적이며, 북한의 (원자력)개발이 평화적이라고인식하고 있음에도 불구하고, 일본이 핵개발문제를 거론하는데 대해 혐오감을 금할수 없다고 하였음.

이 대사는 또한 일본이 남. 북한 상호 핵사찰 문제를 언급한데 대하여 비난하였는바, 동 대사는 상호사찰은 남. 북한간의 문제이며, 북한으로서도 최고 당국자가 서명한 중요한 과제이므로 반드시 실현해야 한다고 생각하고 있으나, 남북한 사찰의 목적은 주한미군기지를 사찰하는데에 있음에도 불구하고, 한국측이미군기지 사찰을 회피하려는데 문제가 있다고 하였음.

다. 일본인처 문제와 관련, 이삼로 대사는 위안부들이 일본의 가혹한 처사에

아주국 장관 차관 1차보 아주국 외정실 분석관 청와대 안기부 중계

PAGE 1 92.11.06 01:17

 외신 2과 통제관 BZ

0176

절규와 규탄을 하고 있는데도, 일본은 이를 외면하면서 어떻게 일본인 처 문제만을 해결해 달라고 할 수 있는가라고 하였음.

라. 이어서 이삼로 대사는 기조발언을 통해, 일.북한 국교정상 회담은 국가간의 일반적인 국교수립 문제가 아니며, 불행했던 과거를 청산하고 그에 걸맞는 보상을 한후에 선린관계를 수립해야하는 문제라고 전제하고 나서, 금번 회담에 임하는 북한의 각의제별 입장을 밝혔음.

마. 제 1 의제인 기본관계에 대하여, 이삼로 대사는 주로 1905 년 조약 (을사보호조약) 및 1907 년 조약이 날조되었다는 주장을 전개하였는바, 그 주요 이유로서 당시 황제의 옥새와 서명이 없다는 것이었음. 북한의 주장에 의하면 19 세기 중엽 이후의 만국공법에 의하면 조약에는 국왕의 재가가 필요하며, 이것이 없으면 휴지에 불과하다는 것임.

일본측으로서는 현재 북한이 이야기하는 만국공법이 어떠한 것을 의미하고 있는가에 대해서도 잘알지 못하고 있는 상태임.

바. 이삼로 대사는 또한 비엔나 조약초안을 만든 유엔 국제법위원회가 1963 년 회의시 1905 년 조약을 날조된 조약의 하나로 들었다는 주장을 하였음. 일본측으로서는 그 구체적 문서를 본적은 없으나, 국제법위원회라는 것은 국제법 전문가가 개인적 입장에서 출석하여 협의하는 장소로서, 이러한 위원회가 초안작성이외의 권한은 없는 것으로 알고 있으며, 추후 관계사항을 확인해 볼 예정임.

사. 제 2 의제인 경제문제와 관련, 이삼로 대사는 병합자체가 무효이므로 일본이 재산 청구권의 형식으로 문제를 해결하려는 것은 근거가 없는 것이라고 하고, 북한으로서는 어디까지나 침략자와 피침략자, 가해자와 피가해자라는 사실관계에 기초하여 해결해야 한다는 입장을 강조하였으며, 일본이 이이상 재산 청구권이라는 형식으로 보상의 책임을 회피하려고 해서는 안된다고 주장하였음.

아. 제 3 의제인 핵무기 문제와 관련, 이삼로 대사는 일본이 회담과는 관계가 없는 핵문제를 들어, 회담 전도에 장애를 초래해서는 않된다고 주장하였음.

이대사는 IAEA 사찰을 받음으로서, 국제적 인정을 받고 있는데도, 오직 일본만이 이를 문제시하는 이유는 도대체 무엇인가라고 묻고, 그것은 일본자신이 군사 대국화, 핵무장화의 실현을 위하여 방편으로 사용하려는 것이 아닌가라고 반문 하였음.

이대사는 또한 일본은 "국제적 공헌" 운운 하기전에 북한에 대한 인적.물적피해에 대해 보상함으로써 과거와 결별하고 새로운 모습으로 세계 무대에 나서야 할 것이라고

하였음.

자. 이에 대하여 나까히라 대사는 각 문제에 대한 일본 입장은 해당의제 협의시 밝히겠다고 하고, 다만 한가지 핵무기 개발문제에 대한 일본입장은 시종일관된 것으로서, 이문제를 거론하는 이유는 유일한 원폭 피해국인 일본으로서는 이문제의 해결 없이는 일.북한 국교 정상화에 대한 일본국민의 이해를 얻을 수 없기 때문이며, 환언하면 이문제야 말로 국교 정상화를 실현하기 위한 가장 중요한 문제임으로 일본측이 동 문제를 거론하는 것이라고 설명하였음. 끝.

(대사 노재원-국장)

예고: 93.6.30 까지

93.6.30.

PAGE 3

0178

공　　　란

공　　란

공 란

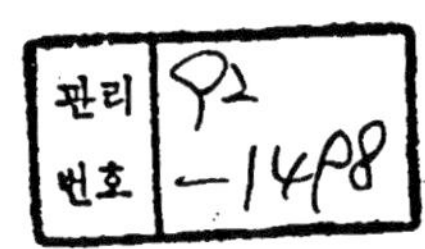

외 무 부

우110-760 서울 종로구 세종로 77번지 / (02)720-2531/2317 / (02)738-4353

문서번호 아일 20005- 1420

시행일자 1992.11.10. ( )

수신 외교정책기획실장, 미주국장, 구주국장

선결			지시	참고	
접수	일자 시간		결재		
	번호				
처리과		북미1,22	공람		
담당자					

제목 한.일 외무장관간 간담기록 송부

92.11.8(일) 교또에서 개최된 한.일 외무장관간 간담시 논의된 일.북한관계, 북한핵문제, 대미, 대러시아관계 사항 기록을 별첨 송부하오니 참고하시기 바랍니다.

첨부 : 한.일 외무장관간 간담 기록 1부. 끝.

예고 : 1993.6.30에 일반문에 의거 일반문서로 재분류됨 | 검토필 (1992.12.31.) 인

아 주 국 장

0182

한.일 외무장관 간담기록

92.11.8(일)

아 주 국

0183

공 란

공 란

공 란

공 란

공　　　　란

공 란

공　　　란

공　　란

공　　란

공　　　　란

공 란

공　　　란

공　　　　란

공 란

공 란

공　　　　란

공　　　　란

공 란

9

외 무 부

우110-760 서울 종로구 세종로 77번지 / (02)720-2531/2317 / (02)738-4353

문서번호 아일 20005- 621
시행일자 1992.12.2. ( )

수신 수신처 참조
참조

선결			지시		
접수	일자 시간		결재		
	번호				
처리과		북미1과	공람		
담당자					

제목 일본 외무성 출입기자단 방한

한.일 외무부 출입기자단 상호 방문계획에 의거, 우리부 초청으로 11.28(토)-12.4(금)간 방한중인 일본 외무성 출입기자단과의 12.1자 장관님 기자회견록을 별첨 송부하니 업무에 참고 하시기 바랍니다.

첨부 : 동 기자회견록. 끝.

수신처 : 외교정책기획실장 (특수정책과장, 안보정책과장), 미주국장 (북미1과장), 구주국장 (동구1과장), (사본 : 동북아2과장)

아 주 국 장

0202

長官님 記者會見錄

(일외무성 출입기자단)

1. 일 시 : 92.12.1(화) 10:00-10:50

2. 장 소 : 817호 회의실

3. 참 석 자

- 아 측 : 김석우 아주국장, 유명환 공보관, 추규호 동북아1과장, 김재신 서기관(통역), 오송 사무관

- 일 측 : 외무성 출입기자단 (12인)

4. 회견내용

ㅇ 장 관 :

- 양국 상호방문계획에 의거, 일본 외무성 출입기자단의 방한을 환영함.
- 우리 정부는 한.일 두 나라가 그동안 여러 분야에서 긴밀한 협력관계를 유지해 온 것에 대해 만족스럽게 생각하며, 금번 외무성기자단 방한이 양국간 이해를 증진시키는 결과를 가져 올 것으로 생각함.
- 우리 두 나라사이에 우호협력관계 발전을 위해서는 언론의 역할이 중요하다고 생각하며, 두 나라 언론교류의 활성화로 진정한 선린 우호협력관계로 발전되기를 희망함.
- 인사말을 간단히 끝내고 질문주시면 답변하겠음.

ㅇ 기 자 :

- 한국은 중국과의 국교정상화, 러시아대통령의 방한실현 등 활발한 「북방외교」를 전개하고 있는바, 한국외교에 있어서의 일본(경제적 측면 포함)의 비중 및 위상은?

o 장 관 :

- 말씀하신바와 같이, 우리나라는 최근 몇년사이에 북방외교의 결과로 러시아, 중국과 국교정상화를 하였고, 그 결과 우리 전통우방인 미국, 일본뿐만 아니라, 러시아, 중국 등 한반도와 이해관계를 가진 4강과 본격적인 외교관계를 갖게 되었음.
- 그러나 우리로서는 전통우방인 미국, 일본과의 협력관계를 근간(바탕)으로 하여 러시아, 중국과도 선린협력관계를 발전시켜 나갈 방침임.
- 따라서 앞으로 우리가 러시아, 중국과의 선린협력관계를 발전시켜나가는 과정에 있어서, 미국 및 일본이 우리 전체외교에서 차지하는 커다란 비중은 계속 유지될 것임.

o 기 자 :

- 일.한 양국간의 문제인 종군위안부문제와 관련하여 일본 정부가 7월에 발표한 「중간조사결과」에 대해 한국 정부는 어떻게 평가하는지?

o 장 관 :

- 말씀하신 종군위안부문제는 우리 두 나라사이의 과거 불행한 역사가운데 우리 국민에게 가장 마음 아픈 상처를 준 일중의 하나임.
- 그동안 일정부가 조사한 결과를 지난 7월 발표한 바 있으며, 그 내용을 잘 알고 있음. 우리들은 일정부가 종군위안소의 설치나 운영 등에 있어서 과거 일본군의 관여사실을 확인, 발표한 것을 평가는 하나, 아직 우리 국내에서는 종군위안부문제의 진상과 전모가 완전히 밝혀지지 않았다는 인상이 강하게 남아있음.
- 따라서 우리 두 나라는 앞으로 종군위안부문제에 관한 진상규명을 보다 더 계속하면서 이 문제의 해결방안을 강구하기 위해 노력해야 함.

o 기 자 :

- 일본 정부는 「우리의 마음을 어떠한 형태로 나타낼 수 있을까, 성의를 갖고 검토하고자 한다」(가또 관방장관)고 하며, 기금설립을 생각하고 있는 것으로 보이는 바, 한국 정부로서는 일본측이 어떠한 시책을 취할 것을 바라고 있는지?

o 장 관 :

- 일정부에서 종군위안부문제에 관한 일본국민의 마음을 표시하기 위한 구체조치를 생각하고 있다는 점은 평가함.
- 그러나 아직 진상규명을 위한 노력이 미흡하다는 인식이 강하게 남아 있기 때문에, 앞으로 진상규명을 위한 노력을 계속하면서 양국간의 긴밀한 협의를 통해 해결방안을 강구해 나가야 할 것으로 생각함.

o 기 자 :

- 노대통령이 지난번 교또회담에서 천황의 한국방문을 재초청하였는 바, 방한실현을 위해서는 어떠한 조건정비가 필요하다고 생각하는지?

o 장 관 :

- 우리 대통령이 이미 일본을 몇차례 방문하였으므로, 일본 천황의 방한이 양국관계 발전을 위해 바람직하다는 기본인식을 갖고 있음.
- 그러나 천황의 방한은 두 나라 국민이 다같이 환영하는 분위기 속에서 이루어져야 한다고 생각함. 천황 방한을 환영하는 분위기가 조속히 조성되기를 희망함.

o 기 자 :

- 한국측으로서 언제쯤의 시기를 바라는지? 1995년은 한.일 국교정상화 30주년에 해당하는 바, 그러한 시기를 생각하고 있는지?

ㅇ 장　관 :

- 현시점에서 시기를 분명하게 딱 잘라 말하는 것은 어렵지만, 천황의 한국방문이 이루어질 수 있는 분위기가 가까운 시일내에 조성되기바람.

ㅇ 기　자 :

- 캄보디아에서 자위대가 PKO 협력을 실시하고 있는바, 한국은 현재까지의 자위대의 활동을 어떻게 보고 있는지?

ㅇ 장　관 :

- 우선 일본이 유엔회원국으로서 유엔평화유지활동(PKO)에 적극 참여하고자 하는 취지나 일본이 국제사회에서 경제력에 상응하는 정치적 역할을 하고자하는 기본입장을 이해함.
- 그러나 일본이 앞으로 유엔 평화유지활동에 참여하고, 또 이 지역에서의 정치적.군사적 역할을 하는데 있어서는 일본과 과거 불행한 역사를 갖고 있는 한국을 포함한 주변국가의 민감한 반응과 우려를 감안해서 일정부가 추진해야 할 것임.
- 일본이 자위대를 캄보디아에 파견, 유엔활동에 참여함으로써 캄보디아 문제의 정치적 해결과 평화회복에 기여하고자 하는 노력은 평가하며, 유엔의 평화유지활동으로 캄보디아의 평화가 회복되고 정상적인 정치 발전의 토대가 마련되기를 기대함.

ㅇ 기　자 :

- 금년도 한국 방위백서는 일본과의 군사교류.협력의 강화를 명확히 내세운 것으로 듣고 있는바, 구체적으로 어떤 분야를 생각하고 있는지? 작년도 백서는 일본의 군사대국화에 우려를 표했었는 바, 지난 1년간 일본의 군사력에 대한 인식이 바뀐 것인지?

0206

o 장 관 :

- 기본적으로 한.미간 상호방위조약과 일.미간 안보협력조약이 동북아지역의 안보유지에 큰 기여를 하고 있다고 생각함. 앞으로도 이러한 안보협력체제에 바탕을 둔 이 지역의 안보유지노력은 계속되어야 할 것임.
- 우리 국방부에서 매년 발표하고 있는 국방백서의 내용에 관해서는 전체내용의 context 안에서 봐야 할 것임. 우리로서는 한.일간에도 양국 군간의 인적교류, 군사정보교환 등 군사교류와 협력은 계속되어야 한다고 생각함.
- 이러한 군사교류가 양국간에 여러 분야에서 발전되고 있는 우호협력관계를 더욱 발전시키는 데에도 도움이 될 것으로 봄.

o 기 자 :

- 남북대화가 중단상태에 빠져있는 바, 장애가 되고 있는 것은 무엇인지? 12월하순으로 예정되어 있는 남북총리회담의 개최는 곤란한 것이 아닌지?

o 장 관 :

- 잘 아시다시피, 남북대화와 관련해서 작년에 두 가지 중요한 합의서가 만들어졌으며, 금년은 이행단계임.
- 그러나 최근 금년 11월 예정된 4개 공동위회의가 열리지 못하였으며, 12.21-24간 서울에서 개최 예정된 남북고위급회담(총리회담)도 개최 전망이 불투명한 상태로서 매우 안타깝게 생각하고 있음.
- 지금 남.북한관계 발전의 최대 장애는 북한 핵문제임. 북한이 핵문제와 관련해서 국제원자력기구(IAEA)의 사찰을 4차례 받은 것은 긍정적으로 평가함.
- 북한이 핵문제해결을 위해서는 국제원자력기구의 사찰뿐 아니라, 남북간에 합의된 비핵화공동선언에 따라 남.북한 상호사찰이 반드시 실현되어야 한다는 것이 우리의 확고한 입장임.

- IAEA가 실시한 사찰을 통해서는 북한의 핵무기 개발가능성에 대한 국제 사회의 우려를 해소하지 못함. 따라서 남.북한 상호사찰을 통해 북한이 핵무기를 개발하지 않고 있으며, 핵무기개발을 포기했다는 점을 분명히 확인해야 된다고 생각함.

o 기 자 :

- 김일성, 김정일의 북한 현체제는 안정되어 있다고 생각하는지?

o 장 관 :

- 우선 상기 질의에 답변하기 전에 북한 핵문제에 대해 추가로 말씀드리고자 함.
- 북한은 최근 한.미간 연례합동군사훈련(Team Spirit 훈련)을 이유로 남북대화를 중단하고 있음.
- 우리로서는 북한이 핵문제 해결에 보다 더 성실하게 임해서 핵문제해결에 실질적 진전이 없는한 T/S 훈련실시를 위한 준비를 할 수 밖에 없는 입장임.
- 북한이 남북대화와 관련, 강경입장을 보이고 있는 이유는 북한의 내부적 어려움에 기인하는 한편, 또한 한국 대통령선거 및 미국 클린턴 신행정부 출범과 관련하여 북한이 종래의 대외정책을 재검토하지 않을 수 없는 사정과도 관련된다고 생각함.
- 어제 미국 Foglietta 하원의원과 만났는데, 한국과 미국에 새로운 정부가 들어서는 정부이양기에 있어서 북한이 한국과 미국의 정책을 오판하지 않도록 하는 것이 중요하다는데에 대해 의견을 같이한바 있음.
- 조금전 질문사항에 대해서 말씀드리겠음.

- 지금 북한은 김일성 주석을 정점으로 한 노동당 독재체제하에서 주민에 대한 철저한 통제를 통해 체제(정권)를 유지하고 있으나, 최근 경제가 매우 어려운 상황에 처해있고, 또한 국제적으로도 북한이 고립되어가는 상황 등으로 북한이 대내외적으로 매우 어려운 국면에 처해 있다고 보고 있음.
- 북한은 현재 체제유지를 위해 경제적으로, 중국식모델을 받아들여, 경제 개방과 개혁이 불가피하다고 인식하고는 있으나, 경제분야에서의 개방과 개혁이 북한 정치체제에 미칠 위험, 즉 정치체제붕괴로 연결될지도 모른다는 우려 때문에 정책적으로 큰 dilemma에 빠져있음.

o 기 자 :

- 한.러간에 군사교류에 관한 각서가 체결되었는 바, 장래 중국과의 사이에도 같은 것을 검토할 것인지?

o 장 관 :

- 지난번 옐친대통령 방한시 한.러 국방장관간 서명된 양해각서는 두 나라 군간에 신뢰구축의 일환으로서 인적교류 위주의 제한된 군사교류임.
- 이는 아직 제한된 군사교류로서 군사협력과는 구별되어야 함.
- 중국과도 국교정상화가 된 만큼, 양국간 각분야에서의 교류진전을 통해 양국관계를 발전시킬 필요가 있다고 생각되나 아직 군사교류와 같은 문제는 여러 가지 고려되어야 할 사항이 많기 때문에 신중하게 검토해 나가고자 함.

o 기 자 :

- 옐친대통령이 「아시아.태평양지역에 있어서의 안전보장기구」의 설립을 제창한 바, 이에 대한 한국 정부의 견해는?

o 장 관 :

- 우리는 아.태지역 안보문제에 관해서는 이 지역 정세변화에 비추어 지역 안보문제를 논의하기 위한 정치적 대화를 할 시기가 도래하였다고 생각함.
- 이미 이와 관련하여 작년부터 아세안 확대외무장관회담(PMC)에서 아세안 6개국 외무장관과 대화상대국 7개국 외무장관간에 지역안보문제에 대한 논의를 시작한 것은 시의적절한 것이었다고 봄.
- 다만 아.태지역, 좁게말하면 동북아지역내에는 해결되어야 할 문제가 있으므로 구라파의 CSCE와 같은 지역안보협력논의는 아직 필요여건이 조성되지 않았음.
- PMC를 통하여 시작된 지역안보를 위한 정책대화가 발전되고 신뢰가 구축되고, 또 지역문제들이 해결될 수 있는 단계에 이르면 지역안보협력체도 고려될 수 있을 것임.

o 장 관 :

- 일본 외무성 출입기자단과 만나서 기쁘며, 비록 짧은 기간이지만 보람 있고 유익한 방문이 되기를 바람.
- 앞으로 두 나라 관계 발전을 위해, 모두에서도 말씀드린바와 같이 일본 언론계 여러분의 이해와 성원을 바람.

- 끝 -

공　　란

공 란

공 란

정 리 보 존 문 서 목 록					
기록물종류	일반공문서철	등록번호	32705	등록일자	2009-02-26
분류번호	726.64	국가코드		보존기간	준영구
명 칭	북한 핵문제 : 우방국 협조, 1992. 전4권				
생 산 과	동북아1과/북미1과/특수정책과	생산년도	1992~1992	담당그룹	
권 차 명	V.2 러시아				
내용목차					

0001

원 본

외 무 부

구주국		과 19 . .
공람	담 당	과 장	심의관	92 0109 1830
지시사항		

종 별 :

번 호 : SVW-0106

수 신 : 장 관(동구일,정특,기정)

발 신 : 주 러대사

제 목 : 북한관계(손성필대사 기자회견)

1.8(수) 북한의 손성필대사는 기자회견을 가진바 요지 하기 보고함.

1. 핵사찰관계

0 북한은 1월말까지는 NPT조약상의 핵안전협정에 서명할 것임. 남한의 핵부재선언을 긍정 평가함. 한반도에서의 핵문제의 공평한 해결을 위한 분위기가 정착되고 있음. 북한은 한반도 비핵지대화(NUCLEAR FREE ZONE)를 위하여 계속 투쟁할 것임.

0 남한과 미국이 TEAM SPIRIT 훈련중지를 결정한것을 환영함. 이 결정은 핵으로부터의 안전보장확보를 위한 우리의 요구가 충족되었다는 것을뜻함.

2. 호네커 방북

0 호네커 전동독 서기장에 대한 방북초청은 계속 유효함. 동인에 대한 초청은 인도적 이유에 의한것임.

0 호네커 전서기장의 부인과 계속 접촉하고 있으며 호네커 부인은 호네커의 건강상태를 알려오고 있음.

0 호네커는 아직 주러시아 칠레대사 관저에 체류중임.끝

(대사공로명-국장)

구주국 1차보 외정실 분석관 청와대 안기부

PAGE 1

92.01.10 08:17 WH

외신 1과 통제관

0002

관리 번호

외 무 부

종 별 :

번 호 : SVW-0110 일 시 : 92 0109 2200

수 신 : 장 관(동구일,기정, 사본:청와대외교안보)

발 신 : 주 러 대사

제 목 : 쿠나제 차관 면담

본직은 금 92.1.9(목) 쿠나제차관의 요청으로 동 차관을 면담한바 동차관은 그자리에서 로가쵸프 특사의 방북과 동반문에 관련된 러연방 입장, 조.소 우호 친선및 상호 원조조약문제, 북한의 핵사찰문제등을 거론한바, 동 요지 하기 보고함.

(러측: 톨라라야 과장, 아측: 김성환서기관배석)

1. 로가쵸프 특사 북한방문 계획설명

가. 방문시기및 경로

92.1.15(수) 항공편으로 모스크바를 출발하여 북경을 경유, 열차편으로 평양 도착후 시일간 체류 예정이라 함.(아에로 프로트는 모스크바-평양간을 2 주에 1회 취항하므로 북경을 경유한다함)

수행원

파데에프 전소외무성극인국 부국장, 톨라라야 한국과장

2. 방북시 협의 의제

가. 양국관계일반

양국관계 전반에 관해 협의할 계획인바, 특히 무역관계와 경제 협력관계에 있어서는 이념적 요소를 배제하고 순수히 상업적 측면에서 이를고려할 것임을 북한측에 통보 예정임.

나. 조.소 우호친서및 상호원조 조약 유지문제

1) 북한측은현재 조.소 우호친선조약 유지 여부에 신경을 쓰고 있으므로 동 문제를 거론할 것임.

2) 이와관련 러연방은 구소연방이 체결한 일부 조약이 현상황과 맞지 않는면이 있으나 러시아가 구소연방의 법적 승계자임을 천명하 바 있고 세계 각국이 이를 인정한 이상 러시아는 구소연방이 체결한 모든 조약을 승계할 것이며, 이러한 원칙하에 조.소

구주국 장관 차관 정와대 안기부

PAGE 1 92.01.10 10:01

외신 2과 통제관 BS

0003

우호친선조약도 유지될 것임을 북한측에 확인할 것임.

3) 그러나 러시아는 상기 조약 유지와관련, 일정한 조건(QUALIFICATION)을 부여할 것인바, 이는 북한측이 모험주의적 무력행위를 하지 말아야 한다는것과 국제적으로 통용되는 국제규범(UNIFIED CODE OF CONDUCT)을 존중할 것, 그리고 군사조항은 북한이 도발하지 않는 침략행위를 당했을때에만 적용된다는 것임.

- 러시아는 상기 조건을 향후 대북한정책에 있어서의 지렛대(LEVERAGE)로 사용할 것인바, 러시아가 과거 소연방의 공약을 현상황에 맞도록 조절하기 위해 취한 전향적 조치임을 한국측이 이해해 주기를 기대함.

3. 대북한 핵사찰문제

가. 러시아는 대북한 핵사찰 관련한 모든 긍정적 사태의 발전을 환영한다는것이 기본 입장인바, 현상황에서 핵안전협정서명및 비준 이외에 북한측이 취할수 있는 조치는 없을 것으로 보고 있음.

나. 그러나 중요한것은 북한측이 이러한 서명및 비준을 선언하는것보다는 협정상의 국제적 의무를 이행하는 것으로서 러시아는 북한이 선언이후 국제적 압력이 줄어드는 점을 이용하여 실제 이행을 늦출 가능성이 있는 것으로 의심하고 있음.

다. 최근 손성필 북한대사 면담시, 손대사는 남북한 동시사찰문제에 과도할만큼 커다란 관심을 표명하였는바, 북한은 남북한의 시범 사찰을갖고 국제사찰에 대치하려는 의도가 숨은 것이 아닌가 하는 인상을 받았음.

라. 이와관련 러시아는 IAEA 의 국제사찰이 중요함을 강조하고저 함.

러시아는 남북한간의 시험사찰을 환영하나 동시에 국제기구에 의한 전반적(WHOLE SCALE)인 사찰이 동시에 시행될 것을 바람. 또한 남북한 동시사찰이 IAEA 의 국제사찰을 늦추는 구실이 되어서는 안되며 어떤 이유로던지 남북한 동시사찰이 늦어지는 경우에는 더이상 늦출 이유가 없는국제적 사찰이 우선되어야 할 것임.

마. 러시아는 종래의 경험으로보아 북한은 왕왕 남한과의 합의를 지연시키거나 이행을 하지 않았음에 비추어 이번에도 그럴 가능성이 있을 것을 경계함. 로가쵸프 차관은 금번 방문시 상기와같은 입장을 북한측에 전달할 것임.

4. 북한 핵시설에 관한 정보 제공

쿠차관은 본건을 비밀로 취급해 줄것을 당부하고 여하한 경우에도 자기들이정보를 제공한것이 언론에 보도되지 않기를 바란다고 전제하고 아래와같이 말함.

가. 영변 핵시설 내용

PAGE 2

0004

(1) 영변의 핵시설은 두지역으로나누어져 있는바, 북쪽지역은 민간용으로 공개되어 있음에 비하여 남쪽시설은 엄격히 통제되고 과거에 한사람의 러시아인도 접근이 허용된 바 없음.

(2) 북쪽지역에 있는 원자로는 60 년대 중반 소련측의 기술협력으로 제작된 실험용 원자로임.

(3) 한편 남쪽지역에 2 개의 커다란 원자로가 있으며 그중의 하나는 이미 가동중에 있으며 그보다 더 대형의 원자로는 현재 건설중이며 1 년-1 년반 후, 즉 93 년에는 가동될 수 있을 것으로 보고 있음.

(4) 살상용 화학공장(LETHAL CHEMICAL PLANT)

조만간 가동에 들어갈 것으로 보이는 이 시설의 건설목적은 분명치 않으나 접근이 엄격히 제한되고 있으며 대량 살상용 화학무기 공장으로 보고 있음.

(5) 상기 시설에 관한 정보를 종합해 볼 때 북한측은 향후 1 년반후 늦어도2 년후에는 1 차 핵폭발 장치를제조할 수 있을 것으로 예상되며, 따라서 러시아측은 IAEA 의 핵사찰이 늦어지는 경우 또다른 위험이 있을 수 있으므로 동사찰이 조속히 진행되어야 할 것으로 굳게 믿고 있음.

나. 쿠차관은 본직 면담 3 시간전에 미국대사대리를 초치 핵개발에 대한 러시아의 입장과 로가쵸프 북한방문 계획을 알려준 바 있다하면서 러시아는 한국, 미국과 기타 관계국이 긴밀히 협조하여 이 문제해결에 협력하는 것이 긴요하다고 생각한다고 함.

다. 한편, 본직이 상기 원자로들이 핵재처리시설과 다른 것인지 문의한데 대해, 쿠차관은 자신이 아는한 동시설들이 미국이 첫번째로 사용한 폭발장기 제조 시설과 비슷한 것으로 안다고 답함.

라. 또한 본직이 일부 언론에 북한에는 실험용 원자로 외에 2 개의 원자로가 더 있다고 보도된바 있다고 하자, 기본등으로 동 보도가 맞는것 같다고 하면서 북한은 실험용 원자로, 가동중인 원자로, 건설중인 원자로 등 모두 3 개의 원자로를 보유하고 있는 것으로 안다고 함.

5. 옐친 대통령 방한

가. 본직이 옐친 대통령 방한을 계속 금년 하반기로 추진하고 있는지 문의한데 대해, 쿠차관은 현재 러외무성은 옐친 대통령실에 6 월에 방한할 것을 건의하는 과정에 있다고 함.

나. 본직이 옐친 대통령의 5 월중 일본 방문설이 일부에서 논의되고 있다고하자

쿠차관은 이는 근거가 없는 것이라 하면서 옐친대통령의 시간 형편상 극동지역에 두번 갈수는 없으므로 6 월중 한국과 일본을 함께 방문하는 것으로 추진중이라 함.

6. 장관 방문

본직이 상금도 2 월 하순 이후의 장관 방문이 가능할 것으로 보는지 문의한데대해 쿠차관은 실무적으로 장관 방문시기를 검토중이나 외무성 개편 작업이 생각보다 많은 시간이 소요되고 있어 옐친 대통령의 한국, 일본 방문시기가 확정되면 그에 맞추어 방문 시기를 조정하는 것이 좋겠다 함.

7. 한.러 우호협력 조약

본직이 옐친대통령의 방한 시기가 앞당겨지면 한. 러 우호 협력 조약도 이에 맞추어 준비되어야 하는것이 아닌가고 문자, 쿠차관은 조약안이 거의 준비되었다 하면서 조만한 아측에 이를 전하겠다고 함. 끝.

(대사공로명-장관)

예고: 92.6.30 일반

19 . . .에 예고문에
의거 일반문서로 재분류됨

PAGE 4

0006

원 본

외 무 부

종 별 :

번 호 : SVW-0124 일 시 : 92 0110 1630

수 신 : 장 관(동구일,정특,기정)

발 신 : 주러대사

제 목 : 한국관계 기사

1.9(목) 당지 'KRASNAYA ZVEZDA'(붉은별: 과거 소연방군대 기관지) 신문원 '결국 이성이 승리하다'라는 제하의 하기 요지의 한국관계기사를 게재하였음.

1. 한반도 냉전에 종말을 고하는 불가침 협정이 남.북한간에 체결되었음.

2. 북한은 팀스피리트 훈련을 크게 경계해 왔으며 반면 북한의 핵개발 시도는 한반도 긴장완화에 커다란 장애물이었음.

3. 북한은 최근 가까운 시일안에 국제 원자력기구의 핵사찰을 수용할 것이라고 발표했음. 이는 노대통령의 핵부재 선언과 한반도 비핵화선언의 당연한 결과임.

4. 이에따라 한국은 팀스피리트 훈련 중지를 밝혔음. 이는 매우 이성적 판단임.그러나 아직 남.북한 양측의 상호 이해가 완전한 경지에 이른것은 아니며 상호 불신이 완전히 불식된것은 아님.

5. 어쨌든 양측은 이제 막 힘든 발걸음을 내디뎠으며 이성적 판단이 승리한것임.끝

(대사공로명-국장)

구주국 1차보 외정실 분석관 청와대 안기부

PAGE 1

92.01.11 01:41 BE

외신 1과 통제관

0007

공 란

蘇 核전문가500명 해외유출

리비아·南阿共등 고용

덴마크총리, 유출중단 요구

【코펜하겐AP聯合=特約】舊소련의 核무기 전문가 약5백명이 리비아 南阿共 시리아 파키스탄등의「核개발우려」국가에 고용돼 있다고 덴마크의 한과학자가 10일 밝혔다.

舊공산국가들의 군수·산업의 재편을 위한 국제회의에 참석한 탈르자 크론베르그는 지난 11월 모스크바에서 국제군수산업재편위원회 소련측대표였던 알베르트 파노프로부터 이같은 사실을 확인했다고 말했다.

이와 관련, 파울 슐뤼터 덴마크총리는 이날 러시아등의 舊소련국가들이 서방의 지원을 얻어내기 위해서는 核두뇌의 유출을 명시적으로 중단하는 조치를 취해야한다고 경고했다.

北韓등도 유치부심

【東京=聯合】북한 리비아및 이란등국자들이 러시아 우즈베크등에 들어가 현재 舊소연방의 핵물리학자들을 유치하고 있는가하면 핵기술의 구입을 획책하고 있다고 일본의 요미우리(讀賣)신문이 10일 미국의 USA투데이紙(9일자)를 인용, 워싱턴발로 보도했다.

요미우리신문에따르면 USA투데이는 모스크바발 기사에서 리비아가 러시아의 핵물리학자들을 대상으로 국내에서 직책을 제공하겠다는 조건으로 이주를 권유하고 있다고 밝히고 북한과 이라크, 이란등도 러시아와 우즈베크에서 핵물리학자들의 유치와 핵기술의 구입에 열을 올리고 있다는 정보가 있다고 보도했다.

한편 미국 국무부의 마거릿 터트와일러 대변인은 9일 USA 투데이지의 보도와 관련한 기자회견을 갖고 『미국은 이를 심각하게 받아들이고있다』고 밝히고『駐모스크바 미국대사관을 통해 필요한 정보수집을 서두르고 있다』고 말했다.

한국 (92. 1. 11)

0009

北의 蘇核기술자 유치說

—핵共同委서 문제 제기 해야

소비에트연방의 소멸과 함께 제기됐던 방대한 핵전력의 관리에 대한 우려가 현실적인 문제로 떠오르고 있다. 그 첫째는 우크라이나에 배치됐던 전술핵의 독립국가공동체 이관문제이다.

이미 보도된 것처럼 우크라이나는 전술핵의 러시아이관, 다시 말해서 공동체로의 이관을 거부하고 있다. 舊소련의 전술핵은 1만5천기정도가 발트3국을 뺀 각 공화국에 배치돼 있는 것으로 알려져 있다. 따라서 우크라이나배치 전술핵의 행방은 공동체를 구성하고 있는 각 공화국의 핵정책에도 관련되는 중대한 문제라고 할 수 있다.

우크라이나는 이미 독자적인 군대창설과 함께 방대한 흑해함대의 관할권을 주장해서 러시아와 정면대립해왔다. 그러나 전술핵의 문제는 러시아를 뺀 각공화국의 비핵화를 기대하고 있는 미국등 서방측으로서도 중대한 관심거리일수 밖에 없다.

둘째로는 舊소련이 남겨놓은 핵물질이나 장비, 그리고 과학자의 해외유출문제다. 舊소련으로부터의 핵물질유출은 이탈리아, 스위스 등지에서 플루토늄이나 농축우라늄이 당국에 압수됨으로써 서방측을 긴장시키고 있다. 아마도 핵개발의 의혹을 사고 있는 이라크나 리비아가 행선지가 아니었을까 추측되고 있다.

그러나 핵물질이나 장비의 유출과 달리 핵과학자들의 유출은 추적하기가 쉽지않아 서방측의 심각한 걱정거리가 되고있다. 미국측 정보에 의하면 舊소련의 핵심 원폭기술자는 약2천명이고, 우라늄농축 내지 플루토늄제조기술자는 3천명에서 5천명으로 추정된다.

이들중 약5백명이 리비아, 남아프리카공화국, 시리아, 파키스탄등에 고용돼 나간것으로 덴마크의 전문가가 밝혔다.

우리의 관심거리는 리비아, 이란과 함께 북한이 이들 핵과학자나 기술자들을 유치하기위해 뛰고있다는 보도다 (한국일보 11일자6면). 이러한 보도에 대해서는 미국무부당국도 「심각하게 받아들이고 있다」고 말하고있다.

독립국가공동체의 핵유산처리는 세계평화와 직결되는 만큼 서방측의 공동대응이 나타날 것은 확실하다. 우리로서는 핵냉전시대의 새로운 주역으로 등장한 독립국가공동체가, 특히 그 구성 독립국들이 비핵화의 방향으로 나가야 한다고 생각한다.

특히 핵확산금지를 선언한 주역의 한나라로써 러시아는 핵두뇌유출에 확실한 금지정책을 내놔야 할것이다. 또한 한반도의 비핵화에 합의한 북한는 선언선언을 의심받을 수 있는 행동을 해서는 안된다는 점을 경고해두고자 한다.

이문제는 앞으로 열릴 제6차 고위급회담이나, 핵공동委에서 분명히 제기돼야 할 것이다.

한국(92. 1. 13)

0010

공 란

공　　란

	분류번호	보존기간

발 신 전 보

번　호 : WRF-0123　920115 1653 WG　종별 :

수　신 : 주　러시아　대사.//총영사

발　신 : 장　관　(동구일)

제　목 : 남북관계 논평

러시아 외무부 대변인이 92.1.9 발표한 북한의 핵안전협정 서명 결정과 한국의 팀스피리트 훈련 중지에 대해 환영하는 논평을 별첨 Fax 송부하니 참고바람.

첨부: Fax 1매.　끝.

(구주국장　권영민)

보 안 통 제	33

앙 고 재	92년 1월 15일	동구1과	기안자 성 명		과 장	심의관	국 장		차 관	장 관
			3		33		전결			

외신과통제

0013

92-01-11 12:32 EMBASSY OF THE USSR SEOUL 982 P01

FAX: 720-26-86

To: Mr. Kwon Youngmin
Director General
European Affairs Bureau
From: Russian Embassy

동기

Statement of the Russian Foreign Ministry's spokesman on January 9, 1992

THE GOVERNMENT OF THE DPRK, AS IT BECAME KNOWN THE OTHER DAY, MADE A DECISION TO SIGN A SAFEGUARDS AGREEMENT WITH THE INTERNATIONAL ATOMIC ENERGY AGENCY, TO RATIFY IT IN THE NEAR FUTURE AND TO ACCEPT INTERNATIONAL INSPECTIONS OF HER NUCLEAR FACILITIES. RUSSIA WELCOMES THAT DECISION.

IT IS OUR HOPE THAT THE SIGNING OF THE ACCORD, WHICH HAVE BEEN DELAYED FOR FIVE YEARS, WILL TAKE PLACE IN THE VERY NEAR FUTURE, BEFORE THE FEBRUARY SESSION OF THE IAEA BOARD OF GOVERNORS AT THE LATEST. THIS, AS WE UNDERSTAND, SHOULD BE FOLLOWED BY IMMEDIATE IMPLEMENTATION OF THE ACCORD, INCLUDING ACTUAL CONDUCT OF INTERNATIONAL INSPECTIONS AND CARRING OUT RECOMMENDATIONS BASED ON THEIR RESULTS.

THE DPRK'S HONORING OF HER OBLIGATIONS BEFORE THE IAEA, AS A PARTY TO THE NUCLEAR NON-PROLIFERATION TREATY, ALONGSIDE WITH THE AGREEMENT REACHED BETWEEN THE NORTH AND THE SOUTH OF KOREA ON A MUTUAL DECLARATION TO DENUCLEARIZE THE KOREAN PENINSULA, WOULD MAKE IT POSSIBLE, AT LONG LAST, TO PROCEED WITH PRACTICAL RESOLUTION OF THE PROBLEM OF NUCLEAR NON-PROLIFERATION AND NUCLEAR SECURITY. THIS WOULD REMOVE MANY ISSUESS BOTH IN RELATIONS BETWEEN PYONGYANG AND SEOUL AND BETWEEN PYONGYANG AND OTHER COUNTRIES AS WELL. IT IS IN THIS CONTEXT THAT WE REGARD THE DECISION, ANNOUNCED IN SEOUL, TO FORGO THIS YEAR JOINT SOUTH KOREA-US MILITARY "TEAM SPIRIT" EXERCISES AS A PROMISING STEP IN THIS DIRECTION.

0014

원 본

외 무 부

종 별 :

번 호 : RFW-0307 일 시 : 92 0122 1930

수 신 : 장 관(동구일,정안,정특,기정)

발 신 : 주 러대사

제 목 : 북한핵사찰

당지 KOMSOMOLSKAY PRAVDA지는 1.22(수) 북한의 핵사찰관련 'CIA가 파헤치려고 노력하고 있으나 김일성의 핵폭탄까지 파헤칠 수 있을까'라는 제목으로 하기 요지의 기사(뉴 욕발,OVCHARENKO기자)를 게재한바 요지 하기 보고함.

1. 1.22(수) 뉴욕에서 김용순 북한 노동당국제부장이 아놀드 칸터 미국무성차관과 북한의 핵개발 계획 문제를 토의키 위하여 회동함. 동회담은 외교관계를 갖지 않는 양국간의 최초의 고위급 회담임.

2. 이와관련 러시아 외무성 V.YERMOLOV참사관은 하기와같이 의견을 피력함.

가. 미국은 북한이 IAEA에 협조토록 압력을 가할것이나 북한이 IAEA와 협정을 체결하더라도북한의 핵개발 우려를 해소시키지는 못할 것임.

나. IAEA관례에 따르면 핵시설물 자체가 사찰대상이 아니라 신고된 핵 물질이 사찰대상이므로 IAEA는 신고되지 않은 핵물질이 존재한다는 확증을 갖고 있지 않은 상태에서 평야에게 핵시설에 대한 사찰을 요구하기는 어려울 것임.

다. 북한은 그들의 대외관계, 특히 서울과의 관계에 있어 상당히 효율적인 지렛대로서의 핵무기를 보유하려 하므로 핵개발 계획을 쉽게 포기하려 하지 않을 것임.

라. 북한은 IAEA, 그리고 남한과 협정을 체결한후에도 그들의 핵 관련 비밀장치를 접근키 어려운 지하 핵시설 장소로 옮기려 시도할 것임.끝

(대사공로명-국장)

구주국 1차보 외정실 분석관 청와대 안기부

PAGE 1 92.01.23 08:19 WH

외신 1과 통제관

0015

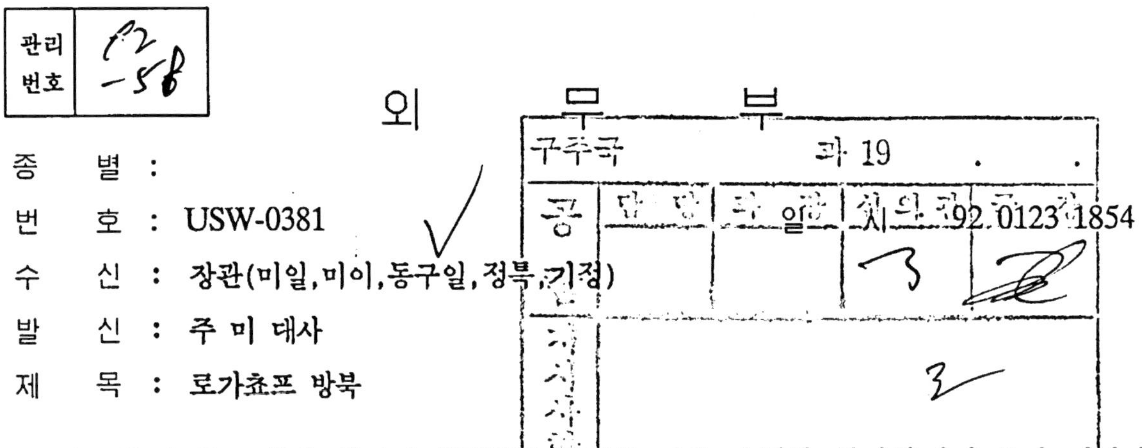

관리번호 92-58

외 무 부

종 별 :

번 호 : USW-0381

수 신 : 장관(미일,미이,동구일,정북,기정)

발 신 : 주 미 대사

제 목 : 로가쵸프 방북

구주국 과 19 . .

시 : 92 0123 1854

1. 금 1.23 국무부 한국과 KARTMAN 과장은 당관 유명환 참사관에게 주미 러시아 대사관 AFANASYEV 참사관이 1.21 KARTMAN 과장을 국무부로 방문, 로가쵸프전 소련외무차관의 방북결과를 통보해 왔다고 알려왔음.

2. AFANASYEV 참사관이 KARTMAN 과장에게 통보해온 내용은 하기와 같음.

. 로가쵸프는 평양을 방문, 1.18 강석주차관(외상대리 자격)과 면담하였음.

. 로가쵸프는 북한이 IAEA 협정을 가급적 조속히 서명, 이행할 것을 촉구하면서, 러시아로서는 북한의 핵개발이 평화적이지 않다는 제 3 국들이 제시하는 증거를 반박(REFUTE) 할 수 없다고 하였음.

. 또한 로가쵸프는 북한이 이행을 지연시킬 경우에는 동건이 유엔 안보리에서 제기될 수 있으며, 군사 및 핵분야에서의 북한-러시아 협력관계에 직접적으로영향을 미칠수 있다고 경고하였음.

. 로가쵸프는 또한 북한이 핵관련 의무를 조속히 이행할 것을 촉구하는 미국의 멧세지를 전달하였음.

. 이에대해 강석주는 북한에 대한 압력은 아무런 소득도 없을 것이라고 하면서, 북한이 IAEA 협정에 서명하고자 하는 것은 그 조건이 충족되었기 때문이라는 반응을 보였음. 강은 또한 1 월중에 안전협정을 서명하고 곧이어(SHORTLYU AFTRWARD) 사찰을 받을 것이라고 말하였음.

. 또한 강석주는 로가쵸프에게 미국이 주한미군 핵무기를 철수하였다는 것을 공표하는 것이 바람직하다는 멧세지를 미국에 전달하여 줄 것을 요청한다고 하면서, 그러나 이것이 IAEA 협정에 서명하는 조건은 아니라고 덧 붙였음.

. 강석주는 이어서 일본의 핵위협을 비난하면서 일본이 비밀리에 핵무기를개발하고 있다고 주장한 바, 이에 대해 로가쵸프는 동북아에 핵확산의 위협이 있음을 지적하고,

미주국 장관 차관 1차보 2차보 미주국 구주국 외정실 분석관
청와대 안기부

PAGE 1

92.01.24 09:55
외신 2과 통제관 BD

0016

북한이 IAEA 협정을 조속 서명, 이행하여야 하며, 다른 국가에구실(PRETEXT) 을 주어서는 안될 것이라고 응답하였음.

3. 상기와 같은 AFANASYEV 참사관의 브리핑에 대하여 KARTMAN 과장은 로가쵸프가 매우 강한 입장(VERY STRONG LINE)을 취한 것은 잘된 일로 본다고 하면서, 최근 남.북한간의 핵협상 현황을 설명하여 주었다고 함.

(대사 현홍주-국장)

예고: 92.12.31.일반

검토필 (1992. 6. 30) 서명

1993.12.31.에 예고문에 의거 일반문서로 재분류

PAGE 2

0017

공　　란

공 란

공 란

원 본

외 무 부

종 별 :
번 호 : RFW-0472 일 시 : 92 0203 1210
수 신 : 장관(동구일,기정)
발 신 : 주러대사대리
제 목 : 북한관계계사

2.1(토) 당지 '이스베스챠' 지는 '북한이 드디어 협정에 조인한다'라는 제하의 기사(STEPANOV 기자) 를 게재한바 요지 하기보고함.

1.지난 목요일 비인에서 북한대표가 핵안전협정에 서명함에 따라 북한은 국제핵안전 기구의사찰을 받아들이게 되었음.

2.북한이 협정에 서명한 이유는 다음 몇가지로 요약될 수 있음. 우선 북한지도부는 더이상 파탄지경에 있는 자국경제를 외면할 수가 없었을 것이고 이의 극복을 위해서는 화해를 바탕으로 한 대외정책은 필수적임을 자각했을 것임. 최근 남한정부와 체결한 일련의 우호적인 협정과 한국의 노태우 대통령을 올해 만날준비가 되어있음을 시사한 김일성의 발언등이 이를 대변해주고 있음. 둘째로 미 의회가 북한의핵시설에 대한 예방공격을 제안함에 따라 자국의 정책을 변경하지 않을 수 없었을것임.

3.그러나 서방관측통들은 북한의 핵사찰 수용에 대해 회의적인 반응을 보이고 있음. 즉 북한의 의회가 동협정을 비준해야만 동협정은 효력을 갖는데 협정비준까지는 6 개월 또는 그이상이 걸릴 수도 있으며 이 기간은 북한이 핵폭탄제조의 은폐를할 수있는 충분한 시간임.이라크가 수년동안이나 핵사찰원들의 감시를 성공적으로피할수 있었던 예를 상기할 필요가있음.

4.협정 서명후 서울과 워싱톤은 이를 반기면서도 북한이 지체없는 협정수행을 촉구하고 있음.그러나 조만간 북한은 이 자체의 구실을 만들것임.즉 올 4월의 80 회김일성생일준비라든가 노태우 대통령과의 회동 등이그것일 수 있음.끝

(대사대리-국장)

구주국 차관 1차보 외정실 분석관 청와대 안기부

PAGE 1 92.02.03 18:58 ED
외신 1과 통제관

0021

관리번호	92-179

외 무 부

동서1

종 별 : 지 급

번 호 : RFW-0784　　　　일 시 : 92 0224 1910

수 신 : 장 관(국기,사본:주오스트리아대사-중계필)

발 신 : 주 러 대사

제 목 : IAEA 2월 이사회 대책

대:WRF-448

1. 표제관련 당관 김성환서기관은 92.2.24(월) 주재국 외무성 국제과학기술협력국 MESHKOV 담당관을 접촉 대호 지침에따라 금번 IAEA 이사회에서 북한이 핵안전 협정을 조속히 이행할것을 주재국이 촉구해 줄것과 아측대표단과 긴밀히 협조해 줄 것을 요청함.

2. MESHKOV 담당관은 러시아 정부도 북한의 비준치 이의 완전한 이행이 조속히 이루어져야 한다는 입장하에 지난 1 월 로가쵸프 특사의북한방문시 북한측에 이러한 러시아측의 입장을 이미 전달한바 있음을 언급하고 금번 회의시에도 북한 대표단에게 이를 재차 전달할 예정이라고 하는바, 러시아측은 늦어도금년 봄까지는 반드시 비준이 이뤄져야 함을 촉구할것이라 함.

3. 러측대표단의 회의시 발언 요청관련, MESHKOV 담당관을 아국대표단이 VIENNA 현지에서 러측대표단고바 접촉할것을 권유함. 끝

(주러대사홍순영-국장)

예고:92.6.30 일반

검토필 (1992. 6. 30.)

1992.6.30.에 예고문에 의거 일반문서로 재분류

국기국　구주국　분석관　중계

PAGE 1

92.02.25 06:29

외신 2과 통제관 FK

0022

공　　란

공 란

공 란

관리 번호 92-900

외 무 부

종 별 :

번 호 : RFW-0905 일 시 : 92 0304 0945

수 신 : 장관(동구일,기정)

발 신 : 주 러 대사

제 목 : 삼소노프 참모총장 방북

대: WRF-0625

1. 대호관련 주재국 국방부측은 삼소노프 참모총장 일행(국방성 해외협력국장, 아주국장 니글리예프 대령등 4 명)은 중국방문후 3.2(월)-3(화)간 북한을 방문중이라 하였음.

2. 주재국 국방부측은 금번 방문목적등 상세한 사항에 대하여는 언급을 회피하면서 군사협력에 관한 협정에는 북한이 구소련으로부터 구입키로 한 군사장비 부품 및 군수지원에 관한 내용이 포함되어있음을 암시하였음.

3. 동건관련 외무성 등 관계기관과 접촉, 파악되는대로 추보하겠음. 끝

(대사-국장)

92.12.31 일반

검토필 (1992.6.30.)

1992.12.31.에 예고문에 의거 일반문서로 재분류

구주국 차관 1차보 외정실 분석관 청와대 안기부

PAGE 1

92.03.04 17:42

외신 2과 통제관 BW

0026

공 란

공 란

관리 번호	

	분류번호	보존기간

발 신 전 보

번 호 : WRF-0775 920315 1931 FN 종별 :

수 신 : 주 러시아 대사. /총영사

발 신 : 장 관 (동구일)

제 목 : 북한 '핵폭발장치 개발'에 관한 KGB 극비문서

1. 3.15자 연합통신 보도에 따른 교도통신은 핵개발과 관련 아래내용을 보도했다 함.

ㅇ 러시아 주간지 '근거와 사실'(3.14자), 북한이 지난 90년 2월까지 핵폭발장치 개발에 성공했음을 알려주는 구소련 KGB 극비문서가 공개되었다는 내용의 기사 게재

1992.12.31에 예고문에 의거 일반문서로 재분류

ㅇ 동 극비문서에 따르면 북한은 김정일의 직접 지휘하에 영변의 핵개발 연구센터에서 핵폭발장치 개발 완료

ㅇ 또한 '북한의 핵무기 개발에 관해'라는 제목의 KGB 문서가 지난 90년 2월 8일부로 당시 크류츠코프 KGB 의장과 스몰로프 제 16부장 (대령) 명의로 작성되어 동월 22일자로 구소 공산당 중앙위 극비 문서로 분류됨.

ㅇ 북한은 국제사회와 IAEA등에 핵무기 개발 사실 누설을 막기위해 핵폭발 실험은 상금 미시행

2. 이와관련, 동 기사내용에 대한 국내외적인 높은 관심등을 감안, 러시아측에 우리측의 우려를 표명하고, 동 기사의 사실 여부등을 확인바람. 끝.

(구주국장 권영민)

예고 : 92.12.31 일반

검토필 (1992. 6. 30)

보안 통제	

앙 고 재	92년 3월 15일	동구1과	기안자 성명		과 장		국 장		차 관	장 관
			김건							

외신과통제

0029

원 본

외 무 부

종 별 : 지 급

번 호 : RFW-1067 일 시 : 92 0315 2120

수 신 : 장 관(동구일,정안,정특,기정)

발 신 : 주러대사대리

제 목 : 북한 핵무기 개발관련 기사

1. 당지 주간지 '논고와 사실'(ARGUMENTY:FAKTY)은 92년 3월 3주차호(제10호)에서 '북한의 핵무기 제조사실을 뒷받침하는 KGB 극비 문서'라는 제하의 기사를 보도한바요지 하기 보고함(동기사는 북한의 핵개발상황에 대한 독자의 질문에대한 답변형식임)

가. 최근 입수한 KGB문서는 정치에 있어서 얼마나 도덕관념이 무시되고 있는지 그리고 그것이 얼마나 위험한것인지 잘 보여 주고 있음.

나. 이 문서는 또한 전소연방 정부가 북한의 핵무기 제조가능성을 잘알고 있음에도 전공산당 지도부는 핵무기제조 방지를위한 아무런 조치도 취하지 않았음.

다. KGB극비문서 내용(동문서는 90.2.8 전 KGB 의장 크류치코프가 서명하여 90.2.22공산당 중앙위에 올린 보고서임:NO. 132. VOL4. P.143)

0 KGB는 믿을만한 정보원으로부터 북한이 핵무기제조 위한 작업을 하고 있다는정보를 입수하였음.

0 북한지도부 특히 동 작업을 직접 감독하고 있는 김정일은 남한에대한 목적으로 동 작업을 진행시키고 있음.

0 KGB 정보원에 의하면 북한의 핵연구센터는 평북의 연변에 위치하고 있으며 기폭장치는 이미 완성한것으로 보이나 동 사실을 은폐하기 위하여 실험은 행하지 않고있다함.

0 KGB는 위사실을 추적키위하여 추가 조치를 취할 예정임.

2. 상기 주간지 '논고와 사실'은 84년에 창간하였으며 그동안 자유주의적 색채가강하여 옐친 대통령의 입장을 옹호하여 왔음. 동지의 발행부수는 87-88년에는 약 3,300만부 였으나 현재는 점차 줄어들어 약 2,300만부를 발행하고 있는 당지 최대의 주간지임. 동지는 그동안 국제관계 뉴스보다는 국내뉴스를 주로 다루어왔음.끝

(대사대리 - 국장)

구주국 1차보 외정실 외정실 분석관 청와대 안기부 차관

PAGE 1 92.03.16 07:26 DQ

외신 1과 통제관

0030

관리번호	92-329

	분류번호	보존기간

발 신 전 보

번 호 : WUS-1182 920316 1355 WG 종별 : 지급

수 신 : 주 미 대사. 총영사

발 신 : 장 관 (미이)

제 목 : 북한 '핵폭발장치 개발'에 관한 KGB 극비문서

1. 3.15 교도통신 및 일본신문들은 북한 핵개발과 관련 아래내용을 모스크바 발로 보도함.

   o 러시아 주간지 '논거와 사실' (3.14 발매)은 북한이 지난 90년 2월까지 핵폭발장치 개발에 성공했음을 알려주는 구소련 KGB 극비문서가 공개 되었다는 내용의 기사 게재

   o 동 극비문서에 따르면 북한은 김정일의 직접 지휘하에 영변의 핵개발 연구센터에서 핵폭발장치 개발 완료

   o 또한 '북한의 핵무기 개발에 관해'라는 제목의 KGB 문서과 지난 90년 2월 8일로부터 당시 크류츠코프 KGB 의장과 스몰로프 제16부장 (대령) 명의로 작성되어 동월 22일자로 구소 공산당 중앙위 극비 문서로 분류됨.

   o 북한은 국제사회와 IAEA등에 핵무기 개발 사실 누설을 막기위해 핵폭발 실험은 상금 미시행

2. 이와 관련 국무부 등 관계기관과 접촉 동기사 내용확인 및 주재국의 평가를 파악 보고바람.

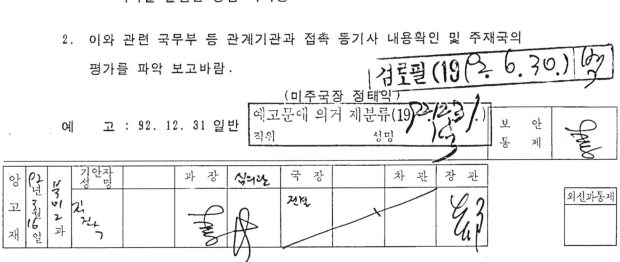

검토필(1992. 6. 30.)

(미주국장 정태익)

예 고 : 92. 12. 31 일반

예고문에 의거 재분류(1992.12.31.)
직위 성명

보안통제	

앙고재	92년 3월 16일	북미2과	기안자 성명		과장		국장		차관	장관
							전결			

외신과통제

0031

공 란

공　　란

공 란

공 란

공 란

공　　란

공 란

공　　　란

공　　　란

공 란

공 란

공 란

공 란

공　　　란

공　　란

외 무 부

종 별 :

번 호 : RFW-1500 일 시 : 92 0417 1430

수 신 : 장 관(정특,동구일,정안,기정)

발 신 : 주러대사

제 목 : 북한핵 관계 기사

92.4.6(월)자 COMMERSANT지(주간)는 OLEG UTITCIN 기자의 '민수화는 큰 이윤을 준다'제하에 북한이 CIS국가로부터 56킬로그램의 폴로토늄을 불법을 구매해 갔다는 기사를게재한바 동기사 전문 번역 별첨 타전함.

(대사 홍순영-국장)

(별첨) ''CONVERSION(민수 화)는 큰 이윤을 준다''

특히 밀수출업자들에게

러시아 연방 안전성 임원과 학자들은 핵기술,핵무기요소,핵물리학자들을 불법으로러시아에서 실어내가는 사실을 모른다고 단언하고 있다. 그런데 4월2일 'COMMERSANT'지는 방사능 물질 밀수출 관계자들한테서 ' 최근 2개월 동안에만도 CIS에서 북한으로56키로그램의 플루토늄(초우라늄원소)을 불법으로 실어갔다'는 정보를 받았다.

방사능 물질 밀수출 관계자들한테서 얻은 정보에의하면 핵무기 감축조약에 의하며미사일을 분해하는 장교들이 이런상품을 밀수출업자들에게 팔고 있다. 그댓가로 장교들은 5만 루블 이상의 요구하지 않는다. 민수용 원자력 발전소에서 공급되는 방사능물질은 이보다도 싸다. 보통 방사능 물질을 CIS국가들로 부터 고철을 실은 차량속에철도로 실어 내간다. 이런 식으로 최근 2개월 동안에만 하여도 블라디보스톡과 중국을 거쳐 북한으로 플루토륨을 56키로그램이나 실어갔다. 밀수출업자들은 해외에서키로당 75만 달러를 받는다. 또얼마전에는 이르쿠츠크와 첼랴빈스크에서 많은 방사능물질을 트럭의 밧데리속에 납으로 만든 병에 넣어 리비아로 실어갔다. 방사능 물질은 비교적 구입하기 쉽고 부피가 크지 않으며 이익이 크기 매문에 가장 장사가 잘되는 밀수출품이다.(OLEG UTITCIN)

외정실 1차보 구주국 외정실 분석관 정와대 안기부

PAGE 1

92.04.17 23:15 DW

외신 1과 통제관

0047

관리 번호	92-349

	분류번호	보존기간

발 신 전 보

번 호 : WRF-1098 920418 1450 FO 종별 :

수 신 : 주 러시아 대사. 총영사 (사본 : 주미 대사) WUS -1816

발 신 : 장 관 (동구일)

제 목 : 북한의 플루토늄 불법 구입 보도

대 : RFW - 1500

대호, 최근 2개월 동안 CIS 국가로부터 56킬로그램의 플루토늄이 북한으로 불법 밀수출되었다는 4.6자 러시아 Commersant지 보도와 관련, 러시아 및 CIS군 관계자와 귀지 주재 CIS 국가 대표부측에 동 플루토늄의 불법 유출사실 여부를 확인해 줄 것을 요청바라며, 동 기회에 상기 보도내용과 여사하게 CIS 내 핵무기관리 군부대 및 핵발전소로부터 핵물질이 북한으로 불법 유출될 개연성에 대한 우리측의 우려를 적의 전달바람. 끝.

예 고 : 92.12.31일반

(구주국장 권영민)

검토필 (1992. 6. 30)

1992.12.31에 예고문에 의거 일반문서로 재분류

보안 통제	

앙 고 재	92년 4월 18일	동구1과	기안자 성명 김		과 장	심의관	국 장		차 관	장 관
						전결				전결

외신과통제

0048

4. 北韓의 플루토늄 不法購入 報道

o 4.6 러시아의 有力週刊誌 Commersant 誌는 "民主化는 큰 利潤을 준다"는 제하에 北韓이 최근 2개월동안 獨立國家聯合으로부터 56키로그램의 플루토늄을 블라디보스톡과 中國을 거쳐 不法으로 購入한 바 있다고 보도함. (外信綜合)

0049

공 란

공 란

공 란

공 란

공 란

공 란

공　　　란

공 란

공 란

공 란

공 란

北韓, 플루토늄 56kg 밀반입

최근 두달새 CIS서 몰래 사들여

러시아誌 폭로

【모스크바연합】 북한은 최근 2개월간 독립국가연합(CIS)내 밀수업자들로부터 56kg의 플루토늄을 불법매입한 것으로 전해졌다.

러시아 시사주간지 코메르산트의 최근 보도에 따르면 북한이 CIS에서 핵개발에 사용되는 56kg의 플루토늄을 밀반출해 갔다는 정보를 지난 2일 방사능물질 전문 밀매업자로부터 직접 입수했다는 것이다.

이 정보에 따르면 밀반출되는 방사능물질은 고철을 실은 차량과 철도편으로 수송되고 있으며 이런 방식으로 최근 2개월간 블라디보스토크와 중국 국경을 거쳐 북한으로 들어간 플루토늄은 56kg에 이르고 있다는 것이다.

(서울 / 면)

0061

공 란

공 란

공 란

공 란

공 란

공 란

공 란

공 란

공 란

공 란

공 란

공 란

공 란

공 란

공 란

공 란

관리번호 92-427

원 본

외 무 부

종 별 : 지 급

번 호 : RFW-1835

일 시 : 92 0509 1650

수 신 : 장 관(동구일,정특,국기,미이,정안,기정)

발 신 : 주 러 대사

제 목 : 북한핵개발

본직은 5.8(금) 파노프 주한대사 임명자, 벨리 아. 태 1 국장을 만찬에초대하였는바, 벨리 국장은 최근 러시아 인공위성이 촬영한 사진을 분석한 결과 북한 핵시설이 위치해 있는 영변 부근의 교통량이 현저히 증가하였음을 알 수 있었다고 하면서 이것이 구체적으로 무엇을 의미하는지는 분명치 않으나 시설의 이동이 있지 않느냐는 추측이 가능하다고 언급하였음을 참고로 보고함. 끝

(대사홍순영-국장)

예고:92.12.31 일반

검토필 (1992.6.30.)

1992.12.31.에 예고문에 의거 일반문서로 재분류

구주국 미주국 국기국 외정실 외정실 분석관 청와대 안기부

PAGE 1

92.05.09 22:37

외신 2과 통제관 FK

0078

원 본

외 무 부

종 별 :

번 호 : RFW-2010 일 시 : 92 0519 2010

수 신 : 장 관(동구일)

발 신 : 주러대사

제 목 : 북한관계 기사

5.18 이즈베스챠지는 '평양은 플루토늄을 가지고있으나 원자탄을 생산하기에는부족하다'라는제목하에 한스 블릭스 IAEA총장이 방북후 북경에서 가진 기자회견내용을 게재한바, 동 기사파편 송부 예정임.끝

(대사홍순영-국장)

구주국 1차보 외정실 청와대 안기부

PAGE 1

92.05.20 03:44 BU

외신 1과 통제관

0079

주 러 대 사 관

주러정 20276-404 1992. 5. 19.

수신 : 외무부장관

참조 : 구주국장

제목 : 북한관계기사

북한의 핵개발 관련 관계기사를 별첨 송부합니다.

첨부 : 상기 기사. 끝.

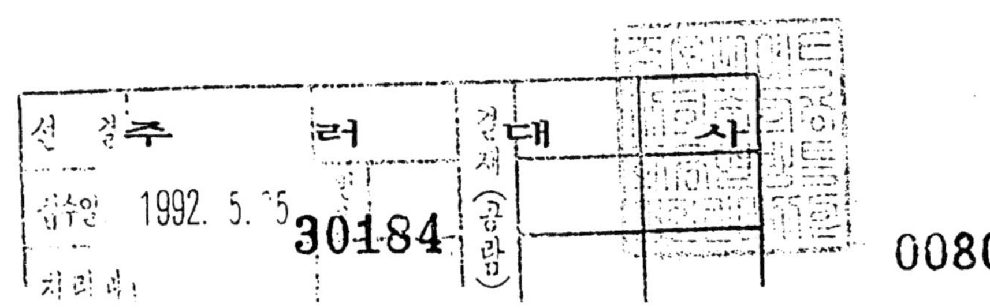

0080

「이즈베스티야」, 5월 18일자

평양은 플루토늄을 갖고있다.
그러나 원자탄 생산엔 부족하다

Yuri Savenko „Izvestia" 기자 (특파원)

북한은 플루토늄을 얼마간 생산하고있다고 국제핵에너지기구(IAEA) 한스 블릭스총장은 6일간 북한 방문 이후 북경에서 한 기자회견에서 발표.

그런데 플루토늄 물량은 H.블릭스에 의하면 원자탄 제작에 요구되는것보다 훨씬 적다. 핵개발의 기본요소를 얼마나 평양에 있는가 하는 질문에 블릭스총장은 답변하기 거절. 이 정보는 어느 나라에서나 비밀이다.

현재 능력의 40%만 작용하는 라디오화학실험실은 장차 현저한 물량의 플루토늄을 생산할 완전한 장치가 될 수 있다고 블릭스는 말하면서 북한이 플루토늄을 군사목적에 이용하려 한다는 증거를 전문가단은 찾지 못했다고 언급.

전문가단이 오기전에 주인측에서 장치를 감추지 않았을까? H.블릭스는 그런 증거를 발견하지 못했다.

0081

2

블릭스의 방문이 있기전에 대한민국, 미국, 일본은 평양이 핵개발에 임박했다고 불안을 표시했다. 핵시찰을 평양과의 관계정상화를 위한 예선조건으로 인정한다.

"북한 방문이 의혹을 풀었는가?"하는 질문에 "조급히 결론을 내리지 말라"고 H.블릭스는 경계하였다. 나라가 개방될수록 더 큰 신뢰를 받는다. 그런데 북한은 무엇이나 감추기 쉬운 밀폐된 국가이다. 그렇다 할지라도 IAEA 시찰단은 6월에 북한의 장기 시찰을 재개할것이다.

시찰이 효과가 있으리라는 보증이 있는가? 이라크의 핵원료 원광 계획을 적발하는데서 실패를 본 IAEA가 신용이 떨어지지 않았던가. 블릭스는 이라크 사건에서 교훈을 받아 더욱 완성된 잠복대상 발견 방법을 이용할것이라고 성명했다.

북경에서

0082

н»: очередная партия военно-
ько что прибывших в аэропорт

понедельник визит министра иностранных дел России А. Козырева. Похоже, российская дипломатия решила наконец прибавить обороты на балканском направлении.

Заслуживает внимания все более резкая реакция мусульманского мира на происходящее в Боснии и Герцеговине. Каир не будет молчать перед лицом непрекращающейся агрессии, предупредил министр иностранных дел Египта — страны, бывшей при Тито близкой союзницей Югославии. Президент Турции призвал США направить международные вооруженные силы в Боснию и выразил готовность участвовать в них.

Мировые агентства сообщили о гибели во время обстрела в Боснии известного испанского фотожурналиста Жорди Пужоля. Это наш 24-й коллега, погибший при исполнении своих обязанностей в Югославии.

По оценкам наблюдателей, реальные шансы экстравагантного популиста, умело заимствующего привлекательные лозунги из арсенала других претендентов, невелики. Росс Перо проделал блистательную карьеру бизнесмена: в 1962 году он основал компьютерную фирму «Электроник дейта системз» (ЭДС) с капиталом в 1.000 долларов, а спустя 22 года продал ее корпорации «Дженерал моторс» за 2,5 миллиарда. В 1979 году он заслужил рукоплескания, когда вызволил из Ирана сотрудников своей компании, где они оказались в положении заложников. Хотя известно, что он управлял фирмой, как своим удельным княжеством, с помощью «железа и крови». Его авторитарный стиль стал едва ли не притчей во языцех.

Не всем по душе и такие широковещательные заявления: свернуть программу социального обеспечения, ограничить число тех, кто пользуется системой медицинского страхования «Медикер». Ему принадлежит более чем сомнительное предложение лишить конгресс США конституционного права увеличивать налоги и все решать путем референдумов. Тем не менее его появление на заключительном отрезке президентского марафона может серьезно спутать карты двум уже определившимся кандидатам, никак не рассчитывавшим, что их дуэт может превратиться в трио.

Это была настоящая бойня. Иначе [illegible] трудно назвать то, что произошло в ночь с воскресенья на понедельник в столице Таиланда — Бангкоке, когда армейские подразделения открыли огонь по манифестантам. Согласно различным источникам, погибли от пяти до 20 человек, свыше 220 — ранены.

Резкое обострение ситуации в Бангкоке произошло в воскресенье вечером, когда по призыву оппозиции был организован митинг, в котором приняли участие около 200 тысяч человек. Они потребовали отставки премьер-министра генерала Сучинды Крапраюна. На первом этапе митинг носил исключительно мирный характер. Столкновения произошли позднее, когда демонстранты организовали марш к резиденции премьер-министра в центре Бангкока. На их пути встали полиция и солдаты.

В ноль часов по местному времени в понедельник в столице и прилегающих к ней четырех провинциях власти ввели чрезвычайное положение, которое, по оценкам агентства Рейтер, мало чем отличается от военного. Премьер-министр получил дополнительные полномочия, в столице запрещено собираться группами более 10 человек, полиции разрешено производить обыски в дневное время в любом месте, задерживать на семь дней любого без предъявления обвинений, на три дня закрыты университеты и школы.

Практически сразу после введения чрезвычайного положения солдаты начали применять для разгона демонстрантов огнестрельное оружие. Демонстранты ответили камнями и бутылками с зажигательной смесью. Согласно последним сообщениям информационных агентств, в понедельник утром столкновения практически прекратились. Полиция блокировала участников антиправительственных демонстраций. Оппозиция призывает своих сторонников прибегать только к мирным средствам протеста.

Последние события стали апогеем политического кризиса в Таиланде, который продолжается с начала апреля, когда премьер-министром стал главнокомандующий вооруженными силами Сучинда Крапраюн. На протяжении более чем месяца оппозиция пытается воспрепятствовать попыткам военных контролировать исполнительную власть. После многочисленных демонстраций 11 мая правительство, казалось бы, пошло на уступки, согласившись внести в конституцию пункт о том, что глава правительства должен избираться только из числа депутатов парламента. Однако позднее власти заявили, что генерал Сучинда Крапраюн, хотя и не является членом парламента, но останется на посту премьера четыре года и только после этого передаст власть гражданскому премьеру.

У Пхен[illegible] есть плутоний. Но для производства бомбы его не хватает

Юрий САВЕНКОВ, «Известия»

Северная Корея производит незначительное количество плутония. Это подтвердил Ханс Бликс, генеральный директор Международного агентства по атомной энергии (МАГАТЭ) на пресс-конференции в Пекине после завершения своего шестидневного визита в КНДР.

Но количество плутония, по словам Бликса, гораздо меньше, чем требуется для создания ядерного оружия. Каким именно количеством этого ключевого элемента атомной бомбы располагает Пхеньян, генеральный директор МАГАТЭ сообщить отказался: эта информация конфиденциальна во всех странах.

Экспериментальная радиохимическая лаборатория, где пока действуют лишь 40 процентов мощностей, по мнению Бликса, в перспективе может стать полноценной установкой для производства значительного количества плутония. Но он вновь подчеркнул, что его команда экспертов не нашла свидетельств того, что Северная Корея намерена использовать плутоний в военной программе.

Могли ли хозяева убрать оборудование перед приездом делегации? Х. Бликс не обнаружил свидетельств подобного маневра.

Как известно, накануне поездки Х. Бликса в КНДР Южная Корея, США, Япония с тревогой говорили о том, что Пхеньян близок к созданию атомной бомбы. Инспекция ядерных объектов рассматривается предварительным условием для нормализации отношений с Пхеньяном.

«Рассеял ли сомнения визит в КНДР?» — спросили Х. Бликса. *«Не спешите с обобщениями»*,— предостерег генеральный директор. Чем больше открыта страна, тем больше доверия она вызывает. КНДР остается закрытым обществом, где легче скрыть что-то. Тем не менее в июне эксперты МАГАТЭ начнут долгосрочную инспекцию в Северной Корее.

Есть ли гарантия, что она будет эффективной, ведь неудача с обнаружением завуалированной программы Ирака по обогащению ядерного горючего ударила по авторитету МАГАТЭ. Х. Бликс заявил, что из иракского опыта они извлекли урок и обратились к более совершенным методам обнаружения скрытых объектов.

ПЕКИН.

0083

공　　　란

공 란

공 란

공　　란

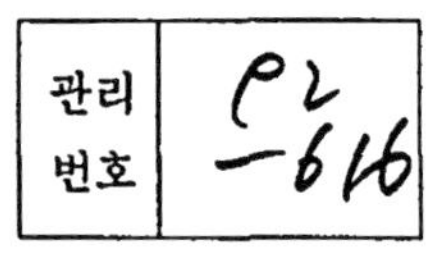

외 무 부

종 별 :

번 호 : USW-3076 일 시 : 92 0617 2000

수 신 : 장 관 (미일,미이,동구일,국기)

발 신 : 주 미 대사

제 목 : 북한 핵 문제

연: USW-2962

1. 미.러 정상은 이틀간에 걸친 정상회담을 마치고 금 6.17 전략무기 감축,GPALS, 러시아에 대한 경제 원조, 대량살상무기 확산 방지등 미.러간 공동관심사에 관한 각종 합의문, 성명등을 발표한 바, 연호 북한 핵 문제에 대한 공동선언문 (JOINT STATEMENT ON KOREAN NUCLEAR NON-PROLIFERATION) 도 그 일부로서 발표됨.

2. 동 공동선언문은 연호로 보고한 내용 그대로 발표되었음.

(대사대리-국장)

예고: 일반 92.12.31.

1992.12.31.에 예고문에 의거 일반문서로 재분류

미주국 장관 1차보 미주국 구주국 국기국 분석관 청와대 안기부

PAGE 1 92.06.18 09:25

외신 2과 통제관 FS

0088

공 란

공 란

공　　　란

공 란

공 란

공　　　란

공 란

공 란

공 란

공 란

공 란

공 란

공 란

공 란

공 란

공　　　란

공 란

공 란

공 란

공 란

공 란

공 란

외 무 부

종 별 :

번 호 : RFW-5178 일 시 : 92 1208 2145

수 신 : 장 관(동구일,정특,기정)

발 신 : 주 러대사

제 목 : 외무성 논평

당지 인터팍스의 보도에 의하면 '야스트레 젬스키' 주재국 외무성 대변인은 금 12.8(화) 정례기자 브리핑 시간에 러시아가 한국의 핵 프로그램 실행을 위하여 협력하고있다는 일부 주장을 근거없는 것이라고 말하고 아래와 같이 핵관련 러시아 정부입장을 밝혔음.

1. 러시아는 핵무기 비확산 원칙을 철저히 고수함. 러시아의 핵분야에 있어서 외국과의 접촉은 오직 평화적 이용을 위한 것이며 이는 한국과의 관계에 있어서도 마찬가지임.

2. 러시아는 한반도의 비 핵화를 지지하며 남북 동시 핵사찰은 이에 기여할 것임.끝

(대사-국장)

구주국 외정실 분석관 안기부

PAGE 1

92.12.09 07:22 WH

외신 1과 통제관

0110

공 란

공 란

공　　　란

공 란

공 란

공　　란

공　란

공 란

공 란

공 란

北韓고용 核전문가 36명
러, 平壤行 저지

空港서 出国직전 체포

英 선데이 타임스紙

【런던=AP聯合】 러시아 보안당국은 지난 8일 北韓에 고용된 러시아 核무기 전문가 36명을 태우고 모스크바의 한 공항을 떠나 北韓으로 출발하려던 항공기의 출국을 중지시켰다고 영국 선데이 타임스지가 20일 보도했다.

이 신문은 러시아 보안 소식통의 말을 인용, 36명의 무기전문가들은 모두 체포되었으며 일부에 대해서는 아직도 조사를 진행중이라고 보도하고 이는 「북한의 核 야심을 꺾기 위한 극적인 조치」라고 말했다.

이 신문은 또 북한이 아르자마스16 첼리아빈스크70 비밀기지 등 核무기연구소에서 일하던 이 과학자들을 비밀 核무기 개발 계획에 참가시키기 위해 월급 1천5백~3천달러에 고용했다고 설명했다.

선데이 타임스지는 이번 조치는 보리스 옐친 러시아 대통령이 지난 11월 러시아는 북한에 대한 모든 군사원조를 중단한다고 발표한데 뒤이어 나온 것이라고 말했다.

이 신문은 또 빅토르 바라니코프 러시아 보안장관이 10일전 러시아 의회연설에서 보안군은 러시아 核무기 전문가 64명이 다른 나라로 고용돼 출국하려는 것을 저지했다고 말해 이같은 조치가 있었음을 시사했었다고 전했다.

조선 (92. 12. 21)

134

0134

0121

관리 번호	92-11746

	분류번호	보존기간

발 신 전 보

번 호 : WRF-3921 921221 1035 WG 종별 :

수 신 : 주 러시아 대사. 총영사

발 신 : 장 관 (동구일)

제 목 : 러시아 핵 전문가 북한행 저지

12.20(일) 영국의 선데이 타임스는 러시아 보안당국이 지난 8일 북한에 고용된 러시아 핵무기 전문가 36명을 태우고 모스크바의 한 공항을 떠나 북한으로 출국하려던 항공기의 출국을 중지시켰다고 보도하였는 바, 관련 사항 파악 보고바람. 끝.

가능한 한

(구주국장 최성홍)

보안 통제	

앙 고 재	92년 12월 21일	동구1과	기안자 성명 하정국		과장	심의관	국장		차관	장관
							전결			

외신과통제

0122

외 무 부

번 호 : WRFF-0254 921221 1036 년월일 : 시간 :

수 신 : 주 러시아 대사(총영사)

발 신 : 외무부장관(동구일)

제 목 : 러시아 핵 전문가 북한행 저지

총 2 매 (표지포함)

2-1

보 안 통 제	(signature)
외 신 과 통 제	

0123

지도부갈등 예상

民主「DJ이후」부심 국민 체질개선 모색

야권은 大選… 체질개선에 나설 예정이다. 전당대회때까지 유지하는 〈개편등 내… 民主黨은 21일 선대위상 방안▲新民계 대표를 새로 노후개편을… 임위를 열어 선거대책기구 뽑아 공동대표제를 복원하 를 공식해체하고 지도체제 는 방안등이 다양하게 거론 中후보의정 개편등 黨진로문제를 논의 되고 있다「李대표체제」 는 ㅡ 할 예정이다. 또 이날 회의 를 현상으로 완전한 집단 실하고 에서는 당직자들이 일괄사 지도체제를 내용으로 하는 퇴할 것으로 보인다. 절충안이 유력한 정도로 알 편등을 지도체제개편문제와 관 려졌다.

력 民主黨내에서는▲李基澤 국민당도 21일상오 최고 대표체제를 내년 3월 임시 위원·고문단과 당직자합동

회의를 열고 향후 당의진로 문제를 구체적으로 논의한다. 이날회의에서는 당직자전원이 일괄사퇴를 해 당체제 정비를 위한 전면당직개편이 뒤따를 것으로 보인다.

그러나 民主黨은 李대표의 지도체제를 놓고 新民계와 民主계가 구체적인 합의를 하지못한 상태이며 국민당은 당운영방식을 놓고 진통이 예상되고 있다.

러, 核무기전문가 북한行저지

【런던AP=聯合】러시아 보안당국은 지난 8일 북한에 고용된 러시아 核무기전문가 36명을 태우고 모스크바의 한 공항을 떠나 북한으로 출발하려던 항공기의 출국을 중지시켰다고 영국 선데이 타임스지가 20일 보도했다.

이 신문은 러시아 보안 소식통의 말을 인용, 36명의 무기전문가들은 모두 체포되었으며 일부에 대해서는 아직도 조사를 진행중이라고 보도하고 이는 「북한의 核야심을 꺾기 위한 극적인 조치」라고 전했다.

아마있을것 43.5

론의

윤곽 잡힐듯

실및 민 는 금주중 각계인사와 만나 관련, 개혁조 정부운영에 관한 자문을 구

百想체육大賞

新人賞포함 6개부문 年內선정 내년初시상

한국일보社와 日刊스포츠가 국내 스포츠 발전과 세계 정상을 향한 기록도전에 용기를 북돋우고 뛰어난 선수를 의 경기력 향상을 위해 제정한 「百想체육大賞」이 이제 30년의 연륜을 쌓아가고 있습니다. 이 大賞은 미래의 주역이 될 유망선수의 발굴육성을 위해 지난 63년부터 시상해온 「한국신인체육상」을 83년에 발전적으로 확대개편, 기성선수까지를 망라하여 당해년에 가장 뛰어난 실적을 남긴 선수 또는 단체를 선정, 시상하는 제도입니다. 이 大賞은 또 지난해 최우수신인상을 차지했던 黃永祚선수가 금년 바르셀로나 올림픽에서 금메달을 차지한등 우리나라 체육발전에 크게 기여하고 있습니다. 「百想체육大賞」은 신인체육상 (최우수신인·남녀우수신인 각 1명)과 5대상(기록·개인·투기·구기·단체〈전종목〉)으로 구

日刊스포츠 후원 : 百想財團

0·5%에 불과했다 91년걸프전쟁에는 투입병력의 6%가 넘는 3만2천명의 여군이 파견되어 10명이 희생되고 2명이 포로로 잡혔었다.◆여군의 역할이 증대되자 여권운동가들은 승진과 보직등 모든면에서 여군에게도 동등한 기회가 주어져야 한다는 남녀평등의 차원에서 여군의 실전배치를 들고 나왔고 의회를 중심으로 대통령은 15명의 전문가를 비합을 벌였다. 이에 부시로 특별자문위를 구성, 타당성여부를 검토하도록 했는데 특별자문위가 1년반여의 작업끝에 최근 대통령에 제출한 건의안을 확정했다.◆이에 따르면 해군의 상륙함정을 제외한 해군의 모든 전투함정에는 여군을 승선시키되 해군함재기를 포함한 공군전폭기와 육군전투부대에는 현재와 같이 여군배치원칙을 계속한다는 것이다. 대공포병, 야전포병, 야전공병부대는 최전방부대가 아니므로 여군배치를 허용하자는 주장도 나왔으나 투표결과 채택되지 않았다.◆여군실전배치주장은 90년 미군의 파나마 침공작전을 계기로 대두되었다. 시내순찰중 총격을 당한 미헌병대가 여자대위의 지휘로 파나마저격병을 격퇴하자 미국언론은 이를 미군사상 최초의 여성실전지휘로 대서특필하였고 이에 힘입은 여권주의자들은 여성의 전투수행능력과 지휘력이 남성에 뒤지지 않는다고 주장하며 실전배치를 요구했던것이다.◆그러나 미군사상 여군을 가장 많이, 그리고 최전방에 가장 가까이 투입한 전쟁인 걸프전은 여군실전배치주장에 제동을 걸었다. 결

0124

다」 신중 검토」 國民

근들에게 내년 2월25일 통령취임식에 앞서 정권 수작업과 民自黨 내부개 을 병행할 방침임을 밝 것으로 알려졌다.

金당선자는 또 國政및 정치개혁을 추진하기 위해 실천계획을 수립할 전담기구로 「新韓國건설위원회」(가칭)와 「黨개혁위원회」를 각각 구성할 것을 검토하고 있다고 측근들이 전했다.

이에 따라 民自黨내 핵심 여권인사중 상당수가 교체되는등 「黨風쇄신」이 이뤄질 것으로 관측되고 있다.

따라서 民自黨의 개혁은 단순한 당직개편에서 한걸음 나아가 黨의 색깔과 노선을 변혁하는 계기로 작용, 民主·國民黨의 自救노력과 함께 대규모 정계개편의 기폭제가 될 전망이다.

民自黨은 이를 위해 이미 民主·國民黨 소속의원중 親與·개혁성향이 짙은 10여명의 의원들을 대상으로 선자와 金鍾泌대표등 黨수뇌부가 이미 영입작업에 나서고 있음을 시사했다.

이 관계자는 또 「新韓國창조를 위해 모든 정파를 초월, 大和合을 도모한다는 게 金후보의 기본입장」이라고 말했다.

한편 大選참패로 존폐의 기로에 처한 民主·國民黨은 자구책의 일환으로 내각제개헌을 통한 정책연대를 조심스럽게 추진하고 있는 것으로 알려졌다.

원은 이와관련, 『앞으로 民主黨과의 내각제개헌을 중심으로 한 연합가능성을 짚어볼 수 있다』고 언급, 주도적으로 야권개편에 나설 계획임을 시사했다.

그는 또 『民主黨과 내각제문제를 구체적으로 협의할 생각이며 창구도 있다』고 밝혔다.

金大中前대표의 정계은퇴로 창당이래 최대의 위기에 봉착한 民主黨일각에서도 金前대표가 선거기간 용의를 토대로 활로를 모색하자는 견해가 조심스럽게 제기되고 있어 조만간 「야권연대」 논의가 활발해질 전망이다.

民主黨의 최대계파인 新民系는 특히 당분간 집단지도체제에 의한 黨운영이 불가피할 것으로 판단, 내년 3월 전당대회에 이르기까지는 黨중진간의 협력을 통한 黨力復元에 집중한다는 기본입장아래 國民黨과의 정책연대를 심도있게 검토하고 있다.

그러나 李基澤대표를 중심으로 한 民主系는 1인지도체제로의 黨체제전환을 서두르고 있어 黨內갈등이 조만간 표면화, 정계개편을 가속시킬 것으로 보인다.

한편 鄭周永國民黨대표는 이날 瑞山농장에 머물며 2선후퇴등 거취문제및 黨운영방안에 대한 구상을 정리, 21일 최고위원·고문및 당직자합동회의에서 이를 밝힐 것으로 알려졌다.

러시아 核武器전문가 36명

北韓行 출국 저지

러시아 保安당국

【런던=聯合】 러시아 보안당국은 지난 8일 北韓에 고용된 러시아 核무기전문가 36명을 태우고 모스크바의 한 공항을 떠나 北韓으로 출발하려던 항공기의 출국을 중지시켰다고 영국선데이 타임스紙가 20일 보도했다.

이 신문은 러시아 보안소식통의 말을 인용, 36명의 무기전문가들은 모두 체포되었으며 일부에 대해서는 아직도 조사를 진행중이라고 보도하고 이는 「북한의 核야심을 꺾기 위한 극적인 조치」라고 말했다.

이 신문은 또 북한은 아르자마스16, 첼리아빈스크70 비밀기지등 核무기연구소에서 일하던 이 과학자들을 북한의 비밀 核무기개발계획에 참가시키기 위해 월급 1천5백~3천달러에 고용했다고 설명했다.

타임스는 이번 조치가 보리스 옐친 러시아 대통령이 지난 11월 러시아는 북한에 대한 모든 군사원조를 중단한다고 발표한데 뒤이어 온 것이라고 말했다.

20일 오전 서울驛 孫命順여사와 함 들에게 손을 들어 〈李政世기자〉

盧·金 오늘 政權인수 논의

취임준비委인선 연말까지 마무리

盧泰愚대통령과 金泳三대통령당선자는 21일 靑瓦臺에서 오찬회동을 갖고 새정부출범에 앞선 정권인수인계문제등에 관해 의견을 교환한다.

金당선자는 이 자리에서 오는 연말까지 취임준비위 인선을 마무리짓고 내년초에 준비위를 공식 발족시킨뒤 1월 중순쯤 본격가동, 정권인수 준비및 새내각 구성에 들어간다는 자신의 구상을 전달할 방침인 것으로 알려졌다.

盧대통령은 金당선자에게 정권인계를 위해 청와대가 준비중인 내용들을 설명한뒤 적극 협조를 다짐할 것으로 전해졌다.

수〉

◇安의사 설립 을 기탁한 군산 겸 동 69만원
△국제승공연합전국청 지부장) 10만원
강읍국제승공연합안강읍

0125

원 본

외 무 부

종 별 :

번 호 : AUW-1090 일 시 : 92 1221 1500

수 신 : 장 관(정특,미이)

발 신 : 주 호주 대사

제 목 : 북한관련 기사

러시아 공안당국은 12.8북한에 고용된 36명의 핵전문가들을 모스크바 이륙 직전에 체포했다고 당지 언론이 런던 언론보도(SUNDAY TIMES)를 인용 보도한바, 동기사 FAX(AUWF-0081) 송부함.끕.

(대사 이창범-실장) WG

외정실 미주국

PAGE 1 92.12.21 13:47

외신 1과 통제관

0126

주 호 주 대 사 관

AUW(F) : 0081 년월일 : 2/22 시간 : 1500

수 신 : 장 관 (정특, 구이)

발 신 : 주 호주 대사

제 목 : AUW-1090 첨부

보 안 통 제	

(출처 :)

Page (8 / 2 = 1)

외신 1과 통 제	

0127

HERALD SUN (VIC)
December 21, 1992
Page 17

Nuke experts held at airport

LONDON — Russian special forces stormed a jet about to take off from Moscow with 36 nuclear experts hired by North Korea, *The Sunday Times* reported yesterday.

The paper quoted security sources as saying all the experts were arrested and some are still being held for questioning following the incident at an unnamed Moscow airport on December 8.

The Sunday Times called it "a dramatic sting to thwart the nuclear ambitions of communist North Korea".

The scientists had been hired for between $2100 and $4300 a month to work on secret weapons projects for Kim Il Sung, the paper said.

Last month Russian President Boris Yeltsin announced that his country was stopping all military aid to North Korea, after coming under pressure from the United States and other western nations to prevent the spread of nuclear weapons and nuclear know-how.

The paper said Mr Viktor Barannikov, Russia's security minister, hinted at the crackdown when addressing the Russian legislature 10 days ago, saying his forces had stopped 64 scientists from going to another country which had hoped to use them "to create missile complexes capable of delivering nuclear warheads".

South Korean and western officials believe North Korea's communist regime is trying to conceal an atomic bomb program at the Yongbyon nuclear plant, 96km north of Pyongyang.

Intelligence sources said North Korea has sought to camouflage a building under construction near Yongbyon.

The Sunday Times said US satellite intelligence indicates that Yongbyon is possibly only a year away from producing an atomic device.

Concern over nuclear issues has stymied attempts at rapprochement between North and South Korea.

— AP

0128

81-2-2

관리 번호	92-765

	분류번호	보존기간

발 신 전 보

번　　호 : WRF-3922　　921221 1101　WG 종별 : 지급

수　　신 : 주　　러시아　　대사. ~~총영사~~

발　　신 : 장　관　　(미이)

제　　목 : 러시아 핵무기전문가 북한 방문 저지

1. 작 12. 20(일) 런던발 AP, AFP 등 외신은 러시아 보안당국이 지난 8일 모스크바의 한 공항에서 러시아 핵무기전문가 36명을 태운 북한행 항공기의 출국을 저지시켰다고 동일자 The Sunday Times지를 인용, 보도함.

2. 동 신문에 따르면, 동 전문가들은 Arzamas-16, Chelyabinsk-70 등 우랄 지역내에 있는 수개의 비밀 핵무기개발연구소 출신으로 북한에 의해 월평균 1,500~3,000미불 급여의 조건으로 북한의 비밀 핵개발 연구를 위해 고용된 것이라 함.

3. 이 신문은 또 Viktor Barannikov 러시아 보안장관이 이달초 의회 연설에서 러시아 보안군이 핵무기전문가 64명의 출국을 저지시킨 사실이 있음을 밝힌 바 있음을 고려할때, 상기와 같은 조치가 사실일 가능성이 있다고 보도한 바, 귀주재국 관계당국과 접촉, 상기 보도 내용의 진위 여부 및 관련 참고 사항 지급 파악 보고 바람.　끝.

예고문에 의거 재분류(1993. 6. 30)
직위　　　성명

(미주국장 정태익)

보안 통제	(서명)

앙 고 재	92년 12월 21일	북미2과	기안자 성명		과 장	심의관	국 장		차 관	장 관
			조		(서명)	(서명)	전결			(서명)

외신과통제

0129

관리번호	92-1761

외 무 부

종 별 : 지 급

번 호 : RFW-5342 일 시 : 92 1221 1420

수 신 : 장관(과기처)

발 신 : 주 러 대사(과학관)

제 목 : 업연(관심뉴스내용1차)

1. 92.12.20 저녁뉴스 시간에 당지 모스크바 TV-2 에서 보도한 사항을 다음과같이 요약 긴급 보고함.

0 핵무기분야에 근무하고 있는 36 명의 CIS 전문가 그룹은 동분야 목적을 위해 북한과 월 3 천미불의 계약을 체결하고 당지 국제공항을 이륙하려던중 보안위원회에 적발되어 출국이 저지되었음.

- 이와관련 일반인들은 북한이 1 년내 핵무기 개발능력을 보유하게될 것으로믿고 있다고 논평함.

0 금일 동 TV 관계자와 협의한바 동 보도내용은 프랑스라디오를 통해 입수 했으며 자세한 내용에 대한 언급을 회피함.

2. 동건관련, 쿠르챠토프 연구소는 이들이 연구소전문가가 아니라 기업의 엔지니어들일것을 추측된다고 하여 보다 구체적인 사항을 파악한후 내일 재협의 키로 하였으며, 원자력 에너지부와도 접촉을했으나 이를 부인하고 있고 현재 파악이 안된 상태이어서 추후 논의키로 함.

3. 이와관련 현재 본인은 동건이 옐친대통령의 방한기간중 언급한 내용과 일치하는지의 여부와 그 진위이며, 가능하다면 이들의 전문분야등 인적사항을 확보하려 중점을 두고 협의중에 있음.

4. 따라서 보다 구체적인 자료는 추후 입수되는대로 송부할 계획임.

92.12.31 까지

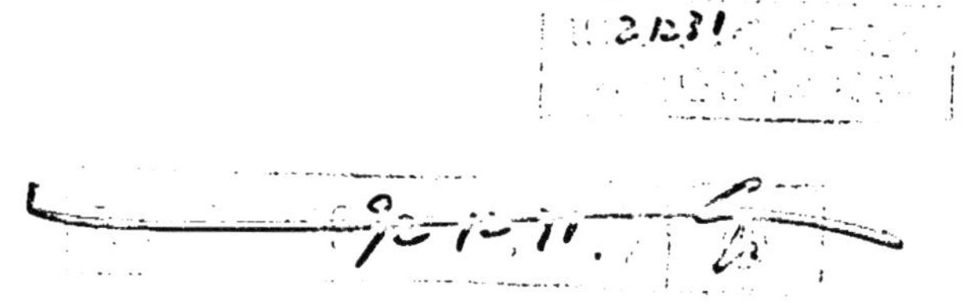

과기처 장관 차관 1차보 구주국 외정실 분석관 청와대 안기부

PAGE 1 92.12.22 06:22

* 원본수령부서 승인없이 복사 금지 외신 2과 통제관 BZ

0130

공 란

공 란

공 란

공 란

공 란

공 란

공　　란

공 란

공 란

공 란

공 란

공 란

공　　란

<table>
<tr><td colspan="6">정 리 보 존 문 서 목 록</td></tr>
<tr><td>기록물종류</td><td>일반공문서철</td><td>등록번호</td><td>32706</td><td>등록일자</td><td>2009-02-26</td></tr>
<tr><td>분류번호</td><td>726.64</td><td>국가코드</td><td></td><td>보존기간</td><td>준영구</td></tr>
<tr><td>명 칭</td><td colspan="5">북한 핵문제 : 우방국 협조, 1992. 전4권</td></tr>
<tr><td>생 산 과</td><td>동북아1과/북미1과/특수정책과</td><td>생산년도</td><td>1992~1992</td><td>담당그룹</td><td></td></tr>
<tr><td>권 차 명</td><td colspan="5">V.3 중국</td></tr>
<tr><td>내용목차</td><td colspan="5"></td></tr>
</table>

0001

관리번호 92-78

외 무 부

종 별 : 지 급

번 호 : CPW-0038 일 시 : 92 0107 0130

수 신 : 장관(아이,아일,미일,미이,정특,정보,기정)

발 신 : 주 북경 대표

제 목 : 일본 외상 방중

연: CPW-0021(1.5)

와따나베 일본 부총리겸 외상은 1.3-6 방중 일정을 모두 마치고 금일 오전 상해 경유 귀국한바, 1.6 정상기 서기관이 당지 일본대사관 요시다 1 등서기관에게 탐문한 일.중 외상회담 결과 및 당관 관측등에 관해 다음 보고함.

(강택민 총서기 및 이붕총리 예방 내용은 연호 이외 특이 내용 없음)

1. 한반도 관계

가. 중.일 양국 외상은 최근 남북대화진전 및 핵문제 관련 지난 12.31 남북한간 합의 사실을 높이 평가함.

나. 중국측은 한반도 비핵화 주장을 지지한다고 하면서 중.일 양측이 특히 핵문제에 관해 공통의 인식을 갖고 있다고 언급함.

다. 또한 중국측은 남북한의 유엔동시가입, 남북대화진전, 핵문제 관련 남북한간 합의 사항등을 열거하면서 이러한 배경하에 현재 일.북한 수교 협상의 진전을 기대할 수 있는 가장 좋은 시기가 되었다고 언급함.

검토필(1992. 6. 30.)

다. 또한 중국측은 남북한의 유엔동시가입, 남북대화진전, 핵문제 관련 남북한간 합의사항등을 열거하면서 이러한 배경하에 현재 일.북한 수교협상의 진전을 기대할 수 있는 가장 좋은 시기가 되었다고 언급함.

라. 일본측은 최근 남북한간 공동선언문은 양측간의 핵사찰만 언급하고 IAEA 에 의한 사찰은 언급되지 않음을 상기시키면서 따라서 일본은 북한의 IAEA 에의한 "무조건 조기" 사찰이 중요함을 강조하였고 동 무조건 조기 사찰이 일.북한간 조속한 관계 개선에 기여할 것이라는 견해를 피력하였음.

마. 또한 일측은 북한이 남북한 공동선언문에서 합의된 내용에 따라 어떻게 실제 사찰을 수용할지를 관찰하는데도 시간이 필요하다고 언급하였음.

아주국	장관	차관	1차보	2차보	아주국	미주국	미주국	외정실
외정실	분석관	청와대	안기부					

PAGE 1 92.01.07 04:24

외신 2과 통제관 FM

2P-1

0002

바. 한편 와따나베 외상은 이붕총리 예방시에도 북한의 IAEA 에 의한 조기 무조건 핵사찰 접수가 필요함을 언급한바, 이붕총리는 (1) 한반도 안정은 남북한 모두 뿐 아니라 일.중 양국에게도 중요하다 (2) 중국은 남북한 모두의 대화노력을 평가한다 (3) 북한을 고립시키는 것은 현명치 못하다고 언급하였음.

2. 쏘련 사태

가. 중국측 언급 내용

(1) 쏘연방 각 공화국들의 정치적 독립은 하나의 현실로서 중국도 이미 이들 독립국가에 대한 승인조치를 취하였으며 수교 협상이 진행중임.

(2) 그러나 이들이 정치적으로 독립국가이나 경제적으로는 70 여년간 상호 의존형 경제구조를 가지고 있어 정치적 독립으로 인해 향후 경제상태가 더 어려워질 것으로 판단되며 이를 감안 대처하여야 함.

(3) 중국과 구쏘연방 국가들과의 무역은 정부간 무역액은 감소하였으나 대신 국경무역이 증가하여 전체 액수는 크게 감소하지는 않았음.

(작년 경우 3-4 프로 감소하였다고 언급)

나. 일본측 언급 내용

(1) 일본은 구쏘연방 보유 핵무기에 대해 지대한 관심을 갖고 있으며 동 핵무기들이 빨리 폐기되기를 희망함.

(2) 또한 동 핵무기 폐기 또는 CONTROL 을 위해 일본은 가능한 기여 의사(POSSIBLE CONTRIBUTION)를 밝혔음.(재정적인 지원을 의미한 것으로 보임)

(3) 현재 독립국가들에 민주적.평화적인 방법으로 새로운 질서가 원만히 정착되기를 희망함.

(4) 북방영토 관련, 일 정부는 옐친 대통령의 언급 내용("THE PROBLEM OF NORTHERN TERRITORIES SHOULD BE SETTLED FROM THE POINT OF LAW AND JUSTICE")을 어느정도 평가하고 있음.

3. 군축

가. 일측은 MTCR 및 "중동에서의 무기거래 규제에 관한 P-5 회의" 중요성등2 가지를 언급하면서 중국측이 MTCR 에 조기 가입할 것을 요청하였음.

나. 중국측은 중국이 곧 NPT 에 가입키로 한 방침을 재상기시키면서 중국은 전반적으로 군축문제에 관해 매우 성의를 갖고 있다고 언급하였음.

다. 또한 중국측은 베이커 국무장관 방중시 미국이 3 가지 분야(2 개 중국회사에 대한 제재조치, 고속 컴퓨터 및 위성의 대중 수출규제)의 대중제재 조치를 해제할 경우 중국도 MTCR 의 가이드라인을 준수할 것임을 미측에 밝혔다고 언급 하였음.

라. 중국측은 상기 P-5 회의에 관해서는 반응을 보이지 않았음.

- 이후 4 항부터 PART 2 로 계속-

PAGE 3

0004

3

관리번호	92-20

외 무 부

종 별 : 지 급

번 호 : CPW-0039 일 시 : 92 0107 0130

수 신 : 장관(아이,아일,미일,미이,정특,정보,기정)

발 신 : 주 북경 대표

제 목 : 일본 외상 방중(PART 2)

4. 대중 경제원조

가. 중국측은 세계은행의 대중 차관 제공 결정이 이루어지도록 일본측의 협조를 요청했으며, 또한 일본 수출입 은행의 대중국 제 3 차 에너지 차관(중국측의 신청서 기접수) 제공의 조속 결정을 요청하였음.

나. 일본측은 세계은행 차관 제공건에 대해서는 검토하겠다고 답변하였으며, 제 3 차 에너지 차관에 대해서는 양국 관련기관간 접촉이 진행되고 있음으로 곧 회답이 있을 것이라고 답변하였음.

5. 일국왕 방중 초청건

가. 중국측은 중.일 수교 20 주년이 되는 금년 가을에 일 "천황" 부처의 방중을 환영한다는 입장을 표시하였음.

나. 일측은 중국측의 수차에 걸친 일 천황 초청에 감사하며 이를 진지하게 검토하겠다는 입장을 표명하였음.

6. 기타 (일.중 쌍무관계, 캄보디아문제등) 생략함.

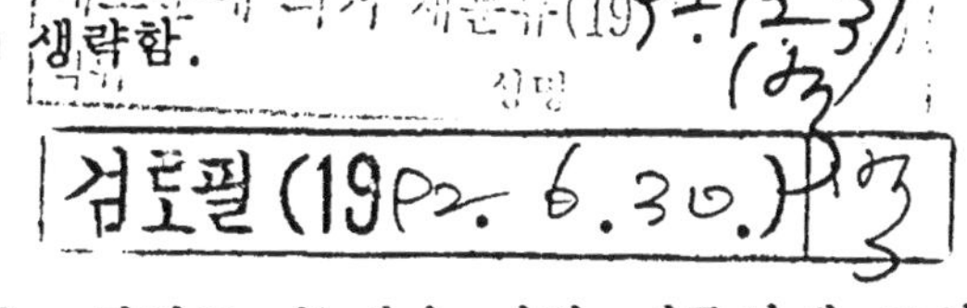

7. 평가(일측 평가)

가. 한반도 문제

(1) 일.중 외상회담에서 국제문제중에서는 한반도 문제가 가장 비중있게 토의되었음.

(2) 일.북한 수교 및 북한 핵관련 중국측은 종래 입장을 재반복하였으나 금번 경우 중국측은 일.북한 수교에 관해 "지금이 가장 좋은 시기가 되었다(NOW ITS VERY GOOD TIME ...)"는 표현을 새롭게 사용함으로서 일.북한 조기 수교를 촉구 하였음.

(3) 일측은 중국측의 언급 태도로 보아 중국측이 한반도 문제에서 남북한간의 중립입장을 견지하려는 자세를 보이려고 노력한 것으로 평가함.

아주국 장관 차관 1차보 2차보 아주국 미주국 미주국 외정실
외정실 분석관 청와대 안기부

PAGE 1

92.01.07 04:25

외신 2과 통제관 FM

2P-2

0005

(예: 남북한을 따로이 지칭하지 않고 "북과 남"이라는 표현을 계속 사용)

(4) 중국측은 과거 일.북한 또는 미.북한 관계개선이 한. 중 관계개선에 기여할 것이라는 표현을 자주 사용하였으나 금번 회담에서는 여사한 표현은 한번도 사용하지 않은 것으로 기억됨.

나. 일 국왕 방중 초청건

0 중국측이 일본 국왕의 방중을 계속 요청하고 있는 이유에 대해, 요시다 서기관은 현 중.미 관계로 보아 중국이 일본의 상징인 천황을 초청하여 중.일 관계를 더욱 굳건히 하고 이를 대미 견제용으로 사용코자 하는데 있는 것으로 보고 있음.

다. 쏘련 관계

0 중국측은 쏘련 사태 관련 핵문제등 민감한 문제에 관해서는 언급하지 않았음.

PAGE 2

0006

공 란

공 란

공 란

관리번호	92-589

외 무 부

종 별 :

번 호 : UNW-0627 　　일 시 : 92 0305 1950

수 신 : 장 관(연일,미이,정특,기정)사본:유종하 대사

발 신 : 주 유엔 대사대리

제 목 : 북한핵문제등 협의

대:USW-01019

연:UNW-0368

당관 윤병세 참사관이 3.5. 미국 대표부 RUSSEL 아주담당관과 오찬시 북한 핵문제및 최근 유엔 동향등에 관하여 협의한바, 동인 언급내용을 중심으로 아래보고함

나. 향후 안보리에 공시 회부문제

0 그간 미행정부 및 언론등 다양한 채널에서 안보리 회부 및 제재결의

국기국	장관	차관	1차보	2차보	미주국	국기국	외정실	분석관
청와대	안기부							

PAGE 1 　　92.03.06 10:42

외신 2과 통제관 BX

0010

추진가능성등이 흔히 거론되고 있으나, 이를 실제로 추진하는데는 아래와 같은 운용상의 애로도 많음을 간과해서는 안됨

1)이락의 선례가 북한핵문제에 그대로 적용되기는 어려움

2)안보리에 회부되기 위하여는 북한의 핵개발이 '국제평화와 안전에 대한 위협'을 구성해야 한다는것이 가장 근본적인 고려 사항인바, 이를 위해서는 단순한 비준지연만이 아닌 구체적이고 설득력 있는 핵개발 증거를 이사국들에 제시해야됨

3)본건의 안보리 협의 추진과정에서 예상되는 부수적인 위험 부담에 대한 충분한 사전대비가 필요함(여타지역 핵확산 문제와의 연관성등)

0 향후 안보리 회부여부등 북한 핵개발에 대한 유엔차원의 대응문제에 대하여는 아국 신임대사부임후 적절한 시기에 한. 미 양국 대표간 전반적인 협의를 갖는것이 좋을것으로 봄

다. 남북한 합의서의 유엔문서 배포문제

ORUSSEL 담당관은 2 월초 박길연 북한대사의 PICKERING 대사 면담시 P 대사가 남북한 합의서(비핵화 공동선언 포함)의 유엔 문서배포의양을 타진한바 있음을 상기시키고, 장단점이 있겠으나, 아래와 같은 이유로 유엔문서배포가 유용할것이라고 함

-북한 핵문제에 대한 안보리및 유엔회원국들의 관심에 부응

-향후 안보리에서의 공식.비공식 거론서 협의의 준거문서가됨

-유엔의 공식문서로 북한의 합의서 의무이행을 촉구하는 간접적 효과

2. 기타 유엔 동향

가. 미국대표부

0 언론에 이미 보도된대로 PICKERING 대사는 주 인도대사로 내정되어 92.6.이전 부임예상되며, WATSON 대사도 곧 타지역으로 전임될 예정이라고 함

0 RUSSEL 담당관 자신도 주한대사관 근무발령을 받아 7-8 월경 부임예정이라함

나. 중국대표부

0 왕광아 참사관이 본부근무발령을 받아, 4 월 경 귀국 예정임(유엔국장으로 내정되었다고 함)

0 유화추 외무차관이 3 월중순경 유엔방문예정임

다. 유엔 사무국

THORNBERG 신임 행정담당사무차장은 3 월초부터 근무중

라. 일본의 안보리 상임이사국 진출문제

0 유엔내 다양한 경로를 통해 탐문한바로는 최근 안보리 정상회담시등 일본측 움직임은 주로 HATANO 일본대사의 INITIATIVE 로 추진되고 있는 느낌인바, 4 월초 PICKERING 대사의 일본 방문시(안보리등 유엔문제 협의차) 본건에 관한 일본 본국정부의 추진의지의 강도및 우선순위등에 관해서도 파악 코자함

(대사대리 신기복-국장)

예고:92.12.31 일반

일반문서로 재분류 1992.12.31.

검토필 (1992.6.30.)

PAGE 3

0012

관리 번호 92-326

외 무 부

종 별 : 지 급

번 호 : USW-1300 일 시 : 92 0313 1841

수 신 : 장관(아이, 미일, 미이) 사본:주북경대표부(본부중계필)

발 신 : 주 미 대사

제 목 : 국무부 중국과장 접촉

연: USW-1269

당관 임성준 참사관은 금 3.13 PERITO 국무부 중국과장을 면담한 바, 동 면담요지 아래 보고함.(조태열 서기관, MOHR 부과장 배석)

1. LIU 외교부장-KANTER 차관 면담요지(북한핵사찰 문제)

. 임참사관이 연호 LIU 부부장의 KANTER 차관 및 EAGLEBURGER 부장관 면담시 북한핵사찰문제 관련 논의 내용을 탐문한바, PERITO 과장은 동 면담시 미측은북한이 IAEA 핵사찰을 계속 지연시키고 있으나 미국으로서는 마냥 기다릴 수 만은 없다는 점을 분명히 하고, 북한 조속히 사찰을 이해하도록 중국이 대북한 압력을 강화해 줄 것을 강한 어조로 촉구하였으나, LIU 부부장은 북한이 결국은 사찰에 응할 것이라는 예의 낙관적 견해를 표명하고, 더이상 압력을 가하는것은 오히려 좋지않은 영향을 미칠 것이라는 종전의 입장을 되풀이 하였다(TYPICAL RESTATEMENT AND STANDARD RESPONSE) 고 답변함.

이어 LIU 부부장은 핵문제에 관한 북한의 태도를 일정시점에서만 판단할 것이 아니라 전체적인 맥락(OVERALL TREND)에서 파악하여야 할것이라는 견해를 표명하였다함.

2. 중국내부정세

검토필(1992.6.30.)

. 임참사관이 최근 등소평의 중국 남부지역 순회강연과 인민일본의 개혁노선 지지 사설게재등 일련의 움직임이 중국정권내 보혁부쟁에서 개혁파가 득세하고 있는 조짐으로 보인다고 말하고, 금년 가을 14 차 전당대회를 전후하여 중국 정세 변화가능성에 대한 미측의 관찰을 문의함.

. 이에 대해 동과장은 여사한 움직임이 외견상 중국내 활발한 개혁노선지지움직임이 있는 것 처럼 보이게(LOOK VIGOROUS IN PHYSICAL)하고는

아주국	장관	차관	1차보	2차보	미주국	미주국	외정실	분석관
청와대	안기부	중계						

PAGE 1

92.03.14 09:24
외신 2과 통제관 BX

0013

있으나, 이는 당내 좌파의 공세에 대한 등소평의 방어 책략(MANEUVERING TO GUARD AGAINST LEFTISM) 에 불과한 것으로 본다고 말함. (LIU 부부장도 상기 면담시 당내 좌파세력이 중국사회안정에 더큰 위협요인되고 있다고 언급하였다함.) 동 과장은 이어 중국내 보수강경론자나 온건 개혁론자를 막론하고 정치개혁이나 자유화를 지지하는 인사는 없으며, 관심과 논쟁의 촛점은 경제개혁문제에 있음을 지적하고, 경제문제에 관한 양세력간 긴장관계는 계속될 것이나, 이들의 정치적 응집력(POLITICAL COHESION)은 유지될 것이라고 부언함.

. MOHR 북과장도 상기 견해에 동의하고, 14 차 전당대회시 당내 서열이나 세력구조 개편을 위한 여러가지 움직임이 있을 것이나 이 모든 것이 상기와 같은맥락에서 이해해야 할 것이며, 내주 개최되는 전인대에서도 ZOU JIAHUA 국가계획위 주임등 일부 강성인사가 실각할 가능성도 배제할 수 없다는 사견을 피력함.

3. 미.중 관계

. PERITO 과장은 현재의 미.중 관계는 매우 FRAGILE 한 관계라고 언급하고,3 대현안중 무기확산문제에 있어 중국의 NPT 가입, MTCR 준수약속등 상당한 진전이 있었으나 문제는 중국이 이를 얼마나 성실히 이행하느냐는데 있으며, 인권문제나 무역역조 문제는 심각한 상황이라고 언급함.

. 동 과장은 그러나 국제문제에 있어서의 양국간 협력은 양호하다고 말하고(대 이락, 리비아제재, 캄보디아, 아프가니스탄, 북한핵문제등에 대한 중국의 협력등을 예로 듬) 미국의 대중국 관계는 한편에서는 협력을 요청해야 하면서도,또 한편으로는 제재 위협을 하지 않을 수 없는 관계라는데 미국의 고민이 있다고 부언함.

(대사 현홍주-국장)

예고: 일반

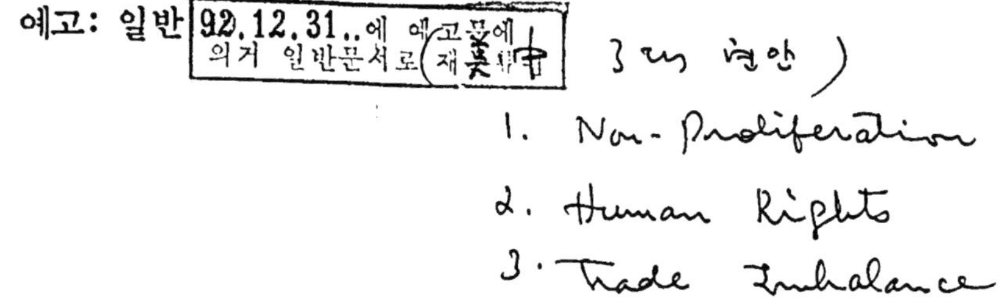

92.12.31.에 예고문에
의거 일반문서로 재분류
3대 현안)
1. Non-Proliferation
2. Human Rights
3. Trade Imbalance

PAGE 2

0014

관리번호	92-763

외 무 부

종 별 :

번 호 : JAW-1715　　　　일 시 : 92 0325 1738

수 신 : 장 관(아일,아이)

발 신 : 주 일본 대사(일정)

제 목 : 강택민 총서기 방일

대: WJA-1269

연: JAW-1656

본직은 금 3.25.(수) 다께시다 일한의련 회장 방문시, 대호에 따라 남.북 핵통제 공동위원회 제 1 차회의 결과를 설명하고, 4 월초 강택민 총서기 방일시 동인과 면담기회에, 중국측이 북한에 대해 IAEA 핵안전협정 및 남.북한 비핵화 공동선언의 내용을 성실히 이행하기 위해 2 개월내 사찰규정에 합의, 남.북한에의한 상호사찰이 조속 실현되도록 보다 적극적으로 설득해줄것을 요청해주기 바란다고 하였던바, 다께시다 회장은 자신으로서도 최대한 노력하겠다고 말하였음. 끝.

(대사 오재희-국장)

예고: 92.12.31. 일반

검토필(1992.6.30.)

아주국	장관	차관	1차보	2차보	아주국	외정실	분석관	청와대
안기부								

PAGE 1　　　　92.03.25　18:09

외신 2과　통제관 BS

0015

관리 번호	92-604

외 무 부

종 별 :

번 호 : CPW-1230 일 시 : 92 0325 1630

수 신 : 장관(아이,기정,경기원)

발 신 : 주 북경 대표

제 목 : 서태평양 심포지움- 한반도 관련 논의

연:CPW-1190

표제 심포지움 3.25. 회의 주제인 "한반도의 안정과 경제 기술 협력"에 관한 남북한 참석자의 기조발표와 토론 내용을 보고함.(아측대표등 거의 모든 참석자가 정부 방침이 아닌 개인 의견임을 전제로 했음을 참고바람.)

1. 아측 국방연구소 차영구 박사는 "남북한 관계의 새로운 국면"이라는 주제하에 북한의 핵사찰문제에 비중을 두고 다음 요지의 발표를 함.

가. 최근 남북한의 협의 결과 "남북화해와 불가침 및 협력교류에 관한 합의"를 하였으며, 그 실행을 위한 분과위도 구성키로 하였음.

나. 또한 핵문제와 관련 한반도 비핵화를 위한 공동선언을 하였음.

다. 그러나 중요한 미해결 과제가 북한의 핵사찰 문제이며, 이는 비핵화 공동선언의 실질적인 이행의 관건이며 나아가 상호신뢰의 구축 및 협의 내용을 이행해나가는 데도 필수적임.

라. 북한의 핵사찰의 지연과 관련, 많은 의구심을 불러 일으키고 있는바, 이문제가 한국과 주변국의 초미의 관심사이며, 모든 협력사항의 선결 과제임

마. 한반도의 평화통일을 위하여는 남북화합과 협력단계, 평화공존단계, 통일단계등 단계적 과정을 밟는 것이 합리적임.

2. 북한의 오창림 군축 및 평화연구소 부소장은 "조선반도의 안정과 경제 기술협조 전망"이라는 주제하에 아래 내용을 발표함.

가. 최근 북한정부의 노력에 의해 한반도의 안전 담보가 마련중임.

0 92.2. 평양 6 차 고위급 회담을 계기로 남북 합의서 발효

0 "한반도의 비핵화에 대한 공동선언" 발효

0 일본, 미국등 주변국과의 적대 관계 해소 노력

아주국	장관	차관	1차보	2차보	경제국	외연원	외정실	분석관
청와대	안기부	경기원						

PAGE 1 92.03.25 21:10

외신 2과 통제관 CE

0016

나. 한반도의 안전을 담보하기 위한 대책으로는 직접 당사자인 남북한의 노력이 중요하며, 따라서 남북 합의서를 지체없이 이행해야 하며 외세에 의존하지 않는 자주적 입장을 견지해야함.

다. 핵문제 해결을 위한 북한의 조치는 IAEA 규정에 비추어 합당함.

0 92.1.30, 핵협정 서명

0 92.4 월초 최고인민회의에서 심의 예정

0 심의 비준후 IAEA 실무 절차에 따라 핵사찰

라. 미국의 팀스피리트 중지는 환영하나, 이로써 책임이 완료된 것은 아니고 미국을 단계적으로 완전히 철수해야 함.

마. 두만강 하류 삼각지구인 나진, 선봉 지역 개발에 큰 의의를 부여하고 있으며 UNDP 및 관계국과 협조, 사업을 추진중임.

3. 토론 내용

가. 일본의 KAMIYA 교수는 핵문제에 관한 북한의 태도에 의문을 품는 일본 사람들이 많다고 지적하고, 핵사찰시에 자유로운 접근(FREE ACCESS)이 보장되어야 한다고 발언함.

나. 미국의 BARNETT 교수도 북한이 시간을 지연하는 것은 핵을 숨기기 위한의도가 있다고 보는 것이 워싱턴의 일반적인 시각이라고 하고 이문제 해결이 매우 중요하다고 강조함.

다. 중국 외교부 국제문제연구소 도 병위(TAO.B.W)위원은 남북협력이 최근 진전된 것이 매우 고무적인 일이라고 하고 이를 이행하는 것이 중요하며, 이러한노력과 함께 시간이 지나면 신뢰가 구축될 수 있는 것이라고 말함.

라. 핵문제에 관한 논란이 계속되자 주최측인 동 대림(TONG D.L)소장이 주제를 "중국 경제"문제로 바꾸어 토론이 종료됨. 끝.

(대사 노재원-국장)

예고;92.12.31 일반

관리번호 92-765

원 본

외 무 부

종 별 :

번 호 : CPW-1231 일 시 : 92 0325 1730

수 신 : 장관(정특,아이,미이,국연,기정) 사본:주 영,홍콩총,유엔대사-중계필

발 신 : 주 북경 대표

제 목 : 북한 핵사찰 관계 중국 태도

본직은 금 3.25(수) ROBINJ MCLAREN 당지 주재 영국 대사와의 오찬에서 북한 핵사찰 문제에 관하여 의견을 교환한바, 다음 보고함.(영국측 DAVIES 1 등 서기관 외 1 명, 아측 정상기 이기범 서기관 배석)

1. 본직은 남. 북한 관계, 미.일의 대북한 관계 진전이 북한 핵사찰문제와 연계되어 있다고 전제하고, 동건이 유엔안보리에 제기되는 상황으로까지 발전할 경우 중국이 가장 곤란한 입장에 처하게 될 것이므로 여사한 사태로 발전되기 전에 문제가 해결되기 위해서는 중국측의 대북한 설득노력이 배가되어야 하며, 이를 위해 서방 국가가 단결하여 대중국 및 대북한 설득과 압력 노력이 필요하다고언급하였음.

2. MCLAREN 대사는 본직의 의견에 동감을 표하면서 미.영. 불을 주축으로 이러한 노력을 계속하고 있으나, 반드시 모든 나라가 공동보조를 취하고 있는 것은 아니며, 예를 들어 덴마크 경우 북한과 외교관계를 가지고 있어 다소 입장이 다를 수 있다고 말함.

3. 또한 동 대사는 북한 핵문제가 안보리에서 제기되어 투표에 회부될 경우, 중국이 어떠한 태도를 취할지는 매우 예측하기 어려운 문제라고 언급하면서, 참고로 대리비아 제재안에 대한 중국의 태도에 관해여 다음과 같이 언급함.

가. 미.영. 불은 유엔에서의 대리비아 첫번째 결의안에 대해서는 중국의 지지를 얻었음.

나. 3.23. 전기침 외교부장이 전인대 기자회견에서 테러리즘에 반대하고 테러리스트들은 처벌받아야 한다는 입장을 밝혔으나, 한편 안보리의 대리비아 제재는 문제해결에 도움을 주지 않을 뿐 아니라 긴장정세를 조성할 것을 이유로 이에찬성하지 않는다는 입장을 밝혀, 중국의 입장을 명확히 예측 하기는 어려움.

다. 그러나 중국은 리비아와 VITAL 한 이해관계에 있지 않기 때문에, 결국 두번째

외정실	장관	차관	1차보	2차보	아주국	미주국	국기국	분석관
청와대	안기부	중계						

PAGE 1

92.03.25 21:27
외신 2과 통제관 CE

0018

제재안에 대한 투표시에는 이에 찬성할 것으로 전망됨.

라. 중.북한 관계는 중.리비아 관계와는 다르기 때문에 중국 태도 예측이 매우 어려움.

4. 한편 중국측은 북한이 이라크의 경우에서와 같이 IAEA 사찰팀에 대한 북한 전역에 대한 사찰 허용시 IAEA 팀들의 실지 탐색과정에서 북한 주민들의 실생활 모습이 외부세계에 알려질 것을 우려하고 있는 것으로 평가하고 있다함. 끝.

(대사 노재원-실장)

예고:92.12.31 일반

검토필(1992.6.30.)

0019

(한.중 외상회담용)

<u>북한의 핵 안전협정체결 및 핵사찰 문제(IAEA)</u>

o 북한은 1985년 핵 비확산조약(NPT) 가입후 약 6년만인 지난 1월30일 국제원자력기구(IAEA)와 핵 안전협정에 서명하고 4월( )일 최고인민 회의에서 동 협정을 비준하였는바, 비준후 발효를 위한 조치도 즉각 취해야 할것임

o 우리는 3월9일 귀국의 핵비확산조약(NPT) 가입을 환영하며, 지난 2월 IAEA 이사회에서 북한의 핵안전 협정 조속비준과 발효를 촉구해 준것을 평가함

o 북한이 앞으로 핵재처리 시설을 포함한 자국내 모든 핵시설 및 물질에 대해 IAEA 핵사찰을 성실히 받음으로써 NPT상 의무를 완전히 이행할 때 까지 귀국이 계속 북한에 대해 영향력을 행사해 주기를 기대함

0020

The Safeguards Agreement between North Korea and the IAEA

o North Korea has signed the Safeguards Agreement with the IAEA (Int'l Atomic Energy Agency) on January 30, 1992, six years after North Korea acceded to the NPT(Nuclear Non-Proliferation Treaty) in 1985, and ratified the Agreement at its Supreme People's Assembly on April ( ).
It should further take the necessary measures to bring the Agreement into force immediately after the ratification.

o We welcome China's joining the Nuclear Non-Proliferation Treaty(NPT) on March 9th, 1992, and appreciate its urging North Korea's early ratification and implementation of the Safeguards Agreement at the last February IAEA Board of Governors' Meeting.

o My Government expects that your Government will continue to have influence on North Korea until it subjects all its nuclear facilities and materials including reprocessing plant to the IAEA nuclear inspection, thereby fulfilling its obligations as a party to the NPT.

0021

(한.일 외상회담용)

북한의 핵 안전협정체결 및 핵사찰 문제(IAEA)

o 북한은 1985년 핵 비확산조약(NPT) 가입후 약 6년만인 지난 1월30일 국제원자력기구(IAEA)와 핵 안전협정에 서명하고, 4월( )일 최고인민회의에서 동 협정을 비준하였는바, 비준후 발효를 위한 조치도 즉각 취해야 할것임

o 우리는 귀국이 북한의 핵안전 협정 조속체결과 완전한 이행을 위하여 적극 협조하여 준것을 평가함

* 일본은 90.2월이사회 이후 92.2월이사회까지 8차례 개최된 IAEA 이사회에서 북한 협정체결 및 의무이행을 강력히 촉구해옴

o 북한이 핵재처리 시설을 포함한 자국내 모든 핵시설 및 물질에 대해 IAEA 핵사찰을 성실히 받음으로써 NPT상 의무를 완전히 이행할 때까지 양국간 계속 적극협력 해나가길 바람

0022

The Safeguards Agreement between North Korea and the IAEA

o North Korea has signed the Safeguards Agreement with the IAEA (Int'l Atomic Energy Agency) on January 30, 1992, six years after North Korea acceded to the NPT(Nuclear Non-Proliferation Treaty) in 1985, and ratified the Agreement at its Supreme People's Assembly on April ( ).
It should further take the necessary measures to bring the Agreement into force immediately after the ratification.

o My government appreciates Japan's positive role in urging North Korea's early conclusion and complete implementation of the Safeguards Agreement.

o We wish that our two Governments will continue to closely cooperate with each other until it subjects all its nuclear facilities and materials including reprocessing plant to the IAEA nuclear inspection, thereby fulfilling its obligations as a party to the NPT.

0023

(參考資料)

北韓의 核 安全措置協定 締結 問題

1. 北韓-IAEA間 協定締結交涉 經緯

o 北韓은 85.12月 核武器 非擴散條約(NPT) 加入不拘, 同 條約上 義務인 國際原子力 機構(IAEA)와의 核安全協定締結 遲延

- NPT 第3條는 加入後 18個月內 IAEA와 安全措置協定締結 및 發效義務 規定

o 北韓은 그간 3次(89.12月, 90.1月, 90.7月)에 걸친 IAEA와의 協定締結 交涉過程에서 下記를 前提條件으로 要求

- 韓半島로부터 核武器 撤去

- 美國의 北韓에 대한 個別的 核先制 不使用 保障(NSA)

o 그후 北韓은 態度를 變更, 91.6. 核安全協定締結意思 發表後 91.7.IAEA側과 交涉結果 協定文案을 最終 確定하였고, 91.9月 IAEA 理事會 承認을 得함.

2. IAEA 에서의 北韓 問題討議 및 北韓의 最近 動向

가. IAEA 討議 經過

o 89.12. IAEA 理事會以來 每 理事會 및 總會에서 다수국이 北韓의 核 安全措置協定締結 促求

o 91.9.12. 開催 IAEA 理事會는 IAEA-北韓間의 核 安全協定文案을 承認하는 한편, 北韓에 대해 同 協定의 早速한 署名, 批准 및 履行을 促求하는 決議 採擇

o 92.2月 IAEA 理事會(2.24-26)에서 美, 日, 濠洲, 중국, 베트남, 큐바等 31個國이 北韓의 조속한 協定批准 및 履行을 促求

- 同 理事會에서 北韓代表(오창림 巡廻 大使)는 4월초 最高人民會議에서 協定 批准後 빠르면 6月中 IAEA 核査察을 받을 計劃이라고 밝힘.

나. 最近 北韓 動向

o 92.1.7. 北韓, 外交部 聲明을 통해 가까운 시일내에 核 安全協定에 署名, 가장빠른 시일안에 批准, IAEA 査察 받을 것을 밝힘

- 我側 國防部 代辯人, '92 팀스피리트 훈련중지 發表

o 92.1.30. 北韓, IAEA와 核 安全措置協定에 署名

o 92.2.19. 第6次 南北 高位級 會談에서 「韓半島 非核化 共同宣言」 發效

o 92.3.8. 北韓, 最高人民會議 제9기 제3차 會議를 92.4.8 召集 IAEA 核 安全 協定 批准問題 審議計劃 發表

o 92.3.19. 南北韓間 「南北 核統制 共同委員會」 發足

o 92.3.31. 김일성, 4.8.開催 最高人民會議에서 協定 批准되면 核査察은 정해진 順序에 따라 解決될것이라고 言及

o 92.4.-. 北韓, 核安全措置協定 批准

3. 向後 我側對策

o 核 安全協定의 發效및 査察의 完全 受容時까지 北韓 態度 예의 注視

o 査察 完全 受容時까지의 단계별 對北韓 對處 方案 講究, 施行

- 北韓 態度에 따라 友邦國과 협의, 6月 IAEA 理事會 대응.

*添附 : 北韓의 核安全協定 發效後 IAEA 査察實施 過程 圖表 끝.

북한의 핵 안전조치협정 발효후 IAEA 사찰실시 과정 도표

92.4. 국제기구과

1. 협정의 발효 o 발효일은 협정 비준 사실에 대한 북한정부의 서면 통고를 IAEA가 접수한 일자	92.4.15발효(가정) ★ 이하 4.15.발효 가정에 따른 각 단계별 최대한 일자
2. 사찰대상 모든 핵 물질에 대한 최초 보고서 (initial report) 를 IAEA에 제출 o 발효 해당월의 최종일로 부터 30일 이내	92.5.30 까지 제출
3. 최초보고서 내용에 대한 IAEA의 임시사찰 (ad hoc inspection) 실시	92.6월22일경 실시 가능
o 임시사찰을 위한 사찰관 임명은 가능한한 안전조치협정 발효후 30일 이내 완결	- 92.5월15일경
o 북한은 상기 IAEA 사찰관 임명 수락 여부를 제의받은 후 30일 이내에 사무총장에게 통보	- 92.6월15일경
o IAEA는 사찰관 수락회보 접수후 최소한 1주일전 북한에 통보후 사찰관 파견	- 92.6월22일경
4. 보조약정서(하기 5항) 체결 협의기간중 기존 핵시설 관련 설계정보 (design information)를 IAEA에 제출 o 설계정보는 재처리시설 관련 정보도 포함하여 각 시설별 설계정보 설문서(Design Information Questionnaire)형식으로 제출	92.4.15-7.14 사이

0026

o 제출된 설계정보 검증을 위해 IAEA는 북한에 사찰관 파견 (임시사찰과 같은 절차를 거쳐 파견)

o IAEA는 상기 설계정보내용 확인후 시설부록 (Facility Attachment)을 작성 보조약정서에 첨부

5. <u>보조약정서</u> (subsidiary arrangement) <u>체결 및 발효</u>	92.7.14까지
o 협정에 규정된 안전조치 절차와 시행방법을 구체적으로 명시하는 보조약정서를 IAEA와 체결	
o 보조약정서는 안전조치협정 발효후 90일이내에 체결 및 발효 시키도록 노력	
6. <u>사찰관 임명</u> 을 위한 사전 협의	
o 사무총장은 북한에 대해 IAEA 사찰관 임명에 대한 동의를 서면으로 요청	
o 북한은 임명동의 요청 접수후 30일 이내에 수락여부를 사무총장에게 통고	92.8.13 경
* 사무총장은 필요에 따라 보조약정 체결전이라도 북한에 사찰관 임명 동의 요청 가능	
* 일단 임명동의를 받은 사찰관들은 향후 사찰을 위해 북한 재입국시 임명동의 재요청 불필요	
7. <u>일반사찰</u> (routine inspection) 실시	
o IAEA는 사찰관 임명동의 접수후 사찰실시 1주일전 북한에 사찰관 파견 사전통보	
o 사찰관 북한 입국, 일반사찰 실시	92.8.20 경
8. <u>특별사찰</u> (special inspection) 실시	일반사찰 실시후 필요시
o 특별사찰은 일반사찰을 통해 획득한 정보가 협정에 따른 책임 이행에 충분치 못하다고 판단될 때 실시	

0027

o 따라서 북한의 미신고 핵물질 및 시설에 대한 의혹이 있을 경우 IAEA 이사회 결정에 따라 특별사찰 실시가능

* 92.2월 IAEA이사회는 IAEA가 상기 핵관련 추가정보를 입수하여 관련장소를 조사할수 있는 권한을 갖고 있음을 재확인

o 쌍방 합의후 가능한한 빠른 시일내 사찰관 파견 사전 통보후 실시

끝.

0028

공 란

공 란

공 란

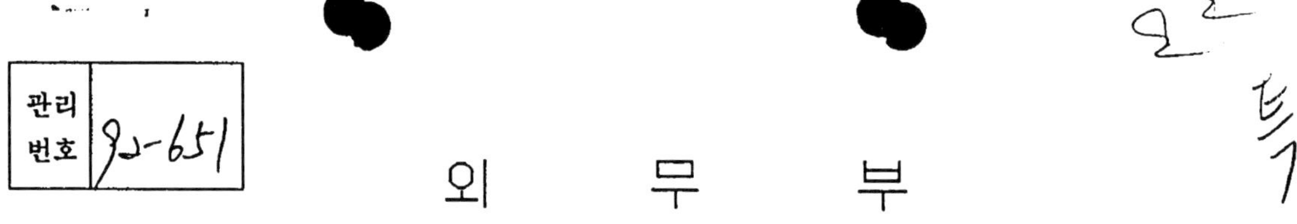

관리번호	92-651

외 무 부

종 별 :

번 호 : RFW-1286　　　　일 시 : 92 0331 2010

수 신 : 장 관(동구일,아이,사본:주북경대표-중계필)

발 신 : 주 러 대사

제 목 : 코지레프 외상 방중

당관 서현섭 참사관은 3.31(화) 외상을 수행, 중국을 방문하고 지난주 귀국한 바실예프 중국 과장을 접촉, 표제관련 파악한바 요지 아래 보고함.

1. 전체적 평가

가. 금번 방문은 옐친대통령 집권이후 최초의 양국 외상간의 공식 접촉으로양측의 정상적인 선린관계 유지, 발전 중요성을 확인하는 계기가 되었다 함.

나. 구 소련 공산당 해체로 양국관계가 다소 소원해졌고 또한 금번 회담에서 러측이 인권문제를 거론, 외상 회담이 어려웠다는 보도가 있으나 이는 추측 보도라 함. 러측의 인권에대한 관심표명에 대해 중국측이 각자 처해 있는 입장이상이함으로 인권에대한견해도 같을 수 없다는 반응을 보인 정도로 마무리 되었다 함.

2. 옐친 대통령 방중 초청

가. 중국은 옐친대통령의 중국 방문을 러측은 전기침 외상의 러시아 방문을각각 초청하였으며 시기는 추후 협의해 나가기로함.

나. 옐친대통령 방중 초청관련, 일부 언론에서 중국측이 옐친대통령의 방중을 여타국의 방문과 연결시키지 말고 별도로 실시해 줄 것을 요청했다고 보도했으나 중국측은 방문시기와 형식에 대해서는 구체적으로 거론하지 않았다 함.

다. 옐친대통령 방문 시기에대한 질문에 동인은 아직 구체적으로 검토되고 있지 않다 하고 사견임을 전제로 러시아로서는 한국, 일본 방문이 더욱 중요할 것이라 함.

3. 한반도 문제

가. 러측이 최근 한반도에서의 긴장완화 추세를 언급하고 북한의 핵안전 협정 이행의 중요성을 지적하면서 이를 위해 중국측도 북한을 설득하는것이 바람직하다는 견해를 표명했다 함.

나. 이에 중국측은 최근 한반도 정세 발전을 환영하는 한편 한반도에서 민간. 군사

구주국	장관	차관	1차보	2차보	아주국	외정실	분석관	청와대
안기부	중계							

PAGE 1　　　　92.04.01　07:04

외신 2과　통제관 BX

0032

목적 여하를 불문하고 원자력 사고가 발생할 경우, 지리적으로 인접해 있는 중국이 심한 피해를 입을 것이라는 우려를 표명하면서 핵안전 협정의 조속한 이행을 북한측에 종용하겠다는 반응을 보였다 함.

4. 금후 전망

가. 러.중 양국이 개혁의 속도등에 있어서는 다소 차이를 보이고 있으나 양국이 기본적으로 개혁과 개방 방향으로 나아가고 있고 특히 경제 개혁면에서는 중국이 오히려 러시아보다 앞서 나가고 있음.

따라서 금후 양국관계 발전에 있어서 이념적 요소가 치명적인 장애 요소로 작용하지는 않을것이라 함.

나. 그러나 금후 양국 관계는 당분간 정치 분야에서 보다는 경제, 통상관계발전에 더욱 치중될 것이라 함. 일례로 91 년 양국간의 왕복 무역액은 약 39 억불이었는바, 이중 국경 도시간의 직교역이 50 프로를 점유하였으며 이같은 추세는 계속 늘어날 것이라 함. 끝

(대사홍순영-국장)

92.12.31 까지

관리 번호	92 -1153

	분류번호	보존기간

발 신 전 보

번 호 : WCP-2006 920826 1854 FY 종별 : 지급

수 신 : 주 북경대표 ~~대사. 총영사~~

발 신 : 장 관 (미이)

제 목 : 북한 핵문제 관련 보도

1. 8. 26. 자 (수) 중앙일보는 '북한 핵개발 포기 중국에 약속했다' 제하의 1면 톱기사를 전택원 특파원의 북경발로 아래 요지와 같이 보도하였음.

   (기사 전문 : 별첨 Fax 송부)

   o 북한은 한.중 수교 직전 핵개발을 포기하기로 중국측에 약속했다고 이곳의 한 고위 외교 소식통이 25일 밝혔음.

   o 북경 외교가의 이 소식통은 한.중 수교의 배경을 설명하면서 중국이 한국과 수교하지만 대신 북한측에 대해 현 체제 유지에 대한 보장을 했으며 동시에 북한측에 핵개발 포기를 종용, 그 같은 약속을 받아 냈다고 전했음.

   o 이 소식통은 한.중 수교 협상이 그동안 북한 핵문제와 관련하여 진전이 이루어지지 않았던 사실을 지적하고 북한이 핵개발 정책을 포기하지 않았더라면 한.중 수교는 결코 성사될 수 없었을 것이라고 강조했음.

   o 그러나 이 소식통은 북한이 언제 어떤 경로를 통해 핵포기를 중국측에 통고했는지는 언급하지 않았음.

/계속/

아주국장 : (서명)

보안 통제	(서명)

앙 고 재	92년 8월 26일	북미 2 과	기안자 성명		과 장	심의관	국 장		차 관	장 관
			김진수		(서명)	(서명)	전결			(서명)

외신과통제

0034

2. 이와 관련 우선 상기 기사의 출처 및 보도 내용의 진위 여부를 동 특파원 에게 확인하고, 동 기사의 출처로 보도된 '고위 외교 소식통'이 확인이 되면 동인과 접촉 보도 내용과 관련된 사항을 파악 보고바람. 끝.

첨부: 동 기사 전문

예고 : ~~1993. 6. 30. 일반~~
19 . . .에 예고문에
의거 일반문서로 재분류됨

(미주국장 정태익)

0035

北韓 核개발포기 中國에 약속했다

韓中수교 직전 北京요구 수용

中國선 金日成체제 유지 보장

北韓、美에 관계개선 제의 로동신문

【北京=全擇元특파원】北韓은 韓國과 中國의 수교 직전 핵개발을 포기하기로 中國측에 약속했다고 이곳의 한 고위외교소식통이 25일 밝혔다。北京외교가의 이 소식통은 韓中수교의 배경을 설명하면서 中國이 韓國과 수교하지만 대신 北韓측에 대해 현체제유지에 대한 보장을 했으며 동시에 北韓측에 대해 핵개발포기를 종용、그같은 약속을 받아냈다고 전했다。이 소식통은 韓中수교협상이 그동안 北韓의 핵문제와 관련하여 진전이 이뤄지지 않았던 사실을 지적하고 北韓이 핵개발정책을 포기하지 않았더라면 韓中수교는 결코 성사될 수 없었을 것이라고 강조했다。

이 소식통은 『北韓의 핵개발정책 포기에 의해서만 韓中수교와 함께 한반도를 둘러싼 문제들이 해결될수 있다』고 전제하고 韓國은 對中수교협상과정에서 북한이 핵무기를 포기할 것을 일관되게 요구해왔으며 韓中수교 성사는 이 문제가 해결됐기때문에 가능했을 것이라고 밝혔다。

그러나 이 소식통은 북한이 언제 어떤 경로를 통해 핵포기를 중국측에 통고했는지는 언급하지 않았다。한편 北京의 관측통들은 한반도 非核원칙을 지지하고 중국이 북한의 핵포기를 승복시키면서 이의 대가로 韓中수교후에도 61년 中朝우호조약 효력에는 변화가 없음을 보장했으며 남북한에 대해 대등한 위치에서의 평화구조 정책에 중국이 적극적인 역할을 해나갈 것을 약속한 것이로 분석했다。

중앙 (92. 8. 26) 1면

0036

관리 번호 92-1169

원 본

외 무 부

종 별 : 지 급

번 호 : CPW-3906　　　　일 시 : 92 0829 0040

수 신 : 장관(미이,아이,기정)

발 신 : 주 중 대사

제 목 : 북한 핵문제 관련보도

대: WCP-2006

1. 당관 김하중 참사관은 금 8.28. 외교부 아주국 장정연 부국장과 저녁을 함께하는 기회에 대호 보도내용을 문의한바, 장부국장은 동 보도 내용은 전혀 근거없는 내용이라고 이를 부인 하였음.

2. 동 내용을 보도한 중앙일보의 전택원 특파원은 8.27 이후 당관과 연락이안되고 있음.(대부분의 주홍콩특파원들은 8.27 전후하여 귀임 하였음). 끝.

(대사 노재원-국장)

예고: 93.6.30 일반 예고문에 의거 일반문서로 재분류됨

미주국 장관 차관 1차보 아주국 외정실 분석관 청와대 안기부

PAGE 1　　　　92.08.29 02:25

외신 2과 통제관 BZ

0097

관리 92
번호 -1312

외 무 부

종 별 : 지 급

번 호 : CPW-4631 일 시 : 92 1005 2100

수 신 : 장관(아이,미일,미이,정특,기정)

발 신 : 주 중 대사

제 목 : ROY 주중 미대사 오찬

본직은 금 10.5(월) 당지 주재 STAPLETON ROY 미 대사의 초청오찬에 참석한바, 주요 대화내용 다음 보고함.(아측에서 허세린공사, 김하중, 서건이 참사관등총 5 명, 미측에서 HALFORD 공사 등 총 5 명 배석)

1. 주요내용

가. 대통령 방중

(1) ROY 대사는 한. 중 수교 및 노태우 대통령의 방중등 한. 중 관계의 커다란 발전에 축하를 표하면서 금번 대통령 방중시 한. 중간에 중.미관계에 관해 언급이 있었는지, 향후 중국측 고위 인사의 방한이 예정되어 있는지 등에 관심을표하였음.

(2) 본직은 노대통령께서 10.1 국무회의에서 아국의 대외관계의 주축이 어디까지나 대미.일 관계에 있으며 대미 기존우호관계를 유지 발전시키는데 세심한노력을 기울일것을 지시한바 있다고 설명하고, 이러한 대미.일 관계의 중요성을 고려하여 김종휘 특사가 대통령 방중 결과를 설명키 위해 미.일 방문중에 있다고 알려 주었음.

아주국 장관 차관 1차보 미주국 미주국 외정실 분석관 청와대
안기부

PAGE 1 92.10.06 00:57

* 원본수령부서 승인없이 복사 금지 외신 2과 통제관 BZ

0038

공 란

長官報告事項

報告畢

1992.11.11.
國際經濟局
(經科 - 52)

題 目 : 韓.中 原子力協定締結 關聯 關係部處 對策會議 結果

1992.11.11(水) 國際經濟局長 主宰로 開催된 表題會議 結果를 아래와 같이 報告합니다.

1. 參席部處 : 外務部, 國防部, 安企部, 科技處, 動資部.

2. 會議結果

   o 中國과의 평화적인 原子力發電分野 協力의 必要性 인정

   o 다만 協定締結 推進은 美國등 서방관련국가에 대한 충분한 事前協議와 諒解 確保가 前提되어야 함(外務部, 安企部, 動資部).

3. 向後措置計劃

   o 美國과의 事前協議 推進, 투명성 및 信賴構築 努力(外務部)

   o 서방국 설득에 필요한 論理와 協力必要性 설명자료 작성(科技處)

   o 持續.緊密한 部處間 協議 실시

4. 各部處 主要立場

   가. 外務部

   o 協力必要性 및 有用性에 대한 具體說明資料 提出 요망(科技處)

   o 事案의 重要性에 비추어, 韓.中 原子力協力은 基本協定 締結後 그 기본틀 아래에서 推進 요망되며, 機關間 約定締結은 곤란

계속/...

나. 科技處(協定締結의 必要性)

- ο 相互補完的 協力용이(中側 基礎技術과 우리측 原電 安全管理分野)
- ο 美, 佛, 加등 先進國과는 달리 동등한 立場에서의 協力 가능
- ο 核燃料의 安定的 확보
- ο 中國 原子力市場 進出에의 교두보 확보
- ο 美, 日, 加등과의 協商力 제고
- ο 兩國 機關간 商業的 協力契約 체결 推進시 政府次元의 保障조치 마련

다. 國防部

- ο 中國과의 軍事技術分野 協力推進中.
- ο 原子力의 경우도 平和的 이용에 국한한 協力推進 반대 않음. (對北韓 敏感技術 및 武器移轉 可能性 없는 것으로 판단)

라. 安企部

- ο 中國이 아직 유일한 北韓 背後支援 勢力임.
- ο IAEA 등 國際機構와 美國등 서방국가와의 事前協議를 통한 疑惑 解消 및 諒解 確保후 推進 필요

마. 動資部

- ο 中國과의 協力必要性 인정
- ο 서방국가들과의 기존 原子力 協力關係 및 依存度등을 감안, 同 關係를 損傷시키지 않도록 하는 努力 필요 끝.

예고: 협정체결시까지

0041

관리 번호	92 -1630

	분류번호	보존기간

발 신 전 보

번 호 : WCP-3458 921215 1821 FO 종별 : 지 급

WRF -3874

수 신 : 주 중, 러시아 대사. ~~총영사~~

발 신 : 장 관 (미이)

제 목 : 중.러 정상회담(북한 핵문제)

대 : RFW-5141

1. 최근의 JNCC 회의에서 나타난 바와 같이 북한은 남북상호사찰 회피 의도를 명백히 하고 있으며, 더나아가 T/S 훈련을 구실로 남북대화를 단절하고 한.미 양국의 신정부 출범을 관망하면서 핵문제 해결을 최대한 지연시키려 하고 있음. 이와 같은 상황에서 북한 핵문제 해결을 위해서는 남북 협상 노력과 병행하여 국제사회의 일치된 대북 설득과압력이 필요하다고 보는바, 특히 중국 및 러시아의 대북한 메세지 전달이 큰 효과가 있을 것으로 생각하고 있음.

3. 따라서 금번 옐친 대통령의 12. 17~19간의 중국 방문시 러.중간에 채택될 Press Statement에 북한 핵문제와 관련한 효과적인 메세지가 포함되도록 귀관은 귀 주재국측에 대해 북한 핵문제 해결을 통한 한반도의 안정이 동북아지역 전체의 평화에 긴요함을 설명하고 중.러 양국이 공히 한반도 에서의 핵개발을 반대하는 입장인 만큼 아래 문구를 참고, 「한반도 비핵화 공동선언」의 조속한 이행을 촉구하는 내용의 표현이 동 Press Statement에 포함될 수 있도록 적극 교섭 바람.

예고문에 의거 재분류(1993.6.30)
직위 성명

보 안 통 제	

/계속/

아주국장 : 미주국장 :

앙 고 재	92년 12월 15일	북미2과	기안자 성명		과 장	심의관	국 장		차 관	장 관
			(서명)		(서명)	(서명)	전결			(서명)

외신과통제

0042

'중.러 양국은 한반도의 안정이 동북아시아의 평화에 긴요하다는데 의견을 같이 하였으며, 이를 위하여 남.북한간에 상호핵사찰의 조속한 실현등 「한반도 비핵화 공동선언」이 성실히 이행되는 조치가 취해질 것을 촉구함.' 끝.

(미주국장 정 태 익)

예 고 : 93. 6. 30. 일반

0043

2

관리 번호	92 -1635

원 본

외 무 부

종 별 : 지 급

번 호 : CPW-5663 일 시 : 92 1216 1625

수 신 : 장관(미이,정특,국기,동구일,아이) 사본: 주러대사-중계필

발 신 : 주 중대사

제 목 : 중.러 정상회담(북한핵문제)

대:WCP-3458

1. 당관 김하중 공사는 12.16(수) 주재국 외교부 아주국 무대위 부국장을 방문, 대호에 따라 아측 입장을 설명하고 대호 3 항의 표현이 공동언론 발표문에 포함 되도록 중국측의 협조를 요청하였음.

2. 무부국장은 한국측의 요청을 즉시 상부에 보고하겠다고 하면서, 자신의 개인적인 견해로는 여타 부문은 특별한 문제가 없다고 생각하나 "남북한 상호 핵사찰의 조속한 실현" 이라는 표현을 포함시키는 것은 어려울 것으로 생각한다고하였음.

3. 이에대해 김공사가 대호에 따라 아측입장을 상세히 설명하고 중국측 협조를 요청한바, 무부국장은 중국이 지금까지 취해온 태도와 마찬가지로 핵문제 관련하여 북한에 대하여 공개적인 압력을 가하는 것을 찬성하지 않고있기 때문에그와 같은 표현을 포함시키는 것은 어려울 것으로 생각한다고 하였음. 끝.

(대사 노재원-국장)

예고:93.12.31 일반

미주국 장관 차관 1차보 아주국 구주국 국기국 외정실 분석관
청와대 안기부 중계

PAGE 1

92.12.16 18:24

외신 2과 통제관 BZ

0044

공 란

공 란

공 란

91

관리 번호	92-1651

외 무 부

종 별 : 지 급

번 호 : CPW-5706 일 시 : 92 1222 1215

수 신 : 장 관(아이,동구일,미이,정특,기정) 주러대사,주미대사-중계필

발 신 : 주 중국 대사

제 목 : 옐친 대통령 방중

당관 김하중 공사는 12.21(월) 러시아 대사관 RATSIBORINSKY 참사관과 저녁을 하면서, 옐친 대통령의 방중시 협의 내용 및 관련사항에 관해 청취한바, 동 참사관의 주요 언급내용을 아래 보고함. (당관에서는 정상기, 김일두서기관, 러시아측에서는 ZAKHAROV, SMORODIN 1 등서기관 동석)

1. 옐친 대통령 방중 결과 | 검토필 (1992.12.31.) 인 |

가. 평가

(1) 금번 옐친 대통령 방중 의의를 한마디로 요약하면 중국.러시아간의 새로운 시대의 시작을 의미하는 방문이었다고 평가할 수 있음.

(2) 과거 중.러 관계는 당대당의 관계로서 이념 매문에 서로 싸우고 비난하는 관계였으나, 금번 옐친 대통령 방중을 계기로 국가대 국가의 관계로서 양국 지도자가 처음으로 솔직하고 진지한 의견교환을 가졌다고 생각하며, 양국이 앞으로 정치, 경제, 문화, 사회, 군사 등 모든면에서의 협력이 가능하다는 점을 인식하는 계기가 되었다는 점임.

나. 한반도 문제 및 북한 핵문제 토의 내용 (별전 보고)

다. 중.러간 군사협력

(1) 중.러 양국은 국제관례 및 양국간 합의 테두리안에서 군사분야 협력을 하기로 하였으나, 이것은 인적교류, 무기판매 등에 한정한 것으로서 더이상 숨길 내용도 없어 이러한 내용은 옐친 대통령이 기자회견시에도 명확히 설명한바 있음.

(2) 대신 옐친 대통령은 중국군의 현대화를 위해 러시아가 협조할 용의가 있음을 밝혔음.

(3) 그러나 최근 서방 언론은 중.러간의 군사협력 문제를 지나치게 확대보도하고 있으나 사실과는 다름.

아주국	장관	차관	1차보	2차보	미주국	구주국	외연원	외정실
분석관	청와대	안기부	중계					

PAGE 1 92.12.22 14:23

* 원본수령부서 승인없이 복사 금지 외신 2과 통제관 BS

0048

라. 중.러간 경제협력

(1) 중국의 대러 경협

0 중국은 러시아에 대해 3 억 인민폐 (약 53 백만 미불)의 상품 CREDIT 을 제공키로 합의하였음.

0 동 금액은 많은 금액은 아니나 러시아 경제회복을 원하는 중국측의 성의가 느껴지는 협력이며, 항상 말만 앞세우는 미국의 태도와는 오히려 비교가 됨.

(2) 러시아의 대중국 경협

0 러시아는 중국의 심천지역에 원자력발전소(2 메가톤급 원자로 2 개 규모) 건설을 지원키로 합의하였으며, 이를 위하여 20 억 미불의 CREDIT 을 제공키로 하였음. 동 원자력 발전소 건설에는 5-6 년이 소요될 것으로 보임.

0 이와같은 중국측 의도는 중국이 오래지 않아 얼마인가 순 원유 수입국이 될 전망이며 중국 경제에 있어 향후 에너지 문제가 심각하게 될 것임을 고려한 때문으로 보임.

마. 중국의 핵실험 및 군사대국화 문제

(1) 핵실험 금지에 관한 MORATORIUM

0 옐친 대통령이 중국의 핵실험 금지에 관한 MORATORIUM 가입 의사를 문의한데 대하여, 중국측은 중국의 핵 보유량이 여타 핵 보유국가에 비해 미미한 정도이고, 중국이 앞으로 어느정도의 핵무기는 보유해야 하기 때문에 현재로서는 MORATORIUM 에 가입키가 곤란하다는 입장을 설명하였음.

0 이에 대해 옐친 대통령은 이해를 표시하였음.

(2) 중국의 군비증강 문제

0 강택민 총서기는 옐친 대통령과의 면담시, 중국군의 숫자는 많지만 무기체제 등 여러가지 면에서 낙후되어 있기 때문에 이를 위한 현대화를 추진한다고 해서 군비를 증강하고 있다고 한것은 옳지 않다고 설명하였음.

0 옐친 대통령은 이에 대해 이해를 표명하였음.

바. 제 3 국(미.일) 관계 논의 내용

(1) 미국

0 옐친 대통령은 중국측에 대해 동인이 93.1.4 미국을 방문, BUSH 대통령과 START II 에 서명할 예정임을 설명하고, BUSH 대통령이 현직 대통령이기는 하나, CLINTON 대통령 당선자가 있는 현 상황하에서 누구를 주협상대상자로 해야 좋을지 분명치 않아

어려움이 많다고 설명하였음.

(2) 일본

0 대일관계는 중국측이 먼저 제가하였는바, 중국측은 동북아 치역의 안정을 위해러. 일간의 우호관계가 바람직하다고 말하였음.

0 이에 대해 옐친 대통령은 러시아는 일본에 대하여 알레르기적 반응을 갖고 있지 않으며, 러시아로서도 대일관계가 중요한 것을 잘알고 있다고 답변하였음.

2. 참고사항

가. 중국 권력층 동향

(1) 최근 양상곤 주석이 정치적 제약을 받고 있다는 보도가 있었으나, 옐친 대통령과의 면담시 양상곤 주석은 전과 다름없이 시종 여유있는 행동을 보였음.

(2) 그러나 옐친 대통령의 강택민 총서기 면담시, 강택민 총서기는 양상곤 주석 및 이붕총리의 옐친대통령 회담 내용을 "보고 받았다"고 말하였는바, "보고를 받았다"는 용어의 사용에 비추어 강택민이 중국의 최고 실권자로서의 지위를 굳히고 있는 인상을 강하게 받았음.

나. 옐친의 조기 귀국

0 옐친 대통령은 12.19 새벽 5 시 30 분 심천 방문을 취소하겠다고 하며 중국측을 비롯 대사관측에서도 이의 확인을 하느라 커다란 소동이 있었음.

0 당시 자신이 보기에는 옐친이 모스크바로 부터 급한 전갈을 받거나 틀림없이 조기 귀국을 결정할만한 상당한 이유가 있었을 것으로 생각함.

다. 가이다르 전 총리 거취

0 가이다르 전 총리는 옐친 대통령 경제자문관에 임명될 것으로 예상됨. 끝.

(대사 노재원-장관대리)

예고: 93.12.31. 일반

PAGE 3

0050

9

관리 번호 92-1652

원 본

외 무 부

종 별 : 긴 급

번 호 : CPW-5708 일 시 : 92 1222 1425

수 신 : 장관(미이,아이,동구일,정특,기정) 사본: 주러대사-중계필

발 신 : 주 중 대사

제 목 : 옐친대통령 방중 (한반도 관계)

검토필 (1992.12.31.) 인

대: WCP-3458

연: CPW-5663

당관 김하중 공사는 12.21(월) 당지 러시아 대사관 RATSIBORINSKY 참사관과저녁을 하면서 대호 옐친대통령 방중시 중.러간에 한반도 문제 및 북한 핵문제관련 협의 내용에 관해 문의한바, 동인 언급요지 아래 보고함. (당관 정상기, 김일두 서기관, 러측 SAKHAROV, SMORODIN 서기관 동석)

1. 한반도 관련사항

가. 옐친 대통령은 이붕 총리와의 회담에서 러시아가 북한에 대해 군사지원을 하지 않을것이며 핵무기 개발도 지원하지 않을것임을 분명히 이야기하고 그러나 경제, 문화등 통상적인 외교관계는 계속 유지시켜 나갈 것임을 밝혔음.

나. 또한 옐친 대통령은 남.북한간의 대화가 촉진될수 있도록 러시아와 중국이 협력히 나가기를 희망한다고 밝혔음.

다. 이에 대하여 이붕총리는 아무런 반응을 보이지 않았음.

2. 북한 핵문제의 공동선언 포함 관계

가. 금번 옐친 방중시에는 향후 양국 기본관계에 관한 공동선언 (JOINT DECLARATION)과 공동 언론발표문 (PRESS COMMUNIQUE)의 2 가지 문건이 발표되었으며한반도 관련사항은 언론발표문에 포함되어 있음.

나. 당초 중국측은 러시아측이 북한 핵관계 조항삽입을 제의 하였을때 처음에는 이에 반대하는 입장을 취하다가, 옐친대통령 방중 얼마전에 반대 태도를 완화하여, 최종적으로 다음과 같은 내용을 언론 발표문에 포함시킬것을 합의하였음.

(1) 양측은 한반도의 안정유지와 한반도를 핵무기 및 여타 대량 살상무기가없는 지역으로 만드는것이 동북아의 평화와 발전에 중요하다는데 의견을 같이했음.

미주국	장관(중계)	차관	1차보	아주국	구주국	외정실	분석관	청와대
안기부	중계							

PAGE 1 92.12.22 16:42

* 원본수령부서 승인없이 복사 금지 외신 2과 통제관 DI

0051

(2) 양측은 한반도 비핵화에 관한 남북한간의 공동선언을 지지함.

(3) 양측은 남북한간의 정치적 대화가 매우 중요함을 강조하였음.

(4) 양측은 중.러 양국이 남북한 모두와의 관계를 발전시키는 것이 한반도의 안정과 안전에 기여할 것이라는 것을 지적하였음.

다. 이와 관련 특기할 만한 사항은 중국측은 12.18 중.러간의 공동선언 (JOINT DECLARATION) 만을 발표하고, 12.20.에야 언론발표문을 발표하였기 때문에 대부분의 국가가 중.러간에 언론 발표문이 있었는지 조차 모르고 있는 상황임.

3. 당관 평가

가. 김공사는 RATSIBORINSKY 참사관에게 옐친이 이붕총리에게 러시아의 대북한 정책을 설명하였으나, 이붕 총리가 아무런 반응을 보이지 않은 이유에 대해문의한바, 동 참사관은 금번 옐친 대통령 방중시 쌍무관계 협의에 대부분의 시간을 보냈기 때문에 여타 문제에 관하여는 깊이있는 토의를 할 시간적인 여유가 없었다고 대답하였음.

나. 그러나 이붕총리가 캄보디아 문제와 같은 여타 역내 문제에 대해서는 소상히 중국측 입장을 밝혔음에도 불구하고 대북한 정책에 관해서는 아무런 반응을 보이지 않은 것은 다음과 같은 고려에 의한 것으로 사료됨.

(1) 한.쏘 수교이후 쏘련 (러시아)의 대북한 영향력은 상당히 상실되었으나중국민은 한.중 수교이후에도 계속 대북한 영향력을 유지하고 있음.

(2) 또한 현재 러시아는 북한에 대해 군사원조는 물론 경제원조도 해주기 어려운 실정이나, 중국으로서는 비록 규모가 크지는 않지만, 북한에 대해 계속 경제원조를 해주고 있음.

(3) 따라서 중국으로서는 대북한 관계에 관한한 주도권을 갖고 있는 현상황하에서 구태어 러시아와 대북한 문제를 협의할 필요성을 느끼지 않은 때문으로 판단됨.

(4) 또한 러시아는 한반도 문제 해결을 위해 "4+2" 의 방식을 희망하고 있으나, 중국으로서는 한국이 이에 대해 소극적인 반응을 보이고 있고, 북한의 반응도 정확히 모르는 상황하에서 러시아의 의견에 동조하기가 어려운 이유도 있었을 것으로 사료됨.

4. 상기 언론발표문의 한반도관계 내용(영문)은 아래와 같음.

THE TWO SIDES AGREED THAT IT IS OF IMPORTANT SIGNIFICANCE TO PEACE ANDDEVELOPMENT IN NORTHEAST ASIA TO MAINTAIN STABILITY ON THE KOREAN PENINSULA AND MAKE IT A ZONE FREE OF NUCLEAR WEAPONS AND OTHER WEAPONS OF MASSIVEDESTRUCTION.

THE TWO SIDES SUPPORTED THE JOINT DECLARATION OF THE NORTHERN AND SOUTHERN PARTS OF KOREA ON THE DENUCLEARIZATION OF THE KOREAN PENINSULA.

THE TWO SIDED STRESSED THAT POLITICAL DIALOGUE BETWEEN THE NORTHERN AND SOUTHERN PARTS OF KOREA IS VERY IMPORTANT.

THE TWO SIDES POINTED OUT THAT FURTHER DEVELOPMENT OF CHINA'S AND RUSSIA'S RELATIONS WITH THE DEMOCRATIC PEOPLE'S REPUBLIC OF KOREA AND THE PEPUBLIC OF KOREA IS CONDUCIVE TO STABILITY AND SECURITY ON THE KOREAN PENINSULA. 끝.

(대사 노재원-장관대리)

예고: 93.12.31 일반

정 리 보 존 문 서 목 록					
기록물종류	일반공문서철	등록번호	32707	등록일자	2009-02-26
분류번호	726.64	국가코드		보존기간	준영구
명 칭	북한 핵문제 : 우방국 협조, 1992. 전4권				
생 산 과	동북아1과/북미1과/특수정책과	생산년도	1992~1992	담당그룹	
권 차 명	V.4 우방국				
내용목차	* EC 및 ASEAN지역 국가에 대한 협조 요청 및 반응, 기타국 반응 등				

0001

3

외 무 부

종 별 :

번 호 : CNW-0018 일 시 : 92 0106 1740

수 신 : 장 관(해신,미이)

발 신 : 주 캐나다 대사

제 목 : 한반도 정세전망 유력지 사설게재

연 : CNW(F)-0001

주재국 양대 일간지인 GLOBE AND MAIL 및OTTAWA CITIZEN 은 남.북합의서 서명등최근의 한반도 정세변화 관련 92.1.1 일자 및 1.4 일자 각각 아래 요지 사설을 게재함.

1. 'FRIENDLESS IN NORTH KOREA'(1.1. GLOBE AND MAIL)

- 1990 년 9 월 김일성은 중국의 심양을 방문, 새로운 경제원조를 요청했으나 JIANG ZEMIN으로부터 중국이 침체된 북한 경제를 보증할입장에 있지 않다는 꾸중(SCOLDING)만들었음.

- 소련 원조가 끊긴 직후의 중국의 이러한 태도는 북한으로 하여금 고립된채 체재를 고수하면서 서서히 죽어가든지 자유무역에 감염되는 위험을 감수하고라도 자본주의 이웃과 무역관계를 갖든지 택일토록 강요하였으며, 김일성은 마지못해 후자를 선택하였음.

- 지난달 남.북 합의서 채택에 이은 핵무기제한에 서명하는 두가지 극적인 합의가 있었음.

- 그러나 과거 북한은 합의를 마지막 순간에 무시해왔었으며, 북한 핵시설에 대한 IAEA 핵사찰은 여전히 김일성의 의중에 달려있음.

- 랑군과 KAL기 폭파를 일으켰던 북한은 국제사회에서 무법국가(OUTLAW STATE)로남아있고 국내적으로는 가장 심한 경찰국가임.

- 북한에서는 댐이나 TV 송신탑 건설에서부터수도 지하철 에스컬레이트 속도에 이르기까지 김일성과 경애하는 김정일의 교시에 따라 이루어지고 있음.

- 최근 국제사회 변모에도 불구 김일성이 변했다는 징후는 없으며 그의목적은 시간을 벌고 경제회생을 위한 최소한의 접촉을 허용하고 있는 것일뿐 바깥세상의

공보처 1차보 미주국 외정실 분석관 청와대 안기부

PAGE 1 92.01.07 09:05 WH

외신 1과 통제관

0002

진실을 배울 정도는 아님.

- 동 유럽 공산주의가 몰락한데서 보았듯이 조그만 틈새라도 한번 문호가 열리면 진실이 밀려들어오고 거짓은 폭로되는 것임.

- 46 년이란 세상에서 가장긴 지배자인 김일성은 그들과 함께 망해 갈것임.

2. 'KOREA UNITY-ALL FRIENDSHIP MONEY CAN BUY'(1.6. OTTAWACITIZEN)

- 옛 성경말씀에 신이 사랑으로 포용할수 없을때는 신이 없이는 감당할수 없는 어려움을 줌으로서 신에게 돌아오도록 한다는 말이있음.

- 한반도 통일을 열망하는 한국 지도자는 신으로부터 큰 교훈을 얻었음. 한국 지도자들의 노력은 김일성의 스탈린 체제의 벽을 허물고 지난 44년동안 얻었던것 보다 지난 한해동안에 더 큰열매를 얻었음.

- 12월 13 일 양국은 합의서에 합의함으로서 공식적으로 전쟁을 끝냈을뿐 아니라도로, 우편, 전화, 이산가족 교환의 길을 열었으며, 3주후 이론상 미.일이 동 아시어 평화에 가장 큰위협이라고 말해온 한반도 핵통제에 합의했음.

- 상세한 절차가 남아있기는 하지만 김일성으로서는 화해를 향한 급속한 진전임.

- 한국의 재벌들이 북한을 방문 공장건설을 제의하고 일본은 투자를 거론하고 있음. 쌀이돈처럼 북으로 흘러 들어가고 있으며, 한국의 상호주의 무역과는 관계없이조악한 북한물건에 대해 기꺼이 비싼 대금을 지불하고 있음.

- 김일성은 '하나의 한국'에는 별로 관심이 없으며, 40 년 이상 통제하고 건설해온 김일성 일가체제나 사회주의를 포기할 징조는 전혀 없음.

- 그러나 카스트로와 마찬가지로 외국원조 중단과 경제정책 실패에 따른 북한 경제 황폐로 인해 한조각 김일성 주의로도 살려나가고 싶다면 돈이 필요하며, 이를 위해서는 통일이 근본적인 원천임.

- 한국은 보다 충실히 통일을 원했었지만 독일식 통일에 드는 비용이 4,500억 달라에이를 것이라는 보고가 있은뒤 김일성의 두개의 서로 다른 체재 공존에 함께 하기로 한것 같음.

- 한국은 화해 할것이지만 그들은 계속해서 휴전선을 넘어 포옹하게 될것임.끝

첨부 : 동 사설 사본(CNW(F)-0004

(대사-국장)

주 카나다 대사관

번 호 : CNW (F) - 0004 일 시 : 920106 1740

수 신 : 장관 (해신, 미이)

발 신 : 주 카나다 대사

제 목 :

(CNW-0018의 첨부물)

프지포함 총 3 매

1/3

0004

<사설>

EDITORIALS

KOREAN UNITY

All friendship money can buy

An old hymn posits that those whom God can't draw back to Him with love, He draws back by making their lives too difficult to manage without Him.

If so, then South Korean leaders who yearn to reunify their peninsula's divided people have learned a great lesson from God.

Their efforts to break down at least some of the barriers between Kim Il Sung's Stalinist state in the North and Roe Tae Woo's feverishly capitalist one in the South have borne more fruit in the past year than in the previous 44.

On Dec. 13, the two sides signed an accord formally ending the war that everyone else thought they had ended in 1953, as well as pledging to restore the road, mail, telephone and some of the family exchanges that had been suspended at the end of the Second World War.

Three weeks later, they banned nuclear weapons from the Korean peninsula, ending at least in theory what Japan and the United States had taken to calling the worst threat to peace in East Asia — North Korea's headlong, one-year-to-go effort [illegible]

The troublesome details on all of these things are pending, but from Kim Il Sung's point of view, the important part of *rapprochement* is moving forward apace. Executives from South Korea's wealthiest mega-corporations are visiting his country, offering to build factories. Japan is talking about investment. Rice is heading north, as is money, in the form of Seoul's willingness to buy over-priced, inferior northern goods and not worry about reciprocal trade.

Odds are, Kim has little interest in a single Korea. He has built a rigidly controlled cult around his family over the past four decades, and he shows no desire to give up that — or socialism — just because the rest of the world has gone a bit crazy over democracy and capitalism.

But like Fidel Castro, that other unreconstructed Marxist, Kim is broke. Foreign aid has been shut off, and economic mismanagement has ruined the North's economy.

If he wants even the tatters of Kimilsungism to survive, Kim needs money, and the ready source seems to be what local politicians call "the inevitable reunification of the Korean peninsula."

The South used to want a more meaty kind of unity, but since a report last fall indicated that German-style unification would cost Korea [illegible] gross domestic product, it may be willing to go along with Kim's two-solitudes variety.

The Koreas will embrace, but they will continue to do it across a demilitarized zone.

the Ottawa Citizen
92.1.6

CN04-2/3

0005

<사 설>

Friendless in North Korea

IN September, 1990, North Korean President Kim Il-sung travelled secretly to the city of Shenyang in northeast China to ask Chinese officials for new economic aid. Instead he got a scolding from Chinese Communist Party chief Jiang Zemin. Mr. Jiang reportedly told his visitor that, although the two countries would continue to be "as close as lips and teeth," China could no longer underwrite North Korea's stagnant economy.

Coming soon after the withdrawal of subsidies by Mr. Kim's other great ally, the Soviet Union, the Chinese decision left North Korea's "Great Leader" with two equally distasteful alternatives. He could retreat further into defiant isolation and watch his regime slowly suffocate; or he could try to establish trade ties with his capitalist neighbours and take the risk that the free-market virus would spread, with all its subversive consequences. Mr. Kim appears, grudgingly, to have chosen the latter course.

In two dramatic stages in the past month, Mr. Kim moved to mend fences with his most important neighbour, South Korea. First, his envoys reached a reconciliation pact with the South that expands telecommunications and postal links, trade and family reunions. The pact also aimed to lower military tensions on the peninsula by establishing a crisis hotline and setting rules on troop movements. Yesterday, North Korea signed an agreement with the South on the control of nuclear weapons.

The agreements were a sign of Mr. Kim's desperation; they were no guarantee of his sincerity. North Korea has signed many previous agreements with the South only to pull out at the last minute — in one case over its insistence on performing a revolutionary opera at a mass family reunification. Its pledges on nuclear arms must be taken with a grain of plutonium. Although North Korea has signed the Nuclear Non-Proliferation Treaty, Western intelligence experts are certain it is developing nuclear weapons at its Yongbyon atomic "research" site. Yesterday's pact, while bowing to the principle of a non-nuclear Korea, stopped short of permitting inspections of North Korean nuclear facilities by the International Atomic Energy Agency — the only sure test of Mr. Kim's intentions.

North Korea remains an outlaw state, capable of such outrages as the 1983 bomb assassination of 17 top South Korean officials, including Foreign Minister Lee Bum Suk, and the 1987 destruction of a South Korean airliner with 115 people aboard. Internally, Mr. Kim runs the world's most repressive police state, an Orwellian realm of blaring loudspeakers, huge statues of Mr. Kim and propaganda posters on every corner. Such is the extent of Mr. Kim's personality cult that virtually all the construction projects in the country, from dams to television towers, are said to have been completed with the "on-the-spot guidance" of Mr. Kim or his odious son and heir, "Dear Leader" Kim Jong-il. The 79-year-old president is even credited with determining the speed the escalators should travel in the capital's subway system.

Despite his recent overtures to the rest of the world, Mr. Kim has given no signal that he intends to change. His aim, rather, appears to be to buy time, allowing just enough contact to keep his economy alive, but not so much that North Koreans will learn the truth about the world outside.

He is bound to fail. As the collapse of communism in Eastern Europe revealed, once the door is opened, even a crack, truth rushes in and lies crumble. Mr. Kim, the world's longest ruling leader at 46 years, will crumble with them.

Globe & Mail
(92. 1. 7)

CN04 - 3/3

0006

관리번호	92-225

외 무 부

종 별 :

번 호 : UKW-0266 일 시 : 92 0218 1600

수 신 : 장관(구일,정특,미이,아일,아이,통삼)

발 신 : 주 영 대사

제 목 : CAITHNESS 국무상 면담

연: UKW-0217

1. 본직은 2.17.(월) CAITHNESS 외무성 국무상의 초청으로, 오찬을 갖고 동인의 방한, 영.북한관계, 한.일 문제, 한.영 관계등에 관하여 의견을 교환하였는 바, 주요 언급 내용 아래와 같음

가. CAITHNESS 국무상은 홍콩, 일본등 아시아지역 방문기회에 2.26-27 방한하게 되었다고 하고, 금번 방한목적은 91.12.MAASTRICHT EC 정상회담에서 논의된EC 통합문제와 92 년 하반기 영국이 EC 차기 의장국에 취임하는 것과 관련 한-EC 관계 협의를 위해서라 함

나. 동 국무상은 북한-EC 관계 관련, EC 의 대 북한접근을 영국이 항상 견제하여 왔으나 최근 남북고위급도록담등 남북한관계 진전과 관련 동 문제에 관한우리 입장을 문의하여 왔는 바, 본직은 남북한 유엔 동시가입등 정세의 변화가있었으나 궁극적으로 동 문제는 북한의 태도 여하에 달려 있다고 지적하고 북한이 핵안전협정 조기비준, IAEA 핵사찰 수용, 남북공동 핵사찰 이행등 핵문제에 성실한 태도를 표시할 경우 등에는 우리도 북한의 국제사회에서의 관계개선활동에 대해 반대하지 않을 것이나, 그때까지는 북한과의 관계개선에 대해 영국의 강력한 입장을 희망한다고 답변함

다. 동 국무상의 방일관련, 본직은 한. 일 관계를 언급하고 한. 일간 무역수지문제, 종군위안부 문제등의 해결을 위해 일본의 정치적 결단이 필요한 것으로 본다 하고, 한. 일 국교 정상화시 대일 청구권이 일괄 타결되었다 하더라도재고의 필요성이 있을수 있다고 본다 한데 대해, 동인은 주재국의 경우에도 샌프란시스코 강화조약에 따라 영. 일간의 배상문제가 종결되었음에도 불구하고 2차 대전시 영국군인 희생자에 대한 가족들의 배상 압력이 있는 바, 동 배상 문제에 대한 일본측 고려가 필요한 것으로 본다고 하였음

구주국 장관 차관 1차보 2차보 아주국 아주국 미주국 통상국
외정실 분석관 청와대 안기부

PAGE 1

92.02.19 14:33
외신 2과 통제관 BN
0007

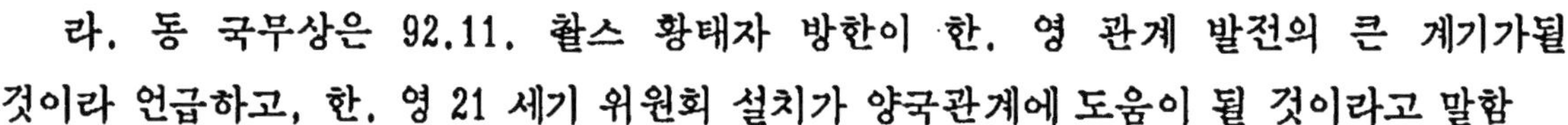

라. 동 국무상은 92.11. 촬스 황태자 방한이 한. 영 관계 발전의 큰 계기가될 것이라 언급하고, 한. 영 21 세기 위원회 설치가 양국관계에 도움이 될 것이라고 말함

마. 한. 영 통상관계의 균형적인 발전에 대해 동 국무상은 만족을 표시하고, 다만 위스키 문제에 대해 한국은 GATT 를 통한 해결을 희망하는 듯 하나 동인은 GATT 에 의해 다자국간 문제 (COLLECTIVE ISSUE)화 되는것은 바람직 하지 못하다고 하고, 한. 영 양국간 협의가 좋을 것으로 생각한다고 말함

바. 영국과 중국간 홍콩문제 처리-- 국무상은 전망이 밝다고 함.

2. 동인은 금번 방한시 외무장관 예방을 희망한다고 말하였는 바, 연호와 같이 동 예방이 이루어 질 수 있도록 적극 협조하여 주실것을 건의함. 끝

(대사 이홍구-국장)

예고:92.12.31. 일반 예고문에 의거 일반문서로 재분류 됨

PAGE 2

0008

91 (기)

관리 번호	92-99

외 무 부

종 별 :

번 호 : NDW-0315 일 시 : 92 0224 1800

수 신 : 장 관(정안, 미이, 국기, 아서)

발 신 : 주 인도 대사

제 목 : 남북한관계 언론 브리핑

연:NDW-0296, 0302, 0313

1. 본직은 6 차 남북총리회담의 종료직후 주재국의 대외관계를 취급하는 20 여명의 언론인을 초청, 가진 브리핑(요지는 연호 참조)을 통해 최근의 남북한관계및 북한의 핵문제와 관련, 남북한간의 주요 협의사항및 인도를 포함한 국제사회가 가져야 할 관심사항에 대해서 설명하는 과정에서 특히 다음사항을 지적함.

가. 남북한 모두와 좋은 관계를 유지해 오고 있는 인도로서는 변화하는 국제정세하에서 북한이 보다 현실적인 접근방법을 취하도록 솔직한 충고를 해줄수 있을것임.

나. 국제협정의 서명국이 협정상 의무를 이행하는 것은 당연하며, 이러한 맥락에서 제 3 세계를 포함한 국제사회의 지도국인 인도로서는 북한이 IAEA 에 의한 핵사찰의무를 조속히 이행토록 촉구하는 국제사회의 노력에 당연히 동참해야 할 것임. 핵문제에 대한 인도의 입장과 북한의 핵개발문제와는 아무런 상관이없음.

2. 인도의 8 개 주요영문 일간지는 이러한 본직의 설명을 보도하면서 제목은 "인도, 북한에 조언토록 요청받음" "북한은 협정을 준수해야 함"등으로 각기 상이하게 다루었으며, 특히 당지의 상류지식층을 주요독자로 하는 "ECONOMIC TIMES"지는 연호와 같이 "SEOUL WOOS DELHI AS PEACEMAKER WITH PYAONGYANG"제하로6 단의 분석기사를 게재하였음.

(대사 이정빈-국장)

예고:92.12.31 일반

검토필(1992. 6. 30.)

예고문에 의거 재분류(1992.12.31)

외정실 차관 1차보 아주국 미주국 국기국 분석관 안기부

PAGE 1

92.02.24 22:43

외신 2과 통제관 CE

0009

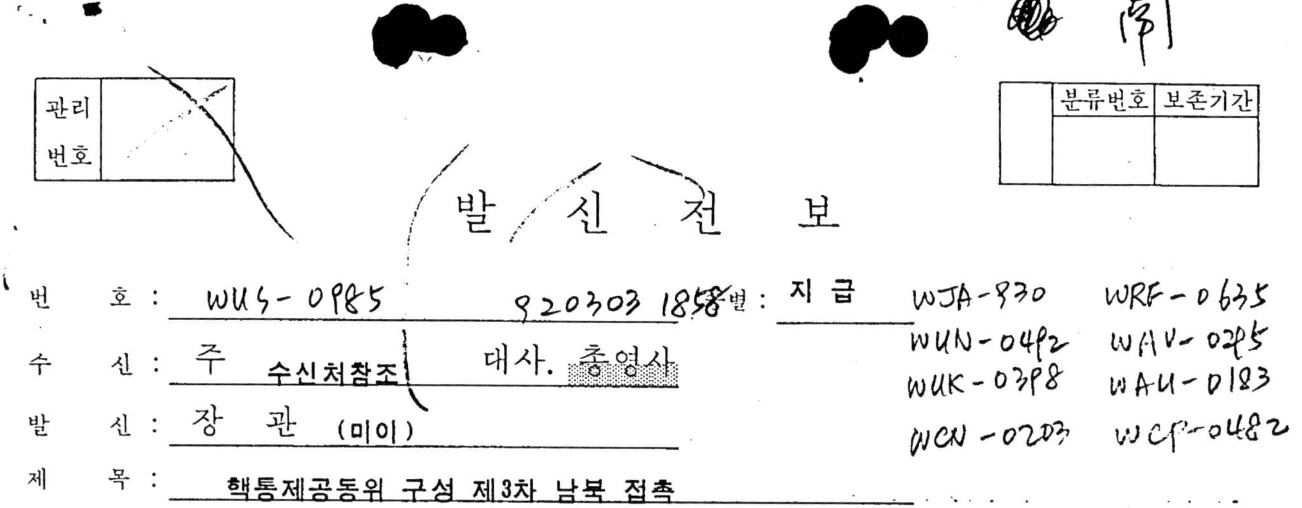

관리 번호	

분류번호	보존기간

발 신 전 보

번 호 : WUS-0985 920303 1858 종별 : 지 급 WJA-930 WRF-0635 WUN-0492 WAV-0295 WUK-0398 WAU-0183 WCN-0203 WCP-0482

수 신 : 주 수신처참조 대사. 총영사

발 신 : 장 관 (미이)

제 목 : 핵통제공동위 구성 제3차 남북 접촉

1. 금 3. 3(화) 10:00 - 14:06간 판문점 남측지역 "평화의 집"에서 남북 핵통제공동위원회 구성.운영에 관한 합의서 채택을 협의하기 위한 제3차 남북 대표 접촉이 개최 되었음.

2. 금일 접촉에서 우리측 대표는,

가. '비핵화 공동선언' 이행을 위한 별도 합의서 채택을 주장하는 북측 입장의 불합리성을 반박하면서 특히 동 합의서 채택이 사찰 실시의 전제조건화가 되어서는 안된다는 점을 강력히 지적하고,

나. 외부로부터의 핵위협에 대한 공동 대처와 '비핵화 공동선언' 이행을 위한 국제적 보장 문제는 '한반도 비핵화 공동선언' 테두리밖의 문제로서 JNCC가 다루어야할 문제가 아니며,

다. 비핵화 공동선언의 이행을 검증하기 위해 핵사찰이 장기적.지속적으로 실시되어야 하느니 만큼 사찰 규정의 제정이 시급히 필요한바, JNCC 설립후 제1차 회의 개최 1개월이내 사찰 규정을 채택하고 그이후 20일 이내 사찰이 시작되어야 할 것임을 주장하였음.

라. 또한 우리측은 시범사찰의 조속한 실시와 시범사찰시 상호주의원칙이 적용되어야 할 것임을 강조하면서,

/계속/

보안 통제	

앙고재	92년 3월 3일	과	기안자 성명		과 장		국 장		차 관	장 관

외신과통제

0010

마. 북한측이 부당한 조건을 내걸어 JNCC가 공동선언에서 규정한 기한내 (3. 18) 구성되지 못하거나 핵사찰이 빠른 시일내에 실시되지 못할 경우, 남북 관계 전반에 심각한 문제를 야기할 수 있다는 우려를 전달하였음.

3. 이에 대해 북측 대표는 지난 2. 27. 제2차 접촉시 제시한 그들의 입장을 반복 주장하면서,

가. IAEA 핵안전협정 비준 문제는 북한 내부의 법적 절차에 따라 할 것 이므로 우리가 거론할 문제가 아니고

나. 아측이 외부 핵위협에 대한 대처와 국제 보장 문제를 받아 들이지 않는 것은 사찰을 방해하기 위한 기도라고 주장하면서

다. '비핵화 공동선언'의 이행을 위한 별도 합의서의 채택을 계속 강변함.

라. 또한 북측은 시범사찰과 JNCC 구성 1개월이내 핵사찰 규정을 마련하자는 우리측 주장에 계속 반대 입장을 표명함.

4. 쌍방 대표는 주요 쟁점 ~~사항을 제외하고~~ 에 대한 이견으로 타결되지 않았음에 따라 '남북핵통제공동위원회 구성.운영에 관한 합의서'의 일부 조항에 대한 문안 조정 작업을 하였는바, 아래 조항에 우선 합의함.

가. 서문

나. 제1조(2, 3항) : 쌍방 구성원 교체시 사전 통보 및 수행원 6명 (핵통제위 위원은 미합의, 우리측 7명, 북측 5명 주장)

다. 제3조(2, 3, 4, 5항) : 핵통제공동위 개최 장소, 회의의 비공개 운영 원칙, 신변 보장 조항등

라. 제7조 및 8조 : 합의서 수정, 보충 및 발효 조항

/계속/

0011

5. 양측 대표는 북측 제의에 따라 명 3. 4(수) 오전 북측지역 통일각에서 제4차 접촉을 갖기로 하였는바, 동 결과 추후 통보하겠음. 끝.

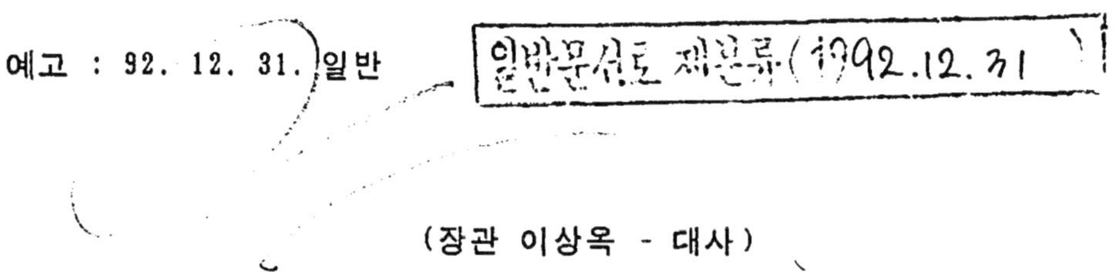
예고 : 92. 12. 31. 일반

(장관 이상옥 - 대사)

수신처 : 주미, 일본, 러시아, 유엔, 오스트리아, 영, 호주, 카나다 대사, 주북경 대표.

0012

72

관리번호	92-325

외 무 부

종 별 : 지 급

번 호 : USW-1302 일 시 : 92 0313 1842

수 신 : 장관(미일,미이,구일,정특)

발 신 : 주미대사

제 목 : 북한의 영국외무성 접촉

연:USW-1301

1. 연호 접촉시 KATMAN 국무부 한국과장은 금 3.13 당지 주재 영국대사관으로부터 런던주재 북한 IMF 대표부가 영국외무성을 접촉, 양자회담을 가질것을 요청하여왔다는 사실과 영국으로서는 차제에 북한 핵사찰문제 해결이라는 공동목표(COMMON OBJECTIVE) 달성을 위해 동 회담에 응할 생각있음(INCLINED TO AGREE TO TALKS)을 알려오면서 미측의 의견을 타진해왔다함. 2. 이에 대해 동 과장은 대북한 정상화 교섭이 개시되기 이전에는 외무성 레벨에서의 대북한 공식 접촉은 삼가는것이 좋겠다는 미측 입장을 전달하고 영국이동 회담에 응할 경우 북한 문제에 대하여 미.영사이에 보조가 일치하지않는것으로 오해될 소지가 있음을 지적해두었다함.

3.KATMAN 과장은 본건에 대처시 정보출처에 대한 보안유지를 당부하였는바,유념바라며, 상기관련 당관이 참고할 사항이나 본부의견 있을시 회시바람. 끝

(대사 현홍주-국장)

예고문: 92.12.31 일반 예고문에 의거 일반문서로 재분류됨

검토필(1992.6.30.) 명

미주국	장관	차관	1차보	2차보	미주국	구주국	외정실	분석관
청와대	안기부							

PAGE 1

92.03.14 09:33

외신 2과 통제관 BX

0013

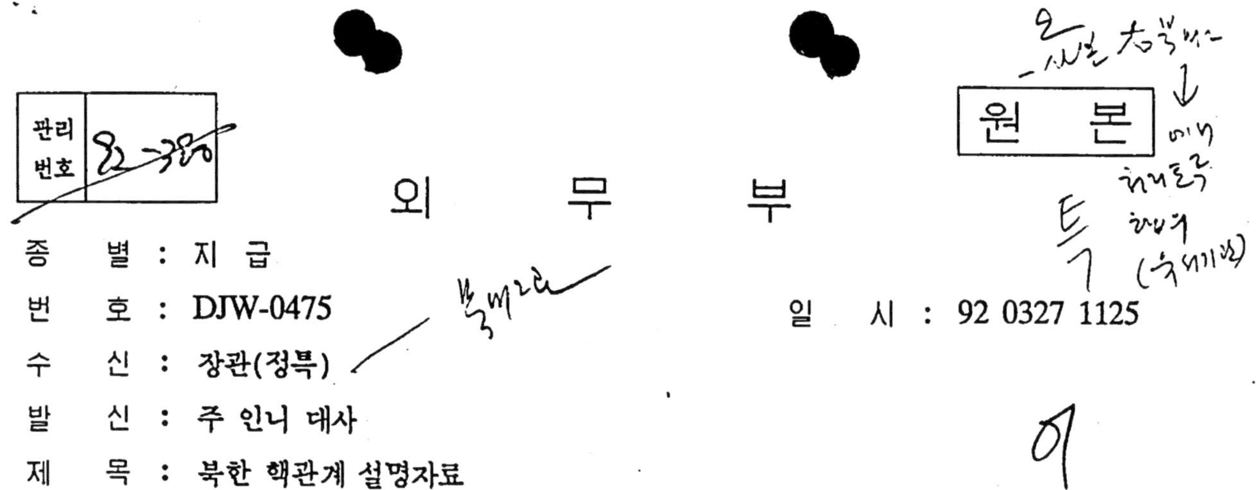

관리번호	92-380

원 본

외 무 부

종 별 : 지 급

번 호 : DJW-0475　　　　일 시 : 92 0327 1125

수 신 : 장관(정특)

발 신 : 주 인니 대사

제 목 : 북한 핵관계 설명자료

당관은 내주초 최근 남북한 관계등에 관해 주재국 외무성측에 설명 예정인바, 북한의 핵문제와 관련 최근 논의동향 및 남북한 입장의 차이등을 간결히 3.28 한 당관에 통보하여 주시기 바람. 끝.

(대사 김재춘-실장)

예고: 92.6.30. 일반

외정실

PAGE 1

92.03.27　13:49

외신 2과　통제관 BZ

0014

관리 번호	92-380

분류번호	보존기간

발 신 전 보

번 호 : WDJ-0323 920328 1143 DQ 종별 :

수 신 : 주 인 니 대사, 총영사

발 신 : 장 관 (미이)

제 목 : 북한 핵관계 설명 자료

대 : DJW-0475

연 : AM-0049

연호 핵통제공동위 구성에 이어 남북 양측은 3. 19. 10:00-12:00 판문점 북측 지역 통일각에서 남북 핵통제공동위원회 제1차 회의를 개최, 기조발언을 통해 기본입장을 밝히고 비핵화를 검증하기 위한 문건을 각각 제시하였는바, 동 결과 아래 통보하니 대호 귀 주재국 접촉에 활용 바람.

1. 우리측 기조연설 요지

   o 핵문제 조기 해결의 중요성 강조

     - 남.북한 관계 전반에 대한 영향, 국제사회의 의혹 불식

   o 핵통제공동위원회 임무의 중요성 강조 및 북측의 성실한 회의 진행 자세 촉구

   o 공동선언은 이미 이행이 되어야 하는 것이므로 이행을 위한 별도 합의서는 불요(부연 설명에서 공동선언은 자기집행적조약의 형태임을 강조)

   o 사찰규정 채택이 핵통제공동위의 우선적 과제임을 강조

검토필 (1992. 6. 30.)

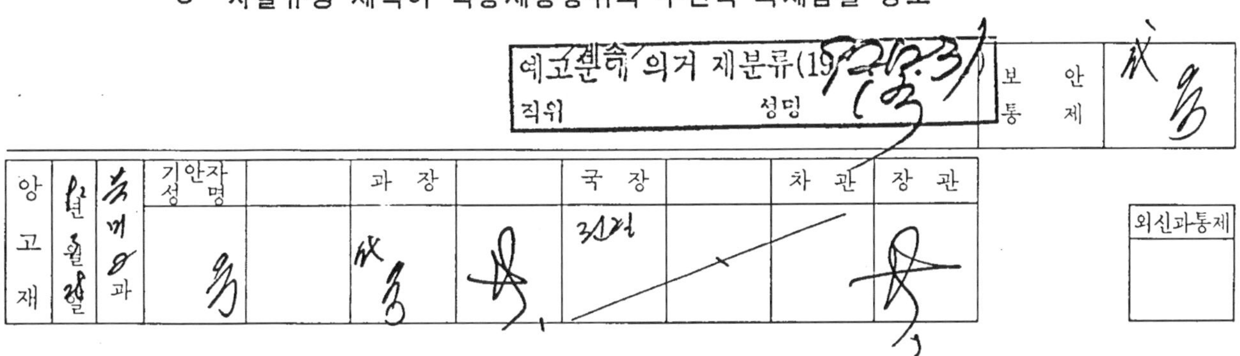
예고문에 의거 재분류(1992.12.31.) 직위 성명

보안 통제	

앙 고 재	년 월 일	과	기안자 성명		과 장		국 장		차 관	장 관

외신과통제

0015

o 일방의 지정에 의한 특별사찰이 상호 의혹을 완벽하게 해소할 수 있는 필수적 제도임을 강조

o 「남북 상호핵사찰 실시에 관한 규정(안)」을 제시

2. 북측 기조발언 요지(선발언)

o 한반도 핵문제가 외세의 핵전쟁정책에 의하여 발생했다고 선전적 주장 일관

o (아측의 상호주의.동수원칙 사찰 주장에 대해) 쌍방이 의심을 동시에 해소해야 한다면서, 「동시의심해소원칙」을 주장

- 북측은 영변만 사찰, 북측은 모든 미군사기지 사찰해야 의심 해소 주장

o 외부 핵위협 공동 대처 및 비핵화 국제 담보 문제 해결 재거론

o 공동선언의 구체적 이행 대책 마련을 주장하면서 「비핵화 공동선언 이행을 위한 합의서(초안)」을 제시

- 전문 및 8개 조항중 대부분은 「비핵화 공동선언」의 내용을 반복

- 핵무기 및 핵기지를 중심으로 한 「사찰규정」은 동 합의서 부록으로 제시

/계속/

0016

4. 양측은 4월 1일 판문점 우리측지역 「평화의 집」에서 2차 회의를 갖기로 하였음을 참고 바람. 끝.

(미주국장 정태익)

예고 : 92. 12. 31. 일반

0017

9

관리번호	92-37P

외 무 부

종 별 :

번 호 : ECW-0434 일 시 : 92 0327 1500

수 신 : 장관 (구일,정특,미이)

발 신 : 주 EC 대사

제 목 : 한.구주의회 친선협회 회원과의 간담회

1. 한. 구주의회의원 친선협회 GUNTER RINSCHE 회장은 4.8 개최될 예정인 동 친선협회의 공식회의에 본직을 초청, 최근 총선결과를 포함한 한국의 정치.경제정세, 남북대화현황및 한.EC 관계에 대해 본직이 설명하고 이어 친선협회원들과의 질의응답을 통해 여타 문제에 대해서도 의견을 교환할 것을 요청하여 왔는바 본직은 4.8 동회의에 참석할 계획임

2. 이와관련, 남북대화, 북한의 핵문제및 인권문제 등이 의원들의 주요 관심사로 대두될 것으로 예상되는바, 본부가 당관에 기송부하여준 입장및 자료에 의거 대처코자 하는바, 친선협회의원들에 추가로 설명 또는 강조할 사항이 있으면 회시바람. 끝

(대사 권동만-국장)

예고: 92.12.31 일반

검토필(1992. 6. 30.)

구주국 미주국 외정실 분석관 안기부

PAGE 1

92.03.28 04:39

외신 2과 통제관 FM

0018

91

관리번호	92-465

외 무 부

종 별 :

번 호 : ECW-0512 일 시 : 92 0413 1800

수 신 : 장관 (구일,정특,미이,기정동문)

발 신 : 주 EC 대사 사본: EC 회원국주재대사-직송필

제 목 : EPC 아주국장회의 (자료응신 92-24)

당관 홍서기관은 4.13. EPC 사무국 OLE NEUSTRUP 아주담당관을 접촉, 지난 금요일 (4.10) 당지에서 개최된 표제회의 결과에대해 파악한바 주요내용 다음보고함

1. NEUSTRUP 담당관은 표제회의에서 북한의 핵문제에 대한 논의가 있었는바, 동 회의는 북한의 IAEA 핵안전협정 비준을 환영한 반면, 북한이 조속 IAEA 의핵사찰을 받게되길 희망한다는 입장을 채택하였으며, 동입장을 북한에 전달하기로 하였다함

2. 이와관련, 홍서기관은 상기입장 전달 방법에 대해 문의한바, 동담당관은각 회원국들이 북한인사 접촉기회, 특히 의장국 폴부갈이 주폴부갈 북한대사등북한인사 접촉기회에 전달할수 있지 않겠느냐고 답변함

3. 한편 당관 홍서기관은 최근 북한의 대이란 무기수출등과 관련한 논의가 없었는지를 문의한바, 동담당관은 북한의 무기수출, 테러행위, 핵개발, 인권문제등은 EC 가 항상 우려하고 있는 문제들로서 오래전부터 논의되고 있는 사항이며 EC 는 북한이 EC 와의 관계개선을 위해서는 동 문제들이 선결되어야 한다는 입장을 견지하고 있다고 말함. 끝

(대사 권동만-국장)

예고: 92.12.31 일반

검토필 (1992. 6. 30.)

예고문에 의거 ... 92.12.31

구주국	차관	1차보	2차보	미주국	외정실	분석관	청와대	안기부

0252

PAGE 1 92.04.14 05:25

외신 2과 통제관 EC

0019

관리번호	92-1026

외 무 부

종 별 :

번 호 : AUW-0312 일 시 : 92 0415 1700

수 신 : 장관(국기,아동)

발 신 : 주 호주 대사

제 목 : 북한핵개발문제

1. 금 4.15 당동철 공사는 서울을 방문하고 귀국한 COUSINS 외무부 핵정책 부국장을 접촉, 표제건 및 방한 소감등에 관한 견해를 청취함.

2. 동부국장은 금번 서울체류중 외무부 간부들과 매우 유익한 회담을 가졌다고 말하고, 자신은 바르샤바회의 참석및 금번 방한을 통해 북한이 IAEA 절차에따라 IAEA 의 사찰을 받을것이라는 낙관적인 견해를 점점 많이 갖게되었다고 하면서 마지막까지 IAEA 를 통한 압력을가하는 동시에 남. 북한 한반도 비핵화공동선언의 실행을 위해 JNCC 를 통한 적극적이고 효과적인 대북 교섭이 필요하며, JNCC 구성합의 내용에 따라 6 월에는 남. 북한 상호 핵사찰이 이루어지는것이 매우 중요한것으로 본다고 말함.

3. 현재 IAEA 이사회 위원들은 IAEA 를 통한 북한 핵개발 사찰문제는 이미 기정사실로 받아들이고 있는 분위기이나, IAEA 를 통한 핵사찰에는 이락의 경우에서와같이 실질적으로 한계나 제약이 있음으로 남. 북한 비핵화 공동선언을 통한 상호사찰을 통해 IAEA 사찰의 미비점을 보완하는 TWO-PRONG APPROACH 를 강화하여야 하며, 남. 북한 상호사찰에서 발생하는 미비점과 의심이 가는사항은 IAEA에 보고되어 IAEA 를 통한 추가 또는 특별사찰을 실시하는것이 필요할것으로 본다고 말함.

4. 동부국장은 귀국길에 인니를 방문, AHIMSA 인니 원자력기구(INDONESIAN ATOMIC ENERGY AGENCY)국장을 접촉한바, 동인은 최근 북한으로부터 6 월 영변을방문해 달라는 초청을 받았으나 현시점에서의 자신의 북한 방문이 정치적으로 이용될 가능성이 있어 이를 거절하였다고 하는바, 남. 북한 한반도 비핵화 공동선언 이행이 매우 중요함으로 6 월 IAEA 이사회전에 IAEA 이사들에게 남. 북한 비핵화선언내용 및 동선언의 이행의 중요성을 설명하는것이 6 월이사회에 크게 도움이 될것이라고 말함.

5. 동부국장은 최근 일본의 플로토니움 대량구입에 관한 언론보도와관련, 동구입계획은 오래전부터 계획된것이 지금까지 지연된것으로서, 원자로및

국기국 차관 1차보 ~~2차보~~ 아주국 외정실 분석관 청와대 안기부

PAGE 1

92.04.15 17:18

외신 2과 통제관 CH

0020

원자력발전소에 사용되는것으로 알고있으나 최근 일본을 방문한 IAEA 사무차장(미국인)의 발언으로 오해가 증폭되고있는것이 사실이며, 일본측이 매우 당황하고 있는것같으며, 호주로서는금년 7 월로 예정된 호.일 원자력회담에서 오해를 불식시키기위해 일본이 플루토니움의 사용빈도(사용횟수가 많을수록 잔류물이 많아진다고함)를 줄이는 문제를 거론할 예정이라고 말하고, 동 플루토니움의 사용은 IAEA 에 보고하게 되어 있음으로 잔류물을 비밀리에 STORE 하지않는한 커다란 문제는 없을것으로 본다고 말함. 끝.

(대사 이창범-국장)

예고:92.12.31. 일반.

검토필(1992.6.30.)

0021

관리 번호	92-516

원 본

외 무 부

종 별 :

번 호 : CNW-0498 일 시 : 92 0423 1410

수 신 : 장관(미이, 정특, 경과)

발 신 : 주 카나 다대사

제 목 : 핵사찰 및 검증 협조

연:CNW-0493

주재국 외무부 MOHER 국제안보국장 및 WATERFALL 북아과장은 연호 미주국장의 ROUND TABLE 협의시 주재국 핵 검증 전문가팀의 6 월 방한 예정을 설명한데 이어 관저 만찬시 아래와 같이 언급하였음을 참고로 보고함

1. 카나다는 핵을 포함한 대량 살상무기에 대한 사찰 및 검증분야에 있어 국제적으로 높이 인정받고 있으며, 우수한 기술 인력을 확보하고 있음.

2. 핵사찰 및 검증분야에 있어 한국의 협조 요청이 있는 경우 카나다측은 최대한 협조할 준비가 되어있음.

3. 한국이 카측과 동문제를 협의하고져 하는 경우, 오는 7 월경으로 예정하고 있는 한. 카 원자력 공동조정 위원회에서 이문제가 구체적으로 협의될 수 있을 것임.

(대사 박건우-국장)

예고:92.12.31. 일반

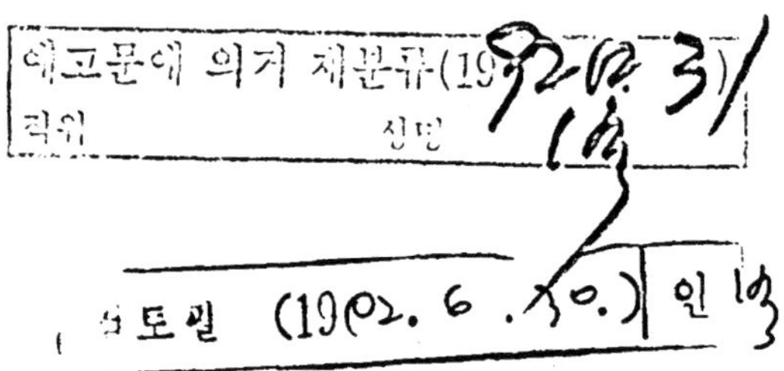

미주국 경제국 외정실 분석관

PAGE 1

92.04.24 06:01

외신 2과 통제관 FM

0022

관리 번호	P2-156

외 무 부

02

종 별 :

번 호 : CNW-0521 일 시 : 92 0429 2050

수 신 : 장관(미일,정안)

발 신 : 주 캐나다대사

제 목 : 멕두걸 외무장관과의 면담

1. 본직은 금 4.29 주재국 멕두걸 외무장관 ASIAN GROUP 대사를 위한 외무부 귀빈식당에서 주최한 오찬에 참석하였음. 동 오찬에는 아주지역 대사 전원, 외무차관, 의전장, 아주국장등 35 명이 참석하였음.

2. 동 오찬시 멕두걸 외무장관은 준비된 원고를 가지고 카나다와 아. 태지역국간의 관계 중요성 및 카 외교정책등에 관해 연설하면서 한국과 관련된 내용을 세차례에 걸쳐 아래와 같이 언급하였음.

가. 아. 태평양지역에서 한국, 중국 및 일본과의 통상관계가 증진되고 있는데 대해 만족스럽게 생각하며, 이민수도 증대되고 있음.

나. '91 서울개최 APEC 각료회의 참석 사실을 언급하고 3 개 중국문제를 원만히 해결한 한국정부의 탁월한(SKILLFUL) 외교에 다시한번 찬사를 보내며, 서울 선언이 잘 이행되기를 바람.

다. 북한 핵문제에 대한 우려가 있는가운데 남. 북한 대화가 지난 1 년동안진전이 된것을 주목함.

3. 동 오찬중 본직은 멕두걸 외무장관과 별도로 대화할 기회를 가졌는바, 주요 면담 내용은 다음과 같음.

가. 동장관이 외무부장관의 안부와 근황을 문의하기에 장관께서 제 47 차 총회 의장 자격으로 제 48 차 ESCAP 회의 참석차 중국을 방문, 전기침 외교부장 및 이붕 총리등과 장시간 면담한 내용과 몽골 공식 방문 사실등을 설명한바, 동장관은 한. 중국관계 진전에 관심을 표명하였음.

나. 동장관이 남. 북한 관계에 대해 문의한데 대해 본직은 북한 핵문제 관련 사항을 설명한후, 제 7 차 남. 북 고위급 회담이 5.7-8 간 서울에서 개최될 예정으로 있으나, 관계 진전을 위해서는 북한의 핵문제가 우선적으로 해결되어야함을 강조했음.

미주국	장관	차관	1차보	■	외정실	분석관	청와대	안기부

PAGE 1

92.04.30 13:10

외신 2과 통제관 BZ

0023

본직은 또한 북한의 인권문제와 함께 북한의 경직된 체제가 어떻게 발전 되느냐도 남. 북한관계 진전에 크게 영향을 줄것이라고 설명하였음.

다. 동 장관은 북한 핵문제에 대해서는 지대한 관심(UTMOST CONCERN) 을 가지고 있을 뿐아니라 동 추이를 우선적으로 보고 받고 있다고 한후, 동문제가 향후 이떤 속도로 어떻게 진전될런지 모르겠으나 북한 핵문제 진전여하에 따라 '카나다 외교정책은 중요한 결정을 하게 될것으로 본다(I SUSPECT THAT CANADIAN FOREIGN POLICY WILL MAKE AN IMPORTANT DECISION) ' 고 언급함.

라. 이에 대하여 본직이 다시한번 북한 핵문제가 여러가지 복잡한 문제를 내포하고 있음과 IAEA 에 의한 핵사찰도 중요하지만 남. 북한 상호 핵사찰도 매우 중요함을 설명하였으며, 동장관은 이에 대해 잘 알고 있다고 말했음.

바. 동장관은 이어서 한국이 CIS 와 긴밀히 협력하고 있는데 대해 고무되고있다고 언급하였음.

(대사 박건우-국장)

예고: 92.12.31. 일반

검 토 필 (1993. 6. 30.)

1992. 12. 31. 의거 일반문서로 재 분류됨

PAGE 2

0024

관리 번호	92 -664

외 무 부

종 별 :

번 호 : SZW-0244 일 시 : 92 0504 1800

수 신 : 장관(구이,미이,정특)

발 신 : 주 스위스 대사

제 목 :

본직은 금5.4. 오전 FELBER 주재국 대통령겸 외무장관을 예방함. 동 예방은 신임대사 신임장 제정후 갖는 관례적인 외무장관 공식 예방인바, 주요 면담내용 다음과 같이 보고함.

1. FELBER 대통령겸 외무장관은 본직의 부임을 환영하고 확고한 한.서 우호관계에 대해 언급함. 본직이 스위스 중립국 감시위의 한반도 평화유지 기여를 지적한바 동 대통령은 스위스가 앞으로도 계속 이임무를 수행해 나갈 것이라고 말함.

2. 본직이 남. 북 관계 최근정세와 고위급 회담 진전상황에 대해 설명하고 북한의 핵무기 개발에 대한 IAEA 사찰과 남. 북한간 상호 사찰이 실현되기 전에는 화해 진전이 어려운점을 피력하였던바 동 대통령은 김일성이가 있는한 북한이 변화하기는 어려울 것 같다고 전제, 수년내 한반도 통일 전망이 현재로서는 불부명하지 않느냐고 반문함. 또한 중국과의 관계가 개선되면 북한의 변화를 자극케되지 않겠느냐는 의견을 첨가함.

3.FELBER대통령은 LA 사태에 언급 깊은 관심을 보이고 한국인의 막대한 인적 물적 피해에 대해 애도의 의사를 표함.

4. 동 대통령은 본직의 부임으로 한. 서 관계가 한층 발전되기를 희망하였음에 대해 본직은 수일전 스위스의 EEA 협약 서명으로 유럽내 입지가 강화 되었음을 축하하고, 전통적 한. 서 우호관계의 심화와 양국간무역 및 경제협력 관계의 지속적인 신장을 통한 실질관계의 증진을 확신 한다고말함. 끝

(대사 강대완 - 국장)

예고 : 92.12.31. 일반

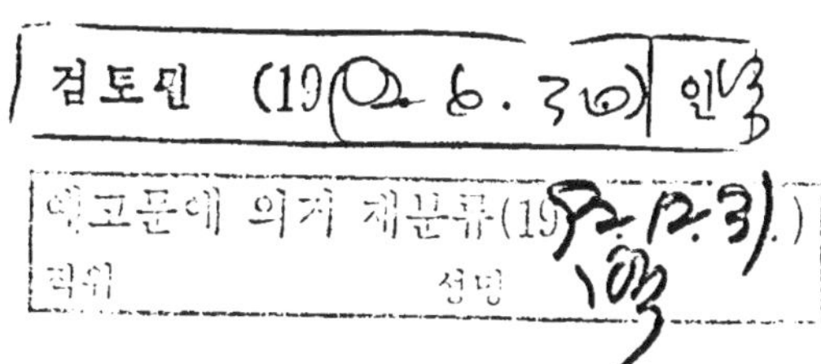

구주국 장관 차관 1차보 미주국 외정실 분석관 청와대 안기부

PAGE 1

92.05.05 09:23
외신 2과 통제관 BN

0025

관리 번호	92-769

	분류번호	보존기간

발 신 전 보

번 호 : WECM-0008 외 별지참조 종별 : ~~지 급~~

수 신 : 주 ~~수신처 참조~~ 대사, 총영사

발 신 : 장 관 (미일)

제 목 : ~~대북한 정책 지침 (남.북 상호사찰 미국의 대북한 입장)~~

연 : EM - 0012

1. 현재 북한에 대한 IAEA측의 사찰이 실시될 것으로 전망되고 있는 것과 관련, 일부 우방국 정부는 남.북 상호사찰의 필요성에 대해 다소 이해가 부족한 면을 보이고 있는 것으로 관찰되었으며, 따라서 IAEA의 사찰만 실시되면 북한과의 관계 개선을 다소 성급히 검토하려는 것으로 감지되고 있음.

2. 이에대해 아측으로서는 차제에 다음과 같은 정부의 인식과 방침을 각 우방국 정부에 분명히 할 필요가 있는 바, 다음 내용을 주재국 정부에 적의 전달하고 협조를 요청하기 바람. 특히 EC 주재공관은 리스본 개최 예정인 EC 정무국장 회의시 대북한 정책 토의에 대비하도록 귀직 등 적절한 고위수준에서 직접 정무국장과 접촉, 아측입장을 설명하고 결과 보고바람.

- 다 음 -

o 아국정부는 북한의 핵위협이 완전히 해소되어야 한다는 견지에서 동 의혹의 해소 이전까지는 대북한 관계의 실질적 변화는 추진되지 않아야 한다는 입장을 견지해 나갈 것임.

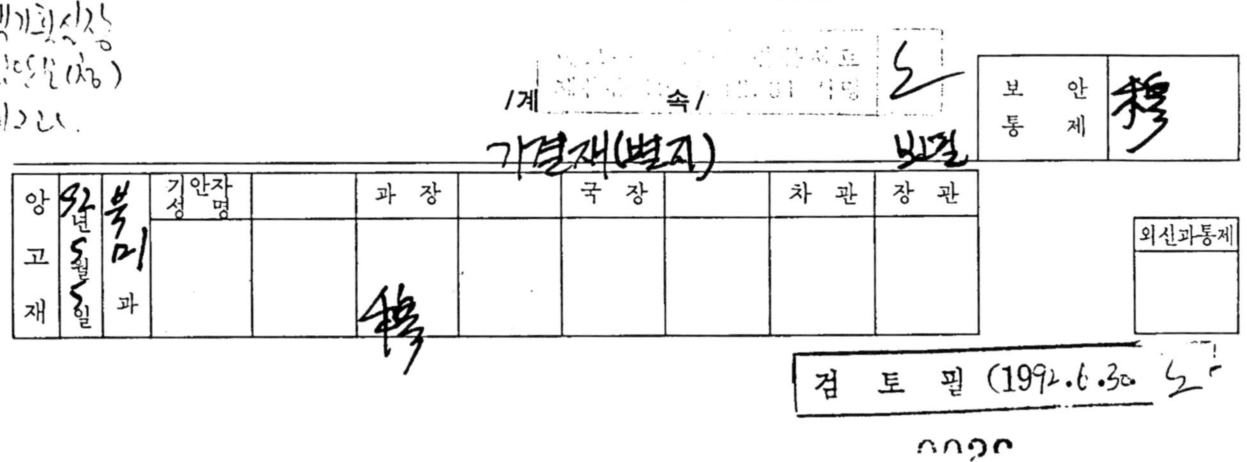

/계 속/

앙 고 재	92년 5월 5일	북미 과	기안자 성 명		과 장		국 장		차 관	장 관

보 안 통 제	

외신과통제

검 토 필 (1992.6.30.

o 현재 북한의 핵개발 의혹은 재처리 능력여부에 焦점이 있으며, 남.북한이 재처리능력 불보유를 위해 한반도 비핵화를 합의한 만큼, 동 비핵화 합의를 검증하기 위한 남북 상호사찰은 필수적으로 실시되어야 함.

o 따라서, 북한의 핵개발 의혹의 해소를 위해서는 IAEA 사찰뿐 아니라 남.북 상호사찰이 믿을만한 방법으로 이루어져야 함. 아측은 IAEA에 의한 사찰의 효용성을 과소 평가하지 않으나, IAEA 사찰이 남.북한 상호사찰을 대신할 수는 없음. 또한 남.북한 상호사찰은 IAEA 사찰을 보완할 수 있다고 봄.

o 남.북 상호사찰은 남.북 비핵화 공동선언에 따라 그 실시가 이미 합의된 것인 만큼, 남.북간 진정한 신뢰구축을 위해서도 상호 사찰은 반드시 이루어져야 함. 우리는 상호사찰의 실시와 그 결과는 북한의 진정한 변화의사를 가늠하는 척도가 되며, 장차 남.북관계의 전반적 진전을 위한 기초가 된다고 믿음.

o 현재 아국정부는 남.북 고위급대화를 통해 남.북관계의 실질적 진전을 모색하고, 이를 위해 대화를 계속해 나간다는 방침이나, 핵문제의 진정한 해결없이는 제반 합의의 실질적 이행이 불가능하다는 입장을 견지하고 있음.

o 또한 아국정부는 이러한 기본전략이 궁극적으로 북한의 진정한 변화(개방과 개혁)를 유도하는 데 목표가 있는 만큼, 우방국 정부들은 북한이 핵무기 개발을 포기하는 등 건설적인 자세변화의 구체적 증거가 부재한 상황에서는 성급한 대북한 관계격상 조치는 자제하는 것이 바람직하다고 믿음.

/계 속/

0027

3. 한편, 최근 미국정부는 북한이 IAEA 핵안전협정 비준을 계기로 각국과의 외교관계 또는 경제관계를 격상 또는 확대시키려는 시도를 일층 강화할 것이라는 판단하에 미국은 북한이 핵문제에 대한 의혹을 완전히 해소할 때에만 북한과의 관계 개선에 필요한 조치를 취하겠다는 미국정부의 기존입장과 북한이 핵문제 이외에 미사일 수출자제 등 제반문제에 있어서도 건설적 자세를 보여야 한다는 점을 각국 정부에 통보하고, 이러한 미국의 대북한 정책에 협조하여 줄 것을 요청한 바 있음.

4. 특히 미국정부는 핵문제에 대한 의혹해소는 IAEA에 의한 사찰뿐 아니라 이미 남.북한간에 합의된 대로 남.북 상호사찰이 실시되어야만 가능하다는 견지에서 북한에 대한 관계격상 조치는 전기 2개 사찰이 공히 이루어진 후에 가능하다는 점을 강조하고, 각국 정부도 이러한 미국측의 정책에 동참해 줄 것을 강력히 요망하였다고 함. 미국정부로서는 양 사찰이 만족스럽게 이루어질 경우, 고위급대화를 정례화 할 것을 북측에 대한 하나의 유도책으로 제시하고 있으나, 테러, 미사일, 인권 등 여러 문제의 해결을 아울러 촉구하고 있고, 북한이 매우 위험한 통제된 국가라는 미국내의 일반적 인식에 따라 급격한 대북한 관계개선은 취할 수 없는 입장에 있다고 보는 바, 미.북한 관계에 대한 주재국 정부 또는 여타 언론.학계의 오해가 없도록 이를 적절히 주재국측에 설명하기 바람. 끝.

(차 관 노 창 희)

수신처 : 전 EC 주재, 주오지리, 주카나다, 호주, 전 ASEAN 주재, 주멕시코 대사
사 본 : 주미, 주일, 주러 대사, 주북경, 주유엔, 주제네바 대표부
예 고 : 1992.12.31.일반

0028

9 ˩

관리 번호	92 -563

외 무 부

종 별 :

번 호 : IDW-0093 일 시 : 92 05051600

수 신 : 장관(정특,구일,미안)

발 신 : 주 아일랜드 대사

제 목 : 최근 북한의 외교책동에대한 대책(자응7호)

대: EM-0012

당관 유참사관은 5.4 P.MURNAGHAN 외무성 아태국장및 M. BAYLOR 아태과장을오찬에초대 대호 아측입장과 최근의 남북한관계를 설명하고 북한의 대주재국 접근동향을 탐문한바 동인들의 반응을 아래와같이 보고함.

가. 우방국의 대북한 관계개선을 위해서는 북한이 핵안전조치 협정을 충분히 이행하여야 함에는 동감을 표시하면서도 남북한의상호 핵사찰이 선행되어야한다는 입장설명에는 특별한 반응을 보이지않음.

나. 진행중인 남북대화에도 불구하고 1 천만 이산가족의 서신교류나 왕래에아무런 진전이없음에 놀라움을 표시하면서 북한의 남북대화에 임하는 진의를진전이없음에 놀라움을 표시하면서 북한의 남북대화에 임하는 진의를의심. 북한의 대남비방 중지는 저급한 심리전으로 평가.

다. 북한의 대중동 무기수출및 북한의 인권문제에도 관심표명

라. 남북정상회담의 조기실현 가능성및 전망등문의

마. 북한은 4 월초 주덴마크대사관을통해 북한외교부 구주국장의 주재국방문을 신청하였으나 주재국이 이를무시한후 상금 아무런접근 기도없음. 끝

(대사민형기-실장)

예고:92.12.31 일반

검토필 (1992. 6. 30) 인

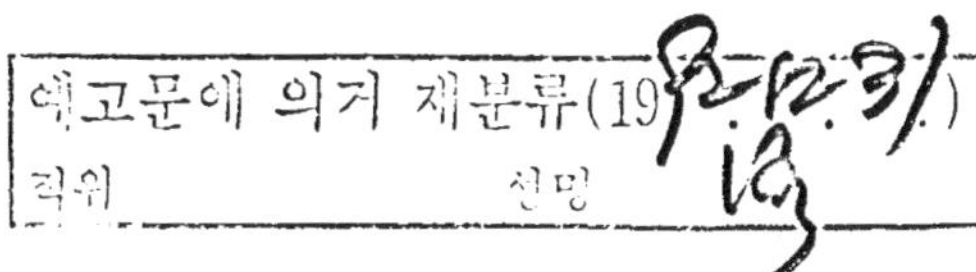
예고문에 의거 재분류(1992.12.31.)
직위 성명

외정실 미주국 구주국 분석관 정와대 안기부

PAGE 1

92.05.06 04:29
외신 2과 통제관 FM

0029

관리번호 92-406

외 무 부

종 별 :

번 호 : CNW-0536 일 시 : 92 0506 1440

수 신 : 장관(아동,국기,미일),사본:주호주대사(중계필)

발 신 : 주 캐나다대사

제 목 : 북한 핵문제 및 대북한 관계

일반문서로 재분류 (1992.12.31)

당관 한공사는 5.3(일) THWAITES 호주공사 주최 오찬 (외무성 및 외교단 20 여명 참석) 에 참석한바, 동 오찬시 동공사가 북한 핵문제 및 호주.북한 관계등에 관하여 언급한 내용을 참고로 아래 보고함.

1. 북한이 IAEA 에 사찰대사 핵시설 및 핵문질을 성실하게 신고하고 믿을 만한 사찰 (CREDIBLE INSPECTION) 을 받는 경우 호주는 북한과의 관계를 단계적으로 개선하여 나갈것임.

2. 호주는 이미 북한을 승인한바 있으나, 외교관계가 단절된 상태임. IAEA 에 의한 믿을만한 사찰이 이루어지는 경우에는 우선 외교관계 재개를 검토할 것이나 처음부터 상주 대사 교환은 고려치 않고 있으며, 주북경 대사로 하여금 겸임하는 방안등이 검토될 것을 봄.

3. 한공사가 IAEA 사찰 뿐만 아니라 상호 사찰이 실현되고 또한 의미있는 남.북관계 진전이 이루어질 때까지는 우방국의 대북한 관계 개선은 바람직스럽지 않음을 지적한데 대해여 동공사는 북한의 체제, 인권, 테러리즘등 많은 문제가 상존하고 있음을 잘알고 있으나 오히려 대화를 계속 가지면서 관계를 유지하는 것이 북한의 변화를 유도하는데 필요할 것이라는 견해를 피력함.

4. BLIX IAEA 사무총장 방북과 관련, CORE GROUP 은 동 방문이 사찰로 오해되어서는 절대로 안되며, 동 방문후 BLIX 사무총장의 견해가 북한 핵문제에 관한어떠한 편견을 주우서는 안된다는 입장을 전달한바 있으며, IAEA 전문 사찰팀에 의한 사찰이 이루어진 후에만 북한 핵문제에 관한 IAEA 공식.입장이 밝혀질수있다는 견해를 피력함.

(대사 박건우-국장)

예고: 92.12.31. 일반

검토필 (1992. 6. 30.)

아주국 중계	장관	차관	1차보	미주국	국기국	분석관	청와대	안기부

PAGE 1

92.05.05 09:41

외신 2과 통제관 EC

0030

관리번호	92-783

원 본

외 무 부

종 별 :

번 호 : GEW-0891 일 시 : 92 0506 1530

수 신 : 장 관(미일,구일,정특)

발 신 : 주 독 대사

제 목 : 대북한정책 지침

대:WECM-0008

1.5.5. 대호 지시 접수후 주재국 외무부에 즉시 확인한바, 리스본 개최 EC 정무총국장회의에 참석하는 CHROBOG 차관보는 5.6. 아침 일찍 리스본 향발예정이라하며, ZELLER 총국장 또한 휴가중으로 면담이 불가능하여, 전부관 참사관이 18:00 시 ZIMMERMANN 동아국장 대리(SOMMER 국장은 출장중)를 면담, 대호 아측입장을 상세히 설명하고 동국장대리의 긴급협조를 요청하였음.

2. 전 참사관은 특히, 아국정부는 북한의 핵개발에 대한 의혹은 재처리 능력여부에 그 촛점을 두고 있으며, IAEA 에 의한 사찰과 함께 비핵화합의를 검증하기 위한 남.북상호사찰은 필수적인 뿐만 아니라, 상호사찰의 실시와 그결과는북한의 진정한 변화의사를 가늠하는 척도가 됨을 강조하고 따라서, 북한이 핵무기 개발을 포기하였다는 구체적 증거가 없는 상황에서 우방국정부들이 성급한 대 북한 관계개선 검토는 자제할 것을 촉구함

이어서 EC 정무총국장 회의에서 한반도 문제가 거론될시 이러한 아측입장이반영되도록 동 국장대리의 적극적 협조를 요청하고, 아울러 대호 미국정부가 취한 조치내용도 설명하였음.

3. 이에 대하여 ZIMMERMANN 국장대리는 주재국으로서도 북한의 핵개발에 관한 의혹의 완전한 해소가 대 북한 관계개선 검토의 전제가 되어야 한다는 입장이라고 말하고, 리스본 개최 정무총국장 회의에 참석하는 CHROBOG 차관보에게 상기아측입장을 지급전달, 한반도 문제 관련 토의가 있을시 반영되도록 협조하겠다고 말함. 동 국장대리는 이어 최근 미국대사관 관계관이 외무부를 방문, 대호 미국정부 입장에 관한 설명이 있었다고 첨언함

4.5.6.안공사는 ZIMMERMANN 국장대리 면담시 확인한바, 동 국장대리는 CHROBOG

미주국	장관	차관	1차보	구주국	외정실	분석관	청와대	안기부

검 토 필 (1992.6.30.)

PAGE 1

92.05.07 05:14

외신 2과 통제관 DV

0031

차관보의 출발에 앞서, 5.5. 저녁 상기 아측입장을 전달, 가능한 협조를 다하도록 조치하였다고 함. 이어서 동 국장대리는 독.북한 관계개선은 북한측이 서두르고 있는 것은 사실이나 독일로서는 성급해야 할 이유가 없다고 첨언함. 끝

(대사-차관)

예고:92.12.31.일반

관리 번호 92-785

원 본

외 무 부

종 별 :

번 호 : MXW-0507　　　　일 시 : 92 0506 1230

수 신 : 장관(미일,미중)

발 신 : 주 멕시코 대사

제 목 : 대북한 정책지침

대: WMX-0299

연: MXW-0492,0503,0504

1. 대호 연호 보고와같이 5.4 주재국 고위층 접촉시 중점설명, 전달하였으며 4.20 자 NEWSWEEK 기사 5.4 자 TIME 기사외로 4.30 주재지 NEWS 지에 게재된 AP 기사(북한의 통제및 폐쇄성, 위험성 중점기사)등도 요로에 기히 전달됨.

2. 대호 3 항 미국정부 견해도 4.23 당지 미대사관 정무참사관이 외무성 당국자에 기전달 협의함.

(대사이복형-국장)

예고:1992.12.31. 까지

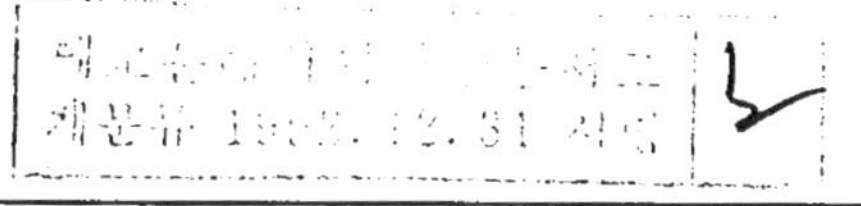

검 토 필 (1992.6.30.)

미주국　　미주국

PAGE 1

92.05.07　07:51

외신 2과　통제관 BX

0033

관리번호	92-797

원 본

외 무 부

종 별 :

번 호 : UKW-0784 일 시 : 92 0507 1830

수 신 : 장 관(미일,구일)

발 신 : 주 영국 대사

제 목 : 대북한 정책지침

대:WECM-8

연:UKW-740

1. 본직은 4.28. 연호 GOODLAD 신임 외무성 국무상 면담시 대호 지침과 동일한 맥락에서 아측입장을 주재국측에 설명하고 미측도 이와같은 우리의 입장에 동조하고 있음을 언급한바, 동국무상은 이에 대하여 공감을 표시하고 앞으로 한, 영간 상호 긴밀한 협조를 다짐한바 있음., 2.5.7. 최참사관은 HUGH DAVIES 극동국장을 면담, 대호 지침에 따라 아측입장을 설명하고 주재국측의 협조를 요청한바, 동인은 주재국이 지난번 기술적인 이유로 북한을 승인한 바는 있으나 북한이 핵사찰 문제는 물론 인권, 테러 수출등 제반문제에 있어 건설적 자세를 보일때 까지 대북한 관계의 실질적 변화는 고려할수 없다는 것이 주재국의 확고한 입장이라 하고 여타 EC 국가들도 주재국과 동일한 입장인 것으로 생각하고 있으나 EC 회의시 동입장을 개진하겠다 하였음. 동인은 또한 6.8. 북한 구주국장 일행의 방영시 상호사찰을 북한측이 수락하도록 촉구하겠다 하였음.끝.

(대사 이홍구-국장)

예고: 92.12.31. 일반

검 토 필 (1992.6.30.)

미주국	장관	차관	1차보	구주국	외정실	분석관	청와대	안기부

PAGE 1

92.05.08 10:30

외신 2과 통제관 BS

0034

관리번호 92-82

원 본

외 무 부

종 별 :

번 호 : THW-0955 일 시 : 92 0508 1430

수 신 : 장 관(미일)

발 신 : 주 태국 대사

제 목 : 대북한 정책지침

대 : WASN-0009

주공사는 5.8 CHOLCHINEEPAN 주재국 외무부 동아국 부국장과 면담, 대호 IAEA 사찰뿐 아니라 남. 북한 상호핵사찰의 필요성에 대해 설명하고 관련공문을 수교한바, 동 부국장은 어제 남북총리회담에서 아국 정원식총리의 폐회사내용을 알고있다고 하면서 본건관련 이해 및 지지를 표하고 향후 북한핵문제 진전사항을계속 알려줄것을 요망하였음

(대사 정주년-국장)

예고: 92.12.31. 일반

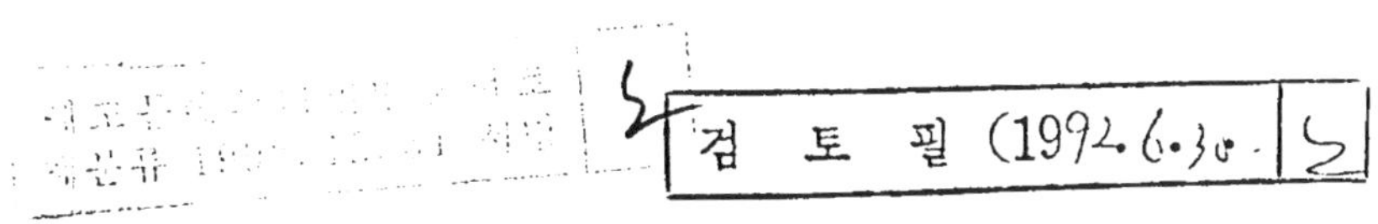

검 토 필 (1992.6.30.)

미주국 아주국

PAGE 1

92.05.08 18:06

외신 2과 통제관 EC

0035

관리번호	92-801

원 본

외 무 부

종 별 :

번 호 : GRW-0333　　　　일 시 : 92 0508 1440

수 신 : 장관(미일,구이)

발 신 : 주 희랍 대사

제 목 : 대북한 정책지침

대:WECM-8

1. 5.8 당관 박참사관은 주재국 외무부 아주국 KAVALIERATOS 부국장을 면담코 대호 내용을 설명한바, 동인은 이러한 아국의 입장을 충분히 이해하고 있으며, 이에 동조한다고 말하면서 동정책 내용을 EC 정무국장회의 대표인 LYBEROPOULOS 정무총국장에게 전달해 주겠다고 했음.

2. 동인은 또한 EC 에서도 북한의 핵문제에대해 심각하게 생각하고 있는바,북한의 핵사찰 결과를 보고나서 검토할 예정으로 알고있다고 말하면서 EC 와 공동보조를 맞추는것이 주재국의 기본입장이라고 첨언함. 끝.

(대사 이승환-차관)

예고: 92.12.31 일반

검 토 필 (1992.6.30.)

미주국　　구주국

PAGE 1

92.05.08 21:09

외신 2과 통제관 EC

0036

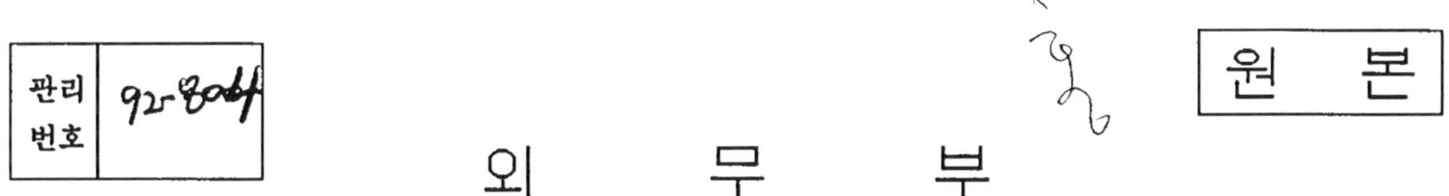

외 무 부

종 별 :

번 호 : SPW-0313 일 시 : 92 0508 1500

수 신 : 장관(미일 구이)

발 신 : 주 스페인 대사

제 목 : 대북한 정책지침

대: WECM-0008

1. 92.5.8. 본직은 외무성 RODRIGUES-SPITTERI 아주담당국장과 면담하고 , 대호 아측 입장을 설명하였음.

2. 동국장은 최근 북한이 EC 및 EC 회원국과의 관계개선을 위한 접근시도를 강화하고 있는것은 사실이며, 스페인도 EC 의 결정에 따라 5 월말(구체적 일정은 미정) 북한 외무성국장의 방문이 예정되여있으나, 동 국장의 스페인 방문은 북한과의 관계개선과는 아무런 상관이 없음을 분명히 강조하였음.

3. 동국장은 1) 북한의 핵문제 ,2) 남북문제, 3) 인권문제, 4)테러 및 외채문제등 조건에 있어서 실질적 결과(RESULTS)가 있기전에는 북한과의 관계개선은 있을수 없다고 강조하고, 금번 북한 외무성 국장의 방문은 그기회를 이용하여 전기 제문제에 관한 EC 의 통일된 입장을 직접적으로 명백히 전달하기위한것이며, 스페인으로서는 자기가 면담하며, 관계개선을 위한 전기 선행조건을 명백히 제시, 설명하는 외는 다른 아무런 행사(예컨데 오찬, 다른 고위인사의 예방)도 없다고 말하였음.

4. 북한의 핵문제와 관련 본직은 아국정부의 기본입장은 IAEA 의 사찰만으로는 북한의 핵개발 의혹 해소에는 불충분하며, 남북한간 상호 사찰이 필수적 요건임을 거듭 강조, 미국도 아국입장에 동조하고 있다고 밝혔던바, 동국장은 미국의 입장도 잘 알고 있다고 말하면서 이번 면담기회에는 동 문제를 북한측에 직접강력히 촉구하겠다고 말하였음.

(대사 - 차관)

예고 1992.12.31 일반

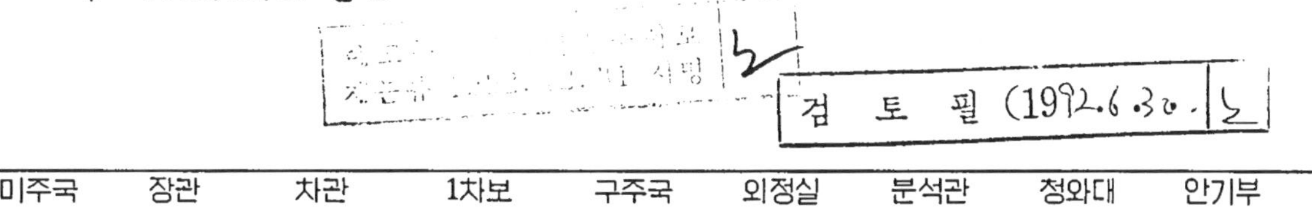

미주국 장관 차관 1차보 구주국 외정실 분석관 청와대 안기부

PAGE 1 92.05.09 04:19

외신 2과 통제관 FM

0037

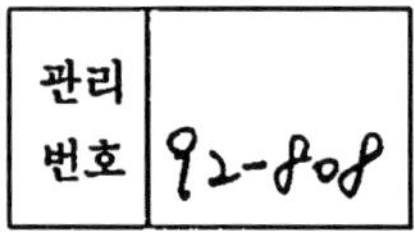

관리 번호	92-808

외 무 부

종 별 :

번 호 : POW-0246 일 시 : 92 0508 2200

수 신 : 장 관(구일,정특,미일,구이,기정,사본-EC회원국대사:직송필)

발 신 : 주 폴투갈 대사

제 목 : EPC 정무총국장 회의(자료응신 92-43)

연:POW-0183

대:WECM-0008

1. 당관 김승의참사관은 금 5.8(금) 외무성 MATOS 아주국장을 면담하고, 5.6-7 양일간 당지에서 개최된 표제회의에서 논의된 남북관계 내용을 파악한바 요지 아래보고함

가. 북한의 핵협정 비준(4.8) 및 핵시설리스트 제출(5.5)에 만족표명, 효과적 핵사찰과 대북관계개선과의 연관 및 핵관련 남북한 합의사항 이행의 중요성 강조

나. 주한 EC 대사들의 북한 인권상화 보고, 특히 북한이 세계에서 제일 억압받는 나라라는데 대한 우려표시 및 인권존중 강조, 북한의 테러 및 무기판매 포기주장

다. 상기 EC 입장을 의장국이 북한대사에게 통보키로 합의

라. 북한 외교부 관리의 구주 수개국순방 및 지역국장급 면담 예정에 주목

마. 주한 EC 대사들의 한국과 EC 와의 정치대화 관련 보고서에 주목

2. 김승의 참사관은 연호 4 항, 북한외교부 구주국장의 주재국 방문관련 진전사항을 문의한바 당지 방문일정이 5.31(일) 당지도착, 6.1(월) 아주국장 면담후 6.2(화) 당지 출발로 변경되었음을 알려주고 다음 행선지가 런던인것 같다고 부언함

3. 김참사관은 또한 금번 제 7 차 남북고위급회담 결과를 설명한후 대호 지침에 따라 북한의 핵개발 의혹해소 및 남북간 신뢰구축을 위한 남북 상호사찰의 필요성과 중요성을 강조하고, 동국장의 북한 구주국장 또는 주재국대사 면담시 이를 주지시켜 줄것과 5.11-12 EC 외상회담시 남북관계가 거론될경우 남북상호 사찰이 실현될때 까지는 EC 국가들이 대북한 관계 개선을 자제하는 방향으로 의견을 모으도록 하여 줄것을 요청함

4. 표제회의 결과 보고서에 포함된 전기 1 항 남북과계에 관한 내용 전문(불문)을

구주국 안기부	장관	차관	1차보	미주국	구주국	외정실	분석관	청와대

0038

PAGE 1

92.05.09 19:53

외신 2과 통제관 DV

검 토 필 (1992.6.30.)

입수하였기 아래 타전함. 끝

(대사 조광제-국장)

예고:92.12.31 일반

첨부:

LE COMITE POLITIQUE A NOTE AVEC SATISFACTION LA RATIFICATION PAR LA COREE DU NORD DE L'ACCORD DE GARANTIES AVEC L'AIEA, LE 8 AVRIL 1992 ET LA REMISE A L'AIEA, LE 5 MAI DERNIER, DE LA LISTE D'INSTALLATIONS NUCLEAIRES QUI SERONT SOUMISES A CONTROLE. IL A OBSERVE QU'UNE PREMISRE INSPECTION AURAIT LIEU DEBUT JUIN. LE COMITE POLITIQUE A RAPPELE LE LIEN DE CONDITIONNALITE ENTRE LA MISE EN OEUVRE EFFECTIVE D'UN REGIME DE CONTROLE EFFICACE ET UNE AMELIORATION DES RELATIONS DE LA COMMUNAUTE ET DE SES ETATS MEMBRES AVEC LA COREE DU NORD. L'IMPORTANCE DE LA MISE EN OEUVRE DES DISPOSITIONS DANS LE DOMAINE NUCLEAIRE DES ACCORDS BILATERQUX ENTRE LES DEUX COREES A EGALEMENT ETE EVOQUEE.

LE COMITE POLITIQUE A PRIS NOTE DES RAPPORTS DES CHEFS DE MISSION A SEOUL SUR LA SITUATION DES DROITS DE L'HOMME EN COREE DU NORD. IL A NOTE AVEC PREOCCUPATION QUE, SELON LES CHEFS DE MISSION, LA COREE DU NORD RESTE UNDES REGIMES LES PLUS REPRESSIFS AU MONDE ET QU'EN CONSEQUENCE IL CONVENAIT DE CONTINUER D'INSISTER AVEC FERMETE SUR LE RESPECT DES DROITS DE L'HOMME, SUR LA RENONCIATION AU TERRORISME ET AUX VENTES D'ARMES QUX REGIONS SENSIBLES.LE COMITE POLITIQUE A APPROUVE L'INITIATIVE DE LA PRESIDENCE DE CONVOQUER L'AMBASADEUR DE LA COREE DU NORD EN VUE DE LUI TRANSMETTRE LA POSITION DE LA COMMUNAUTE ET SES ETATS MEMBRES A CE SUJET.

LE COMITE POLITIQUE A NOTE QU'UN FONCTIONNAIRE DU MINISTERE DES AFFAIRES ETRANGERES DE LA COREE DU NORD ALLAIT SE RENDRE DANS PLUSIEURS CAPITALES ET QU'IL SERAIT RECU AU NIVEAU DES DIRECTEURS REGIONAUX.

LE COMITE POLITIQUE A EGALEMENT PRIS NOTE DU RAPPORT DES CHEFS DE MISSION A SEOUL SUR LE DIALOQUE POLITIQUE AVEC LA COREE DU SUD, ELABORE DANS LE CADRE DE L'ETUDE D'ENSEMBLE EN COURS SUR LE DIALOGUE POLITIQUE ENTRE LA COMMUNAUTE ET SES ETATS MEMBRES ET LES PAYS ASIATIQUES. 끝

관리번호	92-838

원 본

외 무 부

종 별 :

번 호 : GEW-0962 일 시 : 92 0513 1630

수 신 : 장관(미일,구일,정특)

발 신 : 주 독 대사

제 목 : EC 정무총국장 회의

연:GEW-0891

연호 5.6-7. 리스본에서 개최된 EC 정무총국장회의 관련, 5.13. 전부관 참사관이 외무부 SCHOENFELDER 한국담당과장에 확인한바, 금번 정무총국장 회의에서는 북한 핵문제를 포함한 한반도문제는 논의되지 않았다함. 끝

(대사-국장)

예고:92.12.31. 일반

예고문에 의거 일반문서로 재분류(1992.12.31.) 서명

검 토 필 (1992.6.30.)

미주국 차관 1차보 구주국 외정실 분석관 안기부

PAGE 1

92.05.14 07:38

외신 2과 통제관 BX

0040

관리번호	92-845

외 무 부

종 별 :

번 호 : AUW-0410 일 시 : 92 0514 1600

수 신 : 장 관(아동,미일,국기)

발 신 : 주 호주 대사

제 목 : 대북한 정책지침

대:WAU-0396

1. 대호 본직은 금 5.14 KEATING 수상의 외교담당 보좌관인 DR.ASHTON CALVERT 을 오찬에 초청, 한-호간 공동관심사에 관해 의견을 교환하면서 대호 지시에 따라 남북 상호 핵사찰의 중요성및 우리의 대북한 관계 개선에 대한 입장을 설명하고, 북한과의 관계개선의 전제조건인 북한의 핵개발 의혹의 해소를 위해서는 IAEA 에 의한 사찰뿐아니라 IAEA 사찰의 미비점을 보완하는 남.북한간의 상호사찰이 반드시 이루어져야하며, 이를 통해 남북한간의 진정한 신뢰구축이 필요하다는점을 설명함.

2. 이에대해 CALVERT 보좌관은 우리의 입장에 전적인 동감을 표시하면서, 북한의 핵문제는 남.북한간의 문제만이 아니라 아.태지역의 안보에도 직접접인 관련이 있음으로 호주는 북한의 핵문제가 해결될때까지 앞으로도 계속 적극적인 역할을 수행할것이라고 말하고, 최근의 북한의 대호주 접근책동 여부에 관해서는 그러한 일이 전혀 없는것으로 알고 있다고 답변함.

3 . 본건에 관해서는 계속 주재국측과 접촉, 관련사항 보고예정임.끝. (대사 이창범-차관)

예고:92.12.31.일반.

검 토 필 (1992.6.30.)

아주국	차관	1차보	미주국	국기국	외정실	분석관	청와대	안기부

PAGE 1 92.05.14 15:51

외신 2과 통제관 DV

0041

관리 번호	92-869

원 본

외 무 부

종 별 :

번 호 : DEW-0206　　　　일 시 : 92 0518 1800

수 신 : 장관(미일)

발 신 : 주 덴마크 대사

제 목 : 대북한 정책 지침(남북 상호사찰 미국의 대북한 입장)

대:WECM-0008

1. 본직은 5.14. 외무부 정무차관보 NEILS EGELUND 대사를 방문, 대호 아측입장에 따라 EC 정무국장 회의사 협력을 요청함.

2. 동 차관보는 북한의 핵문제는 IAEA 사찰 수락만으로 해결되는것이 아니라 NPT 준수가 중요하다고 말하고, 북한이 국제사회의 일원이 되기 위해서는 현재 핵을 가지고 있지 않아야 하며 또한 장래에도 보유하지 않아야 할 것이라고 강조함. 따라서 북한의 대 EC 관계개선 문제도 이러한 차원에서 다루어져야 할 것이라고 말함.

3. 동 차관보는 남북 상호사찰이 IAEA 사찰의 보완이라는 측면에서 아측 입장에 긍정적 반응을 보였음(북한의 개방과 개혁에 대해서는 북한이 외부세계의 정보 유입으로 결국 동구와 같은 혁명을 겪을 것이라는 견해를 표시함.). 끝.

(대사 김세택-국장)

예고:92.12.31. 일반

검 토 필 (1992.6.30)

미주국　차관　분석관　청와대　안기부

PAGE 1　　　　92.05.19　03:58

외신 2과　통제관 FK

0042

91.

관리번호	92-635

외 무 부

종 별 :

번 호 : IDW-0103 일 시 : 92 05191630

수 신 : 장관(구일,정특,미안)

발 신 : 주 아일랜드 대사

제 목 : 정무차관보면담 (자응9호)

검토필(1992.6.30) 13

본직은 5.18(월) BARRINGTON 외무부 정무차관보를 만찬에초대, 의견교환을 가졌는바 동요지를 하기보고함.

1. 북한의 외교망 확충동향과 관련, 본직이 북한이 핵사찰의무를 성실히 이행하고 남북관계에 실질적 진전이 이뤄지는등 한반도와 동지역에 평화정착을 위한보장장치가 마련될때까지 북한측의 관계개선 동향에 우방들의 신중한 대응이 요망된다고 말한데 대해 동차관보는 주재국내 북한과 관계를 가지고 있는 일부인사(정치인포함)들이 북한과의 관계개선 필요성을 제기하고 있으나 정부로서는 신중히 (CAUTIOUS)대처하고 있으며 EC 정무총국장 회의에서도 동건에있어 EC 의 신중한 대처를 강조하고 있다고 하였음.

2. 본직이 북한의 권력세습 진행, 경제적곤경, 무기수출계속등 북한관계 전반을 설명한데 대해 동인은 지난연초 미국이 무기(미사일)를 적재한 북한선박의 중동행추적중 일시놓쳤다는 논란이 있었으나 이는 미측의 의도적인 실패로 본다는 의견을 표시했음.

3. 동차관보는 걸프전시 무력에있어 유럽국가들이 미국에비해 현저히 열등한 현상에 충격을받고 EC 를 중심으로 유럽의 독자적인 군사력증강을위한 방안이신중히 검토되고 있다고 말했음. 끝

(대사민형기-국장)

예고:92.12.31 일반

예고문에 의거 재분류(1992.12.31) 직위 성명

구주국	장관	차관	1차보	미주국	외정실	분석관	청와대	안기부

PAGE 1 92.05.20 02:42

외신 2과 통제관 FM

0043

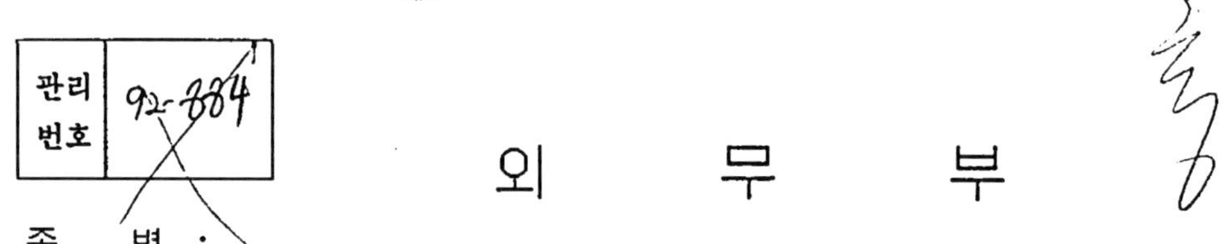

관리번호	92-884

외 무 부

종 별 :

번 호 : CNW-0596 일 시 : 92 0520 1710

수 신 : 장관(국기,미일)

발 신 : 주 캐나 다대사

제 목 : IAEA 사무총장 방북결과

대:WCN-0514

대호 관련 5.20. 주재국 외무부 ARSENE DESPRES 원자력 과장이 당관 백참사관 면담시 언급한 내용 아래 보고함.

1. 카측은 북한의 핵문제 관련 한국과 기본적으로 같은 입장이며, 모든 의혹이 없어질때까지 북한측에 계속 압력을 가하는 것이 필요하다고 생각함.

2. 북한측이 최초 보고서를 제출했으나, 모든 핵관련 시설이 동 보고서에 포함되어 있는지 의문시 됨. 그러나 북한이 핵안전협정 비준이후 최초보고서를 예상보다 빨리 제출하고, 또한 6 월중에 IAEA 사찰을 받기로한것등은 평가할만한것이라고 생각함.

3. 6 월 IAEA 대책은 AIEA 의 북한 핵시설에 대한 사찰 결과를 본후 미, 일,호주등과 구체적으로 협의할 예정임.

(대사 박건우-국장)

예고문:92.6.30. 일반

예고문에 의거 일반문서로 재분류 1992.6.30 서명

국기국 장관 차관 1차보 미주국 분석관 청와대 안기부

PAGE 1

92.05.21 08:24

외신 2과 통제관 BN

0044

5/22 신

관리번호	92-483

외 무 부

종 별 :

번 호 : AUW-0438 일 시 : 92 0521 1600

수 신 : 장 관(아동,국기,정총)

발 신 : 주 호주 대사

제 목 : 대북한 정책지침

일반문서로 재분류 (1992.12.31)

1. 금 5.21 당관 장동철 공사는 외무.무역부 BENSON 아주국 부국장을 오찬에 초청, 한. 호간 공동관심사에 관해 의견을 교환한바, 동부국장은 최근 BLIX IAEA 사무총장의 북한 방문결과에 관해 언급하면서, 호주정부는 동 결과에 대해 아직 IAEA 측으로부터 충분한 설명을 받지 못하였으나 북한이 예상외로 IAEA 에 매우 협조적이긴 하였으나 관심의 초점이 되고있는 핵재처리시설과 플로토니움 생산문제에 관해 이제야 시인한것은 북한의 CREDIBILITY 를 의심케 하고있으며, 거대한 방사화학연구소 건물이 실질적으로 비어있는 상태로 있는것은 최근 동건물의 주변에서 트럭 이동의 움직임이 빈번하였던점과 연결시켜볼때 핵재처리 시설에 대한 의구심을 완전히 해소할수 없다는것이 호주측의 예비적인 평가라고 말하고, 완벽한 IAEA 사찰과 더불어 남북한 상호사찰이 중요하다고 말함.

2. 장공사는 가상적이기는 하나 북한이 IAEA 사찰과 남북한 동시사찰을 수락하여 어느정도 만족할만한 수준의 결과가 나타났을때의 호-북한 관계에 관해 문의한바, BENSON 부국장은 이러한 결과가 발생하였다 하더라도 호주는 남북한 관계에 있어 한국측이 만족하다고 생각할때까지는 북한과의 관계를 발전시키지 않을것이며 이러한 경우에도 한국측과 사전 협의할것이라고 말함.

3. 그러나 호주는 북한과 외교관계를 갖고있음으로 대화의 채널은 계속 유지하고 있으며, 현재 북경에서의 부정기적인 참사관급 접촉과(가장 최근의 접촉은 UNC 관련 김영남 서한에 대한 EVANS 외부장관의 답신 전달을 위해 북한측과 접촉하였으며, 통상 호주측의 요청에 의해 접촉이 이루어 진다고 함) 매우 드물긴 하지만 인니에서도 접촉을 가지고 있다고 말하고, 최근 북한은 유럽에 대해 집중적인 외교노력을 경주하고 있는것으로 보이며, 이문제에 대해 미국측과도 협의하고 유럽주재 호주대사관에 북한과의 외교관계 발전에 대한 호주측의 입장을 각 주재 정부에

검토필 (1992.6.30)

아주국 장관 차관 1차보 국기국 외정실 분석관 청와대 안기부

PAGE 1

92.05.21 15:56

외신 2과 통제관 DV

0045

설명토록 지시한바 있다고함.

4. 최근 북한측의 호주 접근 책동여부에 관해서는 작년 김용순의 호주방문 이후에는 접근책동이 전혀 없으며 EVANS-김용순 회담시 호주측의 입장을 북한측에 분명히 단호하게 전달하였으므로 당분간은 북한측으로 부터의 접근책동은 없을것으로 본다고 말함. 끝. (대사 이창범-국장)

예고:92.12.31 일반.

PAGE 2

0046

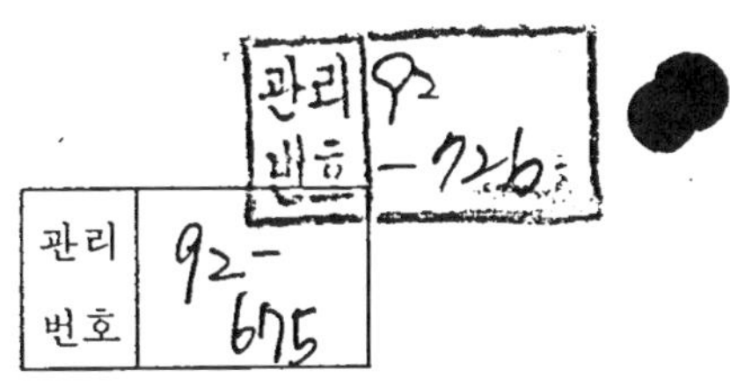

관리 번호	92-675

	분류번호	보존기간

발 신 전 보

번 호 : WECM-0009 920522 1743 DG 종별 :

수 신 : 주 수신처 참조 대사.//총영사

발 신 : 장 관 (구일, 사본: 구주국장)

제 목 : 북한 구주국장 서구순방

연 : WECM-0008, 정특 2026-389 (92.4.24)

1. 북한 외교부 구주국장 김흥림과 수행원 이현익은 그리이스(5.25-27), 스페인(5.28-30.추정), 포르투갈(5.31-6.2), 벨기에, EC집행위(6.3), 화란(6.4), 룩셈부르크(6.5) 및 영국(6.7-9)을 순방 예정임.

2. EC제국은 5.6-7간 리스본에서 개최된 EPC 정무총국장 회의시 대북한 관계개선의 전제조건으로서 IAEA 및 남북한 상호 핵사찰이 공히 효과적으로 이행되어야 한다는 내부적 입장을 결정하고 테러, 무기수출, 인권등 제문제의 해결도 아울러 촉구하였는 바, 현 EC의장국인 포르투갈 정부가 주재 북한대사에게 상기 EC측 입장을 전달할 것이라함. 북한 구주국장 일행의 접수문제와 관련하여서도 상기 대북한 관계개선 조건을 북한측에 명확히 주지시킬 수 있는 기회를 갖는것이 북한의 개혁.개방유도에 바람직할 것이라는 인식하에 각국 외무부 실무선 (국장 또는 과장)에서 동 일행을 접수토록 동 정무총국장 회의에서 결정된바 있음.

/ 계속 /

보 안 통 제	

앙 고 재	92년 5월 21일	구주국 1과	기안자 성명		과 장	심의관	국 장		차 관	장 관

외신과통제

0047

3. 한편, Kanter 미국무부 정무차관은 방한중인 5.13. 본직과의 면담시 미.북한간의 접촉 수준격상을 위해서는 우선 IAEA 사찰과 남북간 상호사찰 규정에 의한 첫사찰이 효과적으로 이루어져야 하며, 미. 북한간 격상된 접촉이 있더라도 일련의 IAEA 최초사찰 과정이 완전히 종결되고 남북 상호사찰이 계속 실시됨으로써, 동 체제가 정착되어 북한 핵문제에 대한 완전한 확신을 갖게 되어야 본격적인 미.북한간 양자문제에 대한 협의를 개시할 것이라 언급하였음.
아울러, 미.북한간의 대화는 한반도 문제의 당사자 해결원칙을 바탕으로 하여 남북대화를 훼손치 않는 범위내에서 이루어질 것이며, 북한과의 대화시 미사일 수출문제, 인권, 테러리즘, 실종미군유해 문제등 제반조건도 거론할 것이라 밝힌 바 있음.

4. 북한 외교부 구주국장 일행의 금번 EC 제국순방은 최근 남북기본합의서 발효(92.2.) 및 IAEA 핵안전협정비준(92.4.)에 이은 블릭스 IAEA 사무총장의 방북(92.5.)등 핵문제를 포함한 남북관계의 가시적 진전이 일응 이루어지고 있음을 명분으로한 대서구 외교공세 강화책의 일환으로 보이는 바, 연호 우리측 입장과 상기 EC 및 미국측의 관련태도를 참고 바라며, 동일행 방문결과 특이사항 있는 경우 보고바람. 끝.

(구주국장 대리 박재선)

예고 : 92. 12. 31.에 일반문에 의거 일반문서로 재분류됨

수신처: 주EC 및 EC회원국 주재 대사

0048

주우간다대사관

P.O.BOX 3717 Kampala, Uganda　　　Tel. 233667, 233653

91 (조)
— 북한의 대외선전 활동 저지대책수립
— IAEA 사찰은 「동시 사찰이 없으며, 한반도 비핵화 공동 선언에 의거한 「상호 사찰」논의

문서번호 : 우대(　　)700 — 128
시행일자 : 1992. 5. 27. (　　)

수　신 : 외무부장관
참　조 : 중동아프리카국장, 미주국장

선결			지시	
접수	일자 시간		결재 공람	
	번호	31740		
처 리 과				
담 당 자				

제　목 : 북한 핵사찰 관련 기사보고

IAEA의 북한 핵사찰과 관련하여 당지 북한 대사관 1등서기관 오창식이 남북한 동시 사찰을 주장하는 기자회견내용이 당지 영자 일간지 The Star 지 5.27자 4면에 게재 되었는바, 별첨과 같이 동기사 사본을 송부하오니 업무에 참고 바랍니다.

첨 부 : 기사 사본 1부.　　끝.

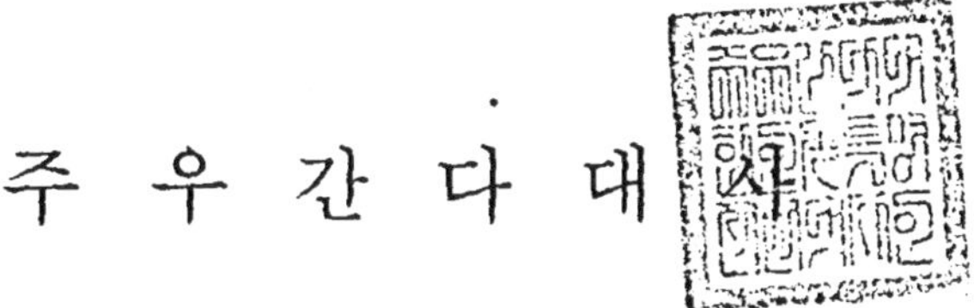
주 우 간 다 대 사

0049

Inspection of Korea should be simultaneous

By STAR Reporter

THE first secretary at the north Korean Embassy in Kampala. Mr O Chang Sik has blamed the Unites States and South Korean governments of trying to jeorpadise the proposed nuclear inspection on the Korean peninsula.

Addressing a press conference at his office in Kampala. Mr Chang Sik said that it was agreed upon by both North and South Korea governments to conduct a simultaneous nuclear inspection in both countries in order to realise the denuclearisation of the Korean peninsula.

He, however, noted with dismay that it is unfortunate that America is insisting that inspection should be conducted in only North K rea. The inspection was scheduled to be c [illegible] ed by t[illegible] International Atomic [illegible] gy Ag[illegible]

Mr Chang told the press co[illegible] that his government has alway[illegible] tained that inspection should be si[illegible]taneously conducted in both South [illegible] North Korea.

"We are in a position that through this inspection nuclear bases of the United States should be seen." adding that South Korean authorities will have to come out in response to the inspection to the nuclear weapons and nuclear bases of the United States in South Korea.

Chang Sik wondered why the US and South Korea don't come out in response to full scale inspection suggested by North Korea saying that this alone arouses doubts and concern about mystery of their speaking and action.

He urged that nuclear inspection on the Korean peninsula must be a simultaneous inspection with the full scale inspection to nuclear weapons and nuclear bases of the US in South Korea as its main content. Unless this is done, it will cause doubts of the entire Korean people and the world peoples.

"Refusal for simultaneous inspection by US and South Korea is an act of ignorance and debasement of dignity, authority and roles of the International Atomic Energy Agency," he concluded.

0050

공　　　란

공 란

공　　　란

공 란

공 란

공　　　란

공　　란

공 란

공 란

공 란

관리 번호	92-6pp

	분류번호	보존기간

발 신 전 보

번 호 : WECM-0012 920601 1955 FO 종별 :

WASN-0011

수 신 : 주 EC 지역 및 ASEAN 지역 대사. ~~총영사~~

발 신 : 장 관 (미이)

제 목 : 남북상호사찰 관련 우방국 협조

검토필(1992. 6. 30.)

연 : EM-16

금 6. 1. 반기문 장관 특보(핵통제위 부위원장)은 주한 EC 및 ASEAN 지역 대사들을 별도로 초치하여 사찰규정 협상 경위, 대북 총리 서한문 내용 및 남북상호사찰에 관한 우리정부 입장등을 설명하고 남북상호사찰 실현을 위한 우방국의 협조를 요청하였는 바, 참고 바람. 끝.

예고 : 92. 12. 31. 일반

(미주국장 정태익)

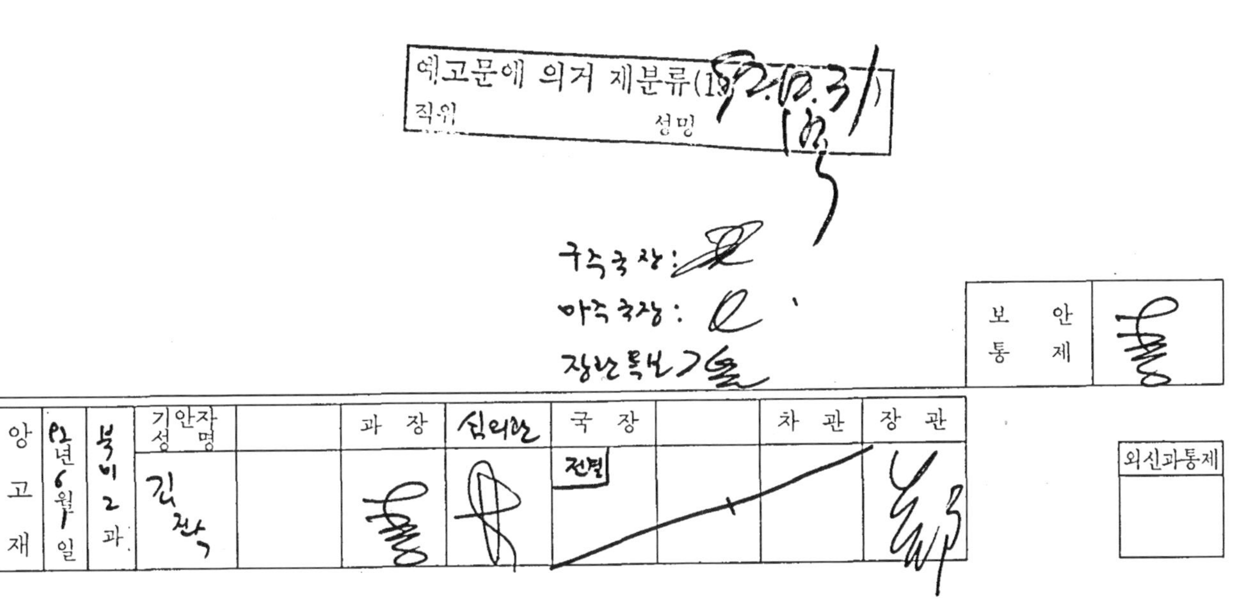

예고문에 의거 재분류(1992.12.31.)
직위
성명
보안 통제
| 앙 92년 6월 1일 | 북미2과 | 기안자 성명 | | 과 장 | 심의관 | 국 장 | | 차 관 | 장 관 |
| 고 재 | | 김 | | | | 전결 | | | |
외신과통제

0061

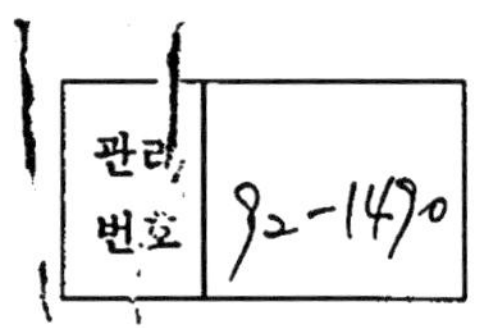

외 무 부

종 별 :

번 호 : USW-2787 일 시 : 92 0602 1659

수 신 : 장관(미이,미일,서구1,국기,정특)

발 신 : 주 미 대사

제 목 : 북한 핵문제

1. 금 6.2 국무부 한국과 SCHMIEL 부과장은 당관 임성준 참사관에게 연락, 당지 영국대사관측은 북한 핵문제에 관한 한, 미 양국의 입장을 감안하여 EC 제국이 대북한 관계 개선에 앞서 남북 상호사찰 실현이 필수적 전제조건(PREREQUISITE)임을 확인하는 필요조치를 취해나가기로 하고, 6.4 LISBON 에서 개최되는 EC 제국 아시아 문제 전문가회의에서 심의한 후 그와같은 정책 변경을 EC 제국 정무국장회의에 회부할 것임을 통보하여 왔다고 설명함.

2. 동 부과장은 이어 EC 제국이 상기와 같은 입장을 공개적으로 표명할 계획으로 있다고 말하면서 특히 6 월 IAEA 이사회를 앞두고 북한 핵문제에 관한 EC제국의 입장이 강화된 것을 매우 만족스럽게 생각한다고 평가하였음.

3. 상기와 같은 EC 제국의 관련 동향을 파악, 당관에도 참고로 알려주기 바람.

(대사 현홍주-국장)

예고:일반 92.12.31.

미주국	장관	차관	1차보	미주국	구주국	국기국	외정실	분석관
청와대	안기부							

PAGE 1

92.06.03 07:56

외신 2과 통제관 BX

0062

관리번호	92-1224

	분류번호	보존기간

발 신 전 보

번 호 : AM-0081 920602 1029 BD 종별 :

수 신 : 주 전재외공관장 //대사//총영사

발 신 : 장 관 (정특)

제 목 : 남북고위급 회담 대변인 성명

연 : EM-0016

1. 정부는 북측이 남북핵통제공동위에서 전혀 현실성을 결여한 일방적인 주장으로 상호사찰 규정의 마련시한(5월말)을 넘기는등 남북상호 사찰을 지연.회피하려는 태도를 분명히 함에 따라, 6.1 총리 명의의 대북 전통문을 발송한 데 이어, 금 6.2 남북고위급 회담 대변인 성명(별전송부)을 통해 북한측에 「기본합의서」와 「비핵화 공동선언」의 성실한 이행.준수를 강력히 촉구하였음.

2. 이와 같은 정부의 일련의 대북 조치는 북측이 5.22. 비무장지대 무장병력 침투, 정치선전극인 「범민족 대회」의 일방적 추진등으로 남북기본합의서를 위반하고 있음을 지적하고, 북측에 대하여 핵문제의 해결 없이는 남북관계의 실질적인 개선을 기대할 수 없으며, 나아가 북한이 당면한 대내,대외의 제반 문제 해결도 어려울 것이라는 우리 정부의 확고한 입장을 보이기 위한 것임.

3. 그러나 정부는 고위급 회담, 3개 분과위등 기존의 남북대화와 ~~남북~~당국간 합의사업 (8.15 이산가족 노부모 방문등)은 북한의 핵사찰 문제와 연계시킴이 없이 원칙적으로 병행 추진해 나갈 방침임을 참고바람. (끝)

첨부: 남북고위급회담 대변인 성명(국문) 끝.

(외정실장 이 승 곤)

예 고 : 92.12.31. 일반

검 토 필 (1992. 6. 30.)

보안통제	

앙고재	92년 6월 2일	통추정책과	기안자 성명		과 장	심의관	국 장	실장	차 관	장 관
			남상정		(서명)	(서명)		조건부 (서명)		(서명)

시발→장.외신실

외신과통제

0063

보도협조 바랍니다
92. 6. 2 (화) 10:00 이후 보도

남북고위급회담 대변인 성명

1992. 6. 2 10:00

남북 쌍방은 지난 2월 평양에서 개최된 제6차 남북 고위급회담에서「남북사이의 화해와 불가침 및 교류·협력에 관한 합의서」(약칭 「기본합의서」)와 「한반도의 비핵화에 관한 공동선언」(약칭 「비핵화 공동선언」) 이라는 두건의 역사적 합의문서를 발효시킴으로써 남북간에 오랜 불신과 대결의 시대를 청산하고 화해와 협력의 새 시대를 열어 나갈 것을 7천만 겨레와 온 세계앞에 엄숙히 약속하였습니다.

남북 쌍방은 이들 합의서에 의거하여 그동안 정치·군사·교류협력 등 3개 분과위원회와 핵통제공동위원회를 구성·운영중에 있고 5월에는 연락사무소와 군사·경제·사회문화 분야의 공동위원회등 합의사항 이행기구들을 구성·발족시켰으며 3개 분과위원회에서는 오는 9월까지 기본합의서 합의사항들의 구체적 이행·준수 대책을 담게 될 부속합의서를 마련하는 작업이 진행중에 있습니다.

1

0064

따라서 지금의 시점은 남북 쌍방의 책임있는 당국간에 진지한 협의를 진행시켜 기본합의서를 이행·준수하는데 필요한 구체적 대책을 마련하고 이를 토대로 부속합의서들을 만드는데 모든 역량을 기우려야 할 때인 것입니다.

그러나 바로 이러한 중요한 시점에 남북고위급회담의 한쪽 당사자인 북한측이 기본합의서의 정신과 내용을 외면하고 남북관계의 원만한 진전을 가로막는 일련의 행위를 저지름으로써 회담의 전도와 남북관계 전반에 대한 내외의 우려를 자아내고 있습니다.

이미 알려진 바와같이 북한측은 최근 휴전선 비무장지대 남측지역안으로 무장병력을 침투시키고 이 사건이 우리측에 의한 「자작극」이라는 억지선전을 전개하는가 하면 정전협정에 대한 중대한 위반행위인 이 사건을 다루기 위하여 군사정전위원회 본회의를 개최하자는 유엔군 사령부의 정당한 요구를 거부하고 있습니다.

북한측은 또 「기본합의서」가 발효되고 남북고위급회담이 진행중임에도 불구하고 고위급회담의 테두리밖에서 이른바 「범청학련」의 결성과 「범민족대회」의 개최를 추진하는등 「기본합의서」에도 위배되고 남북관계에는 새로운 긴장을 초래하는 행위들을 계속하고 있습니다.

뿐만 아니라 북한측은 지난 3월이래「개별합작」이라는 명목으로 우리측의 여러 기업들에게 많은 방북초청장을 보내오는 등 우리내부의 경쟁과 혼란을 유발함으로써 「기본합의서」에 따른 질서있는 경제교류와 협력을 어렵게 하고 있습니다.

남북고위급회담 남측대표단은 이러한 북한측의 「기본합의서」에 어긋나는 일련의 사태에 주목하면서 다음과 같이 북한측의 그릇된 자세와 입장의 즉각적인 시정을 요구합니다.

첫째로 지난 5.22 북한측에 의하여 저질러진 비무장지대 무장병력 침투사건은 「기본합의서」제 5조의「군사정전협정 준수」조항에 대한 난폭한 위반입니다.

3

0066

따라서 이같은 군사정전협정 위반사건은 당연히 군사정전위원회에서 그 진상을 규명하고 책임자를 가려내어 처벌하며 재발방지대책을 강구해야 합니다.

그러므로 북한측은 지체없이 유엔군 사령부측의 군사정전위원회 본회의 개최 요구에 호응하여야 합니다.

둘째로 「기본합의서」가 남북간의 책임있는 당국간에 합의되고 발효된 이 마당에 남북간에 일어나는 모든 문제는 마땅히 쌍방의 책임있는 당국간에 협의와 합의를 통하여 해결되어야 할 것입니다.

따라서 쌍방 당국간에 합의는 물론 아무런 협의도 없이 북한측에 의하여 일방적으로 추진되고 있는 이른바 「범청학련」결성 움직임과 「범민족대회」의 추진은 즉각 중지되어야 합니다.

세째로 남북 쌍방은 교류·협력분과위원회에 이어 경제교류·협력공동위원회를 발족시켰을 뿐아니라 경제분야에서 쌍방간의 구체적 교류·협력의 실현을 위하여 부속합의서를 작성하는 일을 진행시키고 있습니다.

4

0067

따라서 남북간의 경제분야에서의 교류·협력은 우선 조속히 해당분야 부속합의서를 만들고 이에 의거하여 질서있게 추진하는 것이 올바른 순서이며 그에 앞서 시급히 추진해야할 일이 있다면 교류·협력분과위원회나 고위급회담 석상에서 공식으로 거론하여 합의를 모색 하여야 할 것입니다.

따라서 북한측이 이러한 절차를 밟지 않고 우리측 기업들을 상대로 이른바「개별합작」을 추진하는 행위는 즉각 중지되어야 합니다.

네째로 북한측은 유감스럽게도 핵통제공동위원회에서 전혀 현실성을 결여한 일방적인 주장으로 남북간에 합의된 시한안에 사찰규정을 마련하는 것을 불가능 하게 만듬으로써 남북간에「비핵화 공동선언」에 의거한 상호사찰이 실시될 수 있는 길을 가로막고 있습니다.

우리는 북한측이 남북한 7천만 겨레는 물론 전세계의 심각한 우려의 대상이 되어 있는 핵무기 개발 의혹을 해소함으로써 남북관계의 개선이 이루어질 수 있게 하기 위하여 하루 속히 완전한 사찰규정을 마련 하는데 호응해 나설 것을 촉구합니다.

5

0068

북한측은 핵문제의 근원적인 해결이 없이는 남북관계의 실질적인 개선을 기대할 수 없으며 나아가 북한이 당면하고 있는 대내·대외의 어떠한 문제도 해결이 용이치 않으리라는 사실을 직시하여야 할 것입니다.

우리는 북한의 책임있는 당국이 「기본합의서」와 「비핵화 공동선언」의 성실한 이행과 준수를 통하여 남북간에 화해와 협력의 새 시대를 열어 나갈 것을 갈망하는 온 겨레의 염원에 부응하여 최근 보여주고 있는 부당한 자세와 입장을 조속히 시정할 것을 다시 한번 촉구하며 앞으로 이에 관한 북한측의 태도를 예의 주시할 것입니다.

발 신 전 보

분류번호	보존기간

번 호 : AM-0083 920602 1256 FE 종별 :

수 신 : 주 전재외공관장 ~~대사~~ ~~총영사~~

발 신 : 장 관 (정특)

제 목 : 남북고위급 회담 대변인 성명

연 : AM - 0081

연호, 표제 성명(영문)을 별첨과 같이 송부하니 참고바람. 끝.

(외정실장 이 승 곤)

보 안 통 제	

앙 고 재	92년 6월 2일	기안자 성 명		과 장		국 장	차 관	장 관

외신과통제

0070

PRESS RELEASE

June 2, 1992

STATEMENT BY THE SPOKESMAN FOR THE SOUTHERN DELEGATION TO THE SOUTH-NORTH HIGH-LEVEL TALKS

At the Sixth Round of South-North High-Level Talks held in Seoul last February, both parties brought two historic documents, namely, the Agreement on Reconciliation, Nonaggression, and Exchanges and Cooperation (the Basic Agreement) and the Joint Declaration of the Denuclearization of the Korean Peninsula (the Joint Declaration of Denuclearization) into force. In that way, both sides solemnly vowed before the 70 million Korean people and the world to end longstanding mistrust and confrontation and open a new era of reconciliation and cooperation.

Pursuant to these two agreements, the South and the North have since established and put into operation three South-North committees in the political, military, and exchanges and cooperation fields and also a Joint Nuclear Control Commission. In May, both sides established such additional mechanisms for implementing the accords as South-North Liaison Offices, a Joint Military Commission, a Joint Commission for Economic Exchanges and Cooperation and yet another Joint Commission for Social and Cultural Exchanges and Cooperation. The three South-North committees are in the process of working out detailed protocols on the implementation of the terms of the Basic Agreement.

Accordingly, now is the time for the responsible authorities of both sides to devote their all to earnest discussions with the aim of drawing up protocols setting out concrete steps for implementing the Basic Agreement.

And yet, North Korea has turned its back on the spirit and letter of the Basic Agreement at this critical juncture and is perpetrating a series of acts that is blocking the smooth progress of South-North relations. This is giving rise to domestic and international concern about the prospects for South-North talks and overall intra-Korean relations.

As is widely known, the North recently infiltrated armed troops into the southern sector of the Demilitarized Zone established to ensure compliance with the Korean War Armistice. And yet, they call this incident a "show stage-managed by the South" in a far-fetched propaganda offensive. Furthermore, they have rejected, without any justifiable reason, the rightful demand of the United Nations Command that a plenary meeting of the Military Armistice Commission be convened to deal with this incident, which is a grave violation of the Armistice Agreement.

Even though the Basic Agreement has entered into force and the South-North High-Level Talks are in progress, the North is trying to organize Pomchonghangnyon (the Pan-National Alliance of Youth and Students for Unification) and a pan-national rally outside the framework of the official talks. They thus continue to behave in a way that not only impinges on the Basic Agreement but also creates new South-North tensions.

In addition, since March of this year, the North has issued invitations to many southern businesses to visit there with the aim of sparking excessive competition and confusion in our business community, thereby making it difficult to conduct orderly economic exchanges and cooperation in accordance with the Basic Agreement.

Taking note of this series of North Korean transgressions of the Basic Agreement, the southern delegation to the South-North High-Level Talks urges the northern side to promptly correct the following wrong stances and positions.

First, it must be pointed out that, on May 22, when it infiltrated armed troops into the Demilitarized Zone, the North flagrantly violated Article 5 of the Basic Agreement requiring compliance with the Armistice Agreement. Accordingly, the truth of this transgression must be thoroughly investigated by the Military Armistice Commission, and those responsible for it ferreted out and punished and other appropriate steps taken to prevent any repeat of such an incident. The northern side must, therefore, immediately accept the demand of the United Nations Command to convene a plenary meeting of the MAC.

Second, now that the Basic Agreement was duly signed and has been brought into force by the responsible authorities of the South and the North, all issues arising between the South and the North ought to be resolved through consultation and agreement between the responsible authorities. Accordingly, the move to establish the Pan-National Alliance of Youth and Students for Unification and to organize a pan-national rally in the South without agreement or consultation with our responsible authorities must be immediately ceased.

Third, the South-North Joint Commission for Economic Exchanges and Cooperation was established following the formation of the South-North Exchanges and Cooperation Committee which is now in the process of working out a protocol spelling out concrete procedures for economic exchanges and cooperation. Therefore, it is only proper for both sides to promptly work out such a protocol so that economic exchanges and cooperation can take place in an orderly fashion. However, if, in the meantime, there is any urgent issue that needs to be tackled, it should be discussed either at the South-North Exchanges and Cooperation Committee or at the High-Level Talks. Thus the North's moves to promote "individual joint ventures" with southern businesses without going through such proper procedures should be immediately ceased.

Fourth, the North has regrettably refused to work out regulations to govern mutual nuclear inspections within the deadline agreed to by both sides. Instead, at the fifth South-North Joint Nuclear Control Commission meeting on May 27, 1992, they made unrealistic and unilateral demands, thus blocking the way for mutual nuclear inspections in accordance with the Joint Declaration of Denuclearization. We strongly urge the North to join the South in efforts to work out nuclear inspection regulations as soon as possible to improve South-North relations and remove the serious concern of not only the 70 million Korean compatriots but the whole world. Without fundamental settlement of the nuclear issue there can hardly be any substantial improvement in relations. Furthermore, failure to effectively dispose of this issue will be a serious obstacle to the North's efforts to address internal and external problems.

We once again urge the responsible authorities of the North to sincerely implement the Basic Agreement and the Joint Declaration of Denuclearization by first promptly addressing the nuclear issue, so as to open a new era of intra-Korean reconciliation and cooperation, the ardent desire of the entire Korean people. The South will be closely watching the attitude of the North in the days ahead.

관리 번호 92-298

원 본

외 무 부

종 별 :

번 호 : BMW-0319 일 시 : 92 0602 1640

수 신 : 장관(미이,아서)

발 신 : 주 미얀마 대사

제 목 : 남북핵 상호 사찰관련 우리입장 설명

대:EM-0016

본직은 금 6.2 우바투인(U BA THWIN) 외무장관대리(우옹조 외무장관은 브라질 유엔환경회의 참석차 출국)를 면담, 대호 남북상호 사찰이 실시되어야만 한다는 우리정부의 입장을 설명하고 주재국의 이해를 촉구하였던바, 동 장관대리는 우리정부의 입장을 충분히 이해하고, 지지한다고 언급하였음. 끝

(대사 김항경-국장)

예고:92.12.31.까지 일반문서로 재분류됨

심토필(1992. 6. 30.)

미주국 장관 차관 1차보 아주국 외정실 분석관 청와대 안기부

PAGE 1 92.06.02 19:52

외신 2과 통제관 CH

0076

관리번호 92-710

외 무 부

종 별 : 지 급

번 호 : POW-0301 일 시 : 92 0602 2000

수 신 : 장관(구이,정특,미이,국기,구이,기정)

발 신 : 주 포르투갈 대사 사본:주EC대표부대사및 주EC회원국주재대사-중계필

제 목 : 북한구주국장주재국방문

(자려웅신제 92-52 호)

연;POW-0183,0246

대;WECM;0009, WPO-0213, EM-0016

검토필(1992. 6.30.)

1. 당관 김참사관은 금 6.2(화) 외무성 G MATOS 아주국장을 면담하고(FERNANDES 한국담당관배석)동국장의 6.1 김흥림북한구주국장 일행과의 면담결과를 탐문한바, 아래보고함.

가. 금번 북한 구주국장의 구주순방은 EC 와의 외교관계수립을 주목적으로 하고 있으며, 이를 위해 북한과의 기수교국인 주재국의 측면협조를 요청하였다함.북한은 주로 유엔주재대사를 통하여 EC 회선국과의 관계개선 노력을 하고있다고 언급하였다함.

나. 북한구주국장은 지난달 IAEA 사무총장의 북한방문결과를 사에설명하고,북한은 핵개발을 하지않고있음을 강주하였으며, 두만강개발프로젝트사업에관하여도 설명하였다함.

다.MATOS 국장은 지난 5.6-7 당지에서 개최된 연호, EPC 정무총국장 회의에서 결정된 대북한관계개선 전제조건(남북한 핵공동사찰, 북한인권문제, 무기수출등)을 포함한 EC 의 입장을 전달하였는바, 이에 북한구주국장은 아래와 같이 답하였다함.

1)남북한 핵공동사찰은 남한에서의 미군 및 미군보유무기 전면철수, 팀스피리트훈련의 완전중지가 보장되련 언제든지 응할 준비가 되어있음.

2)북한은 스스로 창조한 주체사상에 따라 주민이 편히 살고 있으며, 의식주문제가 모두 해결된 상태로서 북한주민의 생활 패턴이 서구기준과는 상이하나 북한내에 인권문제는 존재하지 않음.

라. 상기 면담은 6.1 오전 11:00-12:30 사이 이루어졌으며, 주재국 예무성의

구주국	장관	차관	1차보	미주국	구주국	국기국	외정실	분석관
청와대	안기부	중계						

PAGE 1 92.06.03 05:23

외신 2과 통제관 FK

0077

FERNANDES 한국담당관과 북한측 수행원 및 당지 주재북한대사가 동석하였고 여타 인사와의 면담은 없었다함.

2. 상기면담에서 김참사관은 남북핵상호사찰에 관한 아국 정부의 확고한 입장을 재차 설명한후, 6.1 자 총리명의 대북서한내용(영문 KPS 활용)과 대호 6.2 남북고위급회담 아측대변인이 발표한 성명(영문)을 아주국장에게 전달하고 오는 6.4 브라셀에서 개최되는 EPC 아주국장회의에서 상기 아국입장을 반영하여 줄 것을 요청함. 끝.

(대사조광제-국장)

예고:92.12.31 일반

0078

관리 번호	92-713

원 본

외 무 부

종 별 :

번 호 : USW-2787 일 시 : 92 0602 1659

수 신 : 장관(미이,미일,서구1,국기,정특)

발 신 : 주 미 대사

제 목 : 북한 핵문제

1. 금 6.2 국무부 한국과 SCHMIEL 부과장은 당관 임성준 참사관에게 연락, 당지 영국대사관측은 북한 핵문제에 관한 한. 미 양국의 입장을 감안하여 EC 제국이 대북한 관계 개선에 앞서 남북 상호사찰 실현이 필수적 전제조건(PREREQUISITE)임을 확인하는 필요조치르 취해나가기로 하고, 6.4 LISBON 에서 개최되는 EC 제국 아시아 문제 전문가회의에서 심의한 후 그와같은 정책 변경을 EC 제국 정무국장회의에 회부할 것임을 통보하여 왔다고 설명함.

2. 동 부과장은 이어 EC 제국이 상기와 같은 입장을 공개적으로 표명할 계획으로 있다고 말하면서 특히 6 월 IAEA 이사회를 앞두고 북한 핵문제에 관한 EC제국의 입장이 강화된 것을 매우 만족스럽게 생각한다고 평가하였음.

3. 상기와 같은 EC 제국의 관련 동향을 파악, 당관에도 참고로 알려주기 바람.

(대사 현홍주-국장)

예고:일반 92.12.31. 예고문에 의거 일반문서로 재분류됨 검토필(1992. 6. 30.) 13

미주국 장관 차관 1차보 미주국 구주국 국기국 외정실 분석관
청와대 안기부

PAGE 1 92.06.03 07:56

외신 2과 통제관 BX

0079

관리 번호	92-718

	분류번호	보존기간

발 신 전 보

번 호 : WECM-0014 920603 1638 WH 종별 :

수 신 : 주 EC 및 EC회원국주재대사. 총영사

발 신 : 장 관 (미이)

제 목 : 북한 핵문제

검토필(1992. 6. 30.) 1명

연 : WECM-0012, EM-0016

1. 주미대사관 보고에 의하면, 주미영국대사관은 미국무부에 남북상호사찰아 관련한 EC 입장을 아래와 같이 통보하여 왔다함.

- 북한 핵문제에 관한 한.미 양국의 입장을 감안하여, EC 제국은 대북한 관계 개선에 앞서 남북상호사찰 실현이 필수적 전제조건(prerequisite)임을 확인하는 필요 조치를 취해 나가기로 하고, 6. 4. Lisbon에서 개최되는 EPC 아주국장 회의에서 동 문제를 심의한 후 이와 같은 정책 변경을 EPC 정무총국장 회의에 회부할 것임.

- EC 제국은 상기와 같은 입장을 공개적으로 표명할 계획임.

2. 이와 관련, 귀 주재국 정부에 대해 남북상호사찰 실현의 중요성에 대한 우리 입장을 연호에 따라 설명하고, 특히 IAEA 이사회 이사국(불, 독, 영, 벨기에)에 대해서는 IAEA 6월 이사회 대책 관련 긴밀한 협조를 요청하기 바람. 끝.

(미주국장 정태익)

예고 : 92. 12. 31. 일반문서로 재분류 (1992. 12. 31. 일반문서로 재분류됨)

장관특보:

보안 통제	

앙 고 재	92년 6월 3일	북미2과	기안자 성명		과 장	심의관	국 장		차 관	장 관
			김				전결			

외신과통제

0080

관리 번호 92-724

원 본

외 무 부

종 별 :

번 호 : GEW-1124 일 시 : 92 0603 1500

수 신 : 장관(미이,구일,정특)

발 신 : 주 독 대사

제 목 : 북한 핵 문제

대:WECM-0014, EM-0016

1. 대호관련, 안공사는 6.3. 외무성 동아국 SOMMER 국장(동인은 6.4. 브랏셀 개최 EPC ASIAN WORKING GROUP 회의 참석예정)을 면담, 남. 북 상호 핵사찰의중요성을 설명하고, 주재국 정부의 적극적인 협조를 당부함

2. 이에 대하여 동 국장은 북한의 핵문제와 관련, IAEA 핵 사찰과 남. 북한상호 핵사찰은 양자가 동일하게 중요하며, 남. 북 상호사찰의 실현이 대북한 관계개선의 필수 전제조건이 되어야 한다고 말하고, 적극 협조를 다하겠다고 함. 끝

(대사-국장)

예고:92.12.31. 일반고문에 의거 일반문서로 재분류됨

검토필(1992. 6. 30.)

미주국 차관 1차보 구주국 외정실 분석관 안기부

PAGE 1

92.06.04 02:12

외신 2과 통제관 FM

0081

공 란

공 란

관리번호	92-842

원 본

외 무 부

종 별 : 지 급

번 호 : GEW-1149　　　　일 시 : 92 0650 1615

수 신 : 장관(미이,구일,정특)

발 신 : 주 독 대사

제 목 : 북한 핵 문제

연: GEW-1124

6.5. 안공사는 연호 EPC ASIAN WORKING GROUP 회의 참석후 귀임한 SOMMER 동아국장을 면담한바, 동 회의에서는 EC 제국의 대북한 관계개선 문제는 IAEA 핵사찰과 더불어 남.북한 상호 핵사찰 실현이 전제되어야 한다는데 대하여 이견없이 의견이 일치를 보았다고 함. 끝

(대사-국장)

예고: 92.12.31. 일반 고문에 의거 일반문서로 재분류됨

미주국 차관 1차보 구주국 외정실 분석관 청와대 안기부

PAGE 1

92.06.06 02:59

외신 2과 통제관 EC

0084

관리번호	92-805

원 본

외 무 부

종 별 :

번 호 : ECW-0751 일 시 : 92 0605 1930

수 신 : 장관(구일,정특,통삼,기정동문) 사본: EC 회원국주재대사-직송필

발 신 : 주 EC 대사

제 목 : EPC 아주국장 회의

연: ECW-0623,0631,0685,0725

당관 홍서기관은 금 6.5. EC 집행위 사무국 정치협력국 JOSEP COLL 아주담당관을 면담, 작 6.4. 당지에서 개최된 표제회의 결과를 파악한바, 주요내용 다음 보고함

1. EC 의 대북한 관계 개선문제

0 COLL 담당관은 표제회의에서 만족스러운 IAEA 핵사찰과 남북한 상호사찰을 대북한 관계개선을 위한 최우선 전제조건 (ABSOLUTE CONDITION) 으로 결정하고 이를 6.16-17 간 리스본에서 개최되는 정무총국장회의에 건의하기로 하였다 함

0 동담당관은 현재까지 EC 가 다소 IAEA 핵사찰에 치중한 감이 있었으나 금번 회의를 통해 남북한 상호사찰의 중요성을 보다 강조하였다면서 우선 핵사찰을 최대의 전제조건으로 내세움으로서 핵문제 해결의 중요성을 부각시키기로 하였다함

0 한편, 동 담당관은 핵문제의 우선적 고려가 그동안 EC 가 내세워온 인권,대중동 무기수출등 여타 대북한 관계개선 조건을 중시하지 않는 것은 아니라고말하면서도 핵문제가 만족스럽게 해결되면 상황이 바뀔수도 있다는 가능성을 시사함

2. 북한외교부 구주국장 서구순방문제

0 김흥림 북한 외교부 구주국장의 각국 방문결과에 대한 논의가 있었는바 김흥림의 회원국 방문시 발언내용은 주로 미국비난, 남북한관계및 IAEA 핵사찰 진전설명, 회원국과의 관계수립 요청이었으며, 이에대해 각 회원국은 연호 입장에따라 대북한관계 개선을 위한 전제조건을 설명하였다 함

0 홍서기관은 EC 집행위가 동 국장접수를 거부하기로 한데대해 사의를 표명하고 동 접수자체의 거부는 북한측에대해 가장 분명한 멧세지를 주었을 것임을 강조하면서 계속적인 협조를 요청한바, 동 담당관은 EC 집행위의 금번 결정은 한국측의 입장을 충분히 반영하여 취해진 것이라고 답변함

구주국	장관	차관	1차보	2차보	통상국	외정실	분석관	청와대
안기부								

PAGE 1

92.06.06 10:35

외신 2과 통제관 AN

0085

3. 브랏셀소재 북한사무소 설치문제

0 COLL 담당관은 표제회의에서 벨기에대표가 북한측으로부터 요청을받고 현재 북한에대한 PRIVATE OFFICE (예컨데 무역상사등), 설치 허용문제를 검토하고 있다는 발언을 하였다면서 자신의 생각으로는 아직 벨기에 외무성내 고위층의 검토가 이루어진 것은 아닌것으로 보이나 한국측의 주의를 요한다고 언급함

0 상기관련, EC 집행위는 비록 동 사무소가 공적인 사무소가 아니고 PRIVATE OFFICE 라 하더라도 동 사무소내에서 근무하는 사람은 북한 정부관리 일것이며 이는 북한측에 대해 EC 회원국과의 관계개선 시도를 위한 선전적 기반을 제공하게 될 것임을 들어 강력한 반대의사를 표명하였으며 여타 회원국들도 집행위와의견을 같이하는 분위기였다 함. 끝

(대사 권동만-국장)

예고: 92.12.31 일반

PAGE 2

1. EC의 對北韓 關係改善 問題

ㅇ 6.4 브랏셀에서 開催된 EC 會員國 外務部 亞洲局長會議는 만족스러운 IAEA 核査察과 南北韓 相互査察을 對北韓 關係改善을 위한 最優先 前提條件으로 決定하고, 이를 EC 政務總局長會議(6.16-17, 리스본)에 建議키로 하였다 함.

- 한편, 벨기에內 北韓 事務所 設置 문제와 관련, EC 執行委와 대부분 會員國들은 同 事務所가 公的機關이 아니더라도 北韓에 대해 EC 會員國과의 關係改善 試圖를 위한 宣傳的 基盤을 提供하게 될 것이라는 이유를 들어 强力한 反對 意思를 表明했다 함. (駐EC大使 報告)

0087

5

관리번호	92-841

외 무 부

종 별 :

번 호 : HOW-0150 일 시 : 92 0605 1600

수 신 : 장관(구일,정특,미이,국기,기정),사본:EC주재대사-직송필

발 신 : 주 화란 대사

제 목 : 북한 구주국장 주재국 방문(자료응신제92-24호)

연: HOW-0127, 0136

대: WECM-0012, AM-0083

1. 92.6.5(금) 오후 주재국 외무부 HOEKEMA 유엔국장이 본직 면담시 설명한연호 북한 구주국장 김흥림의 면담결과를 아래 보고함.

가. 면담일시: 92.6.4(목) 11:00-13:30(2 시간 30 분)

나. 면담자

- MR. J.HOEKEMA(유엔국장)

- MRS. I.JANSEN(동아과 한국담당 직원)

다. 방문자(2 명)

- 김흥림 구주국장

- 수행원 1 명(통역, 명함 받지 않았다함)

라. 김흥림의 언급내용

0 소련, 동구, 미, 일 포함 세계 정세 및 북한 사정 언급

- 소련의 붕괴는 많은 숫자의 관료 및 이들의 무능에 기인하며, 사회주의가잘못되어서 그런것은 아님.

- 북한의 경우 김일성 중심으로 일치 단결, 사회가 안정되어 있고 또한 국제적인 고립도 되어있지 않아 북한의 사회주의는 절대 무너지지 않음.

0 EC 지지 입장

- 현재 세계는 미.일 및 EC 등 3 대축으로 이루어져 있는바, 이중 미.일 세력은 침략적인 나쁜 세력이기 때문에 이를 견제하기 위해서는 EC 가 확대 강화되어야 하며, 북한은 EC 통합을 적극 지지함.

0 남북한 관계 설명

구주국 차관 1차보 미주국 국기국 외정실 분석관 청와대 안기부

PAGE 1

92.06.06 11:59

외신 2과 통제관 BZ

0088

- 현재 진행되고 있는 남북총리회담등 남북대화는 북한이 주도하여 이끌어 옴으로써 잘 진전되고 있음. 다만 상호핵사찰 문제를 포함 부분적으로 남북대화가 안되는 것은 남한측이 계속 장애요소를 만들고 있기 때문임.

- 핵문제는 그간 비준, IAEA 총장 방북, 현재 사찰 진행의 사실에 비추어 북한의 핵의혹 해소는 아무런 문제가 없음.

- 5.29. 군사정전위는 유엔대표 없이 규정에도 없는 한국군인이 나왔기 때문에 무산된 것임.

0 관계개선 제의

- 화란 및 남. 북한 모두 유엔 회원국이기 때문에 관계개선(수교)이 필요하며 아울러 양국간 경제 교류를 확대해야 함.

마. HOEKEMA 국장 언급내용

0 관계개선 전제조건 제시

- 양국간 관계개선을 위한 기본조건은 핵문제를 명확히 해결(IAEA 및 남북한 상호사찰 결과 아무런 의혹이 없을때)하는 것이며, 아울러 남북대화의 실질적진전, 무기수출.인권.테러문제 개선이 되어야 함.

. 여기에 대해 북한에는 미국 (LA 사태)과는 달리 인권문제가 존재하지 않으며, 무기수출은 해본 적이 없다함.

- 유엔회원국이라는 사실은 수교전제조건이 아님.

0 남북상호핵사찰 지연, 남북대화 불진전 사실등 지적

(대호 6.1. 자 아측 설명자료(주한대사보고), 6.2. 자 대변인 성명문등 그간 아측 자료 활용)

. 여기에 대해 김흥림은 HOEKEMA 국장이 남한사람하고 똑같은 얘기만 한다고 하면서 소국인 和이 남한. 미국측의 얘기만 들을 것이 아니라 중립적으로 독자적인 판단, 의견을 가져야 한다고 언급하였다함.

2. HOEKEMA 국장은 상기 면담시 관계개선 검토를 위한 첫째 전제조건으로서북한의 핵의혹 해소를 분명히 하였으며, 아울러 북한측의 핵사찰 지연 및 남북대화 불진전 태도를 명확히 지적 반박하였다함.

(대사 최상섭-국장) - 예고: 92.12.31. 일반 예고문에 의거 일반문서로 재분류됨

PAGE 2

0089

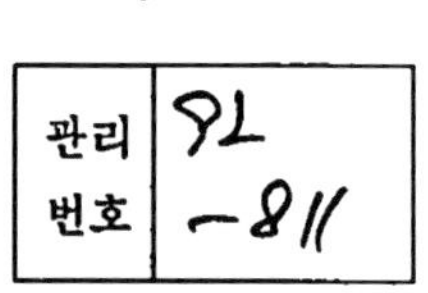

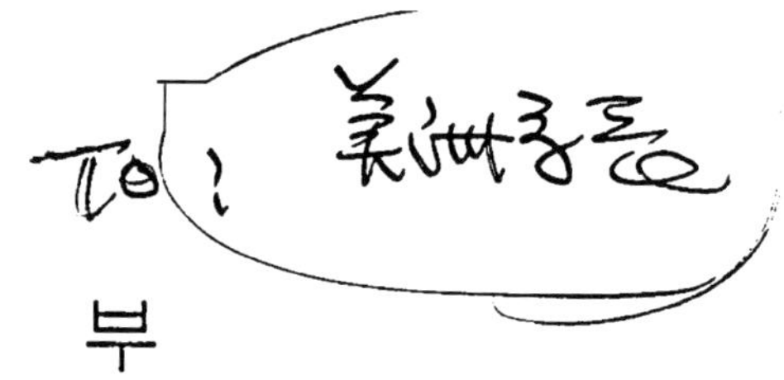

관리번호 92-811

외 무 부

종 별 :

번 호 : HGW-0385 일 시 : 92 0609 1800

수 신 : 장관(정특,동구이,사본:국방부장관)

발 신 : 주 헝가리 대사

제 목 : 남북 핵사찰문제등 북한 동향

(자료응신 92-10 호)

당관 이원형참사관은 금 6.9(화)외무부 아주국 JUHASZ 부국장을 오찬에 초대, 최근의 북한 동향을 탐문 한바, 동부국장은 IVAN 평양주재대리대사의 보고라고 전제하고, 다음 요지로 표명하였음.

1. 북한 외교부의국장급 (평양으로부터 누군지는 구체적으로 보고되지 않았음)은 지난 5 월말경 IVAN 대리대사와의 면담에서, 평양당국은 만약 남한내에 있는 미군기지의 사찰을 허용한다면, IAEA 핵사찰과 별도로 남북 핵사찰을 실시할 경우, 북한내의 핵사찰에 미국의 EXPERT 도 참가하는 것을 고려할수 있으며, 다만 남북상호사찰에 일본 EXPERT 참가에는 반대한다고 함

2. 평양주재 중국대사는 최근 IVAN 대사대리와의 접촉에서 다음 요지로 표명하였음.

가. 김일성 80 회 생일(4.15)에는 6 개국의 국가원수(중국, 캄보디아, 라오스, 우간다, 적도기니, 시에라리온),130 여 국가에서 약 420 명의 대표등 외국으로 부터 약 4,000 명이 참가하였고, 북한군 창설 60 주년(4.25)에는 61 개국에서약 160 명의 대표들이 참가하였고, MIG-29, SU-25 와 함께, 북한에서 만든 SCUD미사일도 전시하였음

나. 김일성 생일과 북한군창설 60 주년 행사를 거국적(소요경비는 미화 10 억불정도로 관측됨)으로 개최한 이유는 (1)김일성의 모든 정책을 북한 인민들은 물론 외국에서도 받아들여 지도록 하고

(2)평양을세계공산당의 CENTER 로 만들려 시도하고

(3)강한 입장에서 남 한, 미국, 일본등과 협상하려고 생각하고

(4)공산당의 지위보다도 군대의 위치를앞세우려는 것으로 관측됨

외정실 장관 차관 1차보 구주국 분석관 청와대 안기부 국방부

PAGE 1

92.06.10 05:47
외신 2과 통제관 FM

0090

(대사 박영우-실장)

예고:92.12.31 일반 19 . . 에 예고문에 의거 일반문서로 재분류됨

PAGE 2

0091

9

관리 번호	92 -752

외 무 부

종 별 :

번 호 : UKW-0996 일 시 : 92 0610 1830

수 신 : 장관 (구일,정특,미이,국기), 사본: 주 EC회원국 주재대사-직송필

발 신 : 주 영 대사

제 목 : 북한 구주국장 주재국 방문 (자료응신: 92-41호)

대: WUK-0932, WECM-0009

연: UKW-0795

당관 최참사관은 MORRIS 외무성 극동과 부과장을 접촉, 주재국 외무성의 김흥림 북한 구주국장과의 면담결과에 관해 탐문한 바, 동 내용 아래 보고함.

1. 면담일시: 92.6.8(월) 오후 (약 2 시간 30 분)

2. 면담자

- 영국측 : H.DAVIES 극동과장, DONNELLY 핵확산금지과장 (MORRIS 극동과 부과장 및 I.DAVIES 극동과 한국담당관 배석)

- 북한측 : 김흥림 구주국장, 이혁인 (수행원, 통역담당)

3. 면담내용

가. 북한 핵문제

- 영국측은 북한의 IAEA 핵안전협정 서명 및 비준조치를 일단 환영하고, 다만 북한이 동 협정 의무를 조기 이행하지 않고 계속 지연시킴으로써 핵무기 개발의도에 관해 의심과 불신을 유발시키고 있음을 지적하고 포괄적인 핵사찰을 북한이 수용함으로써 동 문제에 대한 의혹을 완전히 불식시켜 줄 것을 촉구함.

- 최근 BLIX IAEA 사무총장의 북한 방문 보고서에서 북한 방사능 화학연구소에서 소량의 PLUTONIUM 이 추출된 사실관련, 우려하고 있는 바, 북한은 남북한 상호사찰등을 통해 이러한 점에 대한 의혹과 불신을 없애주기를 희망한다고 함.

- 김흥림은 북한은 핵무기 개발능력이 없으며, 북한의 핵발전소 건설은 북한의 전기수용을 충족시키기 위한 것일 뿐이라고 하고, 핵문제 관련 IAEA 핵안전협정 서명, 비준등 관련조치를 취하고 있는 바, 더이상 의혹이 있을 수 없다고 함.

나. 미사일 문제

구주국	장관	차관	1차보	미주국	국기국	외정실	분석관	청와대
안기부								

PAGE 1

92.06.11 18:27

외신 2과 통제관 FW

0092

- 영측은 북한의 미사일 제 3 국 판매, 특히 중동지역에 대한 무기수출에 대해 심각한 우려를 표명하고, 북한의 중동지역에 대한 장거리미사일 (핵탄두 적재가능) 판매는 중동정세를 불안정하게 하는 요인이 되고 있다고함.

- 김흥림은 북한의 중동지역 미사일 판매 사실을 부인하고, 다른 국가들이 중동지역에 무기 수출하는 것에 대해 북한도 우려하고 있다고 답변함.

다. 북한의 군사정전위 불참

- 영측은 5.29. 군사정전위 북한 불참관련, 영국은 동 정전위 참가대표의 일원으로서 북한이 개방과 대외협력을 추구한다고 하는 현시점에서 유엔 군사정전위에 불참하는 것은 이해되지 않는 일이라고함.

- 김흥림은 동 정전위 소집이 사전에 통보되지 않았기 때문이며, 남한이 휴전협정 당사자가 아닌데도 UN 측 정전위 수석대표로 한국군이 임명된 것은 잘못된 것이라고 하고 북한의 고의적 불참의사를 부인함. (김흥림은 영국측이 정전위소집이 사전 통보되었으며 한국군 장성이 수석대표로 임명된 것이 잘못된 점이없다고 동 문제를 재차 제기하자 본인은 군사정전 전문가가 아니라고 회피함)

라. 테러리즘

- 영측은 1980 년대 북한관련 테러행위를 열거하고, 국가의 테러리즘 지지행위는 용납될 수 없다고 하고, 북한이 국제사회 특히 테러리즘 방지에 중요한 의미를 부여하는 영국과의 관계 개선을 위해서는 국가적인 테러행위를 중지하여야한다고 촉구함.

- 김흥림은 북한은 그러한 테러행위와는 무관하며 남한의 선전책동이라고 함.

마. 인권문제 -영국측은 AMNESTY INTERNATIONAL 및 미 국무성 보고서등에 지적된 북한의 인권문제에 대해 깊히 우려하고 있다고함.

- 김흥림은 북한은 인권을 존중하고 있으며, 모든 국가는 각자의 인권문제를 가지고 있다고 하고, 중국의 천안문사태, LA 폭동등과 같은 사건이 북한에서 일어나지 않는다고 함.

바. 외채

- 영측은 북한의 외채, 특히 영국에 대한 외채문제를 언급하였으나 김흥림은 대답을 회피함.

사. 영. 북한 관계

- 김흥림은 영국의 북한 유엔가입 지지, 주영 북한 IMO 대표부 개설허용, 북한의

유엔 및 기타 국제기구 이사회등에서 영국 입후보 지지등 영. 북한 관계가 진전되고 있다고 하고, 영. 북한간 여러문제에 대해 이견이 있으나 한번의 만남으로 문제가 해결되지 않는 바, 앞으로도 계속 만날 기회를 갖기를 희망한다고하고, H.DAVIES 극동과장의 북한 방문 초청을 제의함.-영측은 이에대해 영. 북한 접촉은 현재 뉴욕 유엔대표부를 통하는 것만으로 충분하다하고 특별히 영. 북한 접촉을 확대할 계획이 없다고 밝힘.

4. 영국측 평가

- MORRIS 부과장에 의하면 김용림 일행의 금번 EC 국가 순방은 북한의 최근 IAEA 핵안전협정 서명등과 관련 구주제국과의 관계개선 가능성을 타진하려는 목적인것 같으나, 현재까지 접촉한 EC 국가측으로 부터 모두 북한의 핵문제, 인권, 테러문제, 무기수출 문제등 제반 문제점을 지적받음으로써 북한의 동 문제에 대한 개선노력이 없이는 북한.EC 국가 관계에 있어서 실질적 관계개선이 어려운 것으로 판단한 것이로 보이며, 따라서 금번 면담시에도 북한. 영국 관계개선 희망을 형식적으로 개진하는데 그친 인상을 주었다고함. 끝

(대사 이홍구-국장)

예고: 92.12.31 일반 예고문에 의거 일반문서로 재분류됨

PAGE 3

0094

관리 번호 92-753

원 본

외 무 부

종 별 :

번 호 : ITW-0769 일 시 : 92 0611 1700

수 신 : 장 관(미이,구일,정특,기정,동문)

발 신 : 주 이태리 대사

제 목 : 북한 핵문제

대: WECM-0014,0012,0008, EM-0012

연: ECW-0751

표제관련, 6.10 당관 황공사는 주재국 외무성 PINI 아주국장을 면담한 바, 동국장은 6.4 브럿셀에서 개최된 EPC 아주국장 회의결과에 언급하면서 호주EC 대사 보고 (ECW-0751)와 대체로 같은 내용을 제보함. 이와관련, 황공사는 동국장에게 북한핵문제 관련 주재국의 아측입장 지지 협조에 사의를 표명함과 동시, 대호 남북 상호사찰 실현의 중요성에 대한 아국입장을 상세히 설명하고 계속긴밀한 협조와 지지를 당부하였음을 보고함. 끝.

(대사 이기주 - 국장)

예고 : 92.12.31. 일반 (예고문에 의거 일반문서로 재분류됨)

미주국 차관 1차보 구주국 외정실 분석관 청와대 안기부

PAGE 1

92.06.12 06:07

외신 2과 통제관 DV

0095

9

관리 번호	92 -754

원 본

외 무 부

종 별 :

번 호 : GEW-1194 일 시 : 92 0611 1530

수 신 : 장 관(미이, 국기) 사본:주 오지리 대사(직송필)

발 신 : 주 독 대사

제 목 : IAEA 이사회 대책

대:WECM-0014

연:GEW-1124

검토필(1992. 6. 30.)

1. 대호 2 항 관련, 6.10. 전부관 참사관은 6.15. 부터 개최되는 IAEA 이사회에 주재국 실무대표로 참석 예정인 외무부 핵문제 담당 MARTIN FLEISCHER 과장대리를 오찬에 초청, 대호 북한 핵문제 관련 남. 북 상호사찰의 중요성에 관해 설명하고, 동 이사회에서 독일측의 협조를 요청하였음

2. 동 과장대리는 금번 IAEA 이사회에서는 그간 북한 핵시설에 관한 IAEA 사찰 결과 보고에 이어 일부대표의 COMMENT 등이 있을 것으로 보이나, 앞으로 북한 핵시설에 대한 추가사찰이 있을 것임에 비추어 북한 핵문제에 관한 새로운 결의등은 현재까지 협의되지 않고 있다고 말하고, 필요한 경우 현지 아국대표와 협조, 적극 지원을 하겠다고 말하였음. 끝

(대사-국장)

예고:92.12.31. 일반

92.12.31

미주국 차관 1차보 국기국 외정실 분석관 안기부

PAGE 1

92.06.12 06:13

외신 2과 통제관 DV

0096

관리 번호	92-766

분류번호	보존기간

발 신 전 보

WECM-0019 920612 1845 CO

번 호 :

종별 :

수 신 : 주 수신처 참조 대사. ~~총영사~~

발 신 : 장 관 (미이)

제 목 : 당국자 논평

~~WASN~~-0014 WRF -1747
WUN -1444 WGV -0902
WAV -0918 WAU -0519
WCN -0627 WCP -1346

정부는 IAEA 사무총장이 6.10(수) IAEA 이사국에 대한 브리핑에서 북한의 핵재처리시설 건설을 공식확인한 것과 관련, 작 6.11(화) 공로명 JNCC 위원장 주재로 대책회의를 갖고 이에 대한 정부 성명발표 문제를 검토한 바, 정부공식성명은 IAEA 이사회 결과를 검토한 후 고려키로 하고 우선 외무부 당국자 명의의 논평을 하기로 결정, 금 6.12(금) 오전 미주국장을 통하여 동 논평을 발표하였는 바, 동 논평을 별첨 송부하니 참고 바람.

첨부 : 외무부 당국자 논평. 끝.

수신처 : 주EC 주재, 아세안주재, 러, 유엔, 제네바, 오스트리아, 호주, 카나다대사, 주북경대표.

예고 : 92. 12. 31.에 일반문에 의거 일반문서로 재분류됨

(미주국장 정태익)

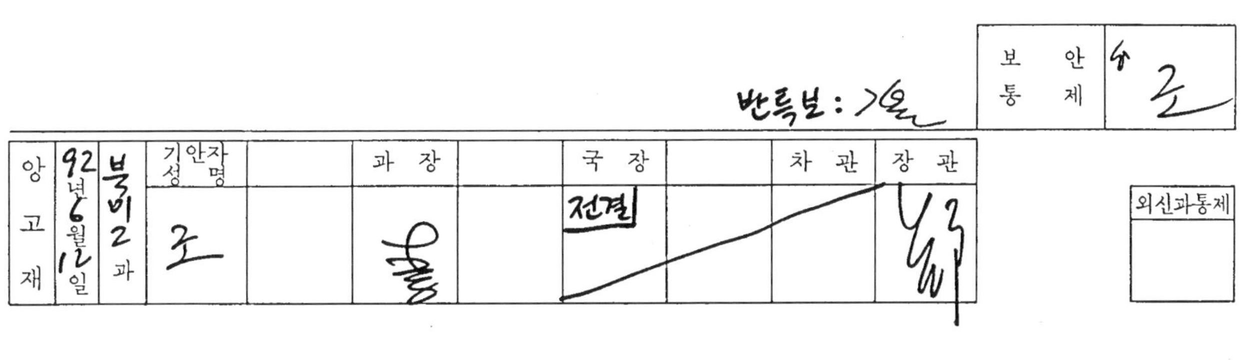

반특보 : 7월

보안 통제	조

앙 고 재	92년 6월 12일	북미2과	기안자 성명		과 장		국 장		차 관	장 관
			조		(서명)		전결			(서명)

외신과통제

0097

외무부 당국자 논평

1992. 6. 12(금)

1. 우리는 북한이 핵재처리 과정을 거쳐 이미 플루토늄을 추출했으며 핵재처리 공장에 해당하는 시설을 건설중에 있다는 것을 국제원자력기구(IAEA) 사무총장이 공식 확인한 것과 관련 계속 우려를 갖고 있음.

2. 북한의 핵재처리 시설 건설은 한반도 비핵화 공동선언 제3항을 위반하는 것이므로 북한은 이를 중단하여야 할 것임.

3. 북한은 IAEA 사찰뿐만 아니라 핵무기 개발 의혹이 가장 효과적으로 해소될 수 있는 남.북한 상호사찰이 조속 실시될 수 있도록 상호사찰규정을 채택하는데 성의를 다해야 할 것임.

4. 우리는 또한 금번 IAEA 사무총장의 브리핑 결과를 보고 북한 원자력 시설의 안전 문제에 대하여 깊은 관심을 갖지 않을 수 없음.

0098

<unofficial translation>

Comments by a Senior Official of the Foreign Ministry with regard to the North Korean Nuclear Issue

(June 12, 1992)

- It is our continued concern that North Korea has already produced plutonium through nuclear reprocessing process and is also constructing a facility equivalent to nuclear reprocessing plant as was authoritatively confirmed by Director-General Hans Blix of the IAEA.

- We urge North Korea to halt construction of such nuclear reprocessing facility, since it is a clear violation of the paragraph 3 of 「the Joint Declaration on the Denuclearization of the Korean Peninsula」.

- We also urge North Korea to exert its good faith not only for the IAEA inspection but for the adoption of the South-North mutual inspection regime so that the mutual inspection, which could be the most effective means of dispelling suspicions about its nuclear weapons program, can be early implemented.

- As disclosed in the reports by the Director-General of the IAEA, we cannot but express our deep concerns about the safety matters of the North Korea's nuclear facilities.

0099

관리 번호 92-351

원 본

외 무 부

종 별 :

번 호 : MXW-0688 일 시 : 92 0615 1730

수 신 : 장관(미이, 해기)

발 신 : 주 멕시코 대사

제 목 : 기자회견 보고

대: EM-0018

1. 대호관련, 본직은 6.15 일 일간 EL NACIONAL 지 국제부기자 ALBERTO VEGA 와 최근 남북관계 현황, 6 공의 민주화실적, 한. 멕 교류증대 방안등을 주요 내용으로 약 2 시간여의 단독인터뷰를 가졌는바, 요지 아래와 같음.

가. 6 공 민주화실적 및 남북관계

0 6 공은 과거 권위주의 체제를 청산하고 진정한 민주화를 성취

0 최근 북한무장침투 사건에서 보듯 북한의 적화전략 변함없으나, 인내를 가지고 대화유지, 독일식 흡수통일은 바람직하지 않음.

0 북한의 핵사찰에 대한 반응, IAEA 결과, 남북한 경제력 비교를 통한 북한개방의 필연화등 의견표명

나. 한. 멕 교류 증대

0 작년 노대통령 방멕이래 교역량 급증추세, 교역량 수치 및 대멕시코 부자현황등 설명, 태평양 연안국간의 협조 접(900)려0 일본의 한반도 지배 및 6.25의 피해, 그후 고도성장 달성등 현황, GNP 규모 및 국민소득 등 설명

(대사이복형-국장)

예고:1992.12.31. 까지

검토필(1992. 6. 30.)

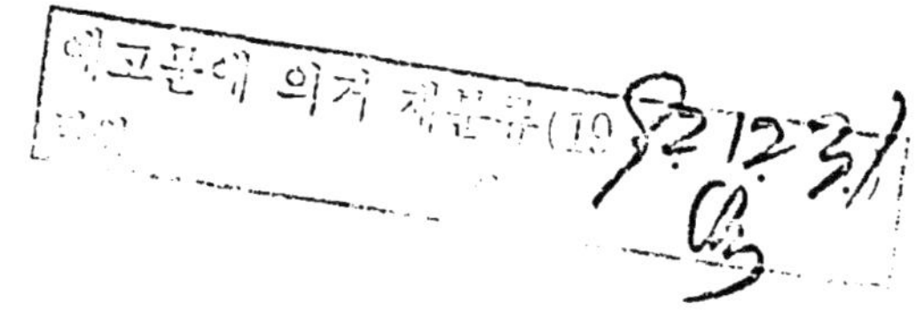

미주국 ~~차관~~ 공보처

PAGE 1

92.06.16 08:49

외신 2과 통제관 BZ

0100

공 란

공 란

분류번호	보존기간

발 신 전 보

EM-0019 920619 1323 FQ

번 호 : 종별 : 암호송신

수 신 : 주 대사주재 공관장 대사. 총영사

발 신 : 장 관 (국기)

제 목 : IAEA 6월이사회 북한문제 토의 결과

국제원자력기구(IAEA) 이사회(6.15-19, 비엔나)에서는 6.18 북한의 핵안전조치 협정 이행에 관한 Blix 사무총장의 상황 보고에 이은 토의가 있었는 바, 그 주요 내용은 다음과 같음.

1. 블릭스 IAEA 사무총장의 상황 보고요지

o 많은 IAEA 회원국의 큰 관심을 고려하여 북한의 최초보고서와 자신의 방북 결과중 비밀 아닌 사항을 이미 공개하였음.

o 북한의 최초보고서 내용과 방북시 북한측 설명을 통하여 북한의 원자력 계획의 내용을 상당히 알게 되었음.

o 그러나 다른나라의 경우와 마찬가지로 북한이 제출한 최초보고서가 완벽한 것인지 판단하는 데에는 어려움이 있음.

o 추가 임시사찰단이 수주내에 방북할 것이며 동 방문시 보조약정이 체결될 것으로 기대함.(보조약정체결 시한은 7.10임)

보 안 통 제	(서명)

앙 고 재	92년 6월 19일	국제기구과	기안자 성 명	과 장	심의관	국 장	자 관	장 관
			김종엽	(서명)		전결		(서명)

외신과통제

0103

o 북한은 핵시설 운전기록의 계속 제공용의를 표명했고 최초보고서 기재 여부에 관계없이 IAEA 관리가 희망하는 장소와 시설을 방문할 수 있음을 약속하였음.

o 핵문제에 관한 남북한간의 합의가 완전히 이행되면 신뢰강화와 화해 조성을 위한 투명성이 제고될 수 있을 것임.

2. 주요 토의내용

o 35개 이사국중 아국등 22개국(일본, 호주, 카나다, 미국, 러시아, 이집트, 프랑스, 독일, 태국, 놀웨이, 영국, 알젠틴, 루마니아, 모로코, 그리스, 인니, 에쿠아돌, 오스트리아, 불가리아, 알제리, 우루과이) 이 발언한 바(놀웨이 및 알제리는 중립적 발언), 주요발언 내용은 다음과 같음. (일본등 19개 발언국 주재공관은 주재국정부에 적의 사의 표명바람)

- 북한의 플루토늄 은닉 여부가 판명 되야함.
- 북한은 핵무기 개발에 대한 국제적인 의혹을 없애기 위해서 재처리 시설을 포기해야함.
- 남북한 비핵화 공동선언의 조기 실현을 위하여 북한의 재처리시설 포기 및 상호사찰이 이루어져야함.

o 북한 수석대표 오창림은 다음과 같이 발언함.

- 북한의 모든 핵시설은 IAEA의 안전조치를 받을 것이며 이에 관하여는 6.10 IAEA 사무총장의 설명 이상으로 추가할 것이 없음.
- 방사능 화학실험실은 핵연료 주기 연구를 위한 것임.
- 남북한 상호사찰이 교착상태에 빠진것은 주한 미군 핵기지 공개 거부 때문이며, 남북한 상호사찰 실현을 위해서는 주한 미군 핵기지 사찰, 주한 미군 핵무기 완전 철수, 미국의 핵 선제 불사용 보장이 이루어져야함.

0104

o 상기 북한대표 발언에 대하여 아국대표는 북한이 주장하는 상호사찰 실시 전제조건(주한 미군 기지 사찰등)은 국제적으로 인정되고 있는 대칭적, 상호주의적 검증원칙에 어긋나는 것으로서 북한이 상호주의 원칙에 따라 공평하게 핵시설과 군사기지를 공개하면 우리도 군사기지를 공개할 준비가 되어 있다고 설명하고 남북 핵 협상의 교착상태 이유가 북한측의 부정적 태도 때문이라고 반박함.

o 상기 토의 종료후 이사회는 북한의 핵안전 협정 이행 문제를 9월 이사회에서 계속 다루기로 결정함.

3. 분석. 평가

o 북한의 핵안전조치협정 이행 조치에 대하여 부분적으로 긍정적인 평가가 언급되었으나 북한의 성실성에 대한 의문 및 북한의 핵개발 의도에 대한 의혹은 근본적으로 해소되지 못하고 있음이 지적됨.

- 특히, 북한의 플루토늄 및 별도 재처리 시설 은닉 여부에 대한 IAEA의 최종 결과 필요 강조

o 북한은 금번 이사회직전 블릭스 사무총장의 방북, 임시사찰 실시 그리고 이사회에서 IAEA에 대한 적극성인 협조 자세 표시등을 통하여 IAEA에서의 북한 핵문제 거론 봉쇄 또는 근거 약화를 도모했지만, 다음 이사회에서 계속 토의토록 결정된 것은 북한 핵문제에 대한 지속적인 국제적 우려를 반영함.

o 발언 국가수가 2월 이사회에 비하여 감소되었고 발언 국가의 구성이 제3세계 국가보다는 친서방 국가가 다수인 것은 북한에 대한 IAEA 사찰이 진행중인 점을 감안한 것으로 보임.

0105

o 블릭스 사무총장의 남북한 상호사찰의 필요성 지적과 함께 우방이사국 등 여러나라 대표가 남북한 상호사찰 실시의 필요성을 강조한 것은 한반도 비핵화 공동선언의 조기 실현을 위한 국제적인 대북한 압력으로 작용하였을 것임.

o 북한의 핵개발에 대한 국제적인 우려와 관심에 더하여 북한 원자력 시설의 안전성 문제가 금번 이사회를 통하여 새롭게 부각됨. 끝.

(국제기구국장 김 재 섭)

0106

관리 번호 92-830

외 무 부

종 별 :

번 호 : ECW-0834 일 시 : 92 0619 1600

수 신 : 장관(구일,정특,통삼,기정동문)

발 신 : 주 EC 대사 사본: EC 회원국주재대사-직송필

제 목 : EPC 정무총국장회의(자료응신 92-55)

연: ECW-0761

당관 홍서기관은 금 6.19 EC 집행위 사무국 정치협력국 JOSEP COLL 아주담당관을 면담, 6.17-18 간 리스본에서 개최된 표제회의 결과를 파악한바, 요지 다음보고함

1. COLL 담당관은 표제회의에서 EC 회원국 정무총국장들은 연호 아주국장 회의가 건의한바와 같이 만족스런 IAEA 핵사찰과 남북한 상호사찰을 대북한 관계개선의 최우선 전제조건으로 결정하였다고 말함

2. 또한 동 담당관은 상기와같은 EC 의 입장은 연호 브랏셀주재 북한 민간사무소 설치 검토에도 영향을 미칠 것으로 본다고 언급함

3. 표제회의 결정관련, 홍서기관은 최근 IAEA 사무총장이 IAEA 이사국에 대한 브리핑에서 북한의 핵재처리시설 건설을 공식 확인하였음을 설명하고 남북 상호사찰의 조속한 실현및 북한의 개방과 개혁을위한 EC 의 협조가 지속되어야 할 것임을 강조함. 끝

(대사 권동만-국장)

예고: 92.12.31 일반 고문에 의거 일반문서로 재분류됨

구주국 장관 1차보 통상국 외정실 분석관 청와대 안기부

PAGE 1 92.06.20 05:28

외신 2과 통제관 CH

0107

북한 핵문제 관련 EC 제국 입장

Embargo : 92.6.21(일) 12:00

1. 6.17(수)-18(목)간 리스본 개최 EPC 정무총국장 회의(EPC Political Committee)시 한반도 문제관련 논의에서 EC 제국은 북한에 대한 IAEA 핵사찰과 아울러, 남.북한간 상호 핵사찰의 만족스럽고도 효과적인 이행을 EC 국가들과 북한간의 관계개선 ~~절대적인~~ 전제조건(~~absolute precondition~~)으로 ~~표명~~ 강조.

2. 6.4(목) 브뤼셀 개최 EPC 아주국장 회의(Asian Working Group Meeting)에서도 상기사항 합의된 바 있음.

0108

2

관리 번호	92 -378

외 무 부

종 별 :

번 호 : AUW-0537 일 시 : 92 0623 1530

수 신 : 장관(아동,미이,아이)

발 신 : 주 호주 대사

제 목 : 전기침 중국외교부장 호주방문 결과

1. 김의택 서기관이 6.23 외무성 BENNETT 중국과장 대리를 접촉, 전기침 중국 외교부장의 당지방문(6.17-20)시 북한 핵문제에 관한 논의가 있었는지에 대해탐문한바, EVANS 외무장관은 전기침 외교부장과의 외무장관 회담에서 캄보디아사태, 군축문제, 지역안보문제, 인권문제등 4 개항에 관해 중점적으로 거론하였으며, 지역안보문제를 토의하는 가운데 북한의 핵개발이 동지역의 안정과 번영에 중대한 위협요소라는 의견을 개진하였으며, 이에대해 전기침 외교부장은 최근BLIX IAEA 사무총장의 북한방문이 매우 유용(USEFUL)했다고 보며 중국은 앞으로도 북한이 IAEA 의 사찰에 적극 호응토록 최대한의 영향력을 행사하겠다는 취지의 매우 건설적이며 적극적인 태도를 보였다 함.

2. 금번 전 외교부장의 호주방문은 동인의 외교부장 취임후 최초이나, 과거외교부부장 재직시 이미 2 번이나 호주를 방문한바 있기때문에 호주에 대해 비교적 친숙하다 하며, 호주측으로서는 금번 방문을 통해 중국이 아태지역에서 차지하는 경제적 중요성과 유엔안보리 상임이사국으로서의 정치적 비중에 상응하는건설적인 역할을 향후 계속 수행해줄것을강조하는데 중점을 두었다함.

3. 주재국 외무성은 명 6.24 호.중 외무장관 회담결과에 대해 당지 외교단에 브리핑 계획인바, 동브리핑 내용중 특이사항 있을시 추보예정임.끝 .

(대사 이창범-국장)

예고:92.12.31. 까지

아주국	장관	차관	1차보	아주국	미주국	분석관	정와대	안기부

PAGE 1

92.06.23 15:43

외신 2과 통제관 BZ

0109

6/25(오) 신
사본 수호, 북경

관리번호	92-606

원 본

외 무 부

종 별 :

번 호 : AUW-0540 일 시 : 92 0625 1000

수 신 : 장관(국기,미이,아동)

발 신 : 주 호주 대사

제 목 : 남북 상호 핵사찰

연: AUW-0537

1. 연호 장공사가 6.24 주재국 IAN COUSINS 핵정책국 부국장에게 호-중 외무장관 회담에서 남북한 상호 핵사찰문제가 거론되었는지 문의한데 대해 동 부국장은 EVANS 외상이 남. 북한 상호 핵사찰의 필요성을 언급한바, 이에 대해 전기침 중국 외상은 "WHILE IAEA UNDERTAKES INSPECTION, ONE THING ???M BE FINALIZED IS BILATERAL INSPECTION REGIME. BARGAIN IS STILL GOING ON AND EVENTUALLY THERE WILL BE A SOLUTION"이라고 응답하였다고함.

2. COUSINS 부국장은 금번 호.중 외상회의에서 중국측이 북한 핵문제 및 남북한 상호 핵사찰 문제에 대해 종전보다 적극적인 입장을 보인것으로 주재국은 평가하고 있다고 말함. 끝.(대사 이창범-국장)

예고: 92.12.31. 일반.

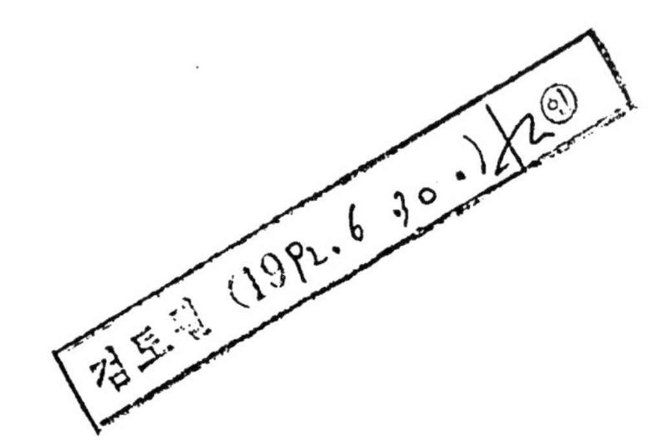

일반문서로 재분류 (1992.12.31.)

국기국 장관 차관 1차보 아주국 미주국 분석관 청와대 안기부

PAGE 1

92.06.25 10:00
외신 2과 통제관 AN

0110

91

관리 번호	92-83P

외 무 부

종 별 :

번 호 : POW-0341 일 시 : 92 0625 1900

수 신 : 장관(구일,미이,국기,정특,구이,기정,사본-EC회원국대사:직송필)

발 신 : 주 폴부갈 대사

제 목 : EC 정상회담

대:WPO-0245(자료응신 92-64)

1. 본직은 6.24(수) 외무성 DUARTE 정무부총국장을 방문, 표제회담 전망등에 관하여 의견 교환한바, 동 부총국장이 밝힌 내용 및 회담전망은 아래와 같음(김승의참사관 배석)

가.EC 회원국 확대문제

EC 회원국 확대문제를 포함한 새로운차원(DIMENSION)의 EC 장래문제를 논의하고, 스웨덴, 오지리 및 핀랜드등 신규가입 신청국의 점진적이고 단계적인(GRADUAL AND STEP BY STEP)가입추진 합의가 예상되나, 신회원 가입문제 협상은 마스트리히트 조약안의 비준이 완료되고 EC 재정개혁안이 승인된후에야 개시할수 있다는데 예견일치를 보일것임.

나.EC 재정개혁(DELORS II PACKAGE)문제

향후 5 년간의 EC 예산안에 대한 EC 회원국간의 의견대립으로 동 재정개혁안에 관한 승인은 어려울것이나, 예산기간을 2 년 연장 하는등 어떤 타협안(COMPROMISING PLAN)이 나올것으로 보이며, 재정개혁에 관한 기본방향 설정등 정치적합의가 이루어질것으로 예상함

다.EC 대외 정책 및 공동안보문제

-유고사태 및 중동평화회담에 관한 정치적 선언이 각각 채택될것으로 예상

-CSCE 차기 정상회의 관련 EC 의 입장 정립

-기타 남. 북협력문제, 특히 마그레브, 아프리카 및 중남미 제국과의 협력문제등이 논의될것이며, 주재국은 의장국으로서 동 문제에 관한 내용을 회담 CONCLUSION 에 포함 예정

-구주 공동안보 정책은 계속 연구검토될것이며 동 구체화 작업은 다음 의장국으로

구주국	장관	차관	1차보	미주국	구주국	국기국	외정실	분석관
청와대	안기부							

92.06.26 06:44

외신 2과 통제관 FM

0111

넘겨질것임

라. 마스트리히트 조약비준문제

-덴마크의 조약비준 거부에도 불구, 구주통합의 계속 추진을 재확인할것임

-동 부총국장은 500 만 인구가 3 억 인구의 EC 통합의 전도를 막을수 없다며 아일랜드에 이어 나머지 EC 국가가 동 조약을 계속 비준할경우(국민투표 또는 의회에서) 덴마크는 EC 를 떠나는 문제를 고려하던지 아니면 새로운 국민투표를 해야할것이라고 부언함

2. 남북 핵문제

가. 한편 본직은 주재국이 지난 6 개월 안 EC 의장국의 역할을 성공적으로 수행한데대하여 축하하고 특히 EPC 정무총국장회의 및 아주국장회의등 EC FORUM 에서 아국입장을 적극 반영 시켜준데 대하여 사의를 표한후, 남북 핵문제 관련 북한 핵시설에 대한 우려와 남북 상호 핵사찰에 관한 우리정부의 확고한 입장을 다시 설명하고 앞으로도 계속 우리 입장을 지지하여 줄것을 .

나. 또한 앞으로 6 개월간 EC TROIKA 의 일원으로서 한.EC 협력관계 강화, 특히 아국과 EC 트로이카와의 외상회의 또는 정무총국장회의등 공식 체널을 제도화 하는데 협조하여 줄것을 요청함

다. 이에 동 부총국장은 자신이 EPC 정무총국장 회의에도 참석한바 있으므로 남북핵문제의 중요성을 잘 알고 있다고 전제하고 지난 EPC 정무총국장 회의에서도 이문제가 매우 진지하게 거론되었다고 언급하면서 북한 핵시설은 군사적 측면 뿐만 아니라 환경 문제와도 관련이 있어 우려되는바 있다고 말한후, 아국 입장에 대한 주재국의 지지에 변함이 없을것이라고 답함.

또한 앞으로 EC TROIKA 및 EC 회원국의 일원으로서 한.EC 관계 발전에 협조하겠다고 약속함. 끝

(대사조광제-국장)

예고:92.12.31.일반고문에 의거 일반문서로 재분류됨

91

관리번호	92-857

원 본

외 무 부

종 별 : 지 급

번 호 : POW-0351 일 시 : 92 0630 1200

수 신 : 장관(미이,정특,국기,구일,구이,기정,사본:EC회원국대사-직송필)

발 신 : 주 폴투갈 대사

제 목 : EC의 대북한 선언문(자료응신 92-68)

1. 주재국 외무성 MATOS 아주국장은 다음과 같은 EC 명의 대북한 선언문을 6.29(월)자로 당지와 브라셀에서 각각 발표하였다고, 금 6.30(화) 당관에 알려왔음

STATEMENT ON NORTH KOREA

THE COMMUNITY AND ITS MEMBER STATES RECALL THEIR STATEMENT OF 31 JANUARY 1992, AND WELCOME THE POSITIVE STEPS UNDERTAKEN SO FAR BY THE GOVERNMENT OF THE DEMOCRATIC PEOPLE'S REPUBLIC OF KOREA TOWARDS FULL IMPLEMENTATIONOF THE SAFEGARDS AGREEMENT WITH THE INTERNATIONAL ATOMIC ENERGY AGENCY(IAEA), NAMELY THE RATIFICATION OF THE AGREEMENT AND THE NUCLEAR INSPECTIONS NOW BEING CARRIED OUT.

THE COMMUNITY AND ITS MEMBER STATES HOPE THAT THE -IAEA- INSPECTIONS WILL PROCEED SATISFACTORILY AND WILL CREATE INTERNATIONAL CONFIDENCE AS WELL AS CONTRIBUTE TO PEACE AND STABILITY IN THE ASIA-PACIFIC REGION. FURTHERMORE THE COMMUNITY AND ITS MEMBER STATES UNDERLINE THE IMPORTANCE THEY ATTACH TO EARLY AND FULL IMPLEMENTATION OF BILATERAL NUCLEAR INSPECTIONS AGREED TO IN THE FRAMEWORK OF THE JOINT DECLARATION ON THE DENUCLEARIZATION OFTHE KOREAN PENINSULA ON 31 DECEMBER 1991.

THE COMMUNITY AND ITS MEMBER STATES ALSO URGE THE GOVERNMENT OF THE DEMOCRATIC PEOPLE'S REPUBLIC OF KOREA TO ABIDE BY MISSILE TECHNOLOGY CONTROLREGIME GUIDELINES FOR SENSITIVE MILLILE-RELEVANT TRANSFERS AND TO CEASE MISSILE SALES.

2. 동국장은 상기 선언문이 EPC 정뮈국장간에 문서협의되어 EC 명의로 발표되었으며, 주재국이 EC 의장국으로서 대북한 핵문제를 CONCLUDE 하기위한

미주국 장관 차관 1차보 구주국 구주국 국기국 외정실 분석관
청와대 안기부

92.06.30 23:08
외신 2과 통제관 FK

0113

마지막조치라고 설명하고, 특히 동선언문 마지막항은 북한의 대중동 무기수출을 저지하는데 주목적이 있다고 부언함. 끝

(대사조광제-국장)

예고: 92.12.31 일반

7/2 이
사본 주오, 유엔1
기
/1

관리 번호	92-395

외 무 부

종 별 : 지 급

번 호 : ECW-0882 일 시 : 92 0701 1130

수 신 : 장관(구일,정특,미이,기정동문)사:EC대사(직필),주미,UN대사:중계필

발 신 : 주 EC 대사

제 목 : EC 의 북한 핵문제관련 선언문 (자료응신 92-59)

1. EC 및 회원국은 6.29 자 선언문 (별전 FAX 송부) 을 통해 북한이 IAEA 핵안전조치 협정이행과 관련하여 동 협정비준및 일부 핵사찰등 현재까지 취한 긍정적 조치를 환영하면서 동 IAEA 사찰이 만족스럽게 계속 진행되어 핵문제와 관련한 국제적 신뢰를 조성할 것을 희망하고, 91.12.31. 한반도 비핵화에 관한 공동선언에서 합의된 남북한 상호사찰의 조속하고 완벽한 이행의 중요성을 강조함

2. 아울러 EC 및 회원국은 상기 선언문에서 북한이 미사일 기술통제 체제의GUIDELINE 을 준수하고 미사일 판매를 중지할 것을 촉구함

3. 한편 EC 집행위 사무국 정치협력국 COLL 아주담당관은 상기 선언문을 발표하게된 배경과 관련, 최근 국제적 관심사로 논의되고 있는 북한 핵문제에 대한EC 의 기존입장을 다시한번 명확히 밝히고 아울러 동 문제및 북한의 미사일 수출에대해 한국.미국등 우방국과 보조를 같이한다는 차원에서 발표하게 된 것이라고 언급함. 끝

(대사 권동만-국장)

예고: 92.12.31. 까지

구주국	장관	차관	1차보	미주국	국기국	외정실	분석관	청와대
안기부	중계							

PAGE 1 92.07.01 19:24

외신 2과 통제관 CH

0115

KOREAN MISSION BXL 07.01.1992 12:05 NO.3 P.1

주 이 씨 대 표 부

종 별 :

번 호 : ECW(F)- 0314 일 시 : 0701 1130

수 신 : 장 관 (구일. 정특. 미이)

발 신 : 주이씨대사

제 목 : 첨부물

(총 매)

0116

314-2-2

EPC

EUROPEAN POLITICAL COOPERATION

PRESS RELEASE

P.71/92 Brussels, 29 June 1992

STATEMENT ON NORTH KOREA

The Community and its member States recall their statement of 31 January 1992, and welcome the positive steps undertaken so far by the Government of the Democratic People's Republic of Korea towards full implementation of the Safeguards Agreement with the International Atomic Energy Agency (IAEA), namely the ratification of the Agreement and the nuclear inspections now being carried out.

The Community and its member States hope that the IAEA inspections will proceed satisfactorily and will create international confidence as well as contribute to peace and stability in the Asia-Pacific region. Furthermore the Community and its member States underline the importance they attach to early and full implementation of bilateral nuclear inspections agreed to in the framework of the Joint Declaration on the Denuclearization of the Korean Peninsula on 31 December 1991.

The Community and its member States also urge the Government of the Democratic People's Republic of Korea to abide by Missile Technology Control Regime Guidelines for sensitive missile-relevant transfers and to cease missile sales.

0117

외 무 부

종 별 :

번 호 : ECW-0912 일 시 : 92 0706 1800

수 신 : 장관 (통삼,구일,정특,아이,기정동문)

발 신 : 주 EC 대사사본:주일(중계필)EC회원대사(직필)

제 목 : EC-일본 정상회담(자료응신 92-60)

1. 연호 7.4. 런던 개최된 EC-일본간 정상회담결 과, 채택된 공동발표문 (총 16개항)은 7항에서 특히 EC, 일본 양측이 북한에대해 IAEA 안전조치 협정을 이행할 것과 남.북한간 효과적이고 쌍무적인 사찰을 받아드리도록 촉구해나가기로 하였음 (별첨 FAX 참조)

2. 기타 동 정상회담의 주요 요지는 아래와 같음

가. 미야자와수상은 MAJOR 영국수상(EC 의장)에 대해 일본이 대 EC 무역흑자 축소를위해 EC 와 함께 노력해야 할 필요성을인정했으나, 통독등 EC의 확대가 일본으로부 터의 수입필요를 증대시키고 있으며,또다른 한편 일본의 경기후퇴가 국내소비를 축소 시키고 있어 무역흑자 감소에 어려움이 있다고설명함

나. EC 의 DELORS 위원장은 91년 한해에만 274억에 달한 일본의 대 EC 무역흑자의 요인을 공동분석, 협의키 위해 EC-일본간전문가회의를 설치할 것을 일본측에 대해제의함. 미야자와수상은 이에대해 EC측 제의를 검토는 해보겠으나 그러한 실무회의는일본에대한 일부 구주제국의 차별정책에대해서도 검토해야 될 것이라 하고 일본산자동차 에서 전구류, 파인애플 포함 총 49개 품목에대해 프랑스, 이태리, 스페인, 폴부갈,그리스등이 수량제한을 하고 있는 사례를 지적함

다. EC 측은 일본의 관세제도및 복잡한유통구조가 일본시장에서의 외국기업의 경쟁을 저해하고 있다고 지적한데 반해 일본측은 EC에 대해 EC 기업의 경쟁력 강화노력 이 선행되어야 할 것이라고 답변함

라. EC.일본 양측은 UR 협상의 만족스러운 결론도출을 위한 노력을 다짐함

마. 양측은 유고, 중국, 캄보디아, 중동평화문제등에 대해서도 의견교환을 가졌음. 끝

(대사 권동만-국장)

통상국 아주국 구주국 외정실 분석관 청와대 안기부 중계

PAGE 1 92.07.07 07:43 EG

외신 1과 통제관

0118

주 이 씨 대 표 부 300-3-1

2

공 범 :

번 호 : ECW(F)- 0322 일 시 : 0706 1800

수 신 : 장 관 (통상, 구일, 정특, 아이)

발 신 : 주이씨대사

제 목 : EC-일본 정상회담

ECW-0912 의 첨부물

(총 매)

0119

FROM KOREAN MISSION BXL 07.06.1992 18:06 NO. 7 P. 2

ECR0644 4 OVR 1072 XT-EC-JAPAN :EC-TEXT-E[illegible]AN
JOINT PRESS STATEMENT FOLLOWING SECOND EC-JAPAN SUMMIT 322-3-2
DOCUMENT DATE: JULY 4, 1992
*
SECOND EC/JAPAN SUMMIT, LONDON, JULY 4, 1992
*
JOINT PRESS STATEMENT

The Rt Hon John Major MP, President of the European Council and Mr Jacques Delors, President of the European Commission, on 4 July 1992 met HE Mr Kiichi Miyazawa, the Prime Minister of Japan, for the second summit meeting between the European Community and Japan. They have issued the following joint press statement.

1. At the first EC/Japan Summit in The Hague in July 1991 the Community and Japan agreed a Joint Declaration of shared values and objectives. It affirmed their common attachment to freedom, democracy, the rule of law, human rights, the promotion of free trade and the development of a prosperous and sound world economy. The Community, its member states and Japan, committed themselves to inform and, taking a global perspective, consult each other on major international issues, which are of common interest to both parties, and to strengthen the framework for consultation and cooperation.

2. Deepening the EC/Japan relationship is a continuous process. At our summit today we reaffirmed our commitment to the 1991 Declaration and undertook to strengthen further EC/Japan relations. Our talks have been a valuable contribution to that process.

3. We reviewed cooperation since last year, and agreed that a broad approach, developing all aspects of EC/Japan relations to the advantage of both sides, was the most productive way forward. We also agreed to continue to consult closely on the economic relationship in order to find appropriate solutions. In a rapidly changing world, we emphasised the importance of the EC and Japan remaining in close contact on their respective approaches to international problems.

4. We concluded that significant progress had been made in enhancing political dialogue. We stressed the importance of developing that cooperation. In this context, we welcomed the recent initiative to associate Japan with the CSCE process.

5. We recalled the UN General Assembly Resolution establishing a Register of Conventional Arms Transfers, which Japan, the Community and its member states tabled jointly. We will continue to work for its success. We also resolved to work closely together in preparation for the 1995 Non-Proliferation Treaty Extension Conference.

6. We welcome the very substantial contribution of the Group of 24, which includes the Community, its member states and Japan, to support the process of economic and political transition in central and Eastern Europe. The Community, its member states and Japan are also working closely together to assist the reform efforts of the New Independent States of the former Soviet Union. In this context, we noted the successful convening of the Lisbon conference in May and resolved to collaborate further toward the Tokyo Conference to be held in October. The Community, its member states and Japan have also worked, with the US and Russia, in establishing the International science and Technology Centre to be sited near Moscow.

7. We welcomed the outcome of the recent Ministerial Conference organised in Tokyo by Japan on the reconstruction of Cambodia, to implement fully the terms of the Paris Agreements. we also agreed to continue to urge North Korea to implement fully the IAEA safeguards agreement and an effective bilaterial inspection regime between North and South Korea.

8. We reiterated our support for the Middle East peace process launched at the Madrid Conference in October 1991 and agreed to continue to cooperate in the organisation of the multilateral working groups, which play an important role in the process.

0120

222-3-3

9. We discussed EC/Japan trade relations. We welcomed the steps taken by the Japanese Government in recent years to improve access, such as through active import promotion policies, and by the Community and its member states to promote exports. At the same time Japan noted the concern expressed by the Community about the recent widening of the bilateral trade imbalance. We recognised the need for further efforts by Japan and the Community and its Member states to increase EC exports to Japan. The Community stressed that implementation of the Single Market will provide improved trading opportunities for all and is a contribution to the development of international trade.

10. We re-stated our resolve for equitable access to our respective markets and removing obstacles, whether structural or other, impeding the expansion of trade and investment on the basis of comparable opportunities.

11. We emphasised the importance of industrial cooperation as a means of strengthening and improving the economic relationship, including Japan's Business Global Partnership Initiative which is intended to benefit all of its trading partners. We welcomed the promotion of working contacts between industries and the role of the EC-Japan Centre for Industrial Cooperation. We resolved to facilitate such cooperation between our private sectors through an enhanced EC/Japan government dialogue.

12. We welcomed continuing Japanese direct investment in the European Community as a contribution to industrial development and renewal throughout the Community, and the recent Japanese efforts to promote more foreign investment in Japan. We encourage firms in the Community to take advantage of these opportunities.

13. We were encouraged by the progress made in the areas of cooperation. These include the environment, scientific research, information technology and telecommunications, development assistance, social affairs, competition policy and energy. We agreed to make further efforts to develop our dialogue on these policies and to seek out further concrete areas for cooperation, including holding a joint workshop on emissions of CO2 and other greenhouse gases and establishing a Japan/EC Forum on Science and Technology.

14. We re-emphasised that early and successful conclusion of the Uruguay Round is essential for the sustained growth of the world economy and reaffirmed our strong resolve to make further efforts to this end.

15. We agreed to cooperate on the implementation of the Rio Summit agreements.

16. Finally, we agreed on the importance of developing mutual understanding of each others' societies and cultures and welcomed the growth of academic, cultural and youth exchanges.

END OF DOCUMENT

061407 GMT jul 92 <

0121

외 무 부

종 별 : 긴 급

번 호 : GEW-1369 일 시 : 92 0707 1300

수 신 : 장관(경일,구일,기정동문)

발 신 : 주독대사

제 목 : 뮌헨 서미트

1.7.7. 발표된 의장성명 11개항중 5항의 한국관계 사항은 다음과 같음

KOREA

WE WELCOME THE PROGRESS ACHIEVED IN THE DIALOGUE BETWEEN NORTH AND SOUTH KOREA. IT GIVES US REASON TO HOPE FOR A FURTHER REDUCTION OF TENSION.

WE ARE CONCERNED ABOUT NORTH KOREA'S SUSPECTED NUCLEAR WEAPONS PROGRAMME. THE IAEA SAFEGUARDS AGREEMENT MUST BE FULLY IMPLEMENTED AND AN EFFECTIVE BILATERAL INSPECTION REGIME MUST BE PUT INTO PRACTIVE.

2. 의장성명 전문(영문) 별첨 FAX송부함.끝

(대사-장관)

별첨: GEW(F)-0109

경제국 구주국 외정실 분석관 안기부

PAGE 1

0122

1. G-7 頂上會議 議長聲明, 南北韓 相互 核查察 促求

o 7.6-8간 뮌헨에서 開催中인 先進 7개국 頂上會議는 7.7 政治宣言과 議長聲明을 發表하였는 바, 同 議長 聲明中 北韓 核問題 관련 부분은 아래임.

- "南北韓間 對話 進展을 歡迎하며, 이러한 進展이 韓半島 緊張緩和에 希望을 주고 있음. 北韓의 核武器 開發疑惑과 관련, IAEA 核安全協定이 충실히 履行되어야 하며, 效果的인 南北韓 相互 核查察이 施行되어야 함." (駐獨大使 報告)

* 이는 그동안 G-7 國家들에 대한 우리側의 外交的 努力의 結果인 바, 詳細 背景 別途 報告 예정임.

0123

관리번호	92-630

외 무 부

종 별 :

번 호 : CNW-0796 일 시 : 92 0709 1210

수 신 : 장관(경일,미일,국기)

발 신 : 주 캐나 다대사

제 목 : 뮨헨 G-7 서미트

연:CNW-0772

대:WCN-0717

1 BALLOCH 외무부 아. 태 담당 차본보는 금 7.9 본직에게 멕두걸 장관이 아측 요청에 따라 금번 G-7 정상회담에서 의장 성명에 한국관계 내용이 포함되도록여타국 대표들과 긴밀히 협의 하였다고 하면서, 의장 성명에 한국관계 내용이 포함 된것과 동 내용에 대해 만족하게 생각한다고 알려왔음.

2. 본직은 동내용이 의장성명에 포함되도록 카측이 노력하여준데 사의를 포하였음.

(대사 박건우-국장)

예고:92.12.31. 일반

경제국	장관	차관	1차보	미주국	국기국	분석관	청와대	안기부

PAGE 1 92.07.10 04:12

외신 2과 통제관 FK

0124

관리번호 92-922

외 무 부

종 별 :

번 호 : ECW-0931 일 시 : 92 0710 1630

수 신 : 장관(구일,정특,미이,기정동문)

발 신 : 주 EC 대사

제 목 : EPC 아주국장회의 (자료응신 92-61)

연: ECW-0882

1. 당관 홍서기관은 금 7.10. EC 집행위 사무국 정치협력국 COLL 아주담당관을 오찬에 초청, 작 7.9. 당지에서 개최된 표제회의시 한반도관련 문제의 논의여부를 문의한바, 동 담당관의 언급요지 다음보고함

0 구체적 토의없이 의장국 영국이 IAEA 의 대북한 핵사찰 내용에 대해 설명하고, 아직 북한의 핵개발관련 의혹이 해소되지 않았기 때문에 남북한 상호사찰 요구등 북한에대한 압력을 지속해야 함을 강조하였다 함

0 한편, 연호 EC 의 북한핵 관련 선언문 채택과 관련, 북한이 일부 회원국에 대해 항의서한을 발송해 왔다함

2. 한편, 동 담당관은 7 월말 마닐라에서 개최되는 아세안 확대 외상회담시 EC 는 한국및 카나다와 TROIKA 외상회담을 개최키로 결정한 것으로 안다고 언급함. 끝

(대사 권동만-국장)

예고: 92.12.31. 일반 예고문에 의거 일반문서로 재분류됨

구주국 장관 차관 1차보 미주국 외정실 분석관 청와대 안기부

PAGE 1

92.07.11 03:38

외신 2과 통제관 BZ

0125

91

관리 번호	92 -970

외 무 부

종 별 :

번 호 : SZW-0394 일 시 : 92 0720 1900

수 신 : 장관(정특, 구이, 미이, 정보, 통일원)

발 신 : 주 스위스 대사

제 목 : 외무성 정무3국장 면담 (자료응신 25호)

대: AM-0102

본직은 7.16 이강웅 참사관 대동, 외무성 정무 3 국장 (군축및 CSCE 담당대사, 지난 3 개월간 헬싱키 CSCE 제 4 차 후속회의 참석후 귀국) VON GRUENIGEN 대사를 방문 면담하였는 바, 주요내용 아래와 같음. (RITZ 군축 담당관 배석)

1. 본직은 오는 9 월에 있을 8 차 남북 고위급 회담에 앞서 남북합의서의 성실한 이행과 비핵 공동선언에 따른 상호 핵사찰 수락이 당면 우선과제라고 설명하고, 이에 대해 미.일은 물론 EC 제국, 최근 열린 G7 회의에서도 아국 입장을지원하는 국제적 CONSENSUS 가 형성되어 있음에 언급하였던 바 동 대사는 이를수긍하고 스위스도 같은 생각이라고 말함. 동석한 RITZ 부국장은 핵개발외에도북한의 미사일 개발과 동 수출문제에 대한 아국입장을 물었음에 대해 본직은 핵개발 상호사찰이 급선무로 대두되어 있으나 앞으로 이문제에 대해서도 국제사회의 압력이 가중되어야 할 것임을 강조하였음.

2. 이어 대호 북한 부총리 김달현 일행의 서울방문에 대해 의견을 나누었음.

이번 방문이 남북관계 개선을 뜻하는 것은 아니며, 핵문제가 해결되지 않는한 북한과 실질적 관계발전이 있을 수 없다는 아국입장은 단호한 것임을 설명함.

3. 본직이 스위스가 지정적으로 주변 강대국에 둘러쌓여 있어 한반도에 위치한 아국과 유사한 역사적 시련을 경험하였으며, 많은 문제에 있어 같은 인식과입장을 갖고 있는 점과 한반도 평화유지에 기여한 중감위 기능이 존속되어야 한다는 것이 아국 정부 입장인 점등을 밝혔음에 대해 공감함.

4. 냉전체제 변화와 일본의 PKO 참여등 주변정세 변화에 따른 동북아에서의CSCE 와 유사한 안보 기구창설 움직임에 대해 동 대사는 깊은 관심을 보이면서앞으로 서로 의견교환 기회를 자주 갖자고 제의하였음. 끝

외정실	장관	차관	1차보	미주국	구주국	외정실	분석관	청와대
안기부	통일원							

PAGE 1

92.07.21 05:26

외신 2과 통제관 BZ

0126

(대사 강대완-국장)

예고 : ~~92-12-31 일반~~

19 . . 에 예고문에
의거 일반문서로 재분류 됨

PAGE 2

0127

9

관리 번호	92-981

외 무 부

종 별 :

번 호 : IDW-0154 일 시 : 92 07201700

수 신 : 장관(정특,미이,문홍)

발 신 : 주 아일랜드 대사

제 목 : 7.7 선언 대북제의및 남북한 상호핵사찰 (자응21)

대:AM-0098(1), WID-0137(2), 문홍 20501-380(3)

1. 당관 유참사관은 7.20 M.BAYLOR 외무부 아태담당관 (MURNAGHAN 국장 전보로 직무대행중)을 오찬에초대, 7.7 선언 4 주년계기 대북제의 내용(1)을 설명함과 동시 남북한상호 핵사찰이행을 촉구하는 대호선언문및 서명(2)과 북한 핵관련 서방 언론보도(3) 사본을참고로 전달하면서 대호내용을포함한 아측입장을 재강조 하였음.

2. 동담당관은 상기내용에 대해 이미 잘알고있음을 전제하고

가. 범세계적인 핵확산방지와 군축문제등은 주재국의 주요관심 사항으로서 북한의 핵개발 방지를위한 남북한상호 핵사찰은 EC 및 EC 회원국선언문 내용에따라 여타 회원국과 공동보조를 취할것임.

나. 북한에대해 국제적인 압력이 계속되고 있으나 북한이 핵무기 제조준비를갖추었다면 이를 완성시킬때까지 시일을 지체시키면서 상호 핵사찰을 수락치 않을 수도 있을 것으로 예상되는데 북한이 조만간 상호사찰에 응할 것으로 보는지 궁금함.

다. 일본은그간 대북한 관계개선을 추진해온것으로 알고있는데 한국 정부의 입장에 비추어 최근 일본-북한간 관계개선 추진은어떤지 ?

라. 아측의 7.7 선언 4 주년계기 대북제의에좋은 결과가 있기를기대함.

3. 이에 유참사관은 최근 불란서 BFCE 및 영국의 FINOV 은행이 북한의 대외무역 은행을 상대로한 원리금상환 소송사건 및 특히 북한의 경제난을 설명, 북한은 한국및 서방국가들의 지원없이는 당면한 정치적, 경제적 위기를 극복할수 없을 것이므로 국제적인 압력과 제재가 계속되어야 북한이 핵개발을 포기할수 밖에 없을것임. 남북한 상호 핵사찰 실현을 통한 북한에 대한 의구심이 불식되고 남북관계의 이미있는 진전이 이뤄지기 전에는 일본이 대북한 접촉에 있어서 북한의 태도변화를 유도하는 이상의

외정실 차관 미주국 문협국 분석관

PAGE 1 92.07.21 06:39

외신 2과 통제관 BZ

0128

진전은 이루지 않을 것으로 본다고 언급하면서 우방국들의 북한에 대한 압력행사가 확고하고 지속적 이어야함을 강조하였음. 끝

(대사 민형기-실, 국장)

예고: 92.12.31 일반 고문 의거 일반문서로 재분류 됨

PAGE 2

0129

7/23 신

관리 번호	92-428

외 무 부

종 별 :

번 호 : HOW-0202 일 시 : 92 0722 1600

수 신 : 장관(미이,구일,연일)

발 신 : 주 화란 대사

제 목 : 북한 핵문제

대: WHO-0166, 0178

1. 당관 금참사관은 92.7.22(수) 주재국 외무부 K.A.NEDERLOF 핵무기 통제 및 군축 담당 과장을 방문, 대호건과 관련한 우리측 입장, 취지를 설명하고 이에대한 협조를 요청하였음.

2. 이에 대해 동 과장은 우리측 입장에 지지를 표하면서 대호 국제기구 또는 성명문 관련국의 요청이 있을 경우 적극 협조하겠다고 언급하였음.

3. 또한 동 과장은 대호 목적을 위한 효과면을 고려할때 오는 9 월 IAEA 총회 및 유엔총회를 이용 결의문 채택을 추진하는 것도 바람직할 것이라는 개인적 견해를 표명하였음을 참고로 덧붙임.

(대사-국장)

예고:92.12.31. 까지

미주국 구주국 국기국

PAGE 1

92.07.23 00:51

외신 2과 통제관 BZ

0130

관리 번호 92-1892

외 무 부

종 별 :

번 호 : GEW-1461 일 시 : 92 0723 1530

수 신 : 장관(미이,정특,구일)

발 신 : 주 독 대사

제 목 : EC 의 대북한 선언문 북한 반응

당관 안공사가 7.23. 외무부 SOMMER 동아국장으로부터 입수한바에 의하면, 7.22. 주폴부갈 북한대사는 북한 핵관련 6.29. 자 EC 명의의 대북한 선언문에 대하여 하기 내용의 문서(문서형식은 미상)를 폴뷰갈 외무성에 정식으로 제출하겠다 함.

"THE GOVERNMENT OF THE DEMOCRATIC PEOPLE'S REUPUBLIC OF KOREA CANNOT AGREE WITH THE LINES EXPRESSED IN THE MENTIONED STATEMENT OF 29 JUNE 1992 SINCE THE OFFICIAL NAME OF THIS REPUBLIC IS NOT CLEARLY STATED AND AN UNILATERAL IMPOSITION HAS BEEN FORCED ON US.

IF THE EUROPEAN COMMUNITY PROCEEDS WITH A PARTIAL AND FAVOURITE POLICYTOWARDS SOUTH KOREA IT WILL NO DOUBT CONTRIBUTE TO THE WORSENING OF THE SITUATION IN THE KOREA PENINSULA.

FURTHERMORE THIS ATTITUDE IS NOT IN ACCORDANCE WITH THE COMMUNITY PEACEFUL POLICY AND WILL INCREASE THE DISTRUST ON THE IMPARTIALITY OF ITS MEMBER STATES."끝

(대사-국장)

예고:92.12.31. 일반

미주국 차관 1차보 구주국 외정실 분석관 청와대 안기부

PAGE 1

92.07.24 00:45

외신 2과 통제관 FK

0131

19 [handwritten: 92.12.31]에 예고문에 의거 일반문서로 재분류됨

한.EC Troica외무장관
회담요록

92.7.25(토), 마닐라

외 무 부

0132

1. 일 시 : 7.25(토) 15:15-16:00

2. 장 소 : PICC 회의실 (D-304호)

3. 참 가 자

o 우 리 측

- 이 상옥 외무장관
- 허 승 제 2차관보
- 김 석우 아주국장
- 오 행겸 통상국심의관

o E C 측

- 영국 D. Hurd 영국 외무장관
- 폴투갈 J.M.D. Barroso 외무차관
- 덴마크 H.Woehlk 외무담당 국무장관
- EC J.A.Matutes 집행위원
- 기타 실무자 10여명

4. 회 담 내 용

가. 인사말씀

o HURD 영 외무장관

- 6+1 회담이 지연되어 기다리게 해드려 죄송함.
- 한 · EC 정책협의회를 하게 된것을 기쁘게 생각함.
- 한 · EC 관계는 정치적인면 뿐아니라 경제적으로 긴밀해 지고 있고 그 중요성을 더해 가고 있음.

- 금년 11월 한·EC 고위협의회를 개최할 예정이며, 그때 경제문제등을 협의하게 될 것이므로 오늘은 정치문제 대화가 되는것으로 알고 있음.
- 금일 의제는 남북문제, 구소련 독립국문제, 아시아 안보문제등으로 알고 있음.

ㅇ 장 관

- EC Troika 회원국들과 공동관심사에 관한 의견교환을 하게된 것을 기쁘게 생각함.

나. 남북대화

ㅇ 장 관

- 먼저 남.북대화 관련 중요한 진전이 있었음. 작년 12월 남.북 총리회담에서 남.북 기본합의서와 한반도 비핵화 공동선언을 채택키로 하였으며 금년 2월 발효되어 그 이행을 위한 과정이 진행중임.

- 그러나 이 과정에서 북한의 핵문제가 걸림돌이 되고 있음. 핵문제와 관련 IAEA 사찰은 2차에 걸쳐 실시되었으나 남.북 비핵화 선언과 관련, 상호사찰문제에 합의가 이루어지지 않고 있음.

- 한국으로서는 남북 상호사찰 문제에 더 큰 중요성을 두고있으나 북한은 지연작전으로 나오고 있음.

- 수일전 북한의 김달현 부총리가 서울을 방문하였는 바, 동 방문은 아측의 공식초청으로 이루어 졌고 그 초청 목적은 북한 당국자가 직접 남한경제 사정을 살펴볼 수있도록 기회를 주자는 것과 핵문제가 해결되지 않으면 남.북간의 경협이 이루어질수 없다는 Message를 북한 최고층에 분명히 전달코저 하는 데 있음.

- 어제 노대통령이 동 부총리를 접견하였는 바, 이자리에서 대통령께서 동 부총리에게 북한의 핵문제가 해결되지 않는 한 남.북한의 경협은 이루어질 수 없다는 것을 분명히 밝히셨음.

- 일본도 북한과의 국교정상화 교섭에 있어 아국정부의 입장을 적극 지원하여 핵문제 해결없이는 북한과 국교정상화를 하지 않겠다는 강경한 입장을 고수하고 있음.

- 북한 핵문제와 관련, 그간 EC측이 적극 협조해주고 있는 데 대해 깊은 감사를 드림.

o Woehlk 덴마크 외무국무장관

- EC를 대신해서 남.북한이 작년 UN 회원국이 된것을 환영함.

- 남.북한이 대화를 재개한 것을 환영하며 EC로서는 핵 문제가 해결되고 화해를 위해 대화가 계속되기를 희망함.

- 북한의 핵문제는 심각한 우려를 자아내게하고 있는 바, EC로서는 IAEA 사찰 뿐아니라 남.북 상호사찰이 이루어져야 한다고 믿고 있으며, 공개적 또는 막후에서 외교적 노력을 다할 것임.

- 북한의 미사일 판매문제에 대해서도 우려하고 있음.

o HURD 영국 외무장관

- 김달현 북한 부총리는 아직 서울에 머물고 있는지? 동인 방문에 대해 어떻게 평가하는가?

o 장 관

- 김부총리의 방문은 대우그룹의 김회장의 작년 북한방문 및 모스크바에서의 양인접촉을 통해 시작되었고 정부에서 이를 공식화한 것임.

3

0135

- 정부가 동인방한을 공식화하게 된 목적은 첫째 동인으로 하여금 남한의 경제실상을 직접 보게하는 것과 둘째, 핵문제가 해결되지 않는 한 남북 경협은 있을 수 없다는 멧세지를 분명히 전달키 위함임.

- 노대통령께서는 조사단 북한 방문문제는 고려해 볼 수 있으나 핵문제가 해결되지 않는 한 북한과 구체적 협력사업은 하지 않겠다는 점을 분명히 하였음. 우려하고 있는 미사일 문제와 관련, 북한측은(외교부장) 얼마전 미국학자 및 언론인과 만나 MTCR에 가입하겠다는 뜻을 비춘 바 있으나, 앞으로 두고 봐야 할 것임.

- 또한 화학무기에 관한 협상이 제네바에서 진행중인 바 아국으로서는 동 협정에 original signatory로 참여할 생각인 바, 북한은 그런 의도가 없는 것으로 보임.

o HURD 영국외무장관

- EC로서는 북한의 핵문제가 해결되지 않는 한 북한과 어떠한 관계도 갖지 않겠다는 입장을 견지하고 있음.

다. 구 소련 독립국가와의 관계

o 폴투갈 외무차관

- 러시아의 정치상황이 어렵기는 하나 옐친 대통령의 개혁작업이 진행되고 있음. 몰다비아.죠지아문제, 흑해함대문제, 소수민족문제, 러시아의 철군 문제등 복잡한 문제가 있음.

- 그러나 EC로서는 이들 국가의 정치.경제 개혁을 위해서는 국제사회의 도움이 필요하다고 보고 있음.

o 장 관

- 러시아와는 금년 소련외무장관이 서울을 방문하였고 지난 달 본인이 러시아를 방문하는 등 고위급 교류가 이루어지고 있고 옐친 대통령이 금년 9월 방한 예정이며 방한시에 양국관계에 관한 기본조약을 체결할 예정으로 있을 정도로 급속도로 관계가 발전하고 있음.

- 소련과의 수교과정에서 협의된(그러나 수교의 전제조건으로 이루어 진 것은 아님) 30억불 차관 제공문제는 구소련의 붕괴로 인해 잠시 중단되었으나 차관 변제보증문제등 법적인 문제로 인해 최근 러시아의 Banking 관계관 방한등을 통해 차관재개 문제가 협의되고 있음.

o HURD 외무장관

- 최근 러시아와 북한과의 관계는 어떠한가? 한국입장에서 볼 때 긍정적으로 보고 있는가?

o 장 관

- 옐친 러시아 대통령은 최근 본인에게 러시아의 대 북한관계는 종전의 이념적인 관계는 종식되었다고 한 바 있음.

- 1960년 구소련과 북한이 군사동맹조약을 체결한 바 있으나 정치적으로는 이미 존재하지 않는 것과 다름없음. 그리고 종전에 러시아가 북한에 제공하던 원유, 가스등도 이제는 현금거래가 아닌 한 제공하지 않고 있는 상황임.

라. 아시아지역 안보문제

o HURD 외무장관

- 북한의 위협등과 관련 미군주둔이 필요하다는 데 EC도 한국과 마찬가지의 생각을 가지고 있음. 이문제가 미국의 선거 이슈가 될 지 여부가 궁금함.

- 중국이 소련으로부터 무기를 구입할 가능성에 대해 우려하고 있으며, 일본의 경우 PKO 법안과 관련, 일본이 더큰 야심을 갖고 있다고는 보지않고 있음.

- 북한이 중동등에 미사일을 판매하고 있다고 알려지고 있는 바, 북한만이 국제사회의 growing consensus에 동참하지 않는 유일한 나라인 것 같음.

o 장 관

- 미국의 한국안보에 대한 Commitment는 확고하다고 보고있음. 미국 민주당 대통령 후보인 Clinton 자신도 주한미군은 필요성이 인정되는 한 계속 주둔해야 한다는 입장을 밝히고 있으며, 한국내에서도 주한 미군의 계속 주둔에 대해서는 전혀 이의를 제기하는 인사가 없음. 노대통령과 부시 대통령이 주한미군은 통일시까지 아니라 필요하다면 남북통일 이후에도 주둔해야 할 것이라는데 인식을 같이하고 있음.

- 중국과의 관계는 작년 통상대표부 상호설치 이후 양국 교역관계가 58억불 수준에 이르고 있고 금년에는 86억정도로 예상되며, 가까운 장래에 정식 외교관계가 수립될 수 있을 것으로 예상하고 있음.

- 일본의 PKO 참여와 관련, 일본이 국력에 상응하는 더 큰 역할을 해야한다는데는 이의가 없으나 이 사안의 민감성에 비추어 일측에 신중을 기하도록 요청하고 있음.

- 북한이 미사일을 이란등에 수출하고 있는 문제에 대해서는 어떤 조치가 이루어 져야한다는 데 인식을 같이하고 미국과 긴밀히 협의하고 있음.

o HURD 영국 외무장관

- 한국측 설명에 감사하며 중요사안에 대해 계속 협의하길 바람.

o 장 관

- 남·북관계 진전사항에 관해 주한공관을 통해 EC측에 계속 알려 주도록 하겠음.끝.

관리번호 92-1014

긴

비밀관리

외 무 부

종 별 : 긴 급

번 호 : PHW-0859 일 시 : 92 0726 2130

수 신 : 대통령각하(사본:국무총리, 대통령비서실장, 외무차관, 주미대사-중계필)

발 신 : 외무부장관(주비대사관 경유)

제 목 : 아세안 확대 외무장관 회담 참가 보고(10)

연: PHW-0857

소직은 금 7.26.(일) 10:15-10:45 간 베이커 미국무장관과 회담을 가진바, 주요 내용을 하기 보고합니다.(미측: 젤릭 경제차관, 클라크 동아. 태 차관보, 터트와일러 대변인, 팔 수석 보좌관, 아측: 노정기 대사, 허승 차관보, 김석우 국장, 최영진 심의관, 오행겸 심의관 배석)

1. 남. 북 관계

- 소직은 대통령각하께서 북한의 김달현 부총리에게 첫째, 핵문제 해결 없이는 실질적인 경제 협력이 없을 것임을 분명히 하였고, 둘째, 핵문제 해결의 심각성을 김일성에게 직접 전달할 것을 당부 하셨음을 설명함.

- 베이커 장관은 대통령께서 취하신 입장에 전적으로 공감을 표시하며, 한국이 남북대화 진전을 통한 화해를 달성한다는 중장기적 목표와 핵문제 해결이라는 단기적 목표를 훌륭히 조화해 나가고 있는데 축하한다고 언급함.

- 이어 베이커 장관은 9 월로 예정된 남북 고위급 회담 개최를 한국측이 대북한 경제협력에 관대한 입장을 취하는 것으로 북한이 오해하지 않도록 해야할 것이라고 말함.

2. 핵 재처리 시설

- 본직은 북한 핵문제 해결을 위하여 미측의 협조뿐아니라 EC 와 일본 및 러시아의 협조도 이루어지고 있음을 설명하며 미측의 역할을 평가함.

- 베이커 장관은 이에 대하여 작년 11 월 APEC 서울 각료회의시 공동 기자회견에서 전기침 중국 외교부장이 한반도에서의 핵개발을 방지하여야 한다는 입장을 취한것도 긍정적 신호라고 하며, 미국으로서는 영변에 있는 것으로 알려진 핵 재처리 시설 문제의 해결을 중대한 과제로 간주하고 있다고 언급함.

정와대 중계	장관	차관	아주국	상황실	분석관	정와대	총리실	안기부

PAGE 1

92.07.27 00:09

외신 2과 통제관 EC

0139

- 이에 대하여 본직은 8.31. 로 예정된 차기 핵통제 공동위, 9.15. 남북 고위급 회담, 9.16. IAEA 이사회등 일정을 염두에 두고, 미측과 긴밀한 협의아래 북한 핵문제의 해결을 모색해나갈 것이며 김종휘 외교안보 수석이 내주에 방미, 미측과 일련의 협의를 갖게될 것임을 언급하였음.

3. 한. 러 관계 (처리)

- 소직은 9 월초 예정된 옐친 러시아 대통령의 방한, 그 기회에 서명될 한. 러 우호협정 조약, 경협문제등에 대하여 설명함.

- 베이커 장관은 한국측의 대 러시아 경협뿐만 아니라 중앙아시아 지역의 CIS 공화국, 몽골등에 대한 교류 증진을 환영한다고 언급함.

4. 미사일 기술 통제 체제(MTCR)

- 베이커 장관은 중국이 미사일 기술 통제체제를 존중하기로 함에 따라, 동북아시아에서 미사일 확산 방지에 커다란 기여를 하게 되었다고 하면서, 한국이 이를 서명하게되면 이러한 흐름에 더욱 박차가 가해질 것이라고 언급함.

- 소직은 이에 대하여 지난달 월포비츠 국방차관이 방한하였을때, 남북한이함께 미사일 기술 통제체제에 서명하는 방안이 협의 되었는바, 한국으로서는 시급한 북한의 핵문제 해결에 우선 모든 노력을 경주하고자 함을 설명 하였음.

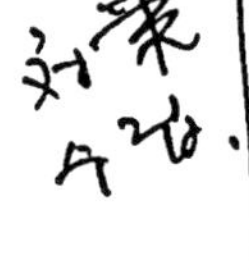

- 베이커 장관은 한국이 서명하게 되면 홀로남은 북한이 더욱 커다란 압력을 받게될 것이므로 이러한 차원에서 한국의 서명 문제를 검토해 줄것을 요망함.

- 소직은 이와함께 제네바 협상에서 곧 타결될 화학무기 금지 협약에 한국은 서명 방침임을 밝힌바 있음을 상기시키고, 북한의 화학무기 보유가 위협이 되고 있으므로 이에대한 대처 방안도 한미간에 협의 되어야 할것이라고 언급함.

5. 한. 미 통상관계

- 베이커 장관은 한. 미 양국간 통상 관계가 전반적으로 좋은 방향으로 가고 잇으나 쇠고기, 통신 및 지적 소유권등 오래된 문제의 해결이 아직 미흡하다고 하면서, 미국이 한국방위를 위하여 많은 지출을 하면서 미국 상품이 한국시장에 접근이 쉽게 허용되고 있지 않은점을 의회에 납득시키기가 매우 어려울 것이라고 말함.

- 이에 대해 소직은 한. 미간의 여러가지 통상현안이 최근에 해결되어 한. 미간의 통상 관계가 크게 개선되었음을 지적 하였음. 소직은 한. 미간의 최근 쇠고기 협상이 합의에 도달하지 못하였으나, 가능한 해결을 위하여 계속 노력할 것이라고 말하고

PAGE 2

0140

지적소유권 문제에 관해서는 우리정부 당국이 법집행 노력을 강화하고 있다고 설명하였음.

- 베이커 장관은 미국이 전체적으로 큰폭의 무역적자가 계속되고 있고 전반적으로 경제 상태가 어려운점을 감안하여 한국측이 보다 적극적인 자세를 취하여줄것을 요망하면서, 9 월 한. 미 양국 대통령이 만날때 진전된 통상관계를 보고 할수있게 되기를 희망함.

- 이에 대하여 소직은 정상회담 후속조치 (PEI)의 성과에 언급하여 8 월초에는 공동 건의안이 타결될 예정임을 설명 하였음.

예고: 92.12.31. 에일반문서
의거 일반문서로 재분류됨

PAGE 3

0141

관리번호	92-1929

외 무 부

종 별 : 지 급

번 호 : POW-0379 일 시 : 92 0729 1200

수 신 : 장관(미이,정특,구일,구이,기정)

발 신 : 주 폴부갈 대사

제 목 : 북한핵 문제(자료응신 92-72)

대:POW-0351

대:WPO-0258,0267

1. 당관 김참사관은 7.28(화) 외무성 DR.FERNANDES 아주국장 대리를 오찬, 면담하고 북한대사관 동정등을 탐문한바 결과 아래 보고함(MATOS 아주국장은 마닐라 출장중)

. 가. 동 담당관은 연호, EC 의 북한관계 선언문 관련, 주재국 외무성은 지난 7 월 초순 당지 북한대사관으로 부터 하기와 같은 -COMPLAINT- 공한을 접하였으며, 그후 7.8-9 EPC 아주국장 회의시 구두합의에 따라 동 공한(영어 번역문)을당지 주재 UN 회원국 공관에 지난주 CIRCULATE 하였다고 밝힘.

THE EMBASSY OF THE DEMOCRATIC PEOPLE'S REPUBLIC OF KOREA PRESENTS ITS COMPLIMENTS TO THE MINISTRY OF FOREIGN AFFAIRS OF THE PORTUGUESE REPUBLIC AND HAS THE HONOUR TO INFORM THE FOLLOWING CONCERNING THE EC STATEMENT ON THIS COUNTRY:

THE GOVERNMENT OF THE DEMOCRATIC PEOPLE'S REPUBLIC OF KOREA CANNOT AGREE WITH THE LINES EXPRESSED IN THE MENTIONED STATEMENT OF 29 JUNE 1992 SINCE THE OFFICIAL NAME OF THIS REPUBLIC IS NOT CLEARLY STATED AND AN UNILATERAL IMPOSITION HAS BEEN FORCED ON US.

IF THE EUROPEAN COMMUNITY PROCEEDS WITH A PARTIAL AND FAVOURITE POLICYTOWARDS WOUTH KOREA IT WILL NO DOUBT CONTRIBUTE TO THE WORSENING OF THE SITUATION IN THE KOREAN PENINSULA. FURTHERMORE THIS ATTITUDE IS NOT IN ACCORDANCE WITH THE COMMUNITY PEACEFUL POLICY AND WILL INCREASE THE DISTRUST ON THE IMPARTIALITY OF ITS MEMBER STATES.

미주국 장관 차관 1차보 구주국 구주국 외정실 분석관 청와대
안기부

PAGE 1

92.07.29 20:53

외신 2과 통제관 FR

* 원본수령부서 승인없이 복사 금지

0142

THE EMBASSY OF THE DEMOCRATIC PEOPLE'S REPUBLIC OF KOREA AVAILS ITSELFOF THIS OPPORTUNITY TO RENEW TO THE MINISTRY OF FOREIGN AFFAIRS OF THE PORTUGUESE REPUBLIC THE ASSURANCES OF ITS HIGHEST CONSIDERATION.

나. 동인은 또한 PINHEIRO 주재국 외상이 앞으로 EC 집행위원으로 자리를 옮길 가능성이 있으며 그후임 외상으로는 DRAO BARROSO 현 외무.협력 담당국무상이 유력시 된다고 발언함.

2. 김참사관은 이자리에서 대호 북한 핵 문제에 관한 우리측 입장을 설명하고 주재국의 협조를 요청함.

(대사 조광제-국장)

예고:92.12.31 일반

PAGE 2

0143

장택 — 지역연구
특안

관리번호	92/488

외 무 부

종 별 :

번 호 : AUW-0733 일 시 : 92 0902 1130

수 신 : 장관(아동,정안)

발 신 : 주 호주 대사

제 목 : 외무성 한국과장 외교단연설(자료응신 92-2호)

1. 외무성 MARY MCCARTER 한국과장은 9.1 당지 외교단 월례오찬에 초청연사로 참석, 한. 호관계의 중요성및 최근의 한반도 정세등 한국문제에 관해 연설함(당관에서는 김의택 서기관 참석)

2. 당지 미.일.중.러를 포함한 20 여개 대사관 관계관들이 참석한 동 오찬모임에서 MCCARTER 과장은 호주정부가 한국과의 관계증진에 지대한 중요성을 부여하고 있다고 말하고, 여사한 구체적 예로서 외무성이 지난 1 년간 외부전문가(CONSULTANTS)의 도움을 얻어 추진, 오는 10 월중순 발표예정인 "2 천년대의 한국" (KOREA 2,000)보고서 간행 및 오는 11 월 한국에서 개최예정인 대규모의 "호주주간 행사"(AUSTRALIA PROMOTION 1992)등을 열거함.

4. 동과장은 한. 소 수교및 한. 중 수교등 냉전종식후 한반도 주변의 대대적인 변화에도 불구하고 북한은 아직까지도 아무런 변화를 보이지 않고있으며, 특히 남북한 당사자간의 고위급 접촉에도 불구하고 북한의 기본적 태도에는 아무런 의미있는 변화가 없다고 보는것이 호주정부의 판단이라고 말함.

동과장은 이어서 지난 1 년간 주로 북한의 핵개발로 인해 국제사회의 북한에 대한 관심이 크게 증대되어 왔다고 말하고, 그러나 이는 관심이라기보다는 경각심이라고 보는것이 옳으며 이런 관점에서 만약 북한이 당초 핵개발을 협상카드로서 추진했다고 상정할경우에도 북한으로서는 득보다는 실이 많았을것으로 본다함.

5. 동과장은 한반도 주변 4 강이 내심으로는 한반도 통일을 불원하는것이 아니냐는

아주국 차관 1차보 외연원 외정실 분석관 청와대 안기부

PAGE 1

공람	안보통제관	년월일	담당	과장	심의관	국장	차관보	차관	장관

92.09.02 13:58
외신 2과 통제관 CH

0144

참석자(남아프리카)의 질문에 답변하면서, 호주정부는 지난 수년간 지역안보(REGIONAL SECURITY)필요성을 꾸준히 역설해 왔음을 상기시킨후, 여사한 지역안보협의기구의 설립은 한반도 통일에도 도움이 될수있을것으로 본다고 언급함. 끝.(대사 이창범-국장)

예고:92.12.31. 까지.

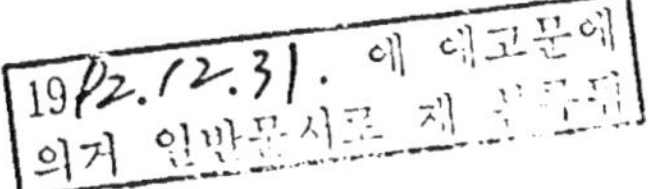
1992.12.31. 에 예고문에 의거 일반문서로 재분류됨

관리 번호	92-1372

분류번호	보존기간

발 신 전 보

번 호 : AM-0156 921015 1117 WG 종별 :

수 신 : 주 전재외공관장 대사//총영사//

발 신 : 장 관 (정특)

제 목 : 최근 북한의 외교책동 강화에 대한 대책

예고문에 의거 재분류(1993.6.30)
직위 성명

연 : EM - 0012 (92.4.24)

1. 북한은 IAEA에 의한 3회의 ~~북한~~ 핵사찰 실시, 한.중 수교(92.8) 및 남북간 부속합의서의 채택, 발효(92.9)등 최근 남북관계와 한반도 주변상황의 변화를 미수교국에 대한 관계개선 시도등에 적극활용하고 있으며 (92.9.25 북한-칠레 복교등), 이와관련하여 일부국가에서는 북한과의 수교 여건이 성숙되었다는 인식도 있어 이에대한 적절한 대책이 필요한 상황임.

2. 상기관련, 북한의 외교책동에 대한 대응방향 요지를 하기 통보하니, 주재국의 대북관계 개선 동향 대처시 적절히 활용바람.

(상기 대응방안 상세는 10.15 부터 파편송부함)
"최근 북한의 외교책동에 대한 우리의 대응방향"

3. 대응방향 요지

가. '핵문제 해결'과 '남북대화의 의미있는 진전'을 주재국의 '대북관계 개선'에 연계시키는 기존의 정부 입장을 계속 견지하여, 우리의 대외정책의 논리적 일관성을 유지토록 함.

1) '핵문제 해결'은 사찰규정이 채택되고, 남북 상호사찰이 실시되어 북한의 핵의혹이 해소되는 것을 의미함. (최근의 IAEA 조사결과로도 북한의 핵개발 의혹이 불식되지 않고 있음)

o "북한 핵문제가 해결되지 않을 경우 남북한 관계의 '실질적 진전' (대북경협포함)은 기대할 수 없으며, 핵문제가 해결될 경우 남북한 관계의 실질적 진전이 촉진될 수 있을 것"이 우리정부의 방침임

보안 통제	

/계 속/

앙 고 재	92년 10월 15일	특수정책과	기안자 성명	과 장	국 장	실장	차 관	장 관
			김광성			전결		

외신과통제

0146

2) '남북대화의 의미있는 진전'은 남북간 합의에 의해 구성된 4개 공동위원회를 통해 구체적 실천사항이 합의되어, 실천에 옮겨지는 것을 의미함.

o 최소한 「상대방에 대한 비방.중상중지」 와 「이산가족간 서신교환 및 정기적 왕래」가 실현 되어야 의미있는 진전으로 간주될 수 있음.

나. 기존의 정부입장을 지역별, 국가별로 탄력적으로 대응토록 함.

1) 미국, 일본과는 기존의 대북정책협조 기조유지

2) EC 에 대해서는 EC 의 일치된 대북정책이 북한 핵문제 해결과 남북관계 진전에 매우 유효함을 강조하고, 우리의 기존입장을 존중토록 협력 요청

3) 제3세계권(아주, 중남미, 중동아지역)국가에 대해서는 정부기존입장을 견지하~~다~~고, ~~대북관계개선을 무리하게 저지하지는 않는 선에서 대응~~

o 대북관계 개선 검토시에는 반드시 우리측과 사전 협의할 수 있도록 평소의 외교적 노력을 강화함.

o 대북관계 불개선을 조건으로한 무리한 요구(경협등)에는 응하지 않음.

다. 수교후 상주공관 설치기도시 저지필요성 여부

o 지역 및 국가의 중요도나 우리나라와의 관계정도에 따라, 중요국가에 대해서는 수교를 했더라도 상주공관 설치는 허용하지 않도록 외교적 노력 계속 경주

- 중요도가 덜한 국가에 대해서는, 상주공관 설치 허용시 외교적 항의나 불만을 표시하는 선에서 대응토록함. 끝.

(외정실장 이 승 곤)

예 고 : 93.6.30. 일반

0147

관리 번호 92-1364

외 무 부

종 별 :

번 호 : GEW-1917 일 시 : 92 1015 1600

수 신 : 장관(국기, 미안, 정특)

발 신 : 주 독 대사

제 목 : IAEA 담당 관계관 접촉

대:WGE-1397

1. 대호관련, 10.15. 전부관 참사관은 외무부 FLEISCHER IAEA 담당관을 오찬에 초청, 그간 협조에 사의를 표하였음

2. 동담당관은 북한 핵문제 관련, 남. 북한 상호 핵사찰문제에 언급하면서 주재국 정부로서는 IAEA 에 의한 핵사찰 뿐만 아니라, 남. 북한 상호 핵사찰의 실현을 지지하는 입장이므로 외무부로서는 대오설명등을 위하여 상호 핵사찰문제와 관련한 남. 북간의 협상 진전현황, 부진이유, 남. 북한 입장차이등에 관하여 보도 상세히 알기를 희망한다고 하고, 그간 당관의 설명및 주한대사관의 보고등을 통하여 이에 관하여 대체로 파악하고 있으나, 상세한 설명자료가 있으면 전달해주기 바란다고 하였음

3. 상기관련, 앞으로 주재국 외무부와의 계속 협조를 위하여 적절한 설명자료를 전달함이 필요할 것으로 사료되는바, 관계 영문 설명자료를 가능한대로 당관에 송부바람. 끝

(대사-국장)

예고:92.12.31. 일반

국기국	장관	차관	1차보	미주국	외정실	분석관	청와대	안기부

PAGE 1

92.10.16 05:36

외신 2과 통제관 EC

0148

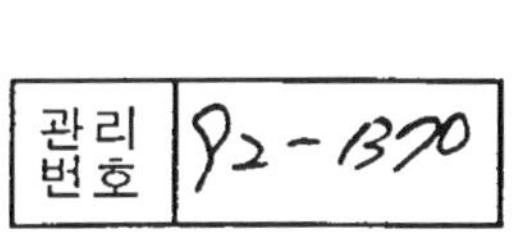

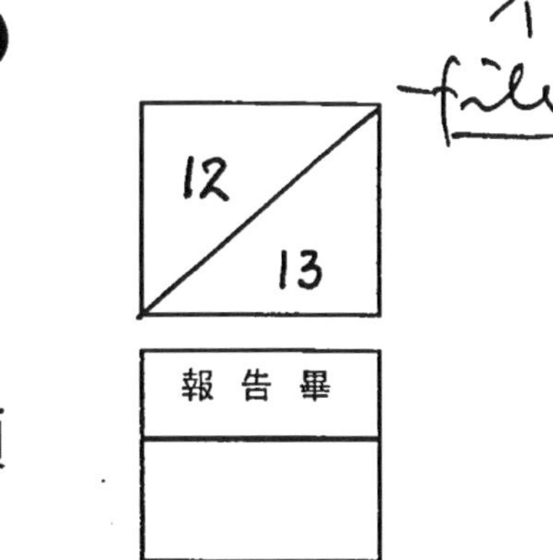

長 官 報 告 事 項

報 告 畢

1992.10. 16.
美 洲 局
北 美 1 課(104)

題 目 : 15차 카나다·북한 북경 접촉

92.10.12 (월) 제 15차 카나다·북한 북경 참사관급 접촉이 개최된 바, 동 주요 내용을 하기 보고합니다.(동 내용은 주한카나다 대사관측이 10.16. 전달해옴)

1. 대화 요지

【 북한 미사일 수출 】

- o 카측, 북한의 대파키스탄 미사일 기술 수출에 대한 우려 전달
- o 북측, 그러한 미사일 기술 수출을 한 적도 없고, 진행중에도 있지 않다고 부인
  - 카측의 우려 표명을 국내문제 간섭으로 비난

【 다자군축 문제 참여 】

- o 카측, 북한이 핵비확산 조약 (NPT), 화학무기 협약 (CWC) 및 UN의 국제 재래식무기 이전등록 제도에 대해 지지할 것을 요청
- o 북측, 카·북한 접촉은 양자 문제에 국한 할 것을 요구하고, 상기 문제에 대한 언급 회피
  - 카측이 북한과의 관계에 있어 독자적 노선을 갖도록 요구

예고문에 의거 재분류(19
직위 성명

【 북한 핵문제 】

- o 북측, IAEA 임시사찰 3회 실시사실 언급후, 카측이 한국 및 미국측에게 주한미군 시설을 개방하도록 요청해 줄 것을 요구
  - 북한은 "동시사찰(simultaneous inspection)" 을 제의하고 있으나, 한국과 미국은 핵무기와 주한미군을 계속 보유하려고 이를 거부하고 있다고 비난

0149

【 한 · 중 수교 】

o 카측, 한 · 중 수교가 남 · 북한 관계에 미치는 영향에 대한 북측평가 문의

o 북측, 중국 이붕 수상이 북한 · 중국 관계는 아무런 변화가 없다고 언급한 바 있다는 말만하고, 평가는 회피

【 남 · 북 관계 】

o 북측, 평화통일을 위한 북측노력 설명후, 한국측이 외세의 개입을 이용, 힘을 바탕으로 한 정책 (Policy of Strength) 를 사용하고 있다고 비난

- 최근 화해공동위 설치등 남 · 북대화 진전 언급

【 북태평양 안보 대화 】

o 카측, 카나다의 북태평양 다자안보 대화 개념에 대해 설명한 바, 북측은 1993.3. 뱅쿠버에서 개최 예정인 안보대화 워크샵에 참가하기를 희망 한다고 답변

2. 평 가

o 카나다측은 미국과 보조를 맞추어 안보 · 군축 관련 문제를 강조함.

o 북측은 카측의 독립적 자세를 요구하면서, 핵 · 미사일 문제에 있어 억지 주장을 계속

- 단, 카측의 다자안보 대화 제안에 계속 관심을 표시

- 끝 -

예 고 : 92.12.31. 일 반

0150

관리 번호	92 -1380

	분류번호	보존기간

발 신 전 보

번 호 : WUK-1831 921020 1708 WG 종별 : 지급

수 신 : 주 수신처 참조 대사. ~~총영사~~

발 신 : 장 관 (미이)

제 목 : 제9차 남북핵통제공동위

WAU -0877 WCN -1050
WGV -1578 WRF -3237
WGE -1458 WFR -2078
WEC -0754

1. 제9차 JNCC 회의가 10. 22(목) 10:00 판문점 북측지역 통일각에서 개최될 예정임.

2. 금번 회의 개최 경위는 아래와 같으며, 9차 JNCC 회의 결과는 추보하겠음.

- 10. 16. 북 측 제9차 본회의 개최(10. 23) 제의
- 10. 19. 우리측 위원장 단독 접촉(10. 22) 제의
- 10. 20. 북 측 제9차 본회의 개최(10. 22) 수정 제의
- 10. 22. 우리측 북측 수정 제의 수락 끝.

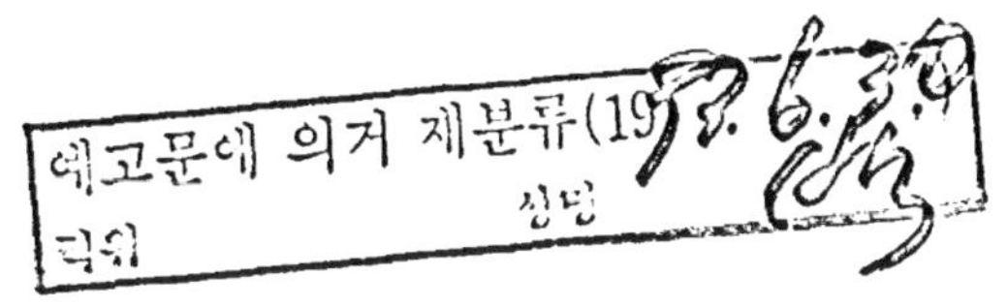

(미주국장 정태익)

수신처 : 주영, 카나다, 호주, 제네바, 러시아, 독일, 불란서, EC 대사

예 고 : 1993. 6. 30. 일반

보 안 통 제	

앙 고 재	92년 10월 20일	북미2과	기안자 성 명		과 장	심의관	국 장		차 관	장 관
			김진욱				전결			

외신과통제

0151

공 란

공 란

공　　　란

공 란

공 란

공　　　란

공 란

공 란

報 告 事 項

92. 10. 30.
안보정책과

제목 : 한반도 문제 전문가 방북 결과

호주국립대학 (The Australian National University) 외교학부 소속 한반도 문제 전문가 Dr. James Cotton은 10.20-26간 북한 군축평화문제연구소 초청으로 방북한 바 동인의 관련 언급요지는 아래와 같음.
(외정실 조상훈 제2정책 심의관 접촉 92.10.29)

(핵사찰 문제)

o 북한 체류중 핵통제공동위원회 북측 위원장 최우진과 군축평화문제연구소 부소장 김병홍을 면담한 바, 양인은 현재까지 있었던 4차에 걸친 IAEA의 핵사찰에 언급하면서 IAEA 사찰팀이 사전에 합의된 사찰대상 외에 임의로 1개 대상을 추가로 지정하여 사찰하기를 희망했으며 북측도 이를 수용하여 융통성 있게 대처해왔다고 강조하고 Hans Blix 사무총장 방북시에도 동 사무총장이 지하터널을 보기를 희망하여 실현되었음을 강조하였음.

o 북측은 남북한간의 상호사찰에 관해서도 현재 남측이 제시하고 있는 정도의 사찰 규정내용은 수용할 수 없으나, IAEA의 사찰을 통해 발전된 사찰형태를 감안하여 남북간의 정규사찰에 추가로 제한된 대상에 대해 특별사찰은 허용하는 정도의 융통성을 부여하는데 북측으로서는 이의가 없다는 입장을 보였음.

0160

(북한 정세)

o 지방에서 학생들이 이삭을 줍는 모습, Black market의 만연현상(불화와 북한 원화의 환율 1 : 2.1, Black Market 환율 1 : 400), 체류하고 있던 고려호텔 투숙객 3, 40명 정도등에 비추어 경제사정이 극히 않좋다는 인상을 받음.

o 그러나 제한된 것이나 Master 신용카드가 통용되거나, 고려호텔내 가라오케 영업이 허용되는 점, 김일성이 최근 발간된 전기에서 자기 아버지의 숭실학교 재학과 기독교도였다는 점을 밝힌점, 두만강 개발 프로젝트에 관한 북한관리들의 적극적인 설명등 아직 미미하나마 변화의 징조를 감지할 수 있었음.

o 두만강 개발사업은 체제에 미칠 부담때문에 북한내부에서 약 5년간의 논쟁을 거쳐 본격적으로 추진키로 결정한 것으로 보인다고 주북한 스웨덴대사가 언급 했음.

o 북한 현체제는 장기적으로는 붕괴할 것으로 보는 것이 논리적으로 타당하나 어느정도 자급경제체제를 유지하고 있으므로 가까운 장래에 붕괴할 것으로는 보지 않음. 동독의 경우는 동구권 전체와 가지고 있던 교역 관계가 붕괴함에 따라 체제를 유지할 수 없었으나 북한은 다르다고 봄.

o 호주 국립대학이 김일성대학 학생 1명을 장학생으로 초청코자한다는 제의에 대해 북측은 전혀 반응을 보이지 않았음. 끝.

0161

관리 번호	92 -196

분류번호	보존기간

발 신 전 보

AM-0164 921104 1806 CR

번 호 : 종별 :

수 신 : 주 전재외공관장 대사//총영사///

발 신 : 장 관 (정특)

제 목 : 북한, 11월개최 남북공동위 회의 불참 성명 발표

우리측의 93년도 팀스피리트(T/S)훈련재개 계획과 관련 그간 각종 성명등을 통해 남북대화의 중단가능성을 경고해왔으나, 11.3.에는

1. 북한은 ~~우리측이~~ 연례적으로 실시해온 「화랑」 및 「독수리」 군사훈련(11월초)을 남북간의 제반 합의사항에 대한 이행포기 선언이라고 비난하면서, 11월개최 분야별 남북공동위 회의에 불참하겠다고 4개 공동위 북측 위원장 명의의 연합성명을 통해 ~~11.3.~~ 발표함. (동 성명은 이어 화랑·독수리 훈련의 즉각 중지 및 11월말까지 T/S 훈련 철회를 요구하고, 남북공동위 회의의 12월 재개를 위한 남측의 책임있는 조치를 촉구함.)

92.12.31. 에 일반문서로 재분류됨

2. 상기에 대해 정부는 11.4. 통일원장관 명의의 대북성명을 통해 남측의 통상적인 군사훈련을 구실로 상호합의한 대화를 파기한 것은 용납할 수 없는 태도라고 북측 주장을 반박하고 '공동위'의 예정대로의 개최 및 상호핵사찰, 이산가족 교환방문 조속 실현을 촉구함.

3. 북측 성명 분석 및 평가

   o 대외적으로는 T/S훈련을 핵전쟁연습으로 왜곡.부각시켜 미.일등 서방으로부터의 대북 핵압력 약화 기도

   o 대내적으로는 T/S훈련을 구실로 위기의식을 조장, 내부 체제이완을 최대 방지 의도

   o 대남 측면에서는 「남한 조선노동당」 사건에 대한 관심의 상대적 완화도모

/계 속/

미주국장: [signature]

보 안 통 제	[signature]

앙 고 재	92년 11월 4일	특수정책과	기안자 성명		과 장	심의관	국 장	실장	차 관	장 관
			남상정		[signature]	[signature]		전결 [signature]		[signature]

외신과통제

0162

o 금번 성명에서 '핵통제공동위'를 제외시킨 것은 핵문제가 국제적 성격을 띠고 있어 핵통제공동위 회의마저 중단할시 따를 국제적 압력을 고려한 것으로 보이나 핵통제공동위 개최 전망도 불투명.

o 현상황하에서는 제9차 남북고위급회담(12.21-24)도 개최가 어려울 것으로 예상됨.

4. 북측은 상기성명에 앞서 11.2. 외교부 성명을 통해 T/S 훈련이 중단되지 않을 경우 IAEA 핵사찰이 중단될 수도 있음을 시사한 바, 11.3. 고위급회담 우리측 대변인은 북한이 12월 예정의 고위급 회담시까지 상호 핵사찰을 받을 경우 93년도 T/S 훈련을 중단할 것임을 밝힌 바 있음.

(외정실장 이 승 곤)

예 고 : 92.12.31. 일반

0163

외교문서 비밀해제: 북한 핵 문제 14

북한 핵 문제 우방국 협조

초판인쇄 2024년 03월 15일
초판발행 2024년 03월 15일

지은이 한국학술정보(주)
펴낸이 채종준
펴낸곳 한국학술정보(주)
주 소 경기도 파주시 회동길 230(문발동)
전 화 031-908-3181(대표)
팩 스 031-908-3189
홈페이지 http://ebook.kstudy.com
E-mail 출판사업부 publish@kstudy.com
등 록 제일산-115호(2000. 6. 19)

ISBN 979-11-7217-087-5 94340
979-11-7217-073-8 94340 (set)